AKAL UNIVERSITARIA
serie: interdisciplinar

Director: J. C. Bermejo Barrera

Maqueta RAG

Ramón Akal González
Paseo Sta. María de la Cabeza, 132 - Madrid-26
Telfs.: 460 32 50 - 460 33 50
ISBN: 84-7339-704-5
Depósito legal: M-9864-1984
Impreso en España
Impreso en: Talleres Gráficos Peñalara, S. A.
Ctra. Villaviciosa a Pinto, Km. 15,180
Fuenlabrada (Madrid)

BENNETT SIMON

RAZON Y LOCURA EN LA ANTIGUA GRECIA

LAS RAICES CLASICAS DE LA PSIQUIATRIA MODERNA

Traducción:
Felipe Criado Boado

AKAL EDITOR

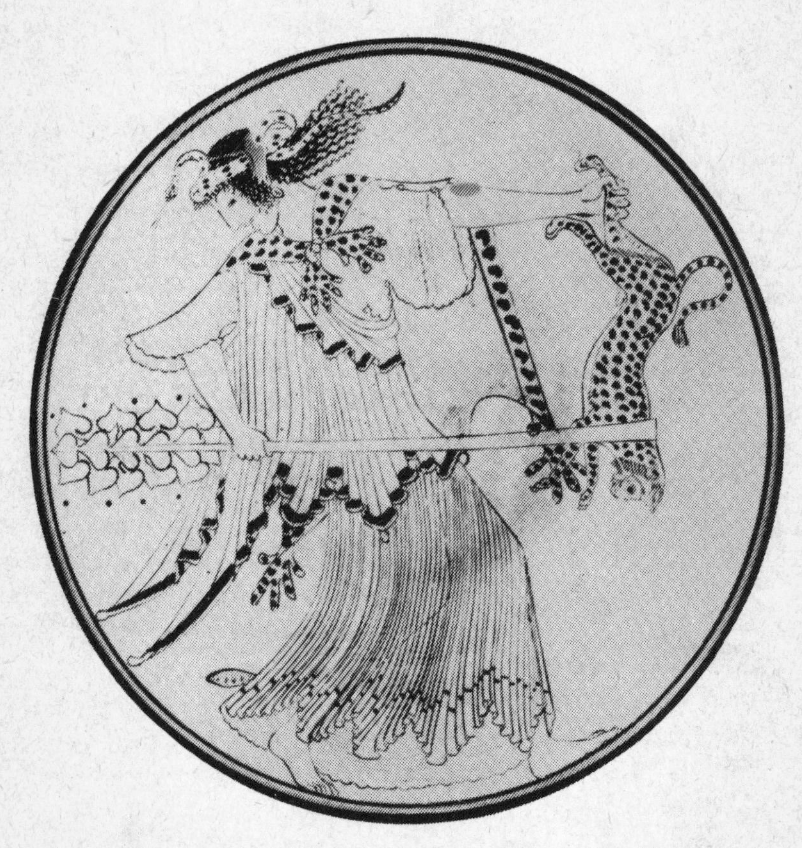

Ménade con piel de leopardo y cinta en el pelo de serpiente. Lleva un tirso y un cachorro de leopardo.

Interior de un kilix ático de fondo blanco pintado por Brigos. Siglo V a.C. Staaliche Antikensammlungen und Glyptothek, Munich.

(página anterior)

Agave llevando la cabeza de Penteo. Entalle de un anillo de piedra. The Metropolitan Museum of Art, New York. Donación de W. Gedney Beatty, 1941 (pág. siguiente).

Para Nancy, en el Jardín de los Asfodelos.

ABREVIACIONES

AHD	*The American Heritage Dictionary.*
AHP[2]	S. Arieti, ed. *American Handbook of Psychiatry,* 2.ª edc., (New York, 1974).
AJP	*American Journal of Philology.*
Am. Im.	*American Imago.*
Am J. Psychiat.	*American Journal of Psychiatry.*
Arch. Gen. Psychiat.	*Archives of General Psychiatry.*
Brit. J. Psychiat.	*British Journal of Psychiatry.*
Bull. Hist. Med.	*Bulletin of the History of Medicine.*
Bull. Instit. Class. Stud.	*Bulletin of the Institute of Classical of the University of London.*
Class. Bull.	*Classical Bulletin.*
CP	*Classical Philology.*
CQ	*Classical Quaterly.*
CR	*Classical Review.*
CTP[2]	A. M. Freedman, H. I. Kaplan, y B. J. Sadock, *Comprehensive Textbook of Psychiatry,* 2.ª edc. (Baltimore, 1975).
Freud, *SE.*	*Standard Edition of the Complete Psychological Works of Sigmund Freud,* edc. y trad. J. Strachey, A. Freud, A. Strachey, y A. Tyson, 24 vols., (London, 1955-74).
GRBS	*Greek, Roman and Byzantine Studies.*
HSCP	*Harvard Studies in Classical Philology.*
Int. J. Psa.	*International Journal of Psycho-Analysis.*
Int. J. Soc. Psychiatry.	*International Journal of Social Psychiatry.*
Int. Rev. Psa.	*International Review of Psycho-Analysis.*
J. Am. Hist.	*Journal of American History.*
J. Am. Med. A.	*Journal of the American Medical Association.*
J. Am. Psa. A.	*Journal of the American Psychoanalytic Association.*
J. Hist. Behavioral Sciences.	*Journal of the History of the Behavioral Sciences.*
J. Hist. Ideas.	*Journal of the History of Ideas.*

JHS	*Journal of Hellenic Studies.*
J. Nerv. and Mental Diseases.	*Journal of Nervous and Mental Diseases.*
LCL	Loeb Classical Library
LSJ	H. G. Liddell, R. Scott, y H. S. Jones, *A Greek-English Lexicon,* 9.ª edc., (Oxford, 1940; reimpreso en 1961).
Mus. Helvet.	*Museum Helveticum.*
*OCD*²	*The Oxford Classical Dictionary,* 2.ª edc.
OCT	Oxford Classical Texts.
OED	*The Oxford English Dictionary.*
Proc. Brit. Acad.	*Proceedings of the British Academy.*
Psa. and Contemp. Sci.	*Psychoanalysis and Contemporary Science,* ed. por R. R. Holt y E. Peterfreund, (New York, 1972)
Psa. Q.	*Psychoanalytic Quaterly.*
Psa. R.	*Psychoanalytic Review.*
Psa. Study Child.	*The Psychoanalytic Study of the Child.*
Psa. Study Soc.	*The Psychoanalytic Study of Society.*
RE	A. Pauly. G. Wissowa, y W. Kroll. *Realencyclopädie der klassischen Attertumswissemschaft.* (Stuggart, 1894).
REG	*Revue des études grecques.*
Rev. fr. psa.	*Revue française de psychanalyse.*
Rh. M.	*Rheinisches Museum für Philologie.*
TAPA	*Transactions of the American Philological Association.*
TLS	*Times Literary Supplement,* (London).
Trans. Am. Philos. Soc.	*Transactions of the American Philosophical Society.*
YCS	*Yale Classical Studies.*

PREFACIO

> Ben-Zoma solía decir: ¿Quién es sabio? Aquél que aprende de todos los hombres. Como se dice en las Escrituras: «de todos mis maestros yo he aprendido».
>
> *Preceptos de los Padres, El Talmud.*

Este libro es el resultado de la conjunción de dos pasiones: una por los clásicos griegos y otra por la psiquiatría y el psicoanálisis. Me di cuenta por primera vez de la posibilidad de una unión de este tipo cuando leí el libro de E. R. Dodds *The Greeks and the Irrational,* siendo todavía un estudiante. Unos diez años más tarde, después de haber completado mi formación médica y psiquiátrica, comenzaron a tomar forma las ideas básicas de ese libro. Durante ese tiempo aprendí de otros intentos de sintetizar los conceptos de la psiquiatría moderna con los estudios clásicos, entre ellos de la magistral historia de la psiquiatría de Werner Leibbrand y Anna-Marie Wettley, *Der Wahnsinn,* de *The Glory of Hera* de Philip Slater, y de los trabajos de Pedro Laín Entralgo. Los lectores familiarizados con los estudios de esos autores encontrarán muchos puntos de convergencia entre su pensamiento y el mío propio.

El problema central de la psiquiatría contemporánea es entender y resumir la confusa variedad de modos con los que conceptualizamos los orígenes, la naturaleza y el tratamiento de las enfermedades mentales. Este libro intenta considerar dicha cuestión explorando el pensamiento de la antigüedad griega, un período vital de la historia de la psiquiatría.

Definir la amplitud de la psiquiatría moderna es una tarea formidable. Sin tener una idea precisa de lo que es la psiquiatría es imposible escribir nada sobre su historia, exceptuando la utilización del pasado para iluminar la psiquiatría que conocemos en la actualidad. Antes de entrar en una discusión pormenorizada de los precedentes antiguos que tienen los modelos contemporáneos sobre las enfermedades mentales, exploraré aquella dificultad y delinearé algunos intentos previos para definir la conjunción entre la psiquiatría antigua y la actual. A través del análisis de Homero, de los trágicos, de Platón y de Hipócrates, indago en la naturaleza y en los orígenes de las dos polaridades fundamentales de la psiquiatría contemporánea: modelo intrapsíquico *versus* modelo social de los orígenes y tratamiento de los trastornos mentales, y modelo médico *versus* modelo psicológico. La aplicación de todos estos modelos a la explicación de unas condiciones particulares se presenta en el estudio de un caso concreto de histeria. Finalmente concluiré considerando los requisitos necesarios para lograr una síntesis de esas perspectivas divergentes.

El presente trabajo defraudará a todo aquél que venga buscando una contestación al problema de qué modelo es mejor y cuáles pueden ser descartados. Nuestro estudio es una contribución a la historia, a la sociología y a la valoración global de cada uno de los modelos modernos. El verdadero valor de cada modelo se podrá averiguar sólo si estamos preparados para tener plenamente en cuenta todas esas dimensiones.

Pronto se descubrirá que yo no sólo exploro los precedentes del psicoanálisis en la Grecia antigua, sino también el valor de éste como un instrumento de investigación histórica. A pesar del riesgo que suponen las posibles confusiones metodológicas, he encontrado que el psicoanálisis es de una gran utilidad para clarificar las cuestiones planteadas por los pensadores de la antigüedad, así como las soluciones propuestas por ellos.

Quizás, entonces, sería hermoso decir que lo que empezó como un análisis histórico termina siendo una exposición de ciertos problemas fundamentales e ineludibles que aparecen siempre que la gente se pone a pensar seriamente acerca de la mente y de sus aberraciones. Efectivamente, he descubierto el boceto de ciertas estructuras básicas que, a través de diversas permutaciones y combinaciones, se transforman en los bloques que componen la teoría y práctica psicoanalítica.

Un trabajo de este tipo es a la larga una síntesis personal, y las preferencias sobre las cosas que se deben incluir y excluir en ella no están gobernadas únicamente por consideraciones de tiempo y espacio. El lector que espere encontrar aquí un cuadro comprensible de la «psiquiatría» de la Grecia antigua se dará cuenta de que han sido omitidos o desatendidos algunos tópicos importantes, entre ellos la poesía lírica, la retórica, la historia, y, mucho más lamentablemente, la obra de Aristóteles. Los períodos Helenísticos y Greco-romanos requieren tratamientos independientes. Asimismo, algunos temas importantes de la psiquiatría popular, tales como el culto curativo de Esculapio, diversos rituales, y el uso de la adivinación, oráculos y sueños, no podrán ser considerados con el detalle que se merecen. Podría parecer que estos tópicos amplían el hiato entre la psiquiatría antigua y la moderna, pero si nuestra definición de ésta última se ensanchara, incluyendo dentro de ella este tipo de prácticas en los tiempos actuales, ese hiato se haría mucho más estrecho. Si los aspectos elegidos por mí resultan útiles al lector, y si permiten a alguien observar cosas familiares en las nuevas perspectivas, entonces habré tenido éxito en mi misión.

La lista de personas que me han ayudado es muy amplia, pero tal vez un psicoanalista se pueda permitir cierta dosis de indulgencia al rastrear las fuentes de este trabajo. Mi padre, ahora desaparecido, y mi madre, aunque no siempre comprendieron completamente mis intereses, estimularon mi amor por el aprender. Mi hermana, Diana Maine, fue mi primera maestra de latín y griego. En el Erasmus Hall High School, Harry E. Wedeck me mostró que el estudio de la cultura clásica es el estudio de la *humanitas*. Como estudiante de Harvard, examinándome de griego y hebreo al mismo tiempo que de mis restantes estudios médicos, sufrí la influencia del pensamiento de brillantes maestros y cualificados profesores. En particular debo mucho a Eric A. Havelock, con el cual he tenido la suerte de mantener una buena relación a lo largo de los años. Mi deuda con él por el estímulo que siempre supuso para el presente trabajo es muy profunda.

En el College of Physicians and Surgeons aprendí mucho de destacados profesores clínicos acerca de las virtudes del modelo médico. Durante mi residencia psiquiátrica en el Albert Einstein College of Medicine tuve la oportunidad de trabajar con el Dr. José Barchilon y aprovecharme de sus seminarios sobre psicoanálisis y literatura. El Dr. Milton Rosenbaum facilitó materialmente mi búsqueda de lo que deben haberle parecido más bien intereses ocultos, y el Dr. Morton Reiser me ofreció su apoyo e inestimable crítica en las etapas iniciales de este trabajo. El Dr. Herbert Weiner, mi mentor, me alentó a través de la colaboración colegial, y firmó conmigo «Models of Mind and Mental Illness in Acient Greece», mi primer artículo publicado sobre este tema. A lo largo de los años él me ha dado gran parte de su inmenso almacén de sabiduría. El Dr. William Grossman también me ofreció la oportunidad de trabajar con él, y su continuo interés por este trabajo, así como las cuidadosas lecturas que hizo de sus primeras versiones, tienen un valor incalculable. En el New York Psychoanalytic Institute, donde recibí una excelente formación sobre la teoría y práctica del psicoanálisis, el Dr. David Beres me ayudó a «conocerme» en puntos muy concretos. El Dr. Peter Laderman había sido previamente de una gran ayuda en este esfuerzo.

Joseph Russo trabajó conmigo sobre algunos problemas de la psicología homérica. Su lectura crítica de algunas partes de este manuscrito y su prolongado interés le son reconocidos con merecido agradecimiento. Terence Irwin a menudo me sirvió de oyente crítico, y fue muy útil al enfrascarme con algunos problemas específicos presentados por los diálogos de Platón. El Dr. Charles Ducey, estudiante, colega, profesor y compañero de armas, me fue de gran servicio por sus cuidadosas lecturas del trabajo. Mary Lefkowitz leyó los capítulos dedicados a la tragedia y a la histeria. El Dr. George Devereux de París me ha alentado enormemente, y me ha hecho numerosas sugerencias muy útiles. Los trabajos publicados por él han sido de inmensa importancia, aunque, por desgracia, su *Dreams en Greek Tragedy* apareció demasiado tarde para haberla podido utilizar tanto como yo habría querido. Friedholf Kudlien de Kiel, de cuyos trabajos sobre la medicina griega he aprendido mucho, revisó los capítulos sobre el modelo médico.

El Dr. Stanley Reiser me animó a emprender el libro y me ayudó cuando inicié en Harvard un seminario de estudiante sobre modelos de locura. El Dr. John Mack, mi catedrático en el Cambridge Hospital, facilitó mi labor de redacción y me proporcionó un modelo con su importante trabajo sobre psicoanálisis aplicado. Los Drs. James Beck, William Binstock, Stanley Palombo y George Vaillant leyeron y me comentaron diversas partes de este libro.

La Boston Psychoanalytic Society me facilitó un clima de aceptación del trabajo interdisciplinar. Su biblioteca y bibliotecaria, Ann Menashi, me resultaron extraordinariamente útiles. El apoyo moral y las oportunidades para discutir algunas secciones de este trabajo vinieron del Group for Applied Psychoanalytisis y de un grupo de estudios sobre los clásicos y el psicoanálisis. El National Institute of Mental Health me suministró las ayudas materiales imprescindibles para este trabajo*. Un John Simon Guggenheim Memorial Fellowship me permitió disponer de tiempo libre para repensar y trabajar de nuevo las secciones sobre mito y tragedia.

Phil Patton, Paul Brasuel, Paul Scham y Elizabeth Genovese me ayudaron como asistentes de la investigación y traductores del material en francés y alemán. Bárbara Behrendt y Kim O'Brian mecanografiaron los primitivos borradores y Carol Kassabian preparó detenidamente las versiones finales.

Mantengo una deuda especial con Maureen Fant, la cual colaboró ayudando a preparar las notas y suministrando eruditos consejos editoriales. Su auxilio en las revisiones del manuscrito final fue imprescindible, así como la cuidadosa preparación que hizo del mismo para su publicación. Ella aportó tanto crítica como aliento en las coyunturas cruciales.

Los editores de Cornell University Press me proporcionaron una colaboración considerable con los informes de dos lectores. Uno de ellos, anónimo, me ayudó a conseguir cierta economía de forma y contenido, y Diskin Clay me corrigió numerosos errores de datos e interpretación, y me aportó oportunas advertencias en los momentos en que discrepaba de él.

Con gran tristeza rememoro mi gratitud a mi difunta esposa Nancy. Ella fue la que leyó numerosos borradores, comentándolos con entusiasmo y espíritu crítico, ayudándome en muchos detalles, y, sobre todo, proporcionándome un ambiente que facilitó mi dedicación a esta obra. Una de sus grandes penas fue no vivir lo suficiente para ver aparecer este libro.

Mis hijos, Jonathan y Amy, crecieron según el trabajo iba progresando. Si primero fueron mudos observadores, más tarde se convirtieron en interlocutores interesados y cualificados de nuestro diálogo.

El único premio apropiado para agradecer la ayuda de todas estas

(*) Subvenciones número 571-NH-6418, 1963-65, y número IROI-MH-2459, 1973-75

personas y de muchas otras no citadas en estas páginas, es conseguir un buen libro. Sus defectos son exclusivamente responsabilidad mía.

B.S.
Wayland, Massachusetts.

NOTA SOBRE LAS TRANSCRIPCIONES

Ya que el método de transcripción empleado en esta obra puede parecer caprichoso, se impone una nota explicativa. En general prefiero transcribir directamente a partir del griego, y no a través del latín, de tal modo que la palabra *σωφοσύγη*, por ejemplo, la transcribo como *sophrosune,* y no como *sophrosyne.* Los nombres propios más familiares se ofrecen siempre con su forma más común, derivada del latín. Por lo tanto, escribiremos Aquiles, Ayax, Circe y Cíclope, en vez de Achilleus, Aias, Kirke o Kyklops. Las citas de transcripciones conservan la ortografía del transcriptor.

LA CITA DE LAS REFERENCIAS CLASICAS

El lector que no esté familiarizado con las fuentes clásicas se podrá sorprender de la variedad de métodos de cita. Los clasicistas tienden actualmente a utilizar como forma prototípica el tipo de cita usado en el *Greek English Lexicon* de H. G. Liddell, R. Scott y H. S. Jones, novena edición (citado como LSJ). En esta obra se emplean muchos tipos de cita diferentes, y que representan una solución de compromiso entre las formas familiares a los especialistas en estudios clásicos y aquéllas más comunes entre los no especialistas.

Las citas de la *Ilíada* y la *Odisea* se ofrecen bajo la forma «*Ilíada* 3.414-18», refiriéndose con ello al Libro 3, líneas 414-18. Por desgracia , algunas de las transcripciones más utilizadas no tienen numeradas las líneas. Así le ocurre a la *Ilíada* de Richmond Lattimore; en cambio su *Odisea* sí que presenta líneas numeradas, al igual que la *Ilíada* de Robert Fitzgerald.

Las referencias a los diálogos de Platón se dan como «*República* 513A», refiriéndose con ello a la sección 513, subsección A (las subsecciones van de la A a la E). Esta es la forma de anotación empleada en los textos griegos más corrientes y en algunas transcripciones inglesas, principalmente en las ediciones de la Loeb Classical Library. La transcripción de Benjamín Jowett únicamente utiliza números de sección, pero esto no representa un inconveniente de demasiada importancia. *La República* también se cita muchas veces por el libro (son diez libros). Sin embargo, siempre que sea posible, prefiero citar los pasajes por su número y letra.

Igualmente, al citar las obras de Aristóteles, sigo la numeración de los textos griegos más usuales, que es la forma más frecuentemente utilizada en todas las transcripciones. *Poética* 1453a27 se refiere a la sección 1453, subsección a (únicamente hay dos subsecciones: a y b), línea 27. El lector puede usar las ediciones de la Loeb Classical Library, o los volúmenes de *The Works of Aristotle Translated into English* (publicada por Clarendon Press, Oxford). Sólo una obra, los

Problemata, es citada por la sección, que es el tipo de cita más comunmente empleado para referirse a esta obra relativamente oscura, y el que se utiliza en la edición de Loeb.

Los fragmentos de los pre-socráticos se citan con la forma empleada en la edición Diels-Krans de textos griegos y en la transcripción alemana (H. Diels, ed., *Die Fragmente der Vorsokratiker,* completada por W. Kranz, ediciones 5.ª, 7.ª, Berlín, 1934-1954). La forma de la cita es «Anaxágoras B5», que hace referencia al quinto fragmento del grupo de fragmentos designados como B. En esta obra únicamente se utilizan los fragmentos B, es decir, aquellos que Diels y Kranz consideran que son verdaderos. Los fragmentos designados A son paráfrasis. Desgraciadamente, no existe ninguna versión inglesa comparable. *Ancilla to the Pre-Socratic Philosophers* de Kathleen Freeman (Cambridge, Massm 1948) es una transcripción casi completa de los fragmentos B, pero sus transcripciones son bastante engañosas. La obra de Geoffrey S. Kirk y J. E. Raven *The Presocratic Philosophers,* aunque no está completa, es bastante mejor que la anterior. En ella se ofrecen textos griegos y transcripciones de muchos de los pasajes citados más asiduamente en la literatura clásica y filosófica, así como comentarios muy provechosos.

La citas de Hipócrates son difíciles de presentar bajo una forma determinada. En inglés no se ha publicado ninguna versión completa de la obra de Hipócrates, y las versiones que existen en dicha lengua no respetan la organización del texto griego más frecuentemente utilizado, los diez volúmenes de E. Littré *Hippocrate: Oeuvres complètes,* (París, 1849). Las citas de Hipócrates que aparezcan en la presente obra son ofrecidas de tal forma que puedan ser localizadas en Littré (título, número del volumen de Littré y página) o en la edición de la Loeb Classical Library.

Los demás autores, entre los que se incluye Galeno, y que sólo aparecerán excepcionalmente, son citados de forma que puedan consultarse en las ediciones de la Loeb Classical Library, o en cualquier otra transcripción que se especificará en la nota.

I

TEMAS EN EL ESTUDIO DE LA MENTE

1

SOBRE LA CONFUSION DE LENGUAS EN LA PSIQUIATRIA CONTEMPORANEA

> «*¿Qué es un psiquiatra?*» De acuerdo con mi definición, un psiquiatra es una persona sorprendentemente rara incluso dentro de ese grupo en el cual se ha graduado a partir de su preparación en una residencia psiquiátrica, y que consume su tiempo tratando a los pacientes psiquiátricos (o enfermos mentales). Esta rareza refleja una situación bastante diferente de la que observamos, por ejemplo, en los graduados de violín, entre los cuales se podría decir que son muy extraños los que se parecen a Jascha Heifetz. La mayor parte de las personas que desean ser violinistas tocan, al menos, el mismo instrumento que Heifetz, aunque no lo hagan tan bien como él. Me parece que los que desean ser psiquiatras, no sólo no tocan todos el mismo instrumento, sino que unos tocan instrumentos que otros desaprueban y desacreditan, o, incluso, instrumentos cuya existencia es desconocida por los restantes miembros del grupo.
>
> F. Worden, «Questions about Man's Attempt to Understand Himself» [1].

He aquí el estado de la psiquiatría actual: los músicos no tocan el mismo instrumento y nunca podrán llegar a formar una orquesta sinfónica (¿quién estaría dispuesto a ser su director?); sin embargo no existe una cacofonía completa. Entre todo ese sonido confuso destacan unos pocos temas que muchas veces nos permiten diferenciar variaciones a partir de ellos. Es con una pequeña selección de esos temas con los que comenzamos este libro: considerando no sólo cómo se escuchan en la actualidad, sino también cómo se escucharon en la Grecia antigua.

Dichos temas se agrupan alrededor de la difícil tarea de entender ciertos aspectos de nosotros mismos relacionados con nuestros pensamientos, sentimientos, decisiones, impulsos y acciones. A lo largo de este camino surgen cuestiones relacionadas con los orígenes del hombre y de su vida mental y conductual.

Teniendo en cuenta que las preguntas condicionan las respuestas, uno de los principales problemas de la psiquiatría actual es por dónde empezar. Aún cuando damos por sentado que es esencial comprender las interacciones entre mente y persona, está muy lejos de resultar claro a todo el mundo que la mejor aproximación inicial sea a través de esa interacción o únicamente a través de la mente.

Una cuestión afín a la anterior es la siguiente: ¿qué explicación existe de la conducta que sea satisfactoria? ¿Podremos quedar satisfechos con entender los motivos de las personas? ¿Hasta qué punto podremos asumir que sean inteligibles motivos humanos los que configuren tanto la «psicopatología de la vida diaria», como las formas

---

[1] *Psa. and Contemp. Sci* 1 (1972): 38-54.

más severas de psicopatología? Para muchas personas tiene más valor una explicación que establezca una causa o correlación física de un aspecto cualquiera de la conducta, que otra que señale el motivo. Aunque muchos autores, entre los que yo mismo me incluyo, estamos de acuerdo en que los dos tipos de explicación son necesarios, el problema de dónde se focalizan las energías y la atención de un individuo sigue siendo real.

Consideraremos cómo se pueden aplicar estas cuestiones para entender el funcionamiento de la mente, particularmente el funcionamiento anormal. Hablaremos de «enfermedad mental», pero deberemos tener en cuenta en todo momento si el término «enfermedad» es adecuado o útil para referirlo a los fenómenos que intentaremos comprender.

Para ilustrar algunos aspectos de estas amplias cuestiones volvamos, en primer lugar, al retrato de Sócrates realizado por Platón, y que presenta a aquél discutiendo en la cárcel mientras espera la ejecución, después de haber preferido la muerte al exilio. Sus enemigos se preguntaban si estaba loco para desear la muerte; sus amigos estaban perplejos y profundamente transtornados. La filosofía, es decir, el mismo Sócrates, parecía haberlo llevado a un callejón sin salida. ¿Es una locura morir para dar testimonio de un estilo de vida, de la «vida interrogadora»? Quizá. Ciertamente, hay más de un toque de perversidad, testarudez e «ironía socrática» en su elección. ¿Cómo podemos explicar que Sócrates filosofase con calma mientras esperaba la muerte, la cicuta? El habló a sus compañeros del primer encuentro que tuvo con la filosofía de Anaxágoras. Había esperado que, tal y como éste anunciaba, empezaría a estudiar la «mente», pero se desilusionó al encontrar al filósofo «renegando completamente de la mente, y recurriendo, en cambio, al aire, al éter, al agua, y a otras excentricidades» (Fedón, 97-98C). Un filósofo de este tipo, de acuerdo con la caricatura de Sócrates, intentaría explicar la conducta de éste en términos de biología y física de los músculos y huesos que permiten a un hombre estar sentado. Este tipo de explicación es seguramente una «confusión de condiciones y causas». Sócrates permanecía en prisión porque él elegía guardar obediencia a las leyes de Atenas, antes de atender a su supervivencia personal. Además, decidió que huir sería traicionar la misión filosófica a la que había consagrado su larga vida: hacer que los hombres tomen sus decisiones guiados por principios éticos. He aquí como, para Sócrates, el intento de comprender la conducta humana fue primero y sobre todo una indagación en los motivos y razones que la gente tiene para portarse como se comportan.

Con todo, seguramente, estas cuestiones sólo planteen un problema a los filósofos y a otros tipos etéreos, *Luftmenschen,* que desconozcan los fuertes datos de la realidad. El problema, no obstante, ha venido a trastornar a las personas prácticas, a ese tipo de personas que cuidan y tratan a los perturbados y que esperan recibir una recompensa por su conocimiento y sus trabajos.

El problema mente-cuerpo, al igual que el problema motivo-causa, se ha convertido en una cuestión territorial y profesional, al mismo tiempo que académica.

Teniendo en cuenta estos datos, viajaremos desde la cárcel de Sócrates en la Atenas del 399 a. C., hasta un joven neurólogo, de vacaciones en un lugar campestre cercano a Viena durante el verano de 1895. Durante la noche del 23 de julio de dicho año, Sigmund Freud tuvo un sueño, y al día siguiente, inquieto e intrigado, lo escribió. Ese mismo día, él comenzó a utilizar un nuevo método de análisis de los sueños, las «asociación libre», y más o menos descifró el suyo. Si se busca un ejemplo decisivo, éste es ciertamente un dato y un ejemplo apropiado, ya que, con la obra de Freud, se pusieron en primera fila las cuestiones de si se debe considerar la mente o el cuerpo, y de si la mente debería ser algo a «tratar» o «entender».

Volvamos sobre *La interpretación de los sueños*, obra en la que Freud presenta el análisis de un sueño particular. El «sueño de Irma» llegó a ser conocido como *el* sueño ejemplar del psicoanálisis, ya que, en último término, su texto e interpretación presentan la esencia de las cuestiones del psicoanálisis que, sobre todo, incluyen los temas de la mente y el cuerpo, los motivos y las causas [2]. Freud, que entonces contaba treinta y nueve años, era un neurólogo que había dedicado la mayor parte de su tiempo a los pacientes con «desórdenes nerviosos», todos esos enfermos que parecían vivir, e incluso crecer, en esa región fronteriza situada entre la mente y el cuerpo, entre la neurología y la psicoterapia, un término entonces relativamente reciente [3]. Una parte importante de esos enfermos lo constituía un grupo que soportaba el honroso título de «histéricos», entre los cuales había una joven viuda llamada Irma. Freud había completado su estimación del tratamiento (al cual todavía no había empezado a denominar psicoanálisis) y había llegado a algunos presentimientos sobre sus resultados. «A la paciente se le alivió su ansiedad histérica, pero no ha perdido todos sus síntomas somáticos», lo cual quiere decir que había alcanzado cierta tranquilidad de mente, pero que todavía conservaba incómodos males somáticos que había mantenido desde el principio. Un amigo y colega, Otto (que además era amigo de Irma), acababa de recordar a Freud que «ella está mejor, pero aún no bastante bien». Freud creyó ver cierto reproche en el tono y las palabras de su colega. Además, la paciente, amiga de la esposa de Freud, los había ido a visitar unos pocos días después del cumpleaños de aquélla.

Todo esto constituye el preámbulo del sueño de Freud, que, en parte, transcurre de la siguiente forma;

Un amplio hall —numerosos huéspedes, a los cuales estábamos

[2] Freud, SE 4: 96-121. Ver Erik Erikson, «The Dream Specimen of Psychoanalysis», *J. Am. Psa. A.* 2 (1956): 5-6, y M. Schur, *Freud: Living and Dying* (New York, 1972), pp. 79-92.

[3] Ver D. Pivnicki, «The Origins of Psychotherapy», *J. Hist. Behavioral Sciences* 5 (1969): 238-47.

recibiendo—. Entre ellos se encontraba Irma. En el acto la aparté a un lado, como si fuera a contestar su carta y a reprocharle que todavía no hubiese aceptado mi «solución». Le dije: «Si usted aún sigue enferma, es sin duda alguna por culpa suya únicamente». Ella me replicó: «Si usted sólo conoce mis molestias en mi garganta, estómago y abdomen, me está estrangulando». Yo me alarmé y la miré. Se la veía pálida y entumecida. Entonces pensé para mí mismo que después de todo debía haber olvidado alguna molestia de tipo orgánico...

(Aquí siguen algunas escenas de examen médico).

No mucho antes, cuando se encontraba mal, mi amigo Otto le había puesto una inyección de una preparación de propilo, propilos, ...ácidos propiónicos, ...(y) trimetilamina (yo había visto antes la fórmula escrita en grandes letras) ...Las inyecciones de ese tipo no se deberían poner tan atolondradamente... Y además era muy probable que la jeringuilla no estuviese completamente limpia.

Freud ya había explicado algunos puntos de su método de interpretación de los sueños (asociación libre a los elementos del sueño), antes de haber dicho que los sueños podrían ser «interpretados»; esto es:

«Interpretar» un sueño implica asignarle un «significado», es decir: sustituirlo por ciertos elementos que encajen dentro del cauce de nuestros actos mentales como un eslabón que tenga una validez e importancia igual a la de los otros eslabones. Tal y como hemos visto (en el capítulo I), las teorías científicas sobre los sueños no consideran la posibilidad de interpretarlos, ya que desde su punto de vista, un sueño no es un acto mental plenamente, sino un proceso somático que señala su acaecimiento con unas indicaciones registradas en el acto mental.

Hasta ahí, Freud había revisado y reflexionado sobre la opinión científica respetable, existente en su momento, la cual sentenciaba que los sueños eran epifenómenos; según ella, éstos registraban sucesos somáticos, pero no poseían un significado o coherencia propia. Freud volvió al mundo profano y a su creencia de que los sueños poseían un significado, pero rechazó los métodos de interpretación popular de los sueños que se habían estado utilizando durante milenios. Los sueños no son profecías ni contienen mensajes procedentes de otro mundo; sin embargo, sí dicen muchas cosas sobre el individuo. Y éste fue el *quid* del argumento de Freud.

A lo largo de sus estudios de los sueños, o incluso antes que ellos, Freud había estudiado la histeria y había propuesto ciertas conclusiones que habían estado en el ambiente desde mediados del siglo XIX en adelante. Trabajos como los de Jean-Martin Charcot, Hippolyte Bernheim y Pierre Janet, junto con los del mismo Freud, fueron abriendo poco a poco la perspectiva de entender los síntomas de la histeria como una especie de lenguaje que se podría leer o descodificar[4]. Freud se convirtió en el partidario más decidido y sistemático de esa interpretación, según la cual los síntomas de la histeria poseían un significado que podría ser leído, y de que los motivos, no sus causas físicas, podrían llegar a ser averiguados. Una mujer joven, al decir adiós al amante que la había abandonado, sintió como su brazo izquierdo quedó paralizado. La frase «si yo te olvido, oh Jerusalén, permite que mi brazo izquierdo olvide su movimiento», aportó una ayuda más valiosa para interpretar el lenguaje mimético de la parálisis, que para buscar lesiones en el cerebro.

Desde luego, a lo largo de ese tiempo, Freud se fue haciendo famoso, o, incluso, impopular, por el énfasis que ponía en la importancia de los deseos sexuales reprimidos y disfrazados que subyacían bajo los síntomas de los histéricos (si bien él amplió la definición de sexualidad más allá del significado del intercambio sexual). En efecto, Freud paulatinamente empezó a afirmar que la así llamada ignorancia del histérico (la propensión a las amnesias, por ejemplo), era una *ignorancia motivada*. Un deseo sexual reprimido por el individuo tiende a satisfacerse bajo una forma disfrazada. Aunque nosotros carecemos de los detalles del tratamiento de Irma, podemos suponer que Freud consideró que sus síntomas somáticos eran la expresión histérica de la sexualidad reprimida por haber perdido una mujer joven como ella a su marido. (Los médicos griegos sabían que las mujeres vírgenes y viudas eran muy propensas a manifestar las perturbaciones de la matriz, que ellos denominaban «histeria».) Quizá la solución propuesta por Freud en este caso fuese que ella debía, o bien tomar conciencia de sus deseos sexuales y entonces comenzar una relación amorosa con Herr S., o bien abandonar todas las esperanzas de conquistarlo y poner la vista más allá.

¿Cómo interpretó, entonces, Freud su sueño? Este le reveló, después del auto-análisis apropiado, ciertas verdades mundanas y desagradables de su propia personalidad. Freud concluyó, en esencia, que su sueño era una forma de auto-defensa. Correctamente interpretado, el sueño mostró ser una serie cuidadosamente tramada y disfrazada de asesinatos de los pacientes y colegas que la habían reprochado, directa o indirectamente, algún tipo de fracaso o negligencia. Otto, que en la vida real había sospechado que la paciente no marchaba bien del todo, es en el sueño ese tipo de doctor capaz de usar una jeringuilla sucia. De este modo trataba al hombre que le había insinuado ciertos reproches.

La escena (en el texto del sueño) en la que Freud aparece examinando la garganta de Irma podría haber tenido algo que ver, o no, con movimientos nocturnos o perturbaciones ocultas en la garganta del soñador. Esto debía tener alguna relación con palabras de enojo que habían quedado reprimidas en su garganta. Estas palabras y sentimientos únicamente llegaron a ver la luz después de este curioso mé-

[4] Ver J. Breuer y S. Freud, *Studies on Hysteria,* SE 2. También H. F. Ellenberger, *The Discovery of Unconscious* (New York, 1970).

todo de auto-examen que es el análisis de los sueños a través de los significados asociados libremente.

Así pues, y de un solo golpe, Freud había cambiado radicalmente el objetivo de su búsqueda: ya no se trataba de fijarse en los aspectos médicos, sino en los personales e interpersonales. Con ello no ignoraba a los doctores y a las enfermedades físicas, sino que buscaba descubrir lo que cada uno de los doctores y enfermos, cada uno de los doctores y colegas suyos, pueden sentir acerca de los otros. En tanto que su sueño se nos presenta como una fórmula de química orgánica, las sustancias que causan trastornos son los compuestos más sutiles de la envidia y de la auto-honradez, los cuales nos fueron injertados dentro de nuestras vidas y en un momento muy temprano con las jeringuillas sucias que todavía seguimos utilizando mucho tiempo después de haber sido descartadas. El «conocerse a sí mismo» se debe aplicar tanto al médico como al paciente. La «curación» depende del conocimiento de un médico que sufre las mismas enfermedades, normalmente, que sus pacientes.

Para colmar el vaso, Freud afirmó que su método de análisis de la mente, sana o enferma, no era necesariamente competencia de los médicos. Al comienzo de su carrera él hablaba de médicos y enfermos, pero al final de la misma ya hablaba de analistas y analizados. Había cumplido el compromiso implicado en la pretensión del viejo sofista Antifonte, según la cual él poseía una *techne alupias,* una cierta destreza para profundizar en el corazón de la angustia [5]. Era un médico de la psique.

He aquí el alcance del cambio revolucionario promovido por Freud. Desde nuestra perspectiva tal vez fuese más acertado decir que Freud actualizó ciertas cosas que habían estado en el ambiente a lo largo de su vida y que eran inherentes al sentido con el que hemos contemplado la mente desde Grecia hasta nuestros días. Sócrates afirmaba que los motivos de un acto ético debían ser los objetivos de mayor importancia para cualquier hombre. Ciertamente esto era la cuestión más importante para un estudioso de la psique. Y de este modo, en el siglo veinte, la preocupación más importante de un estudioso de este tipo debía ser, según Freud, el análisis de los motivos de la conducta, en especial de la conducta cuando aparece disfrazada.

Los pacientes tratados por Freud estaban profundamente transtornados, pero, a pesar de todo, vivían su existencia diaria y no eran considerados dementes o psicóticos (término introducido a mediados del siglo XIX) [6]. Hacia finales de la centuria anterior y a comienzos de ésta, unos pocos médicos, que trabajaban en hospitales mentales (asilos para perturbados muy fuertes), estaban consiguiendo signifi-

---

[5] Plutarco, *Moralia: Lives of the Ten Orators,* trad. H. N. Fowler, LCL, vol. 10 (Cambridge, 1936), sec. 833, para C, p. 350. Ver P. Laín Entralgo, *The Therapy of the Word in Classical Antiquity,* trad. L. J. Rather y J. M. Sharp (New Haven, 1970), pp. 97-107.

[6] Ver *OED,* voz *Psychosis.*

cativos avances en la observación clínica, y lentamente comenzaban a definir los diversos grupos de enfermos que parecían sufrir perturbaciones de características similares entre ellos.

La obra clásica de Eugen Bleuler, *Dementia Praecox, or the Group of Schizophrenias,* aparecía a la luz en el 1911 [7]. Bleuler pensaba que sobre la base de los «síntomas primarios recurrentes» se podían agrupar cierto número de diferentes estados psicóticos dentro de una categoría que él llamaba «esquizofrenia». Este término caracterizaba su teoría, según la cual en la personalidad de ese tipo de enfermos existían unos importantes «cortes» que venían a señalar una división entre el pensamiento y el afecto. Bleuler consideraba la esquizofrenia como una enfermedad ocasionada probablemente por alguna toxina aún no descubierta o por algún tipo de defecto metabólico. A pesar de ello afirmaba que, aún sin conocer sus causas fisiológicas, debíamos intentar entender la organización psicológica de los enfermos. De este modo comenzó a establecer una secuencia de todos los grados de la enfermedad desde los «síntomas primarios», hasta el típico cuadro clínico desarrollado tal y como se puede observar en los pacientes psiquiátricos crónicos. Hasta este momento Bleuler asumía una postura de acuerdo con su condición médica, pero, pese a ello, realizó su investigación basándose en la descripción del estado psicológico y de su desarrollo. Dado que creía que las producciones de sus enfermos tenían un significado se concentró en reunirlas, describirlas y clasificarlas con la mayor rigurosidad posible. Su colega Carl Jung, mientras tanto, sostenía que los complejos descubiertos por Freud en los neuróticos quizás pudiesen ser observados con mayor claridad en los esquizofrénicos. Para ilustrar los grados de desorden mental del típico esquizofrénico (es decir, su fracaso en organizar el pensamiento en torno a una finalidad concreta), Bleuler ofrecía ejemplos de contestaciones de enfermos a diferentes preguntas. Por ejemplo:

Un paciente hebefrénico, enfermo desde hacía quince años, pero todavía capaz de trabajar y lleno de ambiciones, me respondió lo siguiente a la preguna de «¿Quién fue Epaminondas (el general Tebano del siglo IV a. C.)?»:

Epaminondas fue una de esas personas que son muy poderosas en la tierra y en el mar. Dirigió potentes maniobras navales y luchó en combates navales contra Pelópidas, pero en la segunda Guerra Púnica fue derrotado por el hundimiento de una fragata armada. Navegó con sus barcos desde Atenas hasta el Hain Manre, llevó uvas caledonias y granadas, y conquistó a los Beduinos. Asedió la Acrópolis con cañoneras, y colgó a la guarnición persa de estacas para hacer de antorchas vivas. Le sucedió el Papa Gregorio VII, ... eh... Nerón siguió su ejemplo, y por su causa todos los Atenienses, todas las tribus romano-germánico-célticas que no apoyaron a los sacerdotes, fue-

[7] Trad. J. Zinkin (New York, 1950). Las citas que siguen son de las pp. 14-17.

ron quemados por los druidas en el día de Corpus Christi, como un sacrificio al Dios-Sol, Baal. Esto es la Edad de Piedra. Las puntas de lanza estaban hechas de bronce.

Bleuler analizó el grado de interconexión de las secuencias de ese pensamiento. Este ejemplo ilustra un pequeño trastorno caracterizado por una asociación de ideas de tipo esquizofrénico. En ella falta una resolución firme, que es el determinante más importante de las asociaciones mentales. El enfermo formalmente parece responder a la cuestión que se le planteó, pero, de hecho, no dice nada de Epaminondas; en su respuesta abarca un conjunto de ideas muy vasto, pero con una relación tan incoherente entre sí, que no se puede establecer una conexión lógica. No existe un concepto dirigido con un objetivo estable que «permita unir los eslabones de la cadena asociativa dentro de la línea de un pensamiento lógico».

Ante ciertas observaciones podemos puntualizar que Bleuler, a pesar de haber sido un buen médico, no se dedicó a examinar, diagnosticar e intentar construir un esquema de trabajo del cual se pudiesen servir los médicos. Estos están acostumbrados a trabajar con enfermedades cuya etiología no entienden.

Consideremos el escenario de la cuestión (imaginario, pero no inverosímil)[8]. El profesor Bleuler le dice a un enfermo muy trastornado: «Mira, querido compañero, estoy haciendo un libro sobre las enfermedades mentales, y necesito algún material clínico para poder ilustrar mis descubrimientos sobre los procesos intelectuales de los esquizofrénicos. Ya que tú adquiriste una buena educación en un instituto de Zurich, ¿aceptarías ayudarme respondiendo a la pregunta: ¿quién fue Epaminondas?»

Existen gran cantidad de esquemas y clichés que podrían ser utilizados por el enfermo en su réplica. En primer lugar se podría sentir como un estudiante. Sabe algo del tema; de este modo, utilizando los recursos típicos en un estudiante, cuenta todo lo que conoce, aunque únicamente esté conectado de una forma muy remota con la pregunta, esperando que a posteriori le sea concedido *cierto* crédito. En segundo lugar se podría dar cuenta de que el objetivo perseguido no es responder a un examen, sino dar una respuesta patológica que pueda ayudar en la investigación de Bleuler. En tercer lugar, el enfermo es posible que llegase a utilizar su réplica para expresar sus sentimientos hacia la pregunta o hacia el que pregunta. Cuanto más confusos sean los datos y secuencias de su contestación, más claramente violentas serán las imágenes. Enmascara su hostilidad hacia Bleuler utilizando ese lenguaje cauteloso y reprimido típico de las personas que viven en países ocupados. Si tenemos en cuenta que los intereses del enfermo son diferentes de los intereses del investigador, entonces podremos hacer inteligible la respuesta y sacar un buen partido de ella.

[8] Un análisis similar se puede encontrar en R. D. Laing, *The Divided Self* (London, 1960), pp. 29-31.

Lo que este ejercicio ilustra, desde luego, es el tipo de análisis que acompaña a algunas aproximaciones psicoterapéuticas a la esquizofrenia. Estas aproximaciones, en cierta medida, se desvían un tanto de la postura y enfoque de Bleuler sobre el significado de las producciones esquizofrénicas, las cuales sólo pueden ser entendidas por aquellos que son capaces de entender la posición y experiencia interna del enfermo. Nuestro análisis alternativo plantea el problema de las diferentes formas de aproximación al fenómeno del pensamiento esquizofrénico. En resumen, el considerar el pensamiento esquizofrénico como el síntoma de un desorden subyacente, es confiar en un modelo médico del trastorno psicológico. El considerar el trastorno como una desviación, necesaria y motivada, de la forma usual de comunicación, es utilizar un modelo psicoanalítico de comprensión del fenómeno.

Hemos viajado desde la prisión de Sócrates, hasta un Bleuler que introdujo el desorden maligno llamado esquizofrenia, pasando por un Freud que interpretó su propio sueño. Lo que debe semejar una agrupación muy caprichosa (en la que tienen cabida tanto las causas de las consideraciones éticas, como los sueños de la gente normal o neurótica, o las principales formas de locura perfecta) nos lleva de nuevo al problema original: ¿Qué son la psiquiatría y los psiquiatras?

¿Cuál es el área de competencia profesional exclusiva de un psiquiatra? Hace algunos años apareció un estudio de gran sensibilidad sobre los objetores de conciencia que están en la cárcel[9]. Estos hombres jóvenes habían preferido la prisión al exilio. Escrito por un psiquiatra, no por un filósofo, este trabajo, con todo, consideraba algunos problemas que ya habían surgido en los diálogos platónicos sobre el juicio y la muerte de Sócrates. Si la psiquiatría es el estudio de ciertas enfermedades, entonces el autor sobrepasó los límites de su profesión. En cambio, si elegir ir a la cárcel es un signo de enfermedad, entonces se mantuvo dentro del campo de esa profesión. El autor podría defender su trabajo alegando que, como psicoanalista, trata a las personas que tienen que enfrentarse con decisiones difíciles. Freud había sugerido que el histérico prefiere un dolor exótico a las desilusiones de la vida ordinaria. Igualmente, algunos terapeutas dirían que el esquizofrénico en cierto sentido prefiere la locura a las posibles consecuencias de sus sentimientos (homicidio, suicidio, o cualquier otro tipo de desintegración del yo). Se podría argüir que los psiquiatras y psicoanalistas están acostumbrados a estudiar las vidas de sus pacientes para entender cómo adquieren la situación en la que se encuentran. He aquí por qué un estudio de las razones que llevaron a esos hombres a elegir voluntariamente la cárcel resulta apropiado para un psiquiatra.

Inversamente, un psiquiatra que aceptase la idea de que la esquizofrenia tiene una etiología orgánica, podría argüir que resulta cruel decir del esquizofrénico que es una persona que se ve obligada a vol-

[9] W. Gaylin, *In the Service of Their Country: War Resisters in Prison* (New York, 1970).

verse loca. Del mismo modo se podría decir de un mutilado que tuviese que elegir una distrofia muscular en lugar de aceptar la vida normal. Quizás se pudiese considerar al histérico como alguien que juega a estar enfermo, una especie de enfermo fingido, el cual solo marginalmente pertenece a la psiquiatría. Pero decir esto de un objetor de conciencia o de un filósofo, es llevar las cosas demasiado lejos. El orden político y social nos puede interesar como ciudadanos, pero no como psiquiatras.

Necesitamos volver al último día de Sócrates para preguntarnos qué queremos decir cuando decimos que somos especialistas. ¿Especialistas en qué? ¿En enfermedades mentales? Vale, pero entonces, joven, ¿qué clase de enfermedad es la enfermedad «mental»? Tal y como cuestionaba Sócrates a los poetas, sofistas, retóricos y políticos aguijoneándoles y halagándoles para que definiesen sus verdaderas habilidades, así tendría que hacer con nosotros.

Un vistazo a la literatura popular y especializada sobre este tópico revela que en diversas ocasiones, y algunas veces coaccionados por la demanda del público, los psiquiatras han deseado poseer una esfera de propiedad exclusiva que fuese independiente de los psicóticos hospitalizados, de los criminales y delincuentes, de los heterosexuales insatisfechos, de los homosexuales satisfechos o no, de los políticos, de los niños que no quieren leer, de los matrimonios rotos que solicitan el divorcio, o no lo piden, del pobre, del anciano, de los niños retrasados, de los drogadictos, de los bebedores y de los enfermos que padecen enfermedades como úlceras. A veces los psiquiatras consideran que su obligación es tratar a la gente de carácter egoísta y egocéntrico (narcisistas), y a la gente que cree no hacer nada en la vida («personalidades inadecuadas»). Los psiquiatras desde luego no se desaniman al determinar qué tipos de esos anteriores (y otros más) pertenecen a su particular esfera de incumbencia.

Al tocar asuntos y problemas cada vez más confusos, los psiquiatras son en la actualidad un grupo profesional que trata con la «mentalidad enferma». La psiquiatría como profesión es relativamente nueva [10]. Aunque más reciente aún es el campo de la psicología clínica. En ella existen profesionales que no son médicos y que también tratan con esa «mentalidad enferma». Otra categoría profesional distinta está constituida por los asistentes sociales, los cuales se relacionan con «clientes», no con enfermos. Durante la última década, más o menos, se ha asistido al surgimiento de muchos tipos no-profesionales que trabajan con esquizofrénicos crónicos, por ejemplo. Asimismo se han creado varias organizaciones de «auto-auxilio» para la «mentalidad enferma», algunas de las cuales insisten en desdibujar los límites, que consideran artificiales, entre la normalidad y la enfermedad. Lo que los psiquiatras llaman psicosis, y en particu-

---

[10] La American Psychiatric Association se fundó en 1844 con únicamente treinta miembros; en 1920 tenía alrededor de un millar de socios, y más de veinte mil en 1973, (*Biographical Directory of the American Psychiatric Association*, 1973, p. ix).

lar esquizofrenia, se considera como una especie de peregrinación o viaje trascendental para el cual es necesaria la presencia de guías, pero no de médicos [11].

Igualmente impresionante, o deprimente, es hacer un catálogo de las diferentes terapias. Una lista que intentase ser representativa incluiría terapias farmacológicas, terapias basadas en el electro-shok, psico-consultorios, y terapias con insulina. De este modo existen tanto psicoanálisis, con su extraordinaria variedad de estrategias, como psicoterapias, terapias de grupo, terapias conductuales, terapias familiares, psicodramas, e, incluso, terapias poéticas, biblioterapias y helioterapias [12].

En resumen, vemos que existen unos tipos muy amplios de condiciones, practicantes y terapias. Pero de algún modo los psiquiatras, los psicólogos y todos los demás se las arreglan para llevar adelante su empresa. Realizan su trabajo, continúan diariamente la búsqueda de su especialidad, y uno comienza a sospechar que la mayor parte de los que la practican tienen una idea aproximada de cómo enfrentarse a la gran diversidad de terapias y terapeutas, del mismo modo que si la vida tuviese unas reglas de juego que no se ven con claridad [13].

Hemos visto algunos aspectos del estado de perplejidad que predomina en el campo de la psiquiatría y del estudio de la enfermedad mental. En el próximo capítulo consideraremos con mayor detalle algunas razones que justifican que todo sea complejo en dicho estudio; que explican por qué este campo aún no ha sido ordenado con rigurosidad a pesar del trabajo de muchos hombres y mujeres de buena voluntad y gran inteligencia.

No hemos llegado, ni llegaremos todavía, a nuestro Sócrates.

---

[11] Ver en particular R. D. Laing, *The Politics of Experience* (New York, 1967).

[12] Consultar, por ejemplo, obras como *AHP*[2] y *CTP*[2].

[13] M. J. Kahne y C. G. Schwartz, «The College as a Psychiatric Workplace», *Psychiatry* 38 (1975): 107-23.

2

EL DESARROLLO DE LOS MODELOS SOBRE LA ENFERMEDAD MENTAL

> «La ciencia de la enfermedad mental, tal y como se desarrolla en el manicomio, únicamente pertenece al orden de la observación y la clasificación. No es un diálogo. Y no podrá serlo hasta que el psicoanálisis no haya exorcizado ese fenómeno de la observación... y sustituido por su mágico silencio el poder del lenguaje».
>
> Michel Foucault, *Madness and Civilisation* [1].

¿Por qué el estudio de la mente y de la enfermedad mental ha sido tan difícil, y cuál ha sido la causa de que aún no estemos completamente seguros de muchos principios? Comparándolos con los físicos, los investigadores y estudiosos del campo de las enfermedades mentales parecen que avanzan como caracoles y que actúan de la misma forma que los hombres ciegos delante del elefante.

La diferencia es que nosotros andamos a ciegas con un animal mucho más complejo que el elefante: con una criatura llamada hombre; y que el estudio de este ser presenta unos problemas formidables que, en cambio, no se plantean en las ciencias físicas. Consideraremos a continuación algunas de las principales dificultades que se encuentran al estudiar los grados más importantes de las enfermedades mentales. Las mismas consideraciones se aplicarán al objeto de entender y definir una amplia serie de perturbaciones mentales que agrupe tanto las graves como las benignas y transitorias.

En primer lugar existen importantes problemas de definición y límites. Según mi conocimiento, toda cultura tiene algún tipo de categoría que pueda ser llamada «locura», pero la locura no siempre se distingue con facilidad de otras categorías de pensamiento y conducta. Es muy difícil separar la locura de otras perturbaciones que van unidas a estadios o sucesos particulares de la vida: enfermedad, separación, muerte, adolescencia, vejez, etc... Hablando en general, cada cultura tiene unos límites muy amplios para la conducta que se debe esperar en estas situaciones, pero ¿cuándo se convierte la profunda tristeza en un dolor patológico? ¿Dónde termina la agitación provocada por la adolescencia y comienza la esquizofrenia?

¿En qué punto podemos situar el límite entre el innovador y el enfermo, entre el visionario y el psicótico? ¿Acaso ambos epítetos no

---

[1] M. Foucault, *Madness and Civilization,* trad. R. Howard, (New York, 1965), p. 250.

pueden resultar correctos en ocasiones? Cualquier persona puede ser tan innovadora en sus ideas políticas que llegará a ser considerado un revolucionario. En nuestros días son muy frecuentes las noticias de que los hospitales mentales son utilizados para recluir a los disidentes políticos, en especial en la Unión Soviética. Esta idea tiene raices muy antiguas, pues ya Platón proponía en sus *Leyes* que los ateos, que, carentes de luz, parecían ser más unos ignorantes que unos maliciosos, fuesen recluidos durante cinco años en un *sophoronisterion*, es decir, «una casa de cordura» [2]. Esta costumbre es, indudablemente, un diabólico método de supresión, y su rendimiento práctico se apoya en parte sobre el principio inconfesado de que cualquiera que se oponga al sistema es un loco, ya sea porque él no cree en los derechos de su gobierno, o por que todos sabemos que es una locura atreverse a desafiar en público al gobierno. He aquí por lo que si hablamos de estadísticas de enfermos mentales deberemos estar muy seguros de quién está incluido en dichas estadísticas.

Además de las dificultades para definir el campo de estudio, existen otros obstáculos muy importantes en el camino del reconocimiento de qué gente consideramos de una manera equivocada que está mentalmente enferma. Por un determinado motivo, los fenómenos en estudio son demasiado volátiles o difíciles de describir tanto para el observador como para el que los sufre. Llegan a ser muy complicados de comprender y valorar incluso con una observación realizada a lo largo de una extensión considerable de tiempo o con un historial clínico adecuado. Además, algunas de las experiencias normales del psicótico pueden ser tan idiosincráticas que se hace difícil lograr expresarlas con el vocabulario ordinario de la cultura.

También existe el problema de qué es lo que se incluye en el término «observador participante». Muchos de los fenómenos característicos a la psicosis (aislamiento y alucinaciones, por ejemplo) pueden variar considerablemente dependiendo de la naturaleza de las interrelaciones entre el observador y el paciente. En la actualidad es bien sabido que el contenido y la intensidad de las alucinaciones varían según el estado de la interrelación entre médico y enfermo [3]. Los desórdenes del pensamiento esquizofrénico aparecen con vigorosidad cuando el paciente toma contacto con un test psicológico, pero disminuyen cuando se reintegra a su trabajo cotidiano. Resumiendo, los fenómenos dependen en gran medida, aunque de una forma indeterminada, de las circunstancias interpersonales del momento. Esta noción, llevándola más lejos, ha conducido a formulaciones infravaloradas según las cuales se consideraba que los fenómenos esquizofrénicos eran nada más que fenómenos interpersonales. En la posición más exagerada de esta tendencia se ha llegado a decir que nosotros,

---

[2] *Las Leyes,* 908C-909B; ver más adelante cap. 9.
[3] T. Reeman et al., *Studies on Psychosis* (New York, 1966), en especial los capítulos 5, 6 y 7.

los cuerdos «creamos» la locura a través de las cosas que hacemos, decimos y sentimos[4].

Debemos tener en cuenta que la conducta y el pensamiento del psicótico trastorna a las demás personas, incluyendo a aquellas que anhelan observar, estudiar o ayudar a tal tipo de gente. Cuando un esquizofrénico comienza a recitar sus frustraciones sexuales o criminales, o demuestra un afecto groseramente inapropiado, incluso el más convencido de los médicos desearía estar en otra parte.

Una solución a este problema puede ser buscar una teoría simple, sencilla, de la locura que nos ofrezca la solución definitiva sobre los temores y fantasías engendradas dentro de nosotros. Tales explicaciones pueden ser disimuladas considerando la posesión o la enfermedad como una penitencia por las hipótesis científicas atrevidas o no suficientemente valoradas. Nuestras ansiedades nos pueden conducir a mantener una distancia psicológica y física apta para proteger nuestro propio buen estado de salud. Esta distancia, a su vez, nos impide aprender del paciente a pesar de estar cerca de él. He aquí como las necesidades defensivas y auto-protectoras del observador pueden interferir en un análisis empático e imparcial.

También los enfermos pueden ofrecer necesidades auto-protectoras y resistencias internas al hecho de que personas extrañas puedan indagar en sus perturbaciones. En este caso buscan refugio en teorías y fantasías que ofrecen algún tipo de consuelo a su ansiedad, en tanto que la cultura aporta explicaciones tópicas ya elaboradas a este fenómeno, tales como las teorías mágicas y demoníacas sobre la posesión o las teorías científicas. Es indudable que existe una imbricación entre la forma en que los médicos y los enfermos necesitan defenderse, aunque no creemos que estos mecanismos auto-protectores sean idénticos en los dos casos.

Los fenómenos psicóticos varían en gran medida a través del tiempo y en relación directa con el observador. Si existiera una historia natural de la esquizofrenia sería tremendamente difícil determinar lo que es. Cualquiera de nosotros puede adquirir falsas impresiones acerca de lo que ya ha ayudado o dañado al enfermo. La historia de la medicina ofrece gran cantidad de ejemplos que documentan que únicamente en el tratamiento de condiciones difíciles es necesario recordar la causa para proceder a una terapia efectiva. (Hay grandes avances de la medicina que han sido hechos por médicos que decidieron *negar* todos los tratamientos útiles y finalmente probar con su inutilidad). De este modo, cualquier teoría sobre la causa o forma de curación de la esquizofrenia puede encontrar con gran facilidad «pruebas» que la verifiquen. La operación inversa también es correcta: La extrema va-

---

[4] D. L. Rosenhan, «On Being Sane In Insane Places», *Science,* 179 (1973): 250-57. Para una crítica de estas ideas ver R. L. Spitzer, «On Pseudoscience in Science, Logic in Remission, and Psychiatric Diagnosis», *Journal of* Abnormal Psychology 84 (1975): 442-52, y los artículos escritos por B. Weiner, T. Millon, y S. Crown, así como la réplica de Rosenhan, que aparecen en el mismo volumen.

riabilidad de las condiciones nos puede llevar a omitir el hecho de que un agente particular u otra clase de intervención (como una psicoterapia, por ejemplo) resulte efectiva en la práctica. Además, ciertos tratamientos pueden parecer apropiados por razones bastante diferentes de las racionales [5]. El enfermo puede alcanzar cierto alivio por haberse puesto en manos de un profesional o a través de la confianza despositada en el médico. Asimismo, el enfermo puede considerar el tratamiento de un modo completamente distinto a como lo entiende el médico. Un esquizofrénico paranoico puede llegar a encontrar un alivio momentáneo en la impresión que lo ocasione un pequeño delito, ya que esto le da un perseguidor externo real, resultándole más fácil vivir con él que con sus demoníacos perseguidores internos.

Un problema distinto es la labor de recopilación de datos relacionados con la enfermedad mental y con la gente mentalmente perturbada. El enfermo debe recordar su experiencia en términos socialmente inteligibles; debe asentarla dentro de categorías definidas culturalmente. Existe una gran cantidad de evidencias, tanto transculturales como históricas, de que categorías definidas culturalmente son las que dan forma a la propia versión del enfermo de su experiencia interior y a otros actos de su conducta [6]. Entre las importantes categorías dentro de las cuales debe asentarse la experiencia del enfermo están las teorías utilizadas por el médico al cual aquél acude. Estas teorías no son en absoluto desconocidas para el enfermo, ya que ellas mismas forman parte de su medio cultural. Por lo tanto existe el peligro de que sólo los datos que pueden ser descubiertos y asimilados por el terapeuta sean los concordantes con su teoría. Los demás serán ignorados o reinterpretados. Desde luego, es bien cierto que sin teorías es muy difícil saber lo que se debe buscar o cómo se pueden descubrir los datos razonablemente ordenados. Por lo tanto, existe una compleja relación dialéctica entre los recuerdos de la experiencia del enfermo, sus síntomas, las categorías culturales de la perturbación mental, y las teorías del médico. Los nuevos descubrimientos dependen tanto de las nuevas teorías y categorías, como de los pacientes que insisten en recordar experiencias que caen fuera de las expectativas

---

[5] Ver J. D. Frank, *Persuasion and Healing,* edc. rev. (New York, 1974), especialmente el capítulo 2.

[6] Consultar los siguientes trabajos de G. Devereux: *Mohave Ethnopsychiatry and Suicide* (Washington, 1961), pp. 488-89; *Essais d'ethnopsychiatrie générale,* 2.ª edc. (París, 1973), y *Ethnopsychanalyse complementariste* (París, 1972) capítulo 10. Creo que las alucinaciones verbales no se consideraron dentro del estereotipo de la locura hasta los siglos XVIII y XIX [esta hipótesis se fundamenta en el análisis realizado por mí mismo de casos contenidos en informes asequibles, como los de la obra de O. Diethelm, *Medical Dissertations of Psychiatric Interest* (Basel, 1971)]. Es decir, el escuchar voces era un fenómeno que no se enmarcaba dentro de las categorías de la locura, sino dentro de categorías de otro tipo, como las de la experiencia religiosa, por ejemplo. M. Millar, en su trabajo «Gericault's Paintings of the Insane», *J. Warburg and Courtauld Institute,* 4, (1940-42): 151-163, ofrece un breve resumen de las representaciones estereotipadas de la demencia en el arte. Millar demuestra que Gericault introduce la innovación de pintar al demente como un individuo, como una persona que sufre.

culturales. En numerosas ocasiones, a lo largo de la Edad Media y del Renacimiento, por ejemplo, de una persona que se comportara de una manera muy peculiar sin duda se diría que se había encontrado con un demonio o súcubo. Para curarlo llamarían a un sacerdote, el cual confirmaría que a menudo ocurrían sucesos de ese tipo y aplicaría los criterios de diagnóstico apropiados para establecer si éste era un caso del mismo tipo. Incluso podría llegar a determinar qué demonio particular estaba involucrado en este caso y, después, a prescribir el tratamiento. Hasta el momento en que los médicos comenzaron a defender enérgicamente que muchas de esas personas eran víctimas de una enfermedad, y no de una posesión demoníaca, no se introdujo ninguna teoría alternativa a ésta. Cuando algunos jueces, médicos y enfermos empezaron a aceptar la teoría de la enfermedad, mucha gente comenzó a interpretar sus experiencias bajo la forma fijada por una teoría médico-humoral [7].

Además, tenemos buenas razones para creer que en muchas sociedades humanas, sino en todas, existen un gran número de teorías sobre la perturbación mental, aunque en un momento o lugar determinado sea una sola de ellas la que predomine. Normalmente siempre se establece una negociación entre el enfermo (con o sin su familia) y el doctor acerca de si su caso cae o no dentro de la teoría y competencia del segundo de ellos [8].

En la actualidad se pueden encontrar muchos enfermos que buscan afanosamente al terapeuta que les de un diagnóstico racional y un tratamiento que esté de acuerdo con lo que ellos esperan. Este tipo de terapeutas tenderá a encontrar una confirmación de sus teorías en el hecho de tratar a enfermos que están conformes con ellos acerca de sus problemas. Creo que esta actitud tiene mucho que ver con la dificultad de determinar hechos objetivos en el campo de la enfermedad mental, y que contribuye en gran medida a crear un clima polémico y competitivo en la psiquiatría contemporánea. Una vez más se comprueba que únicamente se realizan nuevos descubrimientos y se establecen verdades objetivas cuando los médicos (¡al igual que los enfermos!) son capaces de romper el equilibrio entre el apego a sus teorías y la disposición a asimilar nuevos datos.

Un último punto en nuestro catálogo de dificultades: ¿cuál es la meta de la persona que busca información acerca de las perturbaciones mentales? La información reunida por un psicoterapeuta es diferente de la que pueda precisar un juez u hombre de leyes. La confu-

---

[7] Ver G. Zilboorg y G. W. Henry, *A History of Medical Psychology* (New York, 1941), capítulo 6. Un boceto del *New Yorker* realizado por Ed Fisher muestra una escena de la quema de brujas de Salem cuyo pie dice: «El tiempo retornará cuando llevemos a cabo lo que no enfurece a la gente, lo que no marchita las cosechas, y lo que no destruye a los pueblos por ser desgraciados, sino por estar enfermos», (citado por H. N. Boris, *The Unexamined Life: Motivation, Methodology and Community Mental Health* (NIMH Report, junio de 1967).

[8] Ver N. E. Waxler, «Cultura and Mental Illness: A Sociallabelling Perspective» *J. Nerv. and Mental Diseases,* 159, (1974): 379-95.

sión que se crea cuando un psiquiatra es llamado a juicio como un experto evidencia sobradamente que en muy pocas ocasiones los hombres de leyes y los médicos están interesados en los mismos hechos. Igualmente, a lo largo de los siglos en los que la Iglesia se relacionaba con los enfermos mentales en Europa, los teólogos y los curas descubrieron y registraron gran cantidad de datos sobre este fenómeno que habrían podido ser de mucho interés para médicos y psicoterapeutas. Sin embargo, este tipo de referencias fueron recogidas en un contexto que hacía muy difícil que pudiesen resultar útiles o inteligibles para una persona que estuviera al margen del esquema teológico dominante. Veremos que los poetas y trágicos griegos se formaron una idea acerca de la psicosis que no fue incorporada a la teoría médica del mundo griego ni se valoró en la psiquiatría durante dos milenios.

Teniendo en cuenta todos estos tipos de dificultades, no es sorprendente que en la psiquiatría actual exista una gran diversidad de teorías y terapias. Así ha ocurrido siempre. La religión y el culto, ya sea pagano o cristiano, siempre han ofrecido remedios. Y siempre fueron diferentes los tratamientos para ricos de los tratamientos para pobres. De uno u otro modo, la filosofía y la teología han brindado formas de consolación. Las instituciones que pueden ser denominadas hospitales para enfermos mentales muy probablemente surgieron en los países islámicos, y, por fortuna, algunos de estos hospitales fueron de verdad hospitalarios [9]. Pero otros con menos fortuna fueron formas de encarcelamiento y, para aquellos enfermos particularmente peligrosos, de exilio y muerte, ya fuese negligente o legalmente [10].

Para ilustrar esta variedad de aproximaciones, sólo nos resta examinar el estado de la psiquiatría en un lugar determinado y durante un período concreto: América desde mediados del siglo pasado hasta la actualidad. Hacia 1850 existían un gran número de hospitales públicos, los hospitales estatales, supervisados por médicos, pero que de hecho no desarrollaban un tratamiento médico efectivo. Unas pocas de estas instituciones todavía practicaban (hospitales, manicomios, asilos) alguna variedad de la «terapia moral» (que había sido introducida proveniente de Inglaterra en los primeros años del siglo XIX) [11]. Ciertos neurólogos que trabajaban en hospitales generales o sanatorios creían que sus pacientes padecían desórdenes de tipo «nervioso», tales como la neurastenia [12]. Avanzado el siglo, la Ciencia Cristiana se convirtió en una forma de tratamiento para las angustias físicas y mentales.

Durante las primeras décadas del siglo XX tomaron cuerpo las pretensiones de los médicos de ser verdaderos doctores de los enfermos

---

[9] Zilboorg y Henry, *History of Medical Psychology,* capítulo 14.

[10] Una excepción famosa es el pueblo de Geel en Bélgica, que de acuerdo con una antigua leyenda fue fundado por S. Dymphna como un asilo para los enfermos mentales.

[11] J. S. Bockoven, *Moral Treatment in American Psychiatry* (New York, 1972).

[12] B. Sicherman, «Mental Health in the Gilded Age: The Paradox of Prudence» *J. Am. Hist.,* 62 (1976): 890-912.

mentales, y de este modo la psiquiatría se convirtió en una especialidad médica respetable. Aunque los tratamientos efectivos de la psicosis no habían progresado mucho más en 1920 de lo que ya estaban antes del cambio del siglo, ciertos descubrimientos y avances consiguieron realzar las pretensiones y la credibilidad de los médicos. Se consideraba que la parálisis general del loco era un estado tardío de sífilis que podía ser aliviado utilizando la terapia de la fiebre malaria. La terapia de la fiebre era uno de los primeros tratamientos médicos que pretendía eliminar directamente la causa específica de la psicosis [13]. El dominio de los médicos se basaba más en la esperanza de que la medicina podría desenmarañar las respuestas, que sobre la experiencia de que pudiese realmente curar.

A finales de la década de los años veinte, el psicoanálisis se fue haciendo sentir en la psiquiatría americana. Freud y Jung habían visitado América en 1909 para recibir el grado honorario en el centenario de la Clark University; la visita de ambos sabios había ocasionado un gran impacto en la opinión especializada y del gran público. Médicos y psiquiatras dieron la bienvenida al psicoanálisis. Muchos de ellos llegaron a recibir una preparación psicoanalítica, en tanto que otros se mostraron muy recelosos respecto a él e incluso lo contemplaron como una especie de misticismo peligroso o como una curación basada en la fe (es decir, cosa de charlatanes). Mientras que el psicoanálisis se apuntaba triunfos terapéuticos en el tratamiento de la neurosis, su impacto sobre el tratamiento de los dementes hospitalizados se basaba más en la esperanza engendrada por su valor explicativo, que en una larga serie de éxitos terapéuticos. Pronto comenzaron algunos psiquiatras a tomarse el psicoanálisis más en serio para tratar la esquizofrenia, y así en 1920 Harry Stack Sullivan creó un pequeño centro para el tratamiento de los jóvenes esquizofrénicos siguiendo una orientación de tipo psicoanalítico.

En los años treinta aparecieron tratamientos orgánicos para la esquizofrenia de limitada eficacia: el electro-shock y el shock de insulina [14]. Rápidamente estas técnicas llegaron a estar muy difundidas, ya que aportaban una solución a casos muy difíciles que no tenían ninguna otra alternativa de tratamiento. Hasta mediados de los cincuenta no aparecieron los primeros fármacos (reserina, seguida de los fenotiacinos), que parecían ser específica, pero también dramáticamente, efectivos en el tratamiento de la esquizofrenia. Algunos años más tarde se difundieron los fármacos contra las depresiones, que empezaron a ser utilizados con gran frecuencia.

Otra importante innovación de la década de los cincuenta fue la aparición de centros abiertos, en vez de los manicomios cerrados. Es-

---

[13] Zilboorg y Henry, *History of Medical Psychology,* p. 551. Probablemente la utilización del yodo en casos de bocio fue el primer tratamiento específicamente médico que se aplicó a psicósis ocasionadas por deficiencias nutritivas.

[14] El electro-shock resulta bastante efectivo en los casos de profunda depresión, y en condiciones de este tipo todavía se continúa utilizando mucho.

to constituyó el segundo desencadenamiento de la locura, que se realizó ciento cincuenta años después de que Philippe Pinel rompiera (en el sentido más literal del término) las cadenas de las personas que permanecían recluidas en la Bicêtre de París. Concomitante con esta política de puertas abiertas fue un esfuerzo más activo por fomentar la participación en grupos y por aumentar la responsabilidad concedida a los enfermos [15].

A finales de los cincuenta la forma de tratamiento más frecuente de los casos más graves seguía siendo la hospitalización. Las principales líneas de trabajo asumidas y practicadas por los psiquiatras fueron tres: las estrategias psicoanalíticas, las terapias basadas en fármacos y la política de puertas abiertas o comunidad terapéutica. Lo más importante fue que, a pesar de que los psiquiatras mantuviesen sus diferencias y desavenencias, el término «enfermo mental» adquirió su pleno sentido; además, casi nadie discutió el hecho de que los especialistas apropiados para tratar este tipo de enfermedades eran los psiquiatras, es decir, médicos con una preparación muy profunda en psiquiatría. Los doctores fueron los directores de los hospitales y los profesores de psiquiatría de las escuelas médicas; incluso los psicoanalistas se opusieron al análisis realizado por profanos [16].

A finales de la década de los cincuenta y comienzo de la de los sesenta, algunos autores comenzaron a atacar el concepto de que la «enfermedad mental» sea una enfermedad propiamente dicha. Esta actitud fue particularmente frecuente entre los médicos. El más famoso de estos autores en los Estados Unidos es Thomas Szasz, cuya obra *Myth of Mental Illness* salió a la luz en 1961. Szasz pensaba que la «enfermedad mental» se considera una enfermedad no por que sus víctimas presenten síntomas de desórdenes médicos o biológicos, sino por causa de necesidades históricas y sociales concretas. Argumentaba que el «rol de enfermo» que va ligado al «enfermo mental» era cómodo para los médicos, enfermos y el público porque ocultaba cuestiones morales. Existe, en efecto, un engaño socialmente amitido al estar de acuerdo en que los así llamados pacientes son enfermos verdaderos que necesitan médicos, un engaño que, según pensaba Szasz, en último término destruye la libertad y la responsabilidad humana. Szasz observaba que los médicos que pretenden ser especialistas en «enfermedades mentales» son, en sus relaciones con los enfermos, más autoritarios que merecedores de tal autoridad. Los psiquiatras no tienen una autoridad real, *qua* los médicos, en lo que se refiere a los reales «problemas de la vida». Por lo tanto, el tratamiento no es más que un método de control social, aun cuando esté cuidadosamente disimulado.

En éste y otros libros, Szasz intenta desarrollar modelos alternativos que estén fundados, entre otras cosas, en la teoría de juegos o

---

[15] Maxwell Jones, *The Therapeutic Community* (New York, 1953).

[16] Y ello a pesar del apoyo de Freud a los análisis realizados por personas que no fuesen especialistas: SE 20: 179-258.

en la teoría de decisiones, por ejemplo. Se debe recordar que la enfermedad con la que trabajaba Szasz era la histeria, fenómeno que por sus características particulares se presta muy bien a ser analizado con una forma de mala comunicación. En última instancia Szasz argumentaba que todas las enfermedades mentales, incluida la esquizofrenia, eran un producto «manufacturado» de la sociedad, la cual convertía a esos individuos en cabezas de turco haciéndoles asumir el rol de gente enferma, es decir, de ciudadanos de segunda clase [17]. Haciendo blanco de sus disparos a la psiquiatría forense, también negaba que los psiquiatras tuviesen algo que ver con los procedimientos legales.

Según lo que él mismo cree, Szasz ha llamado la atención sobre unos problemas importantes y complicados que son muy difíciles de ignorar. Pero por otro lado, ha llegado demasiado lejos en sus propuestas de que el engaño y la manipulación están involucradas en la «manufactura» de la enfermedad mental. Ha confundido motivación con etiología, de la misma forma que si se arguyese que, como los leprosos son todos proscritos, la lepra fue creada por la necesidad de la sociedad de colgar sambenitos a la gente. Ha tomado al pie de la letra la idea de que el etiquetar a las personas como enfermos mentales condiciona su conducta, y, en cambio, ha minusvalorado la importancia de los factores biológicos en la psicosis. Szasz ha contribuido a confundir la relación que puede existir entre las deficiencias biológicas y la responsabilidad moral de la conducta de una persona [18].

En el año 1960 D.R. Laing publicó su primer libro, *The Divided Self*, el cual, aunque desde una perspectiva diferente, también atacaba la noción de enfermedad mental. A diferencia del interés principal de Szasz por la histeria, Laing se concentró en la esquizofrenia y en los estados esquizoides. Su línea de trabajo se fundamenta en el psicoanálisis y en la filosofía existencial. Para él, el hablar de «enfermedad mental» nos evita considerar al esquizofrénico como un ser humano, como una persona demasiado humana que responde de ese modo a graves situaciones patogénicas, especialmente de a esas que tienen lugar dentro de la familia del (así llamado) enfermo. Se basó en parte sobre el *corpus* de conocimiento clínico que estaban acumulando aquellos que trabajaban con las familias de los esquizofrénicos, y en parte sobre sus propias existencias clínicas. Enfatizó al esquizofrénico como una víctima de las necesidades de conflicto de sus familiares, en concreto de la necesidad de negar el derecho del esquizofrénico a un futuro personal de su propiedad.

---

[17] T. Szasz, Manufacture of Madness: A Comparative Study of the Inquisition and the Mental Health Movement (New York, 1970).

[18] Se pueden encontrar críticas muy fuertes a la obra de Szasz en D. A. Begelman, «Misnamign, Metaphors, the Medical Model, and Some Muddles», *Psychiatry,* 34 (1971): 38-58; y S. Reiss, «A Critique of Thomas S. Szasz's Myth of Mental Illness», *Am. J. Psychiat.,* 128 (1972): 1081-85. F. M. Sander es más benévolo, «Some Thoughts on Thomas Szasz», *Am. J. Psychiat.,* 125 (1969): 1429-31, y la réplica de Szasz, pp. 1432-35. Ver también E. Becker, The Birth and Death of Meaning, 2.ª edic. (New York, 1971), y The Revolution in Psychiatry (New York, 1974).

En ulteriores publicaciones Laing informó del estudio que él mismo había hecho acerca de ese tipo de familias; en ellas comenzó a abrir el círculo de las influencias nocivas que incidían sobre las personas «seleccionadas» por sus familias para ser convertidas en locos. Estos enfermos no sólo eran víctimas de los ataques de sus familiares, sino también de los familiares de sus familiares, y, finalmente, de toda la sociedad. (Laing sin duda consideraría la casa de Atreo y su descendiente psicótico, Orestes, como un caso ejemplar). En sus escritos no aparece definido con precisión el término «sociedad», que unas veces se refiere a la sociedad capitalista, otras a la tecnológica, y otras permanece inespecificado. Uno descubre en sus trabajos la suposición de que los esquizofrénicos son los profetas y videntes de nuestra sociedad enferma, algo así como nuestras Casandras. Son los únicos que ven que el emperador no va vestido, y sufren el oprobio de todos los que proclaman esa «verdad».

Laing ha mostrado el valor de sus convicciones y ha intentado llevar a la práctica sus ideas acerca de cómo tratamos a los esquizofrénicos. Al mismo tiempo ha renunciado a plantearse las discusiones científicas sobre el posible rol que desempeñan los defectos genéticos y bioquímicos, infravalorando de este modo un diálogo sintético serio. Sin embargo, y al igual que Szasz, Laing ha manifestado muchas verdades importantes, pero también ha dejado definidas muchas otras cosas con términos vagos y ambiguos[19].

La crítica del modelo médico realizada por Laing y Szasz se ha visto reforzada por una línea de pensamiento surgida entre algunos sociólogos. Autores como Edwin Lemert y Thomas Scheff desarrollaron lo que se dió en llamar la teoría social y la noción corolaria de la desviación secundaria[20]. En su forma más sencilla esta teoría propone que ciertas conductas pueden estar perturbadas o desviadas («desviación primaria»), pero solamente a través de la acción y el etiquetamiento ejercido por la sociedad se convierten en enfermos mentales las personas peculiares o un tanto asociales. Algunos sociólogos han realizado trabajos empíricos basándose en estos supuestos, y han propuesto la existencia de una especie de «carrera del enfermo mental», de un sendero a través de la sociedad y de sus instituciones de control que contribuyen a redifinir a la persona como mentalmente enferma. Aunque estos teóricos suponen que una gran parte de los fenómemos conceptualizados por nosotros como enfermedades mentales muy posiblemente podrían desaparecer o disminuir si cambia-

---

[19] Ver R. Boyers y R. Orrill, eds., *Laing and Antipsychiatry* (New York, 1971). Ver asimismo E. G. Mishler, «Man, Morality, and Madness: Critical Perspectives on Work of R. D. Laing», *Psa. and Contemp. Sci*, 2 (1973): 369-94.

[20] E. M. Lemert, *Human Deviance, Social Problems and Social Control* (Englewood Cliffs, N. J., 1967), y T. Scheff, *Being Mentally Ill* (Chicago, 1966). Ver también Waxler, «Culture and Mental Illness». (Agradezco al Dr. Steven Leff sus opiniones y asesoramiento bibliográfico sobre este tema). Para encontrar una crítica reciente de las teorías sobre el etiquetamiento social, ver J. Murphy, «Psychiatric Labelling in Cross-cultural Perspective», *Science,* 191 (1976): 1.019-1.028.

ran nuestros procesos de definición, sin embargo están de acuerdo en que el etiquetamiento social no es la única causa de todos los fenómenos que concebimos dentro del campo de la enfermedad mental.

Otra teoría que se puede mencionar en este breve repaso de la historia reciente de la psiquiatría es la que ha llegado a ser conocida como la sociología de la enfermedad mental, la cual despertó gran interés durante los años 50 y 60. Dicho término se refiere a un grupo heterogéneo de investigaciones que intentan correlacionar las formas y la periodicidad de las enfermedades mentales con variables demográficas, económicas y de clase social. Un resultado indirecto de estas investigaciones, relacionadas con la vieja aspiración de realizar una encuesta antropológica dentro de la cultura y de la enfermedad mental, ha sido llamar la atención sobre la validez que tiene definir como «enfermedades», como fenómenos al alcance de la práctica médica, por lo tanto, ciertas formas de conducta aberrante o poco común.

Uno de los mejores trabajos sobre la sociología de la enfermedad mental fue el de A.B. Hollingshead y F.C. Redlich *Social Class and Mental Illness*[21]. Basada sobre una investigación de New Haven, esa obra intenta mostrar que las enfermedades mentales fuertes son más frecuentes en los grupos sociales inferiores que en los superiores. Aunque algunos de sus datos e interpretaciones han resultado ser muy controvertidas, únicamente, un hallazgo no se ha discutido. Los autores demuestran lo que ya mucha gente sabía, que mientras los pobres suelen ser tratados con terapias orgánicas del tipo del electro-shock, de la insulina o de los fármacos, las clases altas lo son con psicoterapia verbal. Una de las consecuencias de estas críticas y ataques al modelo médico fue revisar de un modo sistemático las premisas que fundamentan las diferentes formas de considerar la enfermedad mental. Al comienzo de la década de los sesenta Humphrey Osmond y, después de él, Miriam Siegler utilizaron los conceptos «modelos de enfermedad mental» y «modelos de locura» para ordenar las diversas teorías y modelos de trabajo de la psiquiatría. Sus esfuerzos iban destinados claramente a defender al modelo médico del psicoanálisis y de las diferentes teorías sociales de la psiquiatría. El modelo médico es *el* patrón a través del cual esos autores definen las dimensiones de su estudio de los otros modelos y a través del cual los juzgan. En un artículo de 1966, «Models of Madness», Siegler y Osmond hablan de la esquizofrenia y plantean seis modelos principales: el médico, el moral, el

---

[21] A. B. Hollingshead y F. C. Redlich, *Social Class and Mental Illness* (New York, 1958). Las características sociológicas que diferencian a los psiquiatras «analítico-psicoterapéuticos» de los «orgánico-directivos» se discuten en las páginas 155-65. El libro de J. K. Myers y L. L. Bean, *A Decade Later: A Follow-up of Social Class and Mental Illness* (New York, 1968), tiende a confirmar las interpretaciones del trabajo original: la elevada frecuencia de psicosis entre las clases bajas está en gran medida en función de las hospitalizaciones que duran mucho tiempo y de las menores posibilidades de recibir tratamiento clínico adecuado (ver pp. 206-215). La investigación de R. Bastide, *The Sociology of Mental Disorder*, trad. J. McNeil (New York, 1972), es muy instructiva.

psicoanalítico, el de interacción familiar, el conspirador y el social[22]. Asimismo comparan esos modelos refiriéndolos a las siguientes doce dimensiones: definición o diagnosis, etiología, conducta (tal y como es interpretada), tratamiento, pronóstico, suicidio, función del hospital, fin de la hospitalización, personal, derechos y obligaciones del enfermo, derechos y obligaciones de la familia, y derechos y obligaciones de la sociedad. (Desde entonces han añadido dos modelos más, el degenerativo y el psicodélico, y han modificado un tanto su lista de dimensiones, principalmente con la adición de los objetivos de cada modelo).

En su reciente *Models of Madness, Models of Medicine,* Osmond y Siegler presentaron una discusión más extensa y detallada sobre el concepto de modelo de la enfermedad mental[23]. Con todo, su predisposición en favor de un modelo médico es todavía muy clara. Argumentan que, de hecho, el modelo médico es un modelo múltiple: de clínica, de investigación y de salud pública a la vez. De este modo, el esquema de los modelos tan cuidadosamente construido por ellos están resultando ser tan confuso que apenas distinguimos con dificultad sus límites. Se debe anotar que el principal objetivo de estos autores es la esquizofrenia; les prestan muy poca atención a las neurosis o a las perturbaciones del carácter.

Un intento de clasificar la diversidad de modelos menos comprensivo, pero más cuidadoso y clarificador, ha surgido a partir de una serie de estudios de Leston Havens, *Approaches to the Mind* (1973). Más que de «modelos», Havens habla de cuatro «aproximaciones» principales: la orgánica-descriptiva, la psicoanalítica, la interpersonal, y la existencial. No cree que estas cuatro aproximaciones describan adecuadamente la escena psiquiátrica completa del momento en el que él comenzó a estudiarla (hacia 1960), pero sí que comprenden la mayor parte de lo que, según él, es importante. Según él, cada modelo se extrae de un determinado tipo de enfermo y, en este sentido, dicho modelo es el que mejor va con ese enfermo. Insiste en la complejidad de las relaciones entre los presupuestos teóricos, el método de trabajo y las observaciones que se realizan. La función y actividad del terapeuta-observador son diferentes en cada una de esas cuatro aproximaciones, y, a su vez, cada una de ellas genera un conjunto específico de «datos» sobre el enfermo. Los datos con los que trabaja la aproximación orgánico-descriptiva son los signos y síntomas que aparecen en el enfermo típico o ideal, así como los estadios de la evolución de su enfermedad en los cuales aquellos se manifiestan. En cambio, la aproximación existencial informa sobre lo que se siente al vivir en un estado de desesperación, al igual que sobre la desesperación que puede llegar a sufrir el terapeuta cuando mantiene un contacto muy estrecho con una persona en ese estado.

---

[22] M. Siegler y H. Osmond, «Models of Madness», *Brit, J. Psychiat.*, 112 (1966): 1192-1203.

[23] New York, 1974. Ver su tabla de las páginas 16-18.

El análisis de Haven nos permite apreciar la gran complejidad de cada uno de los modelos que Osmond y Siegler presentaban esquemáticamente. El gran mensaje de su libro es que no es necesario desesperarse ante el aparente estado de confusión de la psiquiatría actual, ya que, aunque no estemos preparados para realizar las grandes síntesis de todas las aproximaciones, una comprensión adecuada de las más importantes de éstas nos muestra que hemos realizado ingentes progresos en el estudio de las enfermedades mentales.

Quizás tendamos a minimizar la polémica y a maximizar el debate honesto. Se han reunido grupos de datos sobre la esquizofrenia muy importantes. La investigación médica y biológica se ha sofisticado mucho en los últimos diez años, y la vieja teoría de que «detrás de todo pensamiento torcido hay una molécula torcida» ha desembocado en unas ideas mucho más precisas sobre la forma en la que la conducta y el pensamiento pueden estar relacionados con defectos biológicos [24]. Un estudio cuidadoso ha descubierto la existencia de un factor genético en la esquizofrenia. Los trabajos sobre la interacción familiar han demostrado que el cuadro de síntomas de la esquizofrenia únicamente adquiere sentido dentro del contexto familiar [25]. Muchos síntomas parecen ser imitaciones del estilo familiar, rebeliones contra él, o, incluso parodias de él.

Incluso el psicoanálisis, que se destaca por las dificultades en reunir datos y sistematizarlos, ha alcanzado un estadio en sus aproximaciones a la esquizofrenia en el cual puede facilitar datos muy útiles para futuras integraciones con otras hipótesis. En este momento, a pesar de haber existido en el pasado un gran desacuerdo en ciertos detalles de la etiología y la psicoterapéutica, hay una sorprendente conformidad en puntos esenciales. Como por ejemplo en que el esquizofrénico se aterroriza tanto por la proximidad como por la distancia excesiva [26]. Camina por el más estrecho de los caminos en sus relaciones humanas: por el lado demasiado cercano puede matar o ser muerto por las personas que necesita y quiere, por el lado demasiado distante puede morir solo y abandonado. En el futuro creo que será posible ponerse de acuerdo en la formulación y descripción del funcionamiento psicodinámico del esquizofrénico [27]. En algunos casos,

---

[24] Ver por ejemplo S. S. Kety, D. Rosenthal, P. H. Wender y F. Schulsinger, «Mental Illness in the Biological and Adoptive Families of Adopted Schizophrenics», *Am. J. Psychiat.*, 128 (1971): 302-311. Los mejores resúmenes de las investigaciones recientes sobre la esquizofrenia se pueden encontrar en R. Cancrom ed., *Annual Review of the Schizophrenia Syndrome* (New York, 1971) y *Shizophrenia Bulletin* (NIMH), 1969.

[25] Ver las teorías de Bateson sobre la interconexión entre el esquizofrénico y su familia: G. Bateson. D. D. Jackson, et al., «Toward a Theory of Schizophrenia», *Behavioral Science, 1 (1966): 251-64. Ver también Family Process,* 2 (1963): 154-61, y C. C. Beels y A. Ferber, «Family Therapy: A View», *Family Process,* 8 (1969): 280-332.

[26] Consultar D. L. Burnham, *Schizophrenia and the Need-Fear Dilemma* (New York, 1969).

[27] Consultar J. G. Gunderson y L. R. Mosher, eds., *Psychotherapy of Schizophrenia* (New York, 1975).

la diversidad de opiniones y de estrategias, convenientemente canalizadas, puede ser motor de progreso.

He descrito con mucho detalle el estado actual del arte de entender la psicosis y de la noción de modelos de enfermedad mental por diversas razones, entre ellas para ilustrar mi pensamiento sobre los principales problemas de la psiquiatría contemporánea. Las cuestiones a las que se refiere la noción de modelos de enfermedad mental representan el punto de partida y la justificación de cualquier investigación sobre la razón y la locura en la Grecia antigua. En una publicación del año 1966, el Dr. Herbert Weiner y yo intentamos utilizar el concepto de modelos de enfermedad mental para conseguir una perspectiva de largo alcance sobre algunos problemas permanentes de la psiquiátría[28]. Admitíamos que esas dificultades, tal y como yo las acabo de exponer, son problemas permanentemente irresolutos. Por tanto, parecía lógico pensar que la antigua Grecia pudiese ser el campo ideal para comenzar una investigación sobre la naturaleza y la historia de dichos problemas. Concretamente, sugeríamos que tenía un interés crucial analizar la división entre aproximaciones médicas, intrapsíquicas e interpersonales (field-theory) a la enfermedad mental. Este parcelamiento ya se encontraba en la información procedente de la Grecia antigua. Asimismo, nos parecía que para los estudiosos del mundo clásico sería muy útil repensar datos familiares para ellos desde las perspectivas de la conducta humana. Salvo notables excepciones, el estudio de la vida mental anormal, tal y como aparece en la literatura del mundo antiguo, había sido realizado de una forma fragmentaria y unidimensional. Los trabajos anteriores se ceñían principalmente a describir y catalogar casos de locura evidente en la literatura griega y romana, pero ignoraban perspectivas e interpretaciones accesibles para la psiquiatría moderna[29]. Además, la razón y la locura solían ser consideradas de una manera diferente por los estudiosos del mundo clásico que por los historiadores de la psiquiatría y de la psicología. Tampoco se tuvo nunca en cuenta el vasto contexto social en el cual se presenta la razón y el trastorno mental.

De acuerdo con esto, nos propusimos estudiar la antigua Grecia desde Homero a Platón, dividiendo el material disponible en tres modelos principales de razón y enfermedad mental: el poético (particularmente Homero), el filosófico (o Platónico), y el médico (o Hipocrático). No creíamos entonces (ni lo creemos ahora) que dichos modelos fuesen los antecedentes directos de los actuales, sin embargo se podrían considerar los precedentes de importantes cuestiones que han pervivido hasta la psiquiatría moderna. El modelo médico es único,

---

[28] Ver B. Simon y H. Weiner, «Models of Mind and Mental Illness in Ancient Greece: I. The Homeric Model of Mind», *J. Hist. Behavioral Sciences,* 2 (1966): 303-314.

[29] A. C. Vaughn, *Madness in Greek Thought and Custom* (Baltimore, 1919); A. O'Brien-Moore, *Madness in Ancient Literature* (Weimar, 1924); y J. Mattes, *Der Wahnsinn in griechischen Mythos und in der Dichtung bis zum Drama des füntten Jahrhunderts* (Heidelberg, 1970).

atraviesa directamente todos los puntos de vista médicos sobre la enfermedad mental desde la antigüedad hasta la época moderna. El modelo poético ofrece el vehículo adecuado para estudiar las cuestiones relacionadas con las causas sociales, o «field theories» de las perturbaciones mentales. Los modelos actuales que se me ocurren, en cierta medida están arropados por los avances de las orientaciones de la psiquiatría interpersonal, fundamentándose, incluso, en la teoría de que la enfermedad mental tiene su origen en la sociedad y en el etiquetamiento social. El material Platónico es el medio para estudiar los desórdenes o perturbaciones como una consecuencia de desequilibrio entre las diferentes partes de la mente. La idea de una estructura llamada «mente», formada por compartimentos individuales, tiene su contrapartida actual en la teoría psicoanalítica clásica, que destaca la existencia de una estructura psíquica dividida en partes distintas según su función.

En efecto, utilizaremos lo antiguo y lo contemporáneo para reflejar lo uno en lo otro, y para, de este modo, destacar sus aspectos novedosos y las interrelaciones entre ambos conjuntos. Esta investigación no es estrictamente histórica o transcultural. Es mejor considerarla como una aproximación estructural que ayuda a aislar y definir ciertas construcciones que han fundamentado la elaboración y generación de teorías sobre la mente y la enfermedad mental. No proponemos que dichas estructuras tengan que ser vistas necesariamente como *los* elementos básicos del pensamiento sobre la razón y la locura, pero sí que son los instrumentos intermedios que nos pueden ayudar a organizar y clasificar nuestras teorías y nuestra praxis.

Una importante premisa de la ciencia griega está ejemplificada por el aforismo *Opsis tōn adēlōn ta phainomena,* «Los fenómenos son únicamente los aspectos visibles de algo que está escondido». La creencia en un orden oculto de las cosas y la convicción de que una investigación adecuada puede descubrir lo que permanece oculto, son valores que hemos adquirido de los griegos y que continúan siendo válidos. Con ese espíritu, ¡dejadnos comenzar la búsqueda!

3

LOS GRIEGOS Y LO IRRACIONAL

El fanatismo con el que toda la reflexión griega se arroja sobre la racionalidad delata una situación desesperada; existía un peligro, pero había una solución: morir o ser absurdamente racional.

Nietzsche, *Twilight of the Idols*[1].

A lo largo de la historia, la erudición clásica y el estudio de la psique humana han coincidido en muchos puntos. Uno de los ejemplos más famosos de este encuentro es la *Anatomy of Melancholy* (1621) de Robert Burton, que considera detalladamente todas las variedades de pasiones e instintos humanos. Aunque no era un médico, Burton estaba familiarizado con la literatura médica clásica y contemporánea. Clérigo, catedrático de Oxford, célibe e introvertido, dobló al mismo Demócrito Junior, un melancólico popular de la antigua tradición clásica. El trabajo es un tributo a la influencia de la antigüedad clásica sobre la gente educada de su momento. A partir de lo poco que sabemos de la vida de Burton, podemos suponer que ese libro debió tener una importante función terapéutica, debió ser un testimonio a favor del poder de la erudición para conjurar la melancolía.

Burton, aunque no fue el primero, fue sin duda el escritor más famoso y el más meticuloso que popularizó el interés por la locura y la melancolía en el mundo clásico. Su trabajo sobre la «English malady» despertó una respuesta simpatética en sus melancólicos compatriotas, pero la locura inglesa todavía no había sido revisada a través de las lentes clásicas.

Las alusiones de Burton a los médicos griegos puntualizan la larga e íntima conexión entre la medicina clínica y las tradiciones médicas griegas. A lo largo de los siglos XVIII y XIX Galeno, Hipócrates, Areteo, Celio Aureliano, y otros médicos griegos y romanos eran citados como autoridades en asuntos médicos en general y en enfermedades mentales en particular; incluso se los consideraba colegas. Para aceptarlos o para disentir de ellos, los casos antiguos pueden yuxtaponerse a los casos y opiniones de los colegas vivos. De este modo Benjamín Rush (1745-1813), firmante de la Declaración de Independencia y llamado el padre de la psiquiatría americana, puede citar a

[1] *The Portable Nietzsche*, ed. y trad. W. Kaufman (New York, 1954), p. 478.

Galeno y a Areteo cuando dice què la locura se origina en los vasos sanguíneos y que va siempre acompañada de fiebre [2]. Por lo tanto, durante varios siglos los médicos intimaban con facilidad, aunque pudiesen estar separados un milenio o dos.

Pinel, que escribió a comienzos del siglo pasado, cita todavía a los médicos antiguos y a los enciclopedistas medievales, pero con una diferencia. Pinel apela más a lo que él considera el espíritu investigador y la perspicacia observadora de Hipócrates, por ejemplo, que a los contenidos y conclusiones del antiguo pensamiento médico. Y según avanza el siglo, arraiga un nuevo espíritu de observación, investigación y recogida de datos, y sólo de pasada encontramos citas y menciones de los antiguos. James Prichard en Inglaterra, Jean-Etienne Dominique Esquirol en Francia e Isaac Ray en América citan a los griegos y romanos como curiosidades, y nunca como fuentes de importantes opiniones o datos.

Por lo tanto, la medicina y la psiquiatría del siglo XIX irrumpieron en nuevos campos, y no fueron en ningún momento deudores de los maestros de la antigüedad. Sin embargo, en un área diferente, se desarrolló lentamente una nueva relación entre los estudios clásicos y las vicisitudes de la psique humana. En cierta medida dicha relación estuvo en función de los desarrollos de la psiquiatría que condujeron al psicoanálisis y a la psiquiatría dinámica. En algún sentido se manifestaba un *Zeitgeist* en las novelas de Dostoievsky, en las primeras investigaciones psicoanalíticas de Freud y en el interés de unos pocos estudiosos alemanes del mundo clásico.

En un capítulo posterior hablaré del gran clasicista germano-judío Jacob Bernays, que fue conocido por su interpretación de la noción aristotélica de catarsis (1851). Tan importante como su visión de la catarsis (que destacaba sobre todo los aspectos médicos en vez de los morales) es un profundo interés por las relaciones entre razón, pasión y éxtasis. El espíritu de la obra de Bernays, si no su contenido, parece que influyó en un joven y prometedor estudioso del mundo clásico llamado Friedrich Nietzsche [3]. El primer libro de este autor, *The Birth of Tragedy* (1871), se desmarcaba enormemente de sus colegas clásicos, pero la línea de pensamiento que inauguraba iba a ser muy influyente, incluso entre algunos clasicistas. Sus argumentos se centraban en la idea de que la tragedia surge de la síntesis entre los elementos apolíneos y serenos, y los elementos dionisíacos extáticos y orgiásticos de la cultura griega:

Estas dos tendencias distintas (la Apolínea y la Dionisíaca) corren

---

[2] B. Bush, *Medical Inquiries and Observations upon the Diseases of the Mind* (1812, reedc. New York, 1962), p. 29.

[3] Una discusión pormenorizada de los orígenes e influencias clásicas de Nietzsche se puede localizar en W. Arrowsmith, «Nietzsche on Classics and Classicists (Part. III)», *Arion,* 2 (1963): 5-31; la traducción de Arrowsmith de las notas de Nietzsche a *Wir Philologen* se puede encontrar en *Arion* n.s. (1973-1974): 179-380. Ver también H. Lloyd-Jones, «Nietzsche and the Study of the Ancient World» *TLS,* 21 de febrero de 1975, pp. 199-201, y *The Justice of Zeus* (Berkeley, 1973), p. 157.

paralelas una a otra, en franca discrepancia; y continuamente se incitan mutuamente a gestar nuevas y poderosas creaciones, que perpetúan un antagonismo sólo reconciliado superficialmente por el término común «Arte»; hasta que finalmente, por un milagro metafísico de la voluntad griega, unieron una a otra, y a través de esa unión generaron eventualmente el producto artístico, igual de Dionisíaco que de Apolíneo, de la tragedia Atica[4].

En otros puntos escribió que los griegos le daban tanta importancia a la moderación porque sabían cuán inmoderados podían llegar a ser. Con la obra de Nietzsche se consignaron nuevas cuestiones, tanto para los estudiosos del mundo clásico como para otros intelectuales, que podrían haber sido reunidas bajo el título «Los griegos y lo irracional». En su obra magistral de este mismo título, E.R. Dodds (1951) rindió homenaje a otro gran clasicista, Erwin Rohde, compañero y seguidor de Nietzsche.

El *magnum opus* de Rohde sobre la religión y la civilización griega fue subtitulada *Psyche: The Cult of Souls and Belief in Immortality among the Greeks*. En un momento en el cual términos como psiquiatría, psicoterapia y psicoanálisis eran de introducción muy reciente, es muy significativo que Rohde eligiese un título como ése.

Hacia finales del siglo pasado y comienzos del presente, algunos clasicistas de Cambridge estaban empezando a aplicar conceptos de la antropología contemporánea a los estudios griegos. La *Golden Bough* de Sir James Frazer comienza con un análisis de la naturaleza del sacerdocio extranjero en la Roma antigua, y en múltiples ocasiones retoma a los griegos y a los romanos. Jane Harrison, F.M. Cornford, Gilbert Murray y otros autores contribuyeron al conocimiento de lo primitivo en la religión y cultura griega. Aunque hubo una gran reacción académica a sus excesos primitivizadores, las cuestiones planteadas por estos autores pueden perdurar más que las mismas contestaciones que ellos ofrecen.

Alrededor de este mismo momento, Freud y los primeros psicoanalistas apoyaron la pervivencia del mundo clásico con su buena disposición en volver a la mitología griega. Estos precursores tenían, según nuestros patrones, una esmerada educación clásica, y algunos de ellos fueron, incluso, clasicistas amateurs muy rigurosos. Sin embargo fue algo más que su conocimiento del latín y el griego lo que permitió a Freud elegir el término «complejo de Edipo», hablar del narcisismo, o invocar la noción de Eros tal y como aparece en el «divino Platón» para apoyar su propio concepto de libido[5]. Da la impresión de que Freud sentía que los mitos griegos, sobre todo bajo la forma en la que se presentan en la tragedia, eran ya exposiciones analíticas muy profundas sobre la psicología humana. Veía el *Edipo rey* de Só-

---

[4] *The Birth of Tragedy*, en *The Philosophy of Nietzsche* (New York, 1927), p. 951.

[5] Para las fuentes clásicas de Freud, ver H. Trosman, «Freud's Cultural Background», *Psychological Issues*, 9 (1976): 66-70, y R. Ransahoff, «Sigmund Freud: Colector of Antiquesm Student of Antiquity», *Archeology*, 28 (1975): 102-111.

focles no como la ilustración ideal para su «complejo» recién descubierto, sino como una tentativa cerrada al consciente de analizar el funcionamiento interno de la mente[6]. En efecto, los mitos griegos, especialmente tal y como se expresan en la poesía, ya habían realizado parte del trabajo de identificar y diseccionar los elementos cruciales de la motivación humana.

En tanto que Freud estuvo al corriente del conocimiento sobre el mundo clásico de su momento, él y su círculo estuvieron interesados e influenciados por las obras de Sir James Frazer, incluida *The Golden Bough*. El interés de Freud no se centró sólo en los contenidos de tales trabajos, sino también en su espíritu, y sobre todo en el fenómeno de la persistencia de lo primitivo dentro de lo civilizado. Desde sus primeros escritos psicoanalíticos, identificó el primitivo estadio de la humanidad con la infancia de cada ser humano, y después a ambos con el inconsciente. A partir de este punto existió una gran congruencia entre el interés de Freud por la influencia del inconsciente sobre el consciente, y el interés del grupo de Cambridge por los pilares primitivos y rituales de la sofisticada y racional cultura griega.

Pero la cultura griega nos ofrece algo más que un ejemplo de la interrelación entre lo primitivo y lo civilizado, entre lo irracional y lo racional. Los mismos griegos, o por lo menos algunos de ellos, mostraron interés en estos problemas y comenzaron a plantear cuestiones y a ofrecer interesantes respuestas. Las relaciones entre lo sano y lo enfermo, lo racional y lo irracional, lo mitológico y lo científico, eran tópicos de discusión para los griegos. Hasta donde alcanza nuestro conocimiento, fueron ellos los primeros en plantearse estas cuestiones de una forma explícita y extensa.

LOS MODELOS GRIEGOS[7]

En un sentido muy importante, los tres modelos en que he dividido la literatura griega (el poético, el filosófico y el médico), se corresponden con las líneas de división de la cultura griega. No me refiero

---

[6] Freud, *The Interpretation of Dreams,* SE 4: 261-62.

[7] Una visión esquemática de la historia de la psiquiatría en Grecia y Roma se puede localizar en los siguientes trabajos y en la bibliografía en ellos reunida: C. Ducey y B. Simon, «Ancient Greece and Rome», en *World History of Psychiatry,* ed. J. G. Howells (New York, 1974), pp. 1-38; G. Mora, «Historical and Theoretical Trends in Psychiatry», en *CTP*², pp. 1-75; G. Rosen, «Greece and Rome», en *Madness and Society* (Chicago, 1968), pp. 71-136; P. Laín Entralgo, *The Therapy of the World in Classical Antiquity,* trad. L. J. Rather y J. M. Sharp (New Haven, 1970). Es necesaio realizar un estudio etnopsiquiátrico completo de la antigua Grecia de una forma similar al de G. Devereux, *Mohave Ethnopsychiatry and Suicide* (Washington, D. C., 1961). Se puede encontrar material muy importante en J. C. Lawson, *Modern Greek Folklore and Ancient Greek Religion* (New Hyde Park, N. Y., 1964), y A. C. Vaughn, *Madness in Greek Thought and Custom,* (Baltimore, 1919). Ver también R. Blum y E. Blum, *Health and Healing in Rural Greece* (Stanford, 1965) y *The Dangerous Hour: The Lore and Culture of Crisis and Mystery in Rural Greece* (New York, 1970).

con ello a divisiones claras y definidas, sino a algo parecido a las líneas de corte de un cristal roto. Para algunos griegos, entre los que se encontraba Platón, dichas líneas estaban muy bien definidas. Según él, la filosofía y la poesía estaban en guerra; los poetas habían quedado excluidos de su república. En muchos aspectos, en cambio, la filosofía y la medicina forman importantes áreas de intercambio, aunque la filosofía influye más sobre la medicina que ésta sobre la primera. Platón consideraba a la medicina como una especialización, de hecho particularmente importante, pero que no suponía ningún rival serio para su propio método o intereses.

Los escritores médicos se preocupaban más que los filósofos por limitar bien las dos disciplinas. Algunos textos médicos argumentan enfáticamente que la medicina se basa en la experiencia clínica y en el conocimiento práctico, mientras que la filosofía lo hace sobre esquemas *a priori*. Durante los siglos cuarto y quinto no se prestó mucha atención a la rivalidad entre medicina y filosofía en el tratamiento del «alma» humana, pero a partir del Helenismo tardío, y sobre todo durante el Cristianismo, se agudizó el sentido de esta competición. En cierta medida los «doctores del alma» y los «doctores del cuerpo» eran rivales; sin embargo, según parece, los griegos deseaban superar esas diferencias. La cultura griega, tan agónica como era, estuvo marcada por un espíritu pragmático y sintetizador.

Cada uno de los tres modelos planteados será examinado desde cuatro puntos de vista: (1) la representación de la mente y de la actividad mental ordinaria, (2) la representación de la perturbación mental, (3) el tratamiento de dicha perturbación, y (4) las relaciones entre la especialidad del médico (poeta, filósofo o médico) y las teorías de la mente y la perturbación mental.

En este punto nos debemos contentar con términos de tipo general como «perturbación mental» o «terapia», teniendo en cuenta que se aplican mucho más literalmente a la medicina que a la poesía. A lo largo de mi discurso se clarificarán los sentidos específicos con los que se utilizan dichos términos. Aunque Homero no era un terapeuta, los griegos consideraban de un modo muy significativo a la poesía como una forma de terapia. Platón hablaba de «curación de la psique» como una metáfora pedida en préstamo a la medicina. Al mismo tiempo, establecía lo que para él eran las perturbaciones más importantes de la psique, y proclamaba que su filosofía y su método eran los mecanismos de curación adecuados.

Esto nos lleva a otra consideración sobre mi elección del término «modelo», en vez del de «teoría». La medicina griega tenía una teoría sobre las causas de la perturbación mental, una teoría que justificaba los tipos de tratamientos utilizados. Homero, en cambio, no poseía una teoría de la mente o de la enfermedad mental, aunque tenía mucho que decir relacionado con la vida mental y él mismo ofrecía actitudes y propuestas que apoyaban lo que decía. Platón pensó algunas teorías, pero que no se referían concretamente a las perturbaciones que interesaban a los médicos. El término «modelo» se utiliza para designar el modo como definía un pensador o un escritor creativo particular la actividad mental, las presunciones explícitas e implícitas que hacía, y otros aspectos que se pueden considerar perfectamente como teorías actuales. «Modelo» no significa aquí analogía, aunque discutiré ciertas analogías importantes para la mente. En la actualidad se habla de modelos cibernéticos de la mente, o de la mente como un transistor o transmisor de la experiencia. Los «modelos», en el sentido de analogías, son una parte de lo que yo llamo «modelos de la mente», ya que dichas analogías con frecuencia iluminan algunos aspectos fundamentales de las mentes de los pensadores que considero. Por lo tanto, el término «modelo», tal y como yo lo utilizo, señala un compromiso entre la necesidad de encontrar un concepto más amplio que las teorías formales demasiado estrechas para diferenciar un conjunto de puntos de vista y propuestas de otro cualquiera.

Múltiples hilos atraviesan todo el material, uniendo lo antiguo y lo moderno. Dichos hilos representan importantes problemas de la psiquiatría contemporánea, y han determinado en gran medida mi elección de los modelos antiguos y actuales que discutiré. El primero se centra en la noción de la estructura de la mente. ¿Existe tal estructura? La concepción de la mente como algo fijado e interiorizado nunca estuvo firmemente establecido en la antigüedad (de hecho está ausente de los poemas homéricos); muchas teorías contemporáneas se han propuesto redifinir, si no descartar, la noción de una entidad estructurada llamada mente. Tal y como veremos, Platón y los psicoanalistas freudianos admiten la existencia de una estructura mental interiorizada que está organizada y cuyas partes tienen funciones particulares.

Si aceptamos la concepción de una estructura, ¿cuál es su naturaleza y cuáles son las partes que la componen? ¿La sustancia de la mente es única, o es que la mente está compuesta de elementos comunes al mundo exterior, ya sean químicos o biológicos? ¿Es la estructura de la mente análoga a otras estructuras, como, por ejemplo, la de la sociedad? Y finalmente, ¿son los defectos de la estructura, de sus partes, o de las relaciones entre las partes las que permiten un funcionamiento mental anormal? Los modelos médicos, tanto los de la antigüedad como los del presente, creen que la mente tiene una estructura, o al menos un sustrato material, y consideran que las perturbaciones en el funcionamiento de esta materia son las que provocan las perturbaciones de la vida mental o de la conducta. Otros modelos no niegan la existencia o la importancia de esa materia, pero opinan que su buen o mal funcionamiento es accidental para las cuestiones principales.

Una segunda cuestión se refiere a la influencia que ejercen sobre la vida mental fuerzas originadas dentro del individuo y fuerzas originadas fuera de él. ¿De qué forma se podrían caracterizar dichas fuerzas? ¿Puede el individuo controlarlas, o únicamente debe soportarlas y reaccionar pasivamente? ¿Las fuerzas externas y las internas están en conflicto, o ambas son necesarias para el funcionamiento de la mente? ¿De qué modo la mente media entre las fuerzas externas y las internas o cómo las integra? ¿La vida mental humana es un producto de la naturaleza o de la educación, o, en caso de que lo sea de ambas cosas, cómo interactúan una y otra? ¿Son las fuerzas externas o las internas, o ambas en interacción, las que conducen a la perturbación mental? Las antiguas teorías médicas consideran la influencia del clima, la geografía, el aire y el agua sobre las cualidades internas y los humores del individuo; también la comida es importante para establecer el equilibrio entre las sustancias internas. Las perturbaciones mentales proceden de un desequilibrio humoral, y los humores, a su vez, están influenciados por los factores externos enumerados anteriormente. El punto corolario de esta teoría es, sin duda, que el cambio de los factores externos, incluyendo las modificaciones en el hábitat y las formas de vida, puede influir favorablemente sobre el equilibrio interno y restablecer el funcionamiento mental correcto. Las drogas son un método para lograr dichos cambios. Todo ello subyace a la antigua noción médica de que el «régimen» es importantísimo para los estados de salud o de enfermedad. Según Platón, en cambio, entre los factores vitales que influyen en los trastornos del alma, están tanto las cosas buenas como las malas de la sociedad y del alma misma. Finalmente, y en general, las teorías actuales de las perturbaciones mentales son mucho más sofisticadas que las antiguas en sus intentos por entender la integración de esos diversos factores, así como el modo en que un factor particular influye sobre el funcionamiento mental. Aunque el problema «naturaleza-educación» aún no ha sido resuelto, las teorías contemporáneas están mucho mejor situadas para considerar las complejidades de la interacción de todas esas fuerzas.

El tercer problema que se plantea en estas observaciones es el de la relación entre teoría y práctica. ¿Son una y otra siempre consonantes? ¿Qué ocurre cuando los datos difieren mucho de la teoría? ¿Si la teoría y la práctica están de hecho íntima y orgánicamente relacionadas, qué es lo que origina y mantiene esta unión? ¿Existe algún modo oculto de que la mente que se describe en la teoría sea de hecho un reflejo de la mente del que formula dicha teoría? Finalmente, ¿es posible que las teorías que explican las perturbaciones mentales sean un reflejo de todas las cosas que perturban la mente del médico durante su actividad terapéutica? Ninguna de estas cuestiones ha sido explorada exhaustivamente en los trabajos sobre la historia de la psiquiatría o sobre las teorías psiquiátricas contemporáneas.

II

EL MODELO POETICO

4

LA VIDA MENTAL EN LA EPICA HOMERICA.

Sin duda alguna sabes que el sabio Homero escribió prácticamente sobre todas las cosas que conciernen al hombre.

Jenofonte, *Symposium*.

Los poemas son los restos más antiguos de la literatura griega que han llegado hasta nosotros [1]. En estas obras maestras de la larga tradición de poesía heroica griega se cuentan historias que se debieron cantar desde hace mucho antes de Homero. De este modo encarnan una actualidad histórica, la del mundo micénico del siglo XIII a.C., cuyos recuerdos y tradiciones se narraron, rememoraron y elaboraron a través de las canciones de innumerables bardos [2]. Homero recopiló su monumental obra en el siglo octavo a.C. En gran medida, sus poemas fueron compuestos como una épica oral, y se consignaron por escrito poco tiempo después de su elaboración, coincidiendo con la introducción de la escritura alfabética (el alfabeto fenicio) en Grecia. Algunos estudiosos han argumentado que, ya que esta obra fue gestada en un momento en el cual la cultura oral y tradicional predominante estaba asimilando el arte de la escritura, dichos poemas poseían una vitalidad sin igual, y un maravilloso equilibrio entre la espontaneidad y el enredo.

Los poemas son épica heroica. Cuentan las hazañas de valientes

---

Nota: Una versión primitiva de este capítulo apareció en B. Simon y H. Weiner, «Models of Mind and Mental Illness in Ancient Greece: I. The Homeric Model of Mind», *J. Hist. Behavioral Sciences,* 2 (1966): 303-314; y J. Russo y B. Simon, «Homeric Psychology and the Oral Epic Tradition», *J. Hist. Ideas,* 29 (1968): 485-98.

[1] Para los no-especialistas el trabajo más completo y sencillo sobre Homero es el de A. J. B. Wace y F. H. Stubbings, eds., *A Companion to Homer* (London, 1962). Introducciones de tipo general pero buenas, son las de C. R. Bete, *The Iliad, the Odyssey, and the Epic Tradition* (New York, 1966), y A. Lesky, *A History of Greek Literature,* trad. J. Willis y C. de Heer (London, 1966), pp. 14-90. Las traducciones utilizadas son, además de otras indicadas, las de R. Lattimore, *The Iliad of Homer,* 2.ª edc. (Chicago: University of Chicago Press, 1962. Copyright 1951) y *The Odyssey of Homer* (New York: Harper and Row, 1968).

[2] Los problemas que se plantean para separar la realidad de la leyenda son analizados por M. I. Finley, «Lost: The Troyan War», en su obra *Aspects of Antiquity* (New York, 1968), pp. 24-37.

guerreros, los combates con sus enemigos, sus encuentros con los dioses, y, a un nivel mucho más trágico, sus enemistades personales [3]. Son una recopilación de mitos tomados de fuentes muy diversas y que se refieren a héroes humanos que fácilmente podían ser considerados reales.

La poesía heroica es la depositaria de los ideales de una cultura, al tiempo que una consolación para todos aquellos que viven en tiempos menos heroicos. Nosotros mismos, de hecho, estamos viviendo en un momento menos heroico, dadas sus características implícitas, que el de esos ejemplos. Normalmente, la poesía heroica surge cuando los héroes se han marchado y se lamenta su ausencia. De este modo, los hechos descritos en la *Ilíada* y la *Odisea* fueron narrados, con toda probabilidad, no mucho después de una guerra (¿la de Troya?) que había sido emprendida por los caudillos micénicos. Los testimonios arqueológicos nos evidencian que hacia el siglo XII a.C. la aristocracia guerrera y el tipo de organización social que se manifiesta en los poemas estaba en decadencia.

La poesía heroica nos consuela ofreciéndonos una imagen aprehensible de nuestros ideales y aspiraciones más profundas, presentándonos una visión de lo que es esforzarse desmesuradamente y arriesgarse más allá de los límites humanos normales. Se eligen héroes bastante humanos como para que nos puedan servir de modelos, pero suficientemente lejanos y sobrehumanos como para que no se nos ocurra ponernos a su altura. Dichos poemas nos narran qué pasó en aquellos lejanos días en los cuales los hombres que habían sido señalados por los dioses, o los mismos hijos de los dioses, andaban sobre la tierra. Aquellos lejanos días están situados confortablemente en un tiempo distante, ya sea en edades antiguas o en la eternidad de los sueños de la infancia.

Los mejores ejemplos de poesía heroica van mucho más allá que las narraciones de las gloriosas proezas de nobles guerreros. En sus matices afectivos, en sus variadas alusiones a todos los aspectos de la vida humana, la gran épica nos presenta hombres turbados y en conflicto. El mito describe un hecho, narra una ficción, y sugiere una moral. La conjunción del mito con la épica nos introduce en una nueva dimensión que, denominándola correctamente, es la tragedia. Además de los golpes de armas y choques de deseos que suenan en estos poemas, también emerge de ellos una determinada reflexión sobre la condición humana. A través de ellos surge una reflexión sobre la soledad, sobre la vejez y la muerte, sobre la familia humana.

Al héroe épico se le recompensa por sus trabajos con la victoria, y se le consuela por los daños sufridos con la inmortalidad que supone el que su historia sea contada y recordada a lo largo de generaciones. La mejor recompensa es *Kleos*, es decir, la gloria y la fama, el logro de una memoria imperecedera. La otra vida del héroe homérico

[3] Ver C. M. Bowra, «The Meaning of a Heroic Age», en *Language and Background of Homer,* ed. G. S. Kirk, (Cambridge, 1964), pp. 22-47.

transcurre en un mundo miserable de sombras vaporosas, que se mueven sin sentido, y para toda la eternidad, en un espacio subterráneo. Pero la fama imperecedera, y en concreto aquella que sobreviene por poseer una descendencia que continue la línea heroica, puede confortar de algún modo al individuo condenado a soportar esa existencia vacía y cruel. Aquiles, tanto en la *Ilíada* como en la *Odisea*, mantuvo una postura firme maldiciendo la guerra y denunciando el perfecto *ethos* heroico, ya que, según él, no compensaban de ningún modo las aflicciones que traían consigo. Cuando Odiseo vio a su sombra en el Hades, Aquiles le dice que él «preferiría seguir al arado como esclavo de otro hombre, sin tener tierras ni mucho para vivir, en vez de ser un rey de todos los muertos (*Odisea, 11* 488-91). Odiseo consiguió consolarlo diciéndole que su hijo, Neptolemos, era un valiente guerrero.

No es extraño que Aristóteles encontrase a las grandes tragedias griegas del siglo quinto muy próximas de la épica homérica. Para Aristóteles, al igual que para nosotros, existe una continuidad atemporal en el retrato de la condición humana tal y como aparece en las tragedias, y que viene señalada por una permanencia de las relaciones entre el hombre y los dioses, entre el hombre y su destino. En este sentido, la psicología del hombre homérico no es muy diferente de la del hombre ateniense de los siglos quinto y cuarto a.C., o, incluso, de la nuestra.

En otro sentido (no reconocido realmente por Aristóteles) las dos épocas se diferencian mucho en la forma a través de la cual la psicología se transmite, y en el lenguaje que se utiliza para describirla. En los siglos que distancian a Aristóteles de Homero han aparecido muchos y muy importantes cambios en el lenguaje, especialmente en el que se emplea para representar la vida mental[4]. Pero, permitásenos observar el lenguaje de Homero, y su imagen de la forma en la que la gente piensa, siente y actúa.

PSIQUE

Además de la importancia y el interés intrínseco del término *psuche* en Homero, vale la pena examinar la profunda metamorfosis que sufre en la filosofía del siglo quinto y en la de Platón[5]. La utilización que de dicho término hace Platón es familiar y comprensible para nosotros; en cambio, la de Homero, nos resulta más extraña y remota.

Las primeras líneas de la *Ilíada* nos introducen al término diciendo que, cuando un hombre muere, su psique marcha al Hades, en tanto

---

[4] Ver en concreto B. Snell, *The Discovery of the Mind,* trad. T. G. Rosenmeyer, (Cambridge, Mass., 1953), y Russo y Simon, «Homeric Psichology».

[5] D. Claus, «Psyche: A Study in the Language of the Self before Platon», (Ph. D. dissertation, Yale, 1969). Agradezco al Prof. Claus sus múltiples sugerencias y haberme permitido consultar su manuscrito inédito.

que su cuerpo (él mismo) permanece en la tierra y, si no es quemado, es devorado por los animales del campo y las aves del cielo.

Una parte de la persona parece continuar su existencia en el Hades.

La *Odisea* (libro 11) nos muestra una descripción más completa de la psiche y de cómo es su existencia en el Hades [6]. El diálogo entre Odiseo y la psique de Aquiles en el Hades confirma la impresión de que la existencia después de la muerte es triste y lúgubre. En la *Odisea* la psique no puede hablar; se desliza como si fuera una sombra, no tiene inteligencia y únicamente después de beber sangre de animales muertos puede hablar. Sólo Tiresias, el profeta, posee el poder del habla y el uso de su talento, y ello por designio de la diosa Perséfone. Esos espectros son como sombras; su sustancia es la misma que la de las figuras de los sueños. El Hades homérico es un lugar muy lejano (no parece claro que sea un «mundo subterráneo»), de difícil acceso y que está situado cerca del «lugar de los sueños» (24.12).

En el Hades, Odiseo encuentra al fantasma de su madre, que había muerto durante los veinte años que él había faltado de Itaca. Cuando intenta abrazarla, no puede hacerlo; entonces pregunta si no es ella más que una «imagen» (*eidolom*) enviada por Perséfone para incrementar su dolor. (11.210-14). Es ésta una cuestión muy aguda, e implica que Odiseo se está preguntando si la aparición no es una imagen engañosa, en vez de su madre o su sombra. Obviamente, una verdadera madre habría corrido para abrazar a su hijo.

Pero ella explica que no es un espejismo, sino que después de la muerte «los tendones no consiguen mantener unidos los huesos y los músculos, pues todas (las partes) son desmembradas por la acción del fuego de la pira funeraria, y cuando el espíritu (*thumos*) abandona los blancos huesos, el alma vuela como un sueño y se aleja» (11.219-22) [7]. Por lo tanto, ésta es la limitada inmortalidad que las personas pueden obtener: sus psiques se desprenden del cuerpo y continúan viviendo después de la muerte.

Aun cuando en Homero la psique aparece en primer lugar siempre después de la muerte, también puede, curiosamente, abandonar a una persona cuando pierde su conciencia y volver, presumiblemente, cuando se despierta. La psique es lo suficientemente concreta como para dejar al cuerpo a través de la herida de una lanza, y lleva consigo una connotación de «soplo», aunque este sentido aparece en Homero sólo muy ocasionalmente [8]. Otras utilizaciones del término por Homero indican que la psique es sagrada. Se puede dar un juramento por la psique de uno, al igual que por su cabeza o por sus rodillas. La psique únicamente la tienen los seres humanos, nunca los animales.

---

[6] Aunque muchos estudiosos consideran que todo el Libro 11, o por lo menos ciertas partes de él, son interpolaciones posteriores, lo cierto es que la posición de la psique en este libro es compatible en sus líneas generales con la del resto de la *Odísea* y la *Ilíada*.

[7] Traducción realizada por el autor.

[8] Cf. *Odyssey*, 10.555, donde psique parece equivalente a «soplo de aire fresco».

La psique encuentra con facilidad una definición o clasificación en nuestros propios términos psicológicos. Viene a ser una parte de la persona, e incluso es más una réplica de ella que una parte. Es importante apuntar que Homero no posee ningún término para designar al «yo» o al «uno mismo», de tal modo que el lenguaje homérico no podría expresar una cuestión del tipo «¿Cuál es la relación de la psique con uno mismo?» La psique es un término abstracto; con todo parece poseer un sentido físico concreto [9], al igual que otros muchos términos mentales del vocabulario de Homero.

Podemos obtener una aproximación más cercana a la noción homérica considerando lo que la psique no es. Nunca se le describe como un pensamiento, sentimiento, reflexión o decisión de una persona viva. Por lo tanto no es un agente psíquico en el sentido en el que nosotros utilizamos ese término. Da la imprensión de que se hace cargo de algunas de estas funciones sólo después de la muerte, pero como si fuera una continuación de la persona completa, y no como un agente o facultad.

Fue Erwin Rohde en su *Psyche* el primero que sugirió que la psique es un doble, o alter ego [10]. Deseaba situar a la psique homérica en el contexto de una creencia humana muy extendida en la existencia del otro yo. Este doble se representa tanto como algo que sobrevive a la muerte, o como una sombra. Aunque su aproximación tuvo cierto valor, en realidad hizo surgir más problemas de los que contestó, y en concreto no quedó nada clara la función o significación de la creencia en dobles extendida entre varios pueblos primitivos mencionados por Rohde.

Las formulaciones psicoanalíticas sobre los dobles se originaron a partir del famoso trabajo de Otto Rank *The Double* [11]. Rank estaba de acuerdo con los escritores anteriores en que el doble es una defensa contra el temor a la muerte y al olvido total, y argumentaba que la creencia en él refleja la persistencia de un estado inicial en el desarrollo del sentido del yo individual. Es una «reflexión» por medio de la cual la persona arriba a un nuevo tipo de integración con su propio yo [12]. Más adelante Rank planteó que para el individuo

---

[9] La descripción homérica de la cremación y las evidencias arqueológicas de la inhumación señalan que la psique sobrevive después de la muerte, aunque no forzosamente en el lugar en el que está emplazada la tumba. Ver, por ejemplo, G. E. Mylonas, «Burial Practices», en Wace y Stubbings, *Companion to Homer,* pp. 478-88, y E. T. Vermeule, *Greece in the Bronze Age,* (Chicago, 1964), pp. 297-304.

[10] E. Rohde, *Psyche,* trad. N. B. Hillis de la 8.ª edc. alemana (London, 1925), pp. 4-8.

[11] Ver O. Rank, *The Double,* edc. y trad. H. Tucker (Chapel Hilm, N. C., 1971), y también *Beyond Psychology* (edición privada, 1941). Le estoy muy agradecido al Dr. W. Meissner por haberme facilitado ésta y otras numerosas referencias que se encuentran en su manuscrito inédito «The Double». Ver también J. P. Vernant, «La categorie psychologique du double», en *Mythe et pensée chez les Grecs,* (París, 1971), vol. 2, pp. 65-78.

[12] Ver H. Kohut, *The Analysis of the Self,* (New York, 1971); C. Feigelson, «Mirror Dream», *Psa. Study Child,* 30 (1975): 341-55; y la obra de J. Lacan, bien explica-

(muchos de sus ejemplos están tomados de la literatura moderna) el doble representa una parte repudiada o inaceptada de su yo. Algo de este tipo se aprecia en el siguiente ejemplo clínico:

Un hombre mayor, que obviamente sufría una cierta deteriorización física y mental, se convenció de que detrás del espejo de su habitación vivía otro hombre. El otro era exactamente como él y tenía el mismo trabajo (el paciente era un tallador de herramientas). El otro hombre le había robado su equipo de talla y lo había empeñado, desproveyéndole de este modo de su última forma de ganarse la vida, y además había seducido a la mujer del enfermo, con la cual se había escapado (de hecho, pocos años antes, su esposa le había abandonado). Así pues, el anciano, sintiéndose desauxiliado y vulnerable tanto ante sus fuerzas internas (impotencia y desconsolación), como ante las externas que siempre hacen especial mella en la gente de edad, se inventó otro yo. Este doble le evitaba tener que dar cuenta de sus sentimientos insufribles y de su estremecedora suerte. En tanto que él sentía que todos estos sucesos eran cosas que le hacían a él, no tenía por qué reconocer que su esposa podía haber sido alejada por él (o incluso de que ella prefería a otro hombre). Además el doble funcionaba de tal modo que aliviaba la soledad inaguantable que sufría el paciente [13]. Me parece que las teorías de Rank aportan algunas perspectivas muy útiles para entender los bocetos homéricos de la psique. Las psiques que se encuentran en el Hades no son felices. Cuando tienen oportunidad de hablar, lo único que hacen es quejarse, lamentarse de las injurias, denunciar las injusticias y echar de menos todo lo que han perdido. El aspecto indeseable del yo que se representa en la psique que está en el Hades, es el aspecto que mejor resiste pasivamente. Un héroe puede aceptar que lo injurien o lo agravien; pero nunca podrá soportar sentirse impotente o pasivo. En cierto sentido las sombras del Hades pueden despertar compasión no por ser seres muertos, sino por ser seres peor que muertos: vivos, pero incapaces de actuar, es decir, la pesadilla del héroe épico [14]. Además la muerte tiene otro aspecto terrible: la posibilidad de ser olvidado. Las hazañas épicas pueden inmortalizar al héroe, proveyéndole de una descendencia o de bardos que mantendrán su memoria. Desde este punto de vista, el descenso y retorno del Odiseo vivo al Hades tiene una lógica poética. La historia de la *Odisea* es la historia de un hombre que en vida ha tenido que sufrir y que ha sido capaz de soportarlo. Además, simbólicamente, había sido reducido al olvido, se había autodeclarado «no hombre».

da en J. Laplanche y J. B. Pontalis, *The Language of Psycho-Analysis,* trad. D. Nicholson-Smith, (New York, 1973).

[13] Este y otros ejemplos clínicos están tomados de mi experiencia médica y transcritos con algunos cambios para mantener los datos de tipo confidencial. El término técnico del fenómeno del espejo es «alucinación autoscópica».

[14] Nótese la ansiedad del sueño citado en la *Ilíada,* 22. 199-200, utilizado como una metáfora en la escena en la que Aquiles persigue a Héctor alrededor de las murallas de Troya.

Si nos trasladamos por un momento a la perspectiva platónica sobre la naturaleza de la psique, nos podremos formar una idea mucho más clara de la noción homérica. La psique, para Platón, puede funcionar como un corazón ético y cognitivo, y de este modo es equiparado con frecuencia al yo. La psique, siempre según Platón, puede tomar decisiones y efectuar elecciones responsables; ciertamente puede ser una ayuda de garantía para diversos asuntos. De este modo, el mito platónico del viaje a la residencia de las psiques, el mito de Er y el final de la *República,* destacan por encima de todo la elección responsable. Allí las psiques echan a suertes el orden en el que podrán *elegir* entre los vivos su próxima encarnación. «La culpa es del que elige. El Dios está libre de culpa» (617E). En este mito de hecho, Odiseo es una persona que saca el mayor partido posible de su elección, aunque a él le había correspondido el último lugar. Por lo tanto, los rasgos que Platón destaca como los esenciales y deseables de la psique, están representados en Homero por la actividad del hombre vivo. La psique homérica, si la consideramos como una especie de doble, es el aspecto del yo pasivo, sufrido, y no-autónomo, una memoria provisional de la persona; en Platón, en cambio, es un elemento inmortal y vital.

A continuación consideraremos de qué modo se vitaliza el hombre homérico, ya que, aunque la psique está dotada de vida, no es una fuerza que anime y active al individuo. Vamos a observar la representación de los sueños en la épica, y en este punto podremos empezar a ver los contornos del boceto que Homero realiza del hombre vivo y de su vida mental: es un agente externo el que activa a ese hombre.

Los sueños [15]

Al comienzo del libro 2 de la *Ilíada*, Zeus, que está considerando cuál sería la mejor forma para destruir a los Griegos y vengar el honor de Aquiles, decide enviarle un sueño a Agamenón que lo arras-

---

[15] Se puede consultar un breve pero provechoso trabajo sobre los sueños en Homero en A. Brelich, «The Place of Dreams in Religious World Concept of the Greeks», en *The Dream and Human Societies,* ed. G. E. von Grunebaum y R. Callois (Berkeley, 1951), pp. 293-301. Ver también E. R. Dodds, *The Greeks and the Irrational,* (Berkeley, 1951), pp. 104-107. En S. Reid, «The *Iliad:* Agamenmon's Dream», *Am. Im.,* 30, (1973): 33-56, se presenta una interpretación psicoanalítica del sueño del Libro 2 de la *Ilíada.* La escena completa ha sido durante mucho tiempo un rompecabezas para los estudiosos, ya que el proceder de Agamenón al decir a sus tropas que retornen a casa no coincide con las instrucciones manifestadas en el sueño, aunque sí coinciden con el intento de Zeus de burlarse de él. El análisis realizado por Reid es muy instructivo, en especial sus comentarios al verso 1.114 del Libro 2 (repetido en 1.21 del Libro 9) «Ahora él (Zeus) ha ideado un infame engaño». Ver también G. Devereux, *Dreams in Greek Tragedy,* (Berkeley, 1976), pp. IX-XXIX y pasim. Comparar con las teorías sobre los sueños de los niños pequeños: J. Piaget, *Play, Dreams, and Imitation in Childhood,* (New York, 1962).

trará a dar un paso en falso. Zeus ordena al «mal Sueño» que lleve un mensaje a Agamenón. El sueño, bajo la figura de Néstor, se le aparece a Agamenón mientras duerme y, repitiéndole las instrucciones de Zeus, le aconseja que reúna a todo su ejército a la espera de conquistar Troya ese mismo día. Este incidente es una representación típica de los sueños que aparecen en la obra de Homero, y, además, contiene un cierto número de aspectos llamativos.

En primer lugar, el sueño es una persona o un agente personificado. Segundo, el sueño es un agente externo que desciende sobre Agamenón; no se origina en su interior. El sueño no es el resultado, al contrario de lo que más tarde pensará Platón, de una actividad de la persona o de alguna parte de la psique, (como por ejemplo la parte apetitiva, que puede expresar todo tipo de deseos frenéticos mientras la parte racional duerme). Tampoco es el sueño el resultado de perturbaciones somáticas, tal y como creerán los doctores hipocráticos y Aristóteles.

Existe otro estereotipo en el sueño homérico: el Sueño encuentra a Agamenón dormido y se coloca sobre su cabeza (da la impresión de que Homero había intuido la fuente de los sueños, pero, sin embargo, teniendo en cuenta que el sueño es un agente externo, el espacio en que éste se localiza está, también, en el exterior de la persona que sueña).

Por otra parte, la figura de Néstor, que es una persona real, se funde con la del Sueño. Pero para el que sueña (al igual que para el poeta y para su público) esta fusión es bastante natural. Además, el contenido del sueño apenas es extraño o exótico; se ajusta en gran medida a los deseos y al pensamiento dormido del soñador. Los sueños de Homero generalmente no precisan de una interpretación simbólica [16].

En todos los sentidos, el retrato que efectúa de los sueños y del soñar, sintetiza y simboliza las actitudes características de Homero en relación con la vida mental.

Características de la vida mental

Los términos para designar a los agentes internos de la vida mental no están distinguidos con claridad y de una manera sistemática. En el sueño considerado más arriba, Zeus medita «en su corazón». En griego se utiliza la palabra *phrena*, término relacionado con la actividad intelectual, pero que no es netamente intelectivo. Homero también utiliza diferentes variantes de la raíz que en inglés ha dado «corazón» (*) *(kardia y kēr)* en contextos similares, aunque no necesariamente idénticos. El término homérico más intelectivo para designar

[16] La excepción la constituye el sueño de Penélope en la *Odisea,* 19-536-53. Ver G. Devereux, «Penelope's Character», *Psa. Q.,* 26 (1957): 378-86.

(*) En inglés, «corazón» es *heart.* (N. del T.)

un órgano o un agente de la actividad mental es *noos*, pero ni siquiera éste se puede puede identificar en todas las ocasiones con «razón» [17]. A pesar de las muchas décadas de investigación invertidas en delinear los límites precisos y los significados de los diversos términos referidos a la vida mental, es difícil traducir dichos términos de una manera consistente, y mucho menos de una forma que corresponda en buena medida al uso poético, popular o científico del inglés.

Este estado de cosas también se puede contrastar con el uso del vocabulario mental que realiza Platón. Aunque no sean siempre útiles, Platón intenta formar definiciones claras y consistentes de sus términos.

Homero nunca realiza una diferenciación concisa y coherente entre los órganos de pensamiento o emoción. En gran medida, todos los términos que se refieren al funcionamiento mental son mezclas de razón y corazón o de pensamiento y emocionalidad. Los agentes de la vida mental son poco concretos y se solapan con los organismos físicos. De este modo, *phrenes* (razón o inteligencia) también significa los movimientos del diafragma, o quizás incluso los pulmones. He mencionado la psique, la cual, aunque no se corresponde con ningún órgano del cuerpo, insinúa algo bastante físico. *Thumos*, otro término homérico muy frecuente, es una entidad u organismo que se dilata dentro de la persona y que puede abandonarle con la muerte o con un desmayo. También puede mantener un diálogo con el individuo, el cual se dirige a él con frecuencia; en otras ocasiones, su *thumos* o «otro *(heteros) thumos*», puede hablar en voz alta. El corazón al que se dirige Odiseo cuando dice «ánimo, oh mi corazón; tú has sufrido peores cosas que éstas», es el corazón físico que puede ser atravesado por una lanza.

De todos los términos que se refieren a la actividad mental, *noos* es probablemente el que está más liberado de connotaciones físicas. *Psuchē* participa de lo físico, pero parece ser una entidad física menos concreta que muchos de los otros términos.

Sin duda alguna, todas las lenguas contemporáneas tienen palabras que son tanto físicas como mentales. A menudo hablamos de «corazón roto» y nombramos al coraje como «tripas». (La palabra inglesa que significa «coraje» deriva de la misma raíz que *cardia* a través del término francés *coeur* (*)). Cuando una persona habla en estos términos, no establece ninguna distinción perfecta entre razón y cuerpo o entre pensamiento y sentimiento. A partir de Platón hemos dispuesto de otro nivel de discurso acerca de la vida mental, y es en ese nivel en el que nosotros aspiramos a establecer distinciones muy nítidas dentro del campo de los agentes de la vida mental, entre razón y cuerpo, y entre entendimiento y emoción. Pero en el lenguaje ho-

---

[17] Ver Snell, *Discovery of the Mind*, pp. 12-17; Russo y Simon «Homeric Psychology»; K. von Fritz, «*Noos* and *Noein* in the Homeric Poems», *CP*, 38 (1943): 79-93.

(*) El término utilizado en el original para designar «coraje» es *courage*.

mérico no existe un concepto articulado de una estructura o función psíquica. De este modo, cuando Homero habla de organismos o agentes de la actividad mental, no está intentando indicar algún tipo de organización o interrelación entre ellos. No es como si fueran partes de un mismo conjunto. Es innecesario decir que cualquier término que pudiese ser traducido como «estructura» está ausente del léxico homérico, y que la frase «estructura de la mente» nunca podría ser traducida al griego homérico. En Homero no encontramos ninguna teoría sobre una jerarquía, o una organización estratificada de esas partes, teoría que, en cambio, será un elemento importantísimo en la psicología platónica.

Igualmente, no existe ningún término para «función» en el griego homérico. Más tarde Platón podrá hablar de la labor de la parte racional de la psique, y en esta línea consiguió describir las funciones con mucha más exactitud. El griego homérico no organiza la vida mental dentro de categorías como percepción, sensación, cognición o memoria. Es rico en funciones particulares, en aspectos concretos del funcionamiento mental (reconocimiento, rememoración, exhortación). No existió ningún intento de relacionar esas funciones particulares entre sí, y no hubo ningún modo de articular proposiciones del tipo de «La memoria es una parte del proceso de aprendizaje».

Un examen detallado revela la ausencia de una distinción concreta entre estructura y función. El mismo término puede designar tanto al organismo como al resultado final de la función de dicho organismo. De este modo, *noos* es el agente o la parte que parece ver hacia delante y discurrir, pero la misma palabra puede designar al pensamiento. *Thumos* puede designar la situación de un impulso y al impulso mismo.

Otro aspecto de lo que se podría denominar cualidad de lo concreto en la terminología mental aparece en las palabras que designan la actividad visual. Homero posee términos que denotan «mirar fijamente», «mirar indignado», «observar», pero no dispone de ninguna palabra que pueda ser traducida como «ver» [18]. Sería engañoso agrupar todas las observaciones anteriores bajo la rúbrica «pensamiento concreto *versus* pensamiento abstracto». Comparándolo con Platón, Homero carece de términos para referirse al discurso abstracto de la vida mental. Probablemente, una cierta medida de cualidad fisiológica concreta sea característica del vocabulario relacionado con la vida mental de todas las lenguas, especialmente en lo que se refiere a los estados de sentimiento. Los investigadores de la linguística comparada indo-europea han argumentado que ciertos términos eran con toda seguridad más abstractos en la raíz indo-europea que lo que después fueron en sus descendientes [19]. Existen algunas razones para creer que «psique» es un término de ese tipo, y que el significado concreto

---

[18] Snell, *Discovery of Mind,* pp. 1-5.

[19] Claus, «Psyche», y C. Watkins, «Indo-European and the Indo-Europeans», en *AHD,* pp. 1.496-1.502.

de «soplo» fue una adquisición tardía. De este modo, a través del tiempo, los términos se podrían mover de lo concreto a lo abstracto y viceversa. Por lo tanto sería más adecuado decir que el lenguaje homérico tuvo sus propias categorías, o, incluso, sus propias clases, de abstracción [20]. Es mejor caracterizar a la lengua homérica como relativamente deficiente en términos útiles para formar proposiciones analíticas, que como falta de términos abstractos «per se».

Otras dos áreas de interés parecen carecer de términos abstractos o generales dentro de la lengua homérica. Una de ellas es el cuerpo. Bruno Snell ha puntualizado que el léxico homérico no contiene palabras que se puedan traducir con facilidad como «cuerpo» o «el cuerpo» (sin hablar del elemento físico en una frase del tipo de «distinción entendimiento-cuerpo») [21]. *Sōma* en general significa cadáver, y *demas* un cuerpo o una forma física (como por ejemplo «cuerpo hermoso»). El vocabulario somático de Homero destaca sobre todo los miembros, los músculos, los puntos de articulación de los miembros, los huesos, y etc... Sin duda alguna éste es un vocabulario de tipo funcional: es el vocabulario de los guerreros y los atletas, hombres que sufren y observan lesiones traumáticas. Esto no demuestra necesariamente la ausencia de un concepto de cuerpo o la falta de capacidad para formarlo. Si alguien considerara el vocabulario de un deporte como el hockey, se encontraría con una situación no demasiado diferente de la homérica. Unas veces nos interesamos por la victoria, otras por la agilidad, y otras por el volumen. Del mismo modo que ocurre en el vocabulario mental, no nos interesamos por el IQs del jugador de hockey, sino por su «gracia», «habilidad» o «agallas». La abstracción depende menos de la capacidad de realizarla que de la necesidad.

De la misma forma Homero no posee un término para desginar a la «persona» o a «uno mismo». Incluso no disponía de un término genérico para referirse al hombre o a la mujer, a los varones y a las hembras. Tenía palabras que nombraban al joven y al anciano, a la mujer virgen y a la mujer casada, etc...Una vez más, en este punto, se debe considerar la relación entre la necesidad de formar una categoría y la existencia de un término que la designe. La filosofía y los censos de empadronamiento pueden requerir un término que designe a la persona, pero Homero apuntaba a otro sitio. Una finalidad particular parece haber sido servida por la cualidad de lo concreto de la lengua homérica, la cual hizo pública y observable la vida mental interior. De este modo, utilizando palabras tan particulares como *derkesthai*, mirar de reojo, y *paptainein*, escudriñar, el poeta destaca los aspectos de la actividad de mirar que son observables por los demás [22].

[20] Un ejemplo instructivo es el verbo *apelein,* amenazar, discutido en A. W. H. Adkins, *Froms the Many to the One,* (Ithaca, N. Y., 1970), pp. 37-44.
[21] Snell, *Discovery of the Mind,* pp. 5-8.
[22] Ibíd., p. 3.

De una forma semejante, la familiar metáfora homérica, tal y como es aplicada a la descripción de los procesos mentales, sirve para el mismo fin: hacer público y observable lo que es interno e idiosincrático. De este modo Penélope permanece al acecho preocupándose por la seguridad de su hijo Telémaco, «considerando si su hijo intachable escaparía a la muerte, o si sería sojuzgado por los arrogantes pretendientes. Sentía lo mismo que siente un león cuando, en presencia de los hombres, coge miedo, cuando éstos forman un círculo para capturarlos»[23] (*Odisea,* 4.789-92). La imagen del león se encarga de hacer real y comprensible para el auditorio el complejo estado de los sentimientos de Penélope: aprehensión, inquietud, la pérdida del auxilio a la vista de una amenaza cada vez más cercana, y, también, cierta hostilidad defensiva. Este método de describir las vicisitudes internas de la mente, es bastante característico de Homero. Homero destaca lo universal y lo general en la vida mental, y, al mismo tiempo, tiende a suprimir lo personal y lo idiosincrático. Considerar el gran contraste que existe entre la *Odisea* de Homero y el *Ulises* de James Joyce. Molly Bloom (la Penélope de Joyce) permanece despierta hasta el momento en el que Leopold se ha introducido secretamente en la cama después de una noche de juerga con Stephan Daedalus. Sintiendo curiosidad por saber dónde él ha estado, ella medita su conducta:

Solamente porque odio tener una larga riña en la cama o algo parecido, no será que hay alguna pequeña lagarta o alguien con la que él hizo buenas migas en algún lugar, o conoció a escondidas. Si sólo le conocieran tan bien como yo le conozco, sí porque antesdeayer él estaba escribiendo apresuradamente algo en una carta, cuando yo entré en la habitación delantera para buscar cerillas y para enseñarle la muerte de Dignams en el papel, y como si algo me lo dijera y él la cubrió con papel secante aparentando que estaba pensando en los negocios, por eso probablemente aquella carta fuese para alguien que piensa que ella puede hacerle perder la cabeza, porque todos los hombres se vuelven un poco así a su edad especialmente cuando llegan a los los cuarenta, él está ahora como para que ella le pueda engatusar para sacarle el dinero que pueda. No hay nadie tan tonto como el viejo tonto y luego el habitùal beso de mi culo, para disimular, no es que me importe dos cominos con quien lo hace o a quien conoció antes de esa manera, pero me gustaría averiguarlo... Una mujer no es suficiente para ellos[24].

El contenido, el estilo, la sintaxis, la ausencia de puntuación, todo se combina para destacar los aspectos más personales y ocultos de la vida mental de Molly Bloom. Joyce, obviamente, intenta hacer visible e inteligible lo que es secreto, pero él está mucho más interesado en aquellos elementos que diferencian al contenido mental de un individuo del contenido de otro cualquiera tal y como aparece en las

---

23 Traducción de Russo y Simon, «Homeric Psychology».
24 J. Joyce, *Ulysses,* Modern Library ed. (New York, 1934), p. 724.

similaridades universales. Homero, en cambio, está claramente interesado en los rasgos comunes.

Homero presenta una marcada tendencia a ascribir los orígenes de los estados mentales a fuerzas o agentes situados en el exterior de las personas. En el libro 1 de la *Ilíada*, cuando Aquiles está a punto de matar a Agamenón, que ha anunciado su intención de quitarle la concubina a Aquiles, éste se reprime porque Atenea desciende y, tirándole de su cabello, le dice «déjalo» (1.210)[25]. Si un hombre puede cantar, ello se debe a que un Dios le ha dado a él «una canción y una lira». Los agentes externos a menudo son divinos, pero también pueden ser personas, drogas o, incluso, emociones fuertes.

La energía, la fortaleza y el coraje aparecen frecuentemente como el resultado de la intervención de un Dios. La fuerza de un hombre a menudo es considerada sagrada (*hieros*). En el Libro 13 de la *Ilíada*, Poseidón baja a la tierra para intentar animar al desalentado Aquiles y hacer que participe en la defensa del asalto troyano contra las naves. Poseidón se encuentra con dos héroes, con Ayax, el hijo de Oileo, y con Ayax, el hijo de Telamón, se disfraza con la figura del adivino Cancante, y

> golpeando
> a ambos con su cetro, les llenó de un vigor poderoso
> e hizo livianos sus miembros, especialmente sus pies
> y sus manos,
> y entonces él mismo voló con un vuelo ligero, como
> un halcón.
>
> (*Ilíada*, 13.60-62)[26].

De este modo, lo que se podría haber descrito como la firme resolución de cada hombre de pelear con vigor, es, de hecho, considerado un logro de un agente externo. En el diálogo entre los héroes y el Dios disfrazado, el Dios adivino les anima. Este pasaje ilustra un elemento muy importante de la representación homérica de la motivación, y que se ha denominado presentación «two-tiered» del motivo. En ella Homero reúne una fuente divina y una fuente humana inteligible. Poseidón es la fuente divina, pero los héroes son ellos mismos, hombres de gran coraje y energía, que normalmente, son el tipo de hombres que se animan a sí mismos y animan a los demás. Se podrían argumentar que la intervención divina no es realmente redundante, ya que Poseidón, o la creencia en él, representa un ideal compartido por los dos héroes, o una parte ideal del yo. Desde la perspectiva de la psicología individual, podríamos considerar a Poseidón como una «proyección de la auto-representación», esto es, una parte del yo que es exteriorizada y se refiere como si fuera otra persona[27]. Desde la

---

[25] Ver Dodds, *Greeks and the Irrational*, pp. 1-27.

[26] Ver H. Fränkel, *Dichtung und Philosophie des frühen Griechentums*, 2.ª edc. (Munich, 1962), p. 85.

[27] Debo al Dr. Norman Reider el término que cito entre comillas.

perspectiva de la psicología de grupo, el dios es, también, una representación de algo compartido, algo que une al grupo, un ego ideal común que es de fundamental importancia en todos los procesos grupales[28].

Este pasaje muestra, asimismo, la tendencia de Homero a describir la vida interior como un tipo de intercambio personificado o de interacción entre un hombre y sus partes. «Me guía el espíritu (*thumos*) que hay dentro de mi pecho», o «mis piernas y brazos están dispuestas». A pesar de que Homero puede utilizar, y ocasionalmente lo hace, el «yo quiero», «estoy listo», él, irresistiblemente, prefiere hablar de una parte de la persona que hace algo, en vez del conjunto. Y así se describe a los pensamientos y a los sentimientos como debidos a una causa diferente a la propia persona: un dios, otro humano u otra parte de la persona.

De este modo observamos dos formas relacionadas de interpretar la vida mental en Homero: la utilización de una persona o de un agente personificado exterior para motivar la actividad mental, y la presentación de la actividad mental interior como una serie de intercambios. Un ejemplo particularmente vívido se puede observar cuando Aquiles lleva su carro a la batalla para vengar a Patroclo. En esta situación esperaríamos que acudiese al combate y que, al mismo tiempo, estuviese preocupado por si sería capaz de sobrevivir a ese día, sabiendo que estaba condenado a morir joven. Pero observemos cómo pinta Homero su estado mental.

Aquiles en primer lugar se dirige a sus caballos, Xantos y Balios, urgiéndoles a que lo traigan vivo y no lo dejen en el campo de batalla, como hicieron con Patroclo. Xantos, a quien Hera le había capacitado para hablar, le dice que eso le será concedido, pero no por mucho tiempo; que ellos no le pueden salvar, ya que es la voluntad de la deidad la que decide la muerte. Aquiles replica que él conoce su suerte, pero que no «abandonará hasta que los Troyanos no estén hartos del combate» (*Ilíada*, 19.4). Esta descripción de los estados interiores a través de un diálogo es muy poética. Al mismo tiempo indica una especie de desbordamiento de los límites del yo, y este aspecto ha atraído el interés de muchos estudiosos del mundo clásico. Hermann Fränkel en particular ha formulado una caracterización del hombre homérico que recoge la esencia de este fenómeno[29]. El considera al hombre homérico no como un «yo», un ego, una entidad cerrada y privada, sino como un «campo de fuerzas abierto», que no dispone de límites estructurales que puedan contribuir a separarlo y aislarlo de los efectos de las fuerzas que lo rodean. Faltando esa estructura, no puede ser representada por ningún concepto del yo coherente y articulado; en cambio disponemos de una colección de partes, *thumos, Kradie, phrenes, noos,* así como de miembros, energía (*menos*), co-

[28] Ver Freud, *Group Psychology and the Analysis of the Ego,* (1921), SE 18: 67-143, en especial p. 116.

[29] Fränkel, *Dichtung und Philosophie,* especialmente pp. 80-94.

raje, etc., que comunican las partes anteriores. Su suma representa el ego o el entendimiento en conjunto, incluyendo al hombre «mismo» y a su carácter.

Fränkel argumenta que esa tendencia a las frecuentes, y a menudo insignificantes, intervenciones de los dioses en los asuntos humanos se explica con mayor facilidad dentro del marco de su cuadro del hombre homérico, y que, además, es consonante con la concepción homérica de que la mente es algo abierto y no estructurado.

Con todo, tal y como Fränkel ha puntualizado, y es obvio para cualquier lector de Homero, los personajes de los poemas no son ni muñecos ni hombres fragmentados. Aunque un hombre tiene muchas partes que pueden mover su conjunto, y aunque esté sujeto a influencias exteriores y divinas, actúa como un todo. Raramente se encuentra un conflicto de las partes entre sí.

Esta integración de facto y la integridad del carácter único, diferencia el punto de vista homérico sobre la vida mental, del punto de vista que nosotros expresamos en diversos tipos de psicopatología, en concreto en formas extremas de psicosis. Un esquizofrénico, puede hablar de influencias llegadas desde el exterior, de fuerzas misteriosas que introducen ideas en su mente, de personas que leen su cerebro, pero otra parte de él podrá contar todas las restantes cosas que hace. Las distinciones entre lo exterior y lo interior son muy borrosas en los estados psicóticos graves. Pero además de estas diferencias descriptivas y fenomenológicas entre la posición homérica y la posición psicótica, la diferencia más fuerte es el sentido de integración y de totalidad que se encuentra en el carácter homérico. El esquizofrénico se esfuerza todo lo que puede para mantener su integridad y prevenir la fragmentación y la disgregación del yo. Aunque son muchas las cosas que se pueden aprender considerando las similaridades entre lo homérico (que por muchas razones es un ejemplo típico del pensamiento que nosotros solemos denominar «primitivo»), el pensamiento del psicótico y el pensamiento de los niños acerca de los procesos mentales, también resulta muy importante anotar las diferencias [30]. El modo homérico de describir la vida mental es considerado *normal* por los personajes del poema y está presentado como tal por el poeta. En el próximo capítulo discutiré lo que el hombre homérico considera inusual o anormal en sus propios términos.

Para discutir las fuentes de la totalidad del hombre homérico, debemos recordar que es un hombre de un grupo y situado en el interior de un grupo. Ningún hombre está solo en la obra homérica. Cuando

[30] El trabajo clásico que muestra las semajanzas entre el pensamiento de los niños, el de los pueblos sin escritura y el de los esquizofrénicos es el de H. Werner, *Comparative Psychology of Mental Development*, edc. revisada (New York, 1957). Ver también A. Storch, *The Primitive Archaic Forms of Inner Experience and Thought in Schizophrenia*, trad. C. Willard (New York, 1924). Sólo sé de una obra que estudie sistemáticamente las diferencias: H. Werner y S. Kaplan, *Symbol Formation* (New York, 1963). Cl. Levi-Strauss, *The Savage Mind* (Chicago, 1966) aporta una teoría más actual que destaca la lógica del así llamado «pensamiento salvaje».

están psicológicamente aislados, los héroes se comunican con agentes para-humanos: deidades, sueños, partes de su yo. Siempre están presentes otras personas o representaciones.

A este respecto se pueden consignar diferencias muy significativas entre los dos poemas épicos de Homero. La *Odisea*, inútil es decirlo, se concentra en un héroe; la *Ilíada*, en cambio, en muchos. Pero lo que es más importante, la *Odisea* es la historia de un hombre que es amenazado con la extinción y con el peligro de ser despojado de todo lo que define al héroe homérico como un individuo. Odiseo es el héroe que se proclama a sí mismo «no hombre». Continuamente está disfrazándose, asumiendo una falsa identidad u ocultando la verdadera[31]. Arrojado a la costa de Feacia, está desnudo y hambriento, a punto de morir, cercano al olvido. Por muchas razones la *Odisea* es un poema de interioridades, tal y como se puede observar en las descripciones de ciertos procesos mentales. La toma de decisiones en la Odisea es un debate que se sitúa en el interior el héroe, o que se realiza entre partes del mismo, más que la intervención de un Dios que tome la decisión por él. Para estar seguros, tomemos ejemplos de ambos tipos de toma de decisiones en los dos poemas, pero el relieve difiere de uno a otro[32]. En todos sus rasgos, la *Odisea* va mucho más allá de la *Ilíada* en señalar el peligro que supone aislarse del grupo de uno, ya sean el grupo los camaradas, la familia, o la raza humana. Odiseo no está únicamente solo, está aislado. De hecho Odiseo está retratado como si fuera sólo un niño[33]. En cierto sentido, la descripción de Odiseo es consonante con el sentido de la interioridad que aparece en la poesía lírica griega y, más tardíamente, en la tragedia.

Es importante que recordemos que para intentar analizar la vida interior de los héroes homéricos no podemos ir más allá de describir sus palabras y la manera en la cual él presenta las experiencias de aquellos. Nosotros, simplemente, no podemos conocer la experiencia interior y la vida mental de los héroes que vivían en los tiempos homéricos o de la audiencia que escuchaba esos relatos.

Perturbaciones de la vida mental y de la conducta

Al comienzo del libro 23 de la *Odisea*, la anciana y fiel nodriza Euriclea corre a decir a su señora, Penélope, que Odiseo ha vuelto

---

31 Ver D. Stewart, *The Disguised Guest* (Ames, Iowa, 1976).

32 Ver C. Voigt, *Uberlegung und Entscheidung: Studien zur Selbstauffassung des Menschen bei Homer* (Berlín, 1933). Nótese también la palabra *bussodomeuō*, meditar en secreto, que únicamente aparece en la *Odisea*, y que parece haber sido un término mental referido al «interior» (comunicación personal del Prof. D. Clay). Pero incluso esta palabra es muy concreta, y siempre lleva un objeto directo, como por ejemplo *kaka*, cosas funestas.

33 Ver S. Simon, «The Hero as an Only Child: An Unconscious Fantasy Structuring Homer's *Odyssey*», *Int. J. Psa.*, 55 (1974): 555-62.

y que ha matado a los pretendientes. Penélope, que se había quedado dormida, al principio se muestra incrédula y contesta (11. 11-16):

> Querida Euriclea, los dioses te han vuelto loca (*margēn*). Ellos son capaces
> de transformar a una persona sensata en otra privada de sentido,
> y de volver a una privada de razón por los caminos de la discreción *(sophrosunēs)*.
> A ti te han vuelto del revés; antes tus pensamientos eran ordenados.
> ¿Por qué me insultas hablando de ese modo disparatado, cuando mi corazón se aflige de contínuo (*parex ereousa*)...?

De este modo, la descripción de la actividad mental perturbada sobreviene a lo largo de los mismos puntos que la descripción de los estados mentales más normales. «Los dioses te han vuelto loca». He aquí una forma del lenguaje muy típica para describir que alguna persona se comporta de un modo, según el que habla, un tanto «tocado de la cabeza». También es un rasgo típico que el poeta no describa un estado psicótico con muchas florituras, sino utilizando unas formas de lenguaje no muy diferentes a «tú debes estar loco para pensar que...» A diferencia de los caracteres que aparecen en las tragedias, ninguno de los personajes de los poemas épicos es considerado completamente loco. Este vocabulario incidental sugiere lo más obvio de todo: que el poeta y su audiencia están al corriente de los locos y de la locura.

En ningún lado aparece la idea de que las perturbaciones mentales se deban al desorden o desarreglo de una estructura mental, ya que no existe esa noción de estructura. Tampoco se puede detectar ninguna evidencia de que se crea que es una alteración en las interrelaciones de las diferentes partes de la mente la que origina las perturbaciones o tensiones mentales. Sin duda alguna Homero cita situaciones de conflictos internos que se dan, generalmente, entre un impulso y otro, pero ambos orientados hacia una acción concreta. Un conflicto característico de la *Odisea* es el que se refiere al cronometraje de la acción: ¿ahora o más tarde? Un conflicto de este tipo lo encontramos al comienzo del libro 20, en el cual Odiseo se atormenta entre el impulso de matar a los pretendientes en ese momento, mientras duermen con las esclavas, y el pensamiento más sereno de esperar a concretar un plan sistemático.

Aunque en los poemas no aparece ningún caso de locura franca, encontramos situaciones muy importantes de tensión, conflicto y conducta que dan la impresión de volverse en contra de los mejores intereses de los héroes. Así en la *Ilíada*, la «cólera de Aquiles», que resulta perniciosa para los Aqueos, los Troyanos y para el mismo Aquiles, es atribuida al «plan de Zeus» y a las interrelaciones entre los héroes y los dioses. En la *Odisea*, Atenea impidió ver a los pretendientes de

Penélope la inminencia de su destrucción por Odiseo, pero, además, ya eran sobradamente insensatos de por sí mismos.

Otra perturbación importante en la *Odisea* es el olvido excesivo [34]. A través de todo el poema, Odiseo corre el peligro de olvidar su país, su esposa y su hijo, su propia identidad. Los Comedores de Lotos, Calipso, Circe y las Sirenas le amenazan en diferentes momentos con la pérdida de la memoria. Aquí, de la misma forma que ocurría en la actividad mental normal, agentes externos (entre los que están incluidos los dioses) actúan sobre la persona, y ésta recibe pasivamente esas influencias.

Dodds, en el primer capítulo de *The Greeks and the Irrational*, estudia la noción de *atē*, infatuación, en los poemas homéricos. En el Libro 1 de la *Ilíada* se dramatiza la querella entre Agamenón y Aquiles. Una plaga ha azotado a los griegos, y el profeta declara que los griegos sufren por que Agamenón ha tomado cautiva a la hermana de un sacerdote de Apolo. Agamenón accede de mala gana a devolverla, desviando de este modo la cólera de Apolo (que era el que había enviado la plaga). Entonces exige que, a cambio, le entreguen la muchacha que había capturado Aquiles, Briseida. Aquiles se enfurece, y en la asamblea desenvaina su espada para matar a Agamenón, pero es reprimido por Atenea, que le promete que será recompensado tres veces por lo perdido. Todo esto significa un terrible menoscabo de prestigio y *timē*, honor, para Aquiles (en tanto que Agamenón teme la pérdida de su *time* si se somete a Aquiles). Aquiles decide entonces retirarse del combate y los griegos sufren tremendas derrotas. Rehúsa la oferta de recompensa y reconciliación hasta que su compañero Patroclo, que llevaba la armadura de Aquiles, es muerto en la batalla. Finalmente (Libro 19) Agamenón ofrece a Aquiles una apología formal y grandes regalos; Aquiles se ablanda. La moraleja del Libro 19 es que Agamenón, en su afán furibundo por salvar su propio status y *timē*, ha traído sobre su ejército tremendas desgracias. Explica entonces que la responsabilidad no es de él, sino de Zeus, del Destino y de Erinis. «¿Qué puedo yo hacer? Es el dios el que lleva a cabo todas las cosas» (19.90). A continuación cuenta cómo Zeus fue engañado (*asato*, una forma verbal de *atē*) por Hera para que Heracles naciese después de Euristeo, el que después obligó a aquél a realizar sus famosos trabajos [35]. Zeus se enfureció cuando descubrió el truco de Hera y

> pronunció un solemne juramento, que nunca
> después de esto el Engaño, que confunde a todos, podría volver
> al Olimpo y al cielo estrellado. Y hablando así, le hizo
> dar vueltas

[34] Ver. C. H. Taylor, Jr., «The Obstacles to Odysseus Return», en *Essays on the Odyssey: Selected Modern Criticism* (Bloomington, Ind., 1963), pp. 87-99.

[35] Esta alusión al mito del nacimiento retardado de Heracles es apropiada porque se contrapone al sentido de rivalidad entre Aquiles y Agamenón.

con la mano y la arrojó del cielo sideral,
y poco después aquella llegó a las aldeas de los hombres.
(*Ilíada*, 19.127-31).

De este modo un grupo de dioses (Zeus, la vengativa Furia y la diosa Atē) se las arreglaron para engañar a Agamenón. En una ocasión hasta los mismos dioses llegaron a ser engañados, pero Zeus arrojó a Atē lejos del Olimpo y desde ese momento ésta revolotea por encima de las cabezas de los hombres para acarrearles desgracias.

Dodds ha situado este tipo de defensa y exhoneración en el esquema de las necesidades adaptativas de una cultura en la cual la afrenta y la pérdida pública del honor eran muy importantes; El rol de Engaño (*Atē*) aporta una explicación socialmente aceptable de cómo un gran caudillo (o incluso un gran Dios) pueden llegar a realizar alguna acción estúpida y destructora. Volveremos sobre la explicación de Dodds y argumentaremos que, aunque correcta en sus rasgos esenciales, no va bastante lejos[36]. La ubicuidad de la intervención divina, incluyendo la utilización de Atē en situaciones no-exóticas, requiere algo más que la noción de recursos para salvar el honor en una cultura en la cual se daba mucha importancia a las afrentas.

En la literatura griega tardía, *atē* tiene el sentido de trampa y engaño, pero también, y más generalmente, destrucción y muerte conveniente para el que haya cometido una seria equivocación. Erinis, a quien Agamenón acusa, llegó a ser la mejor portadora de la locura actual, particularmente en las tragedias relacionadas con la Historia de Orestes, que había matado a su madre.

Es importante preguntarse por qué la locura clínica no aparece en Homero cuando, en cambio, es muy frecuente en las tragedias. Sin ningún tipo de duda, el poeta y su auditorio conocieron la locura, pero es verosímil que los propósitos literarios y narrativos del poeta no requiriesen presentar a héroes locos. No sabemos si Homero pudo disponer de versiones de los mitos en los cuales los héroes estuviesen locos; si dispuso de ellas, entonces Homero prefirió no utilizarlas. También es posible que Homero suprimiese tales ejemplos por resultar indecorosos. Los investigadores han ofrecido varios casos en los que Homero ignoró o suprimió menciones de rituales mágicos, supersticiones, y otras cosas que debieron de haber sido conocidos en su momento.

Es difícil decidirse sobre esta cuestión, pero se puede ver una cierta continuidad entre el lenguaje referente a la locura empleado por Homero y el empleado por la tragedia. *Mania* y *lussa*, y sus análogos, en Homero denotan principalmente el furor frenético de la batalla y

[36] Por una razón *ate* puede servir tanto para realzar las culpas particulares, como para mitigar la deshonra pública. La deshonra se puede interiorizar como culpa, y por lo tanto no es válida la distinción entre culpa y deshonra que se basa en el diferente grado de interiorización de cada uno de esos dos conceptos. Creo que es mejor considerar que la culpabilidad y la deshonra tienen un desarrollo independiente, en vez de contemplar a la segunda como un estado afectivo más primario.

de los guerreros. En la tragedia son los términos principales para designar la locura. Personificaciones de *lussa* y *mania* aparecen pintadas en los vasos [37]. *Lussa* probablemente esté relacionada con *luk*, lobo, y por ello podría connotar en Homero la ferocidad de un animal salvaje [38].

Además de esta continuidad de vocabulario, un episodio del Libro 6 de la Ilíada relaciona tres figuras que en tradiciones posteriores fueron consideradas víctimas de la locura, pero que en Homero estaban afectadas por la ceguera, la soledad y la necedad, condiciones que se podrían considerar equivalentes de la locura. Es interesante considerar el pasaje en conjunto por dos razones: por las relaciones que muestra con casos posteriores de locura, y por que ilustra las tensiones a las que estaban sujetos los héroes homéricos.

La escena es una feroz batalla; los griegos van ganando, aunque los troyanos se están rehaciendo. Diomedes, uno de los guerreros griegos más valerosos, se está irritando en medio del combate. Encuentra a Glaucos, un troyano; cada uno se admira y asombra de la destreza del otro. Diomedes le pregunta a Glaucos quién es y cuáles son sus orígenes, ya que teme que pueda ser un inmortal disfrazado. Habiendo luchado ya en una ocasión contra un dios sin resultado, Diomedes piensa que arriesgarse de nuevo a un encuentro de ese tipo es estar a la altura de un loco [39]. Para ilustrar el peligro cuenta en la historia de Licurgo que, habiendo atacado al Dios Dionisio, fue cegado por éste. Más adelante, en el siglo quinto, el castigo de Licurgo era la locura; esta versión está representada en muchas tragedias (perdidas) y en vasos pintados [40]. Por lo tanto, el Licurgo ciego es equivalente al Licurgo loco.

Glaucos replica que es inútil preguntarle por su ascendencia:

> Tal cual es la generación de las hojas, así es la de la humanidad.
> El viento esparce las hojas sobre el suelo, pero el bosque vivo
> echa nuevos brotes con hojas al volver la estación de la primavera.

---

37 Se pueden encontrar muchos ejemplos en L. Sechan, *Etudes sur la tragédie grecque dans ses rapports avec la céramique* (París, 1926), y en A. D. Trendall y T. B. L. Webster, *Illustrations of Greek Drama* (London, 1971); ver «Lissa» en el índice alfabético. Existe una representación particularmente hermosa de Lissa en una crátera de figuras rojas del Musseum of Fine Arts, de Boston. Manía aparece representada en una escena de la locura de Heracles pintada en una crátera del Museo Arqueológico Nacional, Madrid (ver págs. 195 y 196).

38 Comunicación personal del Dr. F. Kudlien. De igual modo, *berserk* (perder los estribos) significa utilizar una piel de oso, es decir, tener la furia de un oso *(OED)* (puntualización realizada por el Dr. T. Gutheil en una comunicación personal).

39 Nótese, sin embargo, que este pasaje del Libro 6 no hace referencia al Libro 5, «La Diomedíada».

40 Sobre las ilustraciones del drama de Licurgo véase Sechan, *Etudes,* pp. 63-79, y la p. 93 de este libro.

Del mismo modo podrá crecer una generación de hombres,
mientras otra muere.

(*Ilíada*, 6.146-49)

Continúa con su genealogía. Es nieto de Belerofonte, que había dado muerte a la Quimera. Belerofonte, acusado falsamente de haber intentado seducir a la mujer de su rey, fue enviado a lejanas misiones de las que se esperaba que nunca volvería. Finalmente, habiendo ganado el favor del rey, se casó con su hermana y fue favorecido por los dioses, durante algún tiempo.

Pero llegó a ser detestado por todos los dioses.
Y andaba solo por los campos de Ale (la llanura del extravío).
Consumiendo su corazón y apartándose del camino de los
hombres.

(*Ilíada*, 6.200-202)

En una tradición tardía, Belerofonte es considerado un melancólico (ver Capítulo 12). Cómo o por qué se hizo esta transformación no está nada claro, ya que Homero no le llama ni ciego (como a Licurgo), ni loco. Es probable que la imagen de un hombre que vaganbundea por paisajes aislados, solitarios, sugiera a un loco. Para los griegos, un hombre que no pertenezca a un grupo no es un hombre[41].

Estos mitos, insertados en los mensajes que se comunican dos guerreros cuando se encuentran en el campo de combate, advierten que tanto la oposición de los dioses, como su mero capricho, pueden destruir al más poderoso de los hombres. Con sorpresa descubren los dos antagonistas que están relacionados por antiguos lazos de hospitalidad: un antepasado de Diomedes había recibido en su casa a Belerofonte, el abuelo de Glaucos. Entonces ambos acuerdan no luchar entre ellos; e intercambian sus armaduras y marchan a buscar otras oportunidades para pelear con enemigos diferentes. Glaucos cambia su armadura de oro por una de bronce, por lo cual Zeus «le robó la razón». Incomparable en la guerra, es engañado al cambiar sus armas. Su padre le había enviado a Troya con una encomienda

sobresalir (ser *aristos),* siempre y superar a todos
los demás, y no traigas ninguna vergüenza sobre la raza
de tus padres,
que fueron desde antiguo los hombres más valerosos del
Epiro y de la extensa Licia.

(*Ilíada*, 6.208-210)[42]

[41] George Devereux ha sugerido que esto es un ejemplo del patrón cultural de comportamiento psicótico. Aunque no todas las culturas consideran que estar solo sea una parte del estereotipo de la locura (comunicación personal).

[42] Traducción mía. Este pasaje es el lema del *Way of All Flesh,* de Samuel Butler.

La locura de Licurgo. Licurgo, que se ha vuelto loco por haberse opuesto al culto de Dionisio, acaba de matar a su hijo, Drias (izquierda), y está a punto de matar a su esposa. Lisa, la diosa alada y con una pica, crea el engaño de que su mujer e hijo son vides que él corta. Arriba a la izquierda aparece una Ménade con un tamborcillo, una alusión al papel de Dionisio en esta historia. Crátera lucania de volutas. 360-350 a.C. Museo Nazionale, Nápoles. Fotografía de la Oficina de Antigüedades de la Provincia de Nápoles y Caserta.

Aquí tenemos una secuencia que revela las tensiones y dilemas del héroe homérico. Este debe sobresalir en todas las ocasiones, ser el mejor en la batalla, a fin de apartar la desgracia de sus ascendientes. Al mismo tiempo no debe sobrepasarse, ya que es peligroso destacar mucho y entrar en combate con un Dios. Por lo tanto el héroe debe de controlar continuamente su propio poder. En este conjunto de requerimientos está latente la advertencia dual de que no debe por un lado oscurecer la memoria de su estirpe con unas actuaciones pobres, y por otro tampoco puede sobrepasarse. Por consiguiente, aunque los héroes deban combatir, también deben reconocer y mantener el nexo que suponen las relaciones de hospitalidad y que ofrecen un freno a sus tendencias hacia un estado de guerra continua. Pero incluso en una relación de este tipo, que relaja hostilidades, los héroes deben poner mucho cuidado en intercambiar sus armas con astucia. Glaucos falló en parte, y ello sólo se puede deber a que el Dios le haya robado la razón. La necedad de Glaucos presumiblemente sea venial y no significa que haya transgredido seriamente el sentido del mandato de su padre. Pero este pasaje sugiere que un héroe de una aristocracia guerrera debe saber brujulear. Más adelante Sófocles nos ofrecerá un ejemplo de cómo el olvidar cumplir todos los requerimientos sociales (y parentales) y anular la *hubris* conduce al mismo tipo de deshonra que genera muerte, locura y suicidio.

Quizás la contestación a por qué Homero sólo sugiere la locura, se pueda encontrar en la forma épica, la cual ciertamente poseía ciertas potencialidades que no ofrecía la tragedia. La épica permite presentar una historia sin fin, y por ello tiene más potencial de acción. Ya que mientras un héroe pueda actuar (es decir, combatir), no tiene que volverse loco. Glaucos puede luchar donde quiera. La tragedia requiere situaciones en las cuales la acción o bien está bloqueada o bien tiene consecuencias irreparables que no se pueden contrarrestar. El tiempo épico nunca llega a un final; el tiempo trágico es corto e intenso, y nunca reversible.

El hecho de que la irracionalidad, tal y como aparece en los poemas, esté básicamente ocasionada por los dioses, tiene un curioso corolario, a saber, el presumir que existe una racionalidad en los dioses o en el universo. Los dioses pueden elegir bando, tener pasiones y fuertes sentimientos, pero también poseen sus esquemas y su lógica. De este modo, si un hombre actúa irracionalmente, se debe a que algún dios está llevando a cabo un bien calculado plan para ayudar a un héroe y dañar a otro. La locura y la necedad humanas tienen un método, pero el método pertenece a la mente de Dios. Tal y como veremos en un capítulo posterior, en la tragedia la locura todavía está relacionada con una intervención divina. La relación entre la locura humana y la racionalidad divina se mantiene, pero la tragedia lleva dicha relación un paso más allá. La tragedia presenta un cuadro más riguroso de los dioses como partes integrantes del carácter del héroe.

Varios siglos después de Homero, Platón construyó un modelo de mente en la cual ésta aparecía como un campo de batalla con muchos bandos que combatían entre sí. La locura supone la victoria de uno de estos bandos, el bando salvaje e impulsivo de la mente. Por lo tanto permanece la presunción de que la locura es un resultado de la intencionalidad, aunque aquí la intencionalidad pertenece a una facción situada dentro de la persona y no al Dios. Es importante tener en cuenta el hecho de que sospechar que la intencionalidad subyace a la locura es una idea central en todas las teorías psicodinámicas posteriores sobre la perturbación mental. Todas estas teorías afirman que agentes personificados dentro de la persona intentan dedicarse a sus propios intereses. La locura y desatino están causadas por la quinta columna y por la caballería troyana que hay dentro de cada uno de nosotros, por fuerzas poderosas que intentarán subvertir o destruir el orden establecido para poder llevar a cabo su misión. La naturaleza de estas fuerzas y los detalles sobre su composición, orígenes y situación se consideran alterables. Alguna razón debe existir para que una época o cultura destaque la existencia de una localización externa de estas fuerzas en tanto otras las sitúan dentro del individuo.

Permítasenos volver ahora sobre el modo que Homero presenta para aliviar las penas del héroe y corregir su locura e irracionalidad. El héroe homérico, tal y como he sugerido, está acosado no sólo por peligros externos, sino también por los riesgos que se derivarán en caso de que no cumpla las estrictas demandas del código heróico. ¿Qué es lo que puede, además de la victoria total, aliviarle o consolarle, ya que ninguno de los personajes que aparecen en los poemas es siempre y en todas partes un vencedor? La respuesta es: palabras, palabras que aportan un significado a la perturbación del héroe. Esas palabras destacan que existe una racionalidad detrás de la aparente extravagancia e irracionalidad, y esta racionalidad es la que lo consuela.

Aliviar las penas

Del mismo modo que se considera que los orígenes de las perturbaciones mentales, incluida la conducta aparentemente irracional, son externos al individuo, se cree que su cura y consuelo procederá de su exterior. Los dioses, que pueden curar el mal tan rápidamente como son capaces de producirlo, son el medio de consolación más obvio. Las drogas, el vino, los banquetes, el sexo y la camaradería también pueden servir de ayuda. Pero, en la medida en que se admita la existencia de un profesional para administrar los mecanismos de curación, éste será el poeta.

Tal y como hemos visto, ninguno de los personajes de Homero piensa por sí mismo, sino que siempre actúa en interacción o diálogo, ya sea con otra persona, ya sea con un dios, o ya sea con una parte de su propio ser. También la curación se deriva de un arreglo internacional.

La curación ideal para el héroe es la acción, normalmente la venganza. Pero la venganza raramente es factible de inmediato, y por lo tanto el héroe debe esperar. De este modo, cuando Aquiles amenaza a Agamenón, Atenea le recomienda esperar. Entonces la diosa le conforta con la promesa de que será compensado tres veces por su pérdida. Cuando Agamenón le toma la mujer a Aquiles, éste no sólo se enoja, sino que también se aflije (*Ilíada*, 1.349-430). Se retira solo a la orilla del mar, donde llora, pero al momento acude su madre. Tetis, la ninfa marina, a consolarlo. El se aflije diciendo que su corta vida le debía aportar una estimación mayor mientras dure, y no ofrecerle los abusos de Agamenón. (En la *Ilíada* Aquiles es el «adolescente»; tiene a su lado a su madre y a su tutor Fénix). Tetis le anima mientras él narra la historia del agravio. La madre le promete que utilizará su influencia con Zeus para castigar a Agamenón y vengar el deshonor con la muerte de muchos aqueos. El ejército griego fuerza a Agamenón a que se disculpe con Aquiles para que éste pueda volver al combate.

Tal y como ya he destacado, la épica homérica no aporta ejemplos nítidos de locura. Los problemas principales son aquellos que están embebidos en el argumento mismo del relato. La cólera de Aquiles, por ejemplo, no es sólo el tema de la *Ilíada*, también es la principal perturbación que sufre aquél. La cólera de Aquiles no se considera una enfermedad, pero supone un intervalo en el orden normal de las cosas, es una fuente poderosa de desequilibrio en el orden social. El poema se abre con el inicio de su riña con Agamenón, y continúa mostrando las consecuencias directas que aquélla supuso para Aquiles, para los griegos, para Patroclo y para los mismos troyanos. Su cólera contra Agamenón se aplaca como consecuencia de los sucesos que siguen a la muerte de Patroclo, pero en lo que se refiere a los troyanos, Aquiles permanece implacable.

Cuando comienza el último libro de la *Ilíada*, contemplamos a un Aquiles todavía trastornado, incluso después de haber incinerado el cadáver de Patroclo y de haber realizado los juegos funerarios en su honor, incluso después de haber recibido las disculpas por parte de Agamenón y haber hecho una carnicería entre los troyanos. El dolor de Aquiles y su insomnio le fuerzan a arrastrar una vez más el cuerpo de Héctor alrededor del túmulo de Patroclo. Este libro es un «tour de force» dramático, y una intensa resolución en conjunto de todas las tensiones que se manifiestan en el poema. Pero también podemos ver en él el resultado final y la conclusión de la cólera y del dolor de Aquiles. En el cara a cara final con Príamo, contemplamos las escenas patéticas del intercambio del cuerpo de Héctor, lo cual permitirá finalmente al rey troyano consolar su duelo por su hijo. De este modo, Aquiles y Príamo, cada uno con su forma personal y a lo largo de una conmovedora escena de mutua admiración, se consuelan sus penas. A cuanto de esta escena, en la que dos personas descargan la enorme fatiga emocional a la que les han conducido sus respectivos destinos, podemos hablar de terapia y podemos observar con minuciosidad cómo se realiza ésta.

Aquiles ha llevado las cosas demasiado lejos (tal es el mensaje con el que comienza el Libro 24). Los dioses y diosas debaten su negativa de entregar el cuerpo de Héctor para rendirle los funerales apropiados, y deploran su maníaco modo de pasear (*phresi mainimenis*) el cuerpo del difunto abusando de él. Aquiles no ha tenido en cuenta la piedad ni ningún sentido de vergüenza o reverencia. Al mismo tiempo está claro que Aquiles imagina que Patroclo no le permitirá vivir en paz. No puede comer, dormir ni encontrar placer en una mujer. Los dioses son explícitos en su diagnóstico: Aquiles no sabe cómo poner fin a su dolor:

> Cualquier hombre llega algún día a perder a un compañero
> más cercano que ése (Patroclo), o incluso a su mismo
> hermano o hijo.
> Y entonces
> se lamenta y llora por él, pero finalmente se consolará.
> (*Ilíada*, 24.46-48)

En términos psiquiátricos, éste es un estado de pena patológica, un estado de dolor que no puede seguir su curso[43]. «Dolor» es, desde luego, un término delicado, apenas adecuado para reflejar la inmensa agonía y sufrimiento que Aquiles infringe a los otros y a sí mismo.

Príamo, por su parte, estuvo a punto de perecer por la muerte de Héctor. Incapaz de comer, beber o dormir, permanece en el atrio revolviéndose entre el barro y la suciedad. Es indudable que llegará a morir de pena, y únicamente podrá salvarse si recupera el cuerpo de Héctor para honrarle con los debidos ritos fúnebres (Recordemos que Aquiles, en cuanto escucha que Patroclo ha muerto, se revuelve sobre el polvo y llega a tal extremo que sus compañeros empiezan a temer que pueda suicidarse (*Ilíada*, 18.22-34).

Tal y como es típico de Homero, el problema se desenvuelve a dos niveles: el divino y el humano. El implacable encarnizamiento de Hera es paralelo de la actitud también implacable de Aquiles, que, de este modo, intenta vengarse de los troyanos. Es incapaz de perdonar a Paris y a los ciudadanos de Ilión que hayan declarado más hermosa a Afrodita que a ella. Zeus aplaca su cólera y le prohibe que interfiera en este asunto. También dice que es indecoroso estar siempre irritado; todos los restantes dioses se compadecen de Héctor. Hera admite el plan de Zeus de citar a Tetis para que ordene a su hijo que devuelva el cadáver de Héctor a cambio de un rescate. Entre tanto Tetis llora desconsoladamente por su hijo que está destinado a morir en poco tiempo. Los dioses y diosas le dan la bienvenida al Olimpo y le ofrecen su solaz. En efecto, para ser capaz de convencer a Aqui-

---

[43] En términos psicodinámicos se puede decir que el sentimiento de culpabilidad y deshonra de Aquiles por su papel en la muerte de Patroclo, le impide tranquilizar su dolor. La ambivalencia hacia el difunto (que a veces va acompañada de cierto odio inconsciente hacia éste) fundamenta muy frecuentemente los estados de pena patológica.

les que devuelva el cadáver y pueda su dolor hallar fin, primero la diosa debe ser consolada de sus propias penas.

Los dioses están de acuerdo con el plan de Zeus[44]. Iris, la mensajera divina, se encargará de ordenar a Príamo que vaya a la tienda de Aquiles, llevando a Hermes de guía; Tetis confiará a su hijo el mandato de los dioses de entregar el cuerpo de Héctor a su padre[45]. De este modo, en el nivel divino, debe ponerse fin a la contienda, establecer unos límites para la ira y restablecer firmemente la piedad. ¿Cómo se desarrolla esta misma acción en el nivel humano?

Iris ha impedido a Príamo a acudir a la tienda de Aquiles. Hecuba, con el rostro aturdido, le acusa de ser un loco, un necio o un poseído (*daimonie*). Pero es ella la que está más furiosa, y anuncia que, si llegara a tener la oportunidad de capturar a Aquiles, se comería su hígado todavía vivo. Príamo debe ignorar su ira. Reúne todas las piezas que componen el rescate y llega al campamento de Aquiles.

En este punto se encuentran algunos de los momentos más patéticos de todo el poema, centrados alrededor de dos tipos de francas confesiones. La primera es el reconocimiento de la enemistad que separa a los dos personajes, y la segunda, más apremiante por ello que la primera, es el reconocimiento de su común humanidad. Hermes ha adoctrinado a Príamo para que se dirija a Aquiles suplicándole en nombre de su padre, de su madre y de sus hijos. Príamo entra en su tienda y le implora al hombre que ha dado muerte a Héctor y a algunos otros de sus hijos. Aquiles y sus compañeros se quedan mirando al anciano estupefacto, del mismo modo que mirarían a un hombre que pidiese asilo después de haber cometido un asesinato en su país. Esta admiración es el principio de un acercamiento entre Aquiles y Príamo que terminará con un profundo respeto mutuo (24.629-32). Príamo le pide a Aquiles que piense en su propio padre; Peleo, de avanzada edad, y que debe anhelar ver a su hijo pronto, y que considerando esto se apiade del padre de Héctor. Esta apelación remueve la compasión de Aquiles, que siente «el deseo de llorar por su propio padre».

> Tomó la mano del anciano y la apartó de sí
> con gentileza, y los dos comenzaron a recordar, Príamo estaba
> hechado

---

[44] En un principio los dioses habían decidido que el cadáver de Héctor fuese robado y a continuación devuelto a su padre Príamo. Pero una acción de este tipo habría resultado ineficaz, ya que corto-circuitaba las posibilidades de solucionar ese estado de dolor y cólera a través de un proceso humano.

[45] Tetis, como cualquier madre amorosa, acompaña a su hijo en su dolor, pero al mismo tiempo le apremia para que disfrute de los placeres de la comida y el sexo (*Ilíada*, 24. 129-31). En el momento en que Príamo se presenta en la tienda de Aquiles, éste había comido algo, pero todavía no se había acostado con su concubina Briseida. Los eruditos alejandrinos le quitaron su importancia a esta referencia al acto sexual, y prefirieron rechazar este pasaje de la obra diciendo de él que era una interpolación. Ver K. J. Dover, *Greek Popular Morality*, (Oxford, 1974), p. 206.

a los pies de Aquiles y lloraba por Héctor, el matador
de hombres.
y Aquiles lloraba por su padre, y otras veces
por Patroclo.

(*Ilíada*, 24.508-512)

Aquiles siente piedad (un término usado con frecuencia en el Libro 24) y explica cómo el sufrimiento procede de los dioses y es común a toda la humanidad, igual para los griegos y para los troyanos. Pero finalmente reconoce que los llantos no devolverán al muerto. Aquiles ordena a sus esclavas que laven adecuadamente el cuerpo de Héctor, lo unjan y lo extiendan. Después él mismo colocó su cadáver sobre una litera,

entonces suspiró, y llamando por su nombre al compañero
amado, dijo:
«No te irrites conmigo, Patroclo, si descubres,
aún cuando estés en el Hades, que he devuelto al gran
Héctor
a su amado padre, pues el rescate que él me ofrece no
está desprovisto de importancia.
Yo te daré una parte del espolio, tal y como es conveniente».

(*Ilíada*, 24.591-95)

En estas líneas vemos a Aquiles que actúa en sentido contrario a su dolor y a su necesidad de venganza. Después de la realización de este ejercicio humanitario que ha compartido con Príamo (y Héctor con Patroclo), Aquiles aleja de sí la falta, la deshonra y el sentido de tropelía a que había dado lugar.

A continuación puede atender las necesidades de Príamo. Le conmina a comer, sabiendo muy bien lo que debe significar para el anciano aceptar comida del asesino de su hijo. Para ayudarle a aceptar los manjares y a superar sus dolores, Aquiles, con un recurso típicamente homérico, le cuenta una historia, la de Niobe. Los hijos de ésta perecieron víctimas de la cólera divina cuando ella afirmó que sus niños eran más bellos que Apolo y Artemis, «pero se acordó del alimento, cuando estuvo cansada de llorar» (24.613). Esta narración dentro del relato principal, un cuento dentro de la epopeya, es una forma importante de consolarse y devolver los personajes del poema a su cauce normal.

La utilización de un mito viene dada por múltiples razones. En su contenido manifiesto ilustra cómo hasta el más desconsolado familiar se puede permitir a sí mismo el consuelo de comer. Conlleva, por lo tanto, el mandato implícito de seguir el ejemplo de los dioses y semidioses de todas las edades. Es una invitación para consolarse uno mismo viéndose como una parte de un sistema mayor.

Un aspecto ingenioso de este relato llega de pleno al núcleo del proceso de psicoterapia. Aquiles brinda a Príamo algo más que ayuda y consuelo y la restauración del orden normal de las cosas. Tal y como es frecuente en Homero, las comparaciones tienen muchas caras y significados. Por ejemplo, si Homero compara a Príamo con Niobe, sugiriendo con ello que muestra un comportamiento de tipo maternal, Aquiles es a su vez comparado con Apolo. Aquiles indudablemente está de luto, ya que ha perdido a alguien querido para él. Príamo es tanto un asesino (a través de su hijo), como un padre desconsolado. Del mismo modo que Aquiles da de comer a Príamo de un modo maternal y paternal a la vez, Príamo sufre transitoriamente una especie de regresión a la infancia. Se podrían descubrir nuevas correspondencias, pero el punto verdaderamente importante es que el ejemplo de los Nióbidas permite asumir a Aquiles y Príamo a la vez diversas identificaciones simultáneas: hombre y mujer, asesino y asesinado, padre e hijo, activo y pasivo, raptor y raptado. De este modo la experiencia (transitoria y en buena medida inconsciente) de las diferentes identificaciones permite a los protagonistas una perfecta solución para la tristeza y las perturbaciones. Esas múltiples identificaciones no sólo facilitan una nueva integración, sino que también constituyen en cierta medida una liberación de la humanidad de los personajes. En ello está involucrado algo más que la inducción, algo que reverbera en los horizontes más profundos del alma. Esta utilización del relato como un mecanismo de terapia en el interior del poema también es un paradigma del efecto terapéutico del dicho poema sobre el público que lo escuchaba.

Tenemos la evidencia de que el relato ha sido una terapia efectiva para Aquiles y para Príamo: los dos se ponen a comer. A continuación ambos se unen por una admiración mutua. Finalmente Príamo pide a Aquiles que le prepare un sitio para poder dormir, ya que él no había conciliado el sueño desde que se había enterado de la muerte de Héctor. Aquiles, ansioso de que «el corazón (de Príamo) no mostrase pesar», le facilitó un sitio adecuado, y le aseguró que durante doce días los aqueos dejarían tranquilos a los troyanos para que éstos pudiesen velar e incinerar el cadáver de Héctor y cumplimentar todos los ritos funerarios. Príamo se fue a dormir, al igual que Aquiles, que lo hizo teniendo a su lado a Briseida.

Vemos por lo tanto cómo Homero ha elaborado un complejo cuadro de lo que se necesita para apartar la turbación y la pena del corazón humano. La acción sola no es suficiente; la descarga de emociones no llega. La aceptación de una humanidad y mortalidad común comienza a producir algunos efectos terapéuticos. Al principio, esto únicamente permite a Aquiles y a Príamo lamentarse al mismo tiempo, pero por separado, de las penas propias de cada uno. Pero la comprensión que cada uno de ellos pone de relieve, los acerca más y les sirve para algo más que para hacer aflorar sentimientos piadosos. Por último, tanto el mal denominado «cólera de Aquiles», como el irreparable dolor de Príamo, se resuelve cuando ambos comprenden que cada uno de ellos no sólo podría haber estado en el lugar del otro, sino que en su interior también poseen rasgos del prójimo, de todos los restantes seres y criaturas: del hombre y de la mujer, de la madre y del padre, del padre y del niño, de la hermana y del hermano, de la bestia y del ser humano.

Las características esenciales del tipo de procedimiento terapéutico que poco a poco hemos ido haciendo emerger de los poemas homéricos pueden ser resumidas de la siguiente forma:

1. La terapia se inicia fuera del individuo.
2. En ella está involucrado un agente divino, que también puede ser el que dé inicio al proceso curativo.
3. Destaca con énfasis la posición del individuo dentro de su grupo, que viene definido por sus compañeros vivos, sus antepasados y su descendencia.
4. El mal representa la ruptura del héroe con el orden social. Al mismo tiempo perturba el equilibrio social de los demás.
5. A menudo, y por medio de un relato dentro de otra narración, la perturbación viene definida en términos de un orden social más complicado que una perturbación reconocible.
6. La cura la facilita un modelo socialmente aceptable.
7. Esta cura se hace efectiva no sólo con la ayuda e intervención de otras personas o dioses, sino también con los procedimientos de la «solución por medio de», a través de los cuales la persona afectada puede entrar en contacto con identificaciones interiores y rasgos de sí mismo que previamente no le habían sido aprovechables ni le habían estado permitidos [46].

Se puede comprender con facilidad que algunos de estos puntos sean aplicables tanto a la experiencia del auditorio que escucha (o lee) esos poemas, como a los individuos de dicho auditorio, o al auditorio en su conjunto: con el auxilio del relato todos ellos pueden aliviar sus propias tensiones y perturbaciones. Pero antes de continuar avanzando en este sentido, es preciso que volvamos a investigar la interrelación entre el poema, el poeta y el auditorio.

[46] También debemos anotar que los dioses funcionan como una especie de superego exterior, por lo cual ordenan a Aquiles que mitigue su sentimiento de culpabilidad y deshonra abandonando su hostilidad inconsciente hacia Patroclo.

5

LA EPICA COMO TERAPIA

> ...aunque un hombre sienta pena y dolor en su alma turbada, y viva con temor porque su corazón está angustiado, cuando un bardo, servidor de las musas, canta las hazañas heroicas de los hombres del pasado y de los bienaventurados dioses que habitan en el Olimpo, entonces y por un momento aquél olvida sus tristezas y no se acuerda de ninguna de sus penas.
>
> Hesíodo, *Teogonía* [1]

> Duerme, bebé, duerme.
> Tu padre vigila las ovejas.
> Tu madre sacude el árbol de la región de los sueños.
> Y sobre tí desciende un sueñecito...
>
> Canción de cuna tradicional

El cantar canciones de cuna y el narrar historias seguramente son algunas de las actividades más primitivas y universales del hombre. Quizás nunca lleguemos a saber cómo surgieron ambas y cuál era su precisa función biológica. Pero, ¿quiénes de nosotros no han probado en la más tierna infancia el poder tranquilizador que ejercen las canciones y los cuentos? Si tuvieramos que señalar el antecedente de ese arte y terapia, muy posiblemente nos fijaríamos en el temprano encantamiento que se establece entre una madre y su hijo. Es cierto que las composiciones poéticas ofrecen un placer tangible, corpóreo, sobre todo en aquellas culturas en las cuales las canciones y las obras poéticas son partes institucionalizadas y ritualizadas de la vida cotidiana. [2] El ritmo, la música, la estructura familiar del poema, deben evocar recuerdos y sentimientos referibles a las primeras experiencias infantiles de la criatura mimada, acunada, confortada por la madre. La gran familiaridad del relato acarrea un cierto grado de confort y seguridad. Sus contenidos despiertan, intensifican y clarifican sentimientos latentes dentro de la persona que escucha. De algún modo que nosotros no comprendemos enteramente, la experiencia de la narración permite liberar emociones dolorosas. Si dicha liberación tiene lugar, entonces el relato debe presentar personajes tan parecidos a nosotros mismos que nos podemos identificar con ellos y con sus avatares. Pero sus caracteres no pueden ser tan homólogos a los nuestros que, incapaces de mantener una distancia mínima, nos identifique-

---

[1] *Hesiod,* trad. H. G. Evelyn-White, LCL (Cambridge, Mass., 1950), p. 85.

[2] Para el tema del papel de la danza y el canto en relación con otras instituciones culturales, véase A. Lomax, *Folksong, Style, and Culture* (Washington, D.C., 1968). Véase también G. Bateson y M. Mead, *Childhood in Bali,* (New York, 1942). Se pueden encontrar algunos ejemplos apasionantes de cómo a partir de los ritmos del habla se empiezan a componer los movimientos del cuerpo en la primera infancia, en V. S. Condon y L. W. Sander, «Neonate Movement Is Synchronized with Adult Speech: Interactional Participation and Language Regulation», *Science,* 183 (1974): 99-101.

mos con ellos demasiado literalmente. El buen narrador es el que regula tanto el grado en que sus oyentes participan del relato, como el grado con el que ellos participan de la acción.

Indudablemente, la participación con un auditorio, incluso un auditorio imaginario (como cuando leemos un libro), es una fuente de confortación. Ya que no nos encontramos solos con nuestras penas; otras personas sienten como nosotros lo hacemos e incluso pueden llegar a compartir nuestro dolor personal. Compartir la experiencia de escuchar un relato que expresa los valores fundamentales de un grupo, sus creencias y aspiraciones, facilitan nuestra recuperación y reintegración en ese grupo.

Los poetas han estado siempre al tanto de su habilidad para remediar las penas. No nos podemos sorprender de encontrar a Hesíodo, en el siglo VII a.C., cantando el poder de la épica para confortar y hacer olvidar el dolor.

¿En qué consiste el poder curativo de un relato (y en especial de aquellos relatos introducidos dentro de una obra elaborada del tipo de un poema épico?) Desde luego no puede consistir únicamente en los efectos adormecedores y narcotizantes de la narración, a pesar de ser tan importante como son.

La composición poética invita al individuo a disfrutar de una extensa comunidad y a utilizar las sendas comunitarias, valoradas socialmente, para concretar y liberar sus tensiones. El poema permite a cada persona redefinir y reestablecer su interrelación con su familia, su clan, sus antepasados y sus dioses, y, en última instancia, con todos los seres humanos.

Ya he aludido también a otro aspecto de la historia como terapia en mi anterior discusión de la narración dentro de otra narración: la posibilidad de realizar múltiples identificaciones con las posturas y circunstancias de diferentes individuos, lo cual alarga nuestro propio potencial para la auto-expresión y la auto-realización. Especialmente en un género del tipo de la épica, y, en vista de que nos podemos identificar con ellos, también podemos compartir momentáneamente su heroísmo y entrar en contacto de nuevo con nuestros propios ideales heroicos.

Todas estas consideraciones se aplican en alguna medida a cualquier narrador de historias de cualquier época o cultura. En este punto nos debemos parar a considerar algunos rasgos de los poemas homéricos muy revelantes, sobre sus poderes curativos, y de este modo completaremos nuestra comprensión de la forma en que aparecen considerados en dichos poemas la mente y las perturbaciones mentales; es decir, definiremos con mayor exactitud el modelo homérico de la mente y de las enfermedades mentales. Creo que la psicología homérica, la visión homérica de la vida mental, está embebida en la forma, en la composición y la presentación de su poesía: es éste un argumento que no ha sido desarrollado por los investigadores del mundo clásico [3].

---

[3] Ver B. Simon y H. Weiner, «Models of Mind and Mental Illness in Ancient Gree-

El argumento se apoya en dos importantes características de la épica homérica: que ésta es tradicional y que, en cierto sentido, es una composición oral. La teoría de que estos dos rasgos son, en efecto, homólogos (esto es, que lo tradicional es necesariamente oral) se conoce entre los estudiosos de Homero como la hipótesis «Parry-Lord».

Permitásenos empezar presentando algunos rasgos generales de la poesía época heroica. Primero, ésta es tradicional en la forma. Determinadas frases, una dicción especial, determinados episodios (por ejemplo, tipos de batallas), y un determinado metro, caracterizan a dicha poesía. El resultado del lenguaje tradicional y del formato de la narración es presentar sucesos, que incluso pueden ser muy recientes, como pertenecientes a un remoto pasado heroico. Creando un pasado de su propiedad, la poesía heroica no reconstruye, idealiza.

Esta poesía define y presenta en una forma prístina los ideales de la cultura, en concreto sus ideales aristocráticos y heroicos. De este modo, aunque la historia está concebida en un tiempo particular, sus ideales son intemporales. La épica heroica deriva de una herencia tradicional y la transmite a la generación siguiente.

También me atrevería a decir que la poesía oral utiliza y expresa modos arcaicos de pensamiento, comúnmente denominados pensamiento primitivo. Su arcaísmo se encuentra en el hecho de que dicho pensamiento es característico de los más primitivos estadios de la especie humana y de cada individuo (la infancia), y, asimismo, del pensamiento inconsciente de los adultos.

En términos generales, da la impresión de que el modelo homérico de la mente que he esbozado, sería en gran medida ajustable y satisfacería bien la necesidad comunitaria de preservar ciertos valores muy primitivos y formas arcaicas de pensamiento. Este modelo de la mente destaca, sobre todo, lo comunal y colectivo más que lo individual, lo público más que lo privado e idiosincrático, la intensiva y constante interpenetración de la vida de cada persona con las vidas de los restantes miembros del grupo. Asimismo privilegia la influencia que las personas (y los agentes divinos) ejercen sobre el individuo, poniendo en segundo término la autonomía individual. Un modelo de la mente de este tipo, público y tradicional, sirve para afianzar un sentido de continuidad de generación a generación; apenas podría resultar útil para una sociedad que anhelase perpetuar el ideal de cambio de una generación a la siguiente. Para una cultura conservadora es muy importante que la «mente» sea accesible a las influencias tradicionales[4]. En este contexto se ve la importancia de los dioses como causantes e iniciadores de la actividad mental, ya que los dioses dan cuerpo a las tradiciones arcaicas y más valoradas.

---

ce: I. The Homeric Model of Mind», *J. Hist. Behavioral Sciencies,* 2 (1966): 303-314; y J. Russo y B. Simon, «Homeric Psychology and the Oral Epic Tradition», *J. Hist. Ideas,* 29 (1968): 485-98.

[4] Compárese con nuestro empleo coloquial del término «mente abierta» *(open mind)* que connota el tener la mente abierta para recibir *nuevas* influencias.

La poesía heroica surge cuando los valores heroicos y la estructura aristocrática de la cultura están bajo la amenaza de sufrir algún tipo de cambio [5]. Es un intento de detener el flujo del tiempo y de afirmar la importancia de los valores menos viables que anteriormente habían estado impuestos. Da la impresión, por lo tanto, de que la épica heroica no es tan antigua en una cultura como ella misma intenta hacer parecer. Sin embargo, ya que las culturas que han producido épica heroica tienden (con algunas excepciones) a no tener historia escrita, esa hipótesis no se puede demostrar.

Volvamos ahora a la obra de Parry y Lord [6]. Milman Parry fue un clasicista americano cuya obra constituye un hito en los estudios del siglo veinte sobre Homero. En 1928, después de muchos años de trabajo en Francia, Parry publicó el primero de sus trabajos, *L'epithète traditionelle dans Homère*. Comenzaba con un análisis de los rasgos de la poesía que al lector simulaban ser más casuales: el uso prolífico de epítetos prefijados. Opinaba que esos epítetos, o *fórmules*, no eran arcaísmos embellecedores u ornamentales, sino que eran una característica central de la construcción de los poemas. En esta tesis presentaba los comienzos de muchas ideas que se habrían de hacer más explícitas en sus trabajos posteriores, principalmente la idea de que los poemas homéricos estaban construidos sobre una gran confianza (sino exclusiva) en una muestra de fórmulas estables y tradicionales. Eventualmente consideraba que casi todas las frases del poema representaban, en cierta medida, una fórmula; dichas fórmulas pueden ser frases precisas (tal es el caso de los epítetos) o secuencias sintácticas o métrico-sintácticas [7]. Algunas frases, o sus equivalentes métricos y sintácticos, por ejemplo, únicamente pueden aparecer en ciertos puntos del discurso. De este modo, siempre según Parry, los poemas homéricos, más allá de lo que cualquiera hubiese imaginado, se construían con unos pocos bloques típicos lingüísticos y métricos. Las fórmulas, utilizadas en este sentido, nos resultan familiares a partir de los cuentos y fábulas, en los relatos populares y en la Biblia. Todos los cuentos maravillosos comienzan con la archisabida fórmula «En un tiempo lejano» o «Hace mucho, mucho tiempo», y el niño que insista en que un relato empezado de otra forma no es un relato correcto, tendrá toda la razón de su parte. Parry también asumía que ya que esos elementos eran tradicionales, están sujetos a reglas muy severas contra el cambio y la modificación. El tercer paso de su argumentación (no plenamente explícito en su primera obra) es que la poesía compuesta en gran medida de fórmulas no es sólo una poesía tradicional, sino también una poesía oral. La poesía escrita, dejando a

[5] Ver C. M. Bowra, «The Meaning of a Heroic Age», en *Language and Background of Homer,* editd. por G. S. Kirk (Cambridge, 1964), pp. 22-47.

[6] M. Parry, *The Making of Homeric Verse,* editd. por A. Parry (Oxford, 1971), especialmente la Introducción del editor; A. Lord, *The Singer of Tales* (Cambridge, Mass., 1960).

[7] Ver Parry, *Making of Homeric Verse,* Introducción del editor.

un lado la prosa, revela, según él, sus orígenes por utilizar menos fórmulas que la poesía oral. Intentó demostrar que la épica griega Alejandrina conocida por la *Argonautica,* que es una imitación consciente de Homero, presenta leves pero consistentes diferencias con los poemas épicos en el uso que hace de las fórmulas y del metro.

Los argumentos de Parry se basaron al principio casi enteramente en las evidencias ofrecidas por los poemas homéricos, pero posteriormente comenzó a estudiar la poesía oral que se componía y practicaba en la Yugoslavia rural, donde él había localizado bardos en sociedades que no conocían la escritura. Para Parry era válida la comparación entre estos bardos y los homéricos. Este análisis, llevado a cabo en colaboración con Albert Lord, que después lo amplió, concluía que, en las composiciones orales verdaderas, los motivos temáticos tradicionales están muy cuidadosamente entrelazados para formar un bloque. Las ideas de Lord difundieron el concepto de la fórmula que incluye motivos narrativos tradicionales, de la construcción en bloques del relato extenso. Dicho concepto implica que los poetas orales no tenían que memorizar los poemas, ya que les llegaba con conocer a fondo las *unidades* y saber unirlas entre sí.

A pesar de que esta hipótesis ha despertado ciertas controversias, yo estoy de acuerdo con todos esos estudiosos que afirman que Parry y Lord han demostrado el carácter oral, formulístico y tradicional de los poemas homéricos, aunque ello no conlleva necesariamente que la *Ilíada* y la *Odisea*, tal y como nos han llegado a nosotros, hayan sido compuestas bajo las mismas condiciones de composición y representación oral que ambos analizaron en Yugoslavia [8].

¿Qué grado de originalidad y de creatividad poética podemos conceder a Homero? Parry y, en cierta medida, Lord no contestaron a esta cuestión, pero sin embargo destacaron como gran parte de la obra de Homero se entiende mejor derivándola de los requerimientos de la tradición. Ambos autores tienden a considerar impuesta la elección del epíteto por la tradición y el metro. Otros autores recalcan, y creo yo que correctamente, que los epítetos son seleccionados con destreza y utilizados cuidadosamente según su pertinencia dramática. Al menos, el poeta saca partido de los epítetos tradicionales con habilidad [9]. El poeta homérico probablemente haya sido muy inno-

---

[8] Véase la recensión de J. Russo de la obra de A. Hoekstra, *Homeric Modification of Formulaic Prototype* (Amsterdam, 1965), en *AJP,* 88 (1967): 340-46. También W. Whallon, *Formula, Character, and Context: Studies in Homeric, Old English, and Old Testament Poetry* (Cambridge, Mass., 1969); G. S. Kirk, *The Songs of Homer* (Cambridge, 1962); D. Young, «Never Blotted a Line? Formula and Premeditation in Homer and Hesiod», *Arion,* 6 (1967): 279-324; R. Finnegan, «What Is Oral Literature Anyway?», en *Oral Literature and the Formula,* editd. por B. A. Stoltz (Ann Arbor, 1976), pp. 127-76, y «Literacy versus Non-Literacy: The Great Divide?», en *Modes of Thought: Essays on Thinking in Western and Non-Western Societies* (London, 1973), pp. 112-44. El papel de la tradición oral en la cultura negra americana se discute en A. Murray, *The Hero and the Blues* (Columbia, Mo., 1973). Véase también E. A. Havelock, *Prologue to Greek Literacy* (Norman, Okla., 1971).

[9] Ver Whallon, *Formula, Character, and Context,* pp. 1-32.

vador y creativo dentro de sus propias tradiciones, y quizás incluso se le consideró innovador o magistral porque fue quintaesencialmente tradicional.

En Homero y en la tradición griega posterior (y en las creaciones de otras culturas analizadas por los expertos del siglo XX en literatura oral) [10], podemos observar que el poeta no memoriza un poema que haya compuesto en privado, ni tampoco recita de memoria un poema que haya aprendido de algún otro poeta. Compone más o menos sobre la marcha, improvisando delante de su auditorio. Es capaz de hacerlo así porque dispone de un amplio repertorio de temas, vocabulario y metros tradicionales. Lo cual implica que no existe ningún «texto heredado» del poema. Si a diferentes poetas se les solicitase que cantasen el relato de la llegada de Odiseo a Itaca, sus cantos es casi seguro que serían muy distintos unos de otros. Efectivamente (y sobre este punto las pruebas suministradas por los ejemplos yugoslavos son convincentes), ningún poeta canta un poema del mismo modo en cada representación [11].

Un símil más cercano a nuestra experiencia nos lo puede ofrecer el sermón fundamentalista o revivalista, sobre todo aquellos dirigidos a un público de cultura limitada. El predicador toma un pasaje bíblico familiar y habla no sólo sobre temas y ejemplos familiares, sino también con un lenguaje ya tradicional en los sermones. El auditorio influye en la composición de cada sermón. En todos los sermones el predicador debe mantener un equilibrio entre la tradición y la innovación.

El público desempeña un papel importante en la composición oral. Un autor de obras escritas siempre podrá tener en su mente algún tipo de auditorio, pero no tiene ante él a un público al cual debe contentar en ese momento y lugar. El poeta negocia con su audiencia. Debe contar una narración que agrade a sus oyentes y que despierte su interés. Algo de esto es, desde luego, consciente. Un ejemplo extremo nos lo suministran los estudios yugoslavos de Lord: un bardo que cante una batalla en una región cristiana o musulmana hará que la victoria sea de los Cruzados o de los Turcos según cuál sea la religión de su público [12]. A un nivel más automático e inconsciente, el talante y los propósitos del auditorio y del poeta llegan a estar en estrecha interrelación. También se puede poner como ejemplo el jazz, en el cual casi no existe ninguna norma prefijada. El músico que toca es muy dependiente en todo momento de la conexión que se establece entre él y su auditorio. Para que la actuación tenga éxito, se debe de-

---

[10] Se pueden consultar resúmenes de este material en E. A. Havelock, *Preface to Plato* (Cambridge, Mass., 1963), y *Prologue to Greek Literacy*.

[11] Ver la introducción a la obra de A. Medjedovic, *The Wedding of Smailagic Meho*, editd. y trad. por A. B. Lord y D. E. Bynum, 2 vols. (Cambridge, Mass., 1974), y la recensión de J. Foley, *Slavic and East European Journal*, 20 (1976): 195-99.

[12] Lord, *Singer of Tales*, sobre todo en su capítulo 5, estudia las variaciones que el bardo puede imprimir a los contenidos de una historia en función del tipo de público que le escuchan.

sarrollar una sensibilidad mutua y recíproca entre el público y el que actúa. Aquí también tienen sus partes reservadas la innovación y la tradición. El músico debe satisfacer sus necesidades y las del auditorio buscando la combinación idónea entre lo familiar y lo diferente. Del mismo modo el bardo debe saber cómo leer las aspiraciones del público.

Si la ejecución poética marcha bien, entonces el auditorio se sumerge en el relato y se identifica con los personajes que en él aparecen. Igualmente, el poeta debe perderse él mismo en la narración y confundir los límites entre él y sus personajes. También aquí es preciso conservar un cuidadoso equilibrio: tanto el poeta como el público se deben sumergir en el relato al mismo tiempo. Diferentes recursos pueden ayudar a regular este movimiento dentro y fuera del poema. Uno de estos recursos que acercan al público es el poema dentro de otro poema: una escena en la cual un bardo actúa en presencia de un auditorio [13]. Otro es el recuerdo de uno de los personajes de que todo lo que ellos hacen en este momento «será cantado por los hombres que han de venir» [14]. Este recurso también atrae al público y produce un retorno infinito.

E. A. Havelock nos ha suministrado una vívida reconstrucción de la experiencia del público [15]. Concede mucha importancia al intenso placer sensible del poeta y de la audiencia en un acto de recitación poética. El poeta entrega sus pulmones, laringe y garganta, sus brazos, y todo un amplio conjunto de reflejos corporales al acto de la producción rítmica. El oyente tal vez encuentre esta experiencia más emocionante y gratificante que el mismo ejecutor; participa del acto con sus ojos y oídos, y responde con su mente y con todo su sistema nervioso. Es el extremo placer de la participación física en un recital lo que hace de él un proceso de aprendizaje efectivo. Este nivel de gratificación aumenta las posibilidades del bardo y de su público de llegar a estar absorvidos dentro del poema. En cierto sentido se puede considerar la experiencia del público y del poeta como una confusión, artísticamente controlada, de los límites del yo, o como una serie de experiencias transitorias de fusión con el poema y con sus personajes. Para disfrutar de los beneficios del poema, debemos «perder nuestro propio yo» [16].

La tradición griega nos ofrece algunos datos explícitos acerca de cómo el bardo conceptualiza su actividad, aunque no podemos deducir su experiencia interna a partir de estos escasos informes. El es un servidor de las Musas, que respiran dentro de él y le enseñan. La *Ilíada* y la *Odisea* comienzan con invocaciones a las Musas. El bardo es un instrumento que las Musas utilizan para crear una canción. El poeta

---

13. Por ejemplo, la composición de Demódoco en la *Odisea,* 8.266-366.

14 *Odisea,* 8.580.

15 Havelock, *Preface to Plato,* pp. 145-64.

16 Ver Simon y Weiner, «Models of Mind», y Russo y Simon, «Homeric Psychology».

no se ve a sí mismo como un creador autónomo de poesía original, sino como alguien que ha recibido su talento natural de fuentes exteriores o ha sido inspirado por ellas [17]. Estas fuentes pueden ser divinas (las Musas) o humanas (sus maestros). Pero no es sólo su «inspiración» la que procede del exterior, sino también su destreza y habilidad. Las Musas Heliconíadas «respiraban dentro de» Hesíodo (*Teogonía*, 1.31) y «le enseñaban» (1. 22.). La creencia de Hesíodo en los orígenes exteriores de sus cantos es paralela a las actitudes de los bardos yugoslavos entrevistados por Lord. Los bardos pueden decir que están cantando exactamente la misma canción que aprendieron, a pesar de que cualquier observador detecte muchas diferencias de detalles de una representación a otra. Son muy escasas las licencias permitidas, a pesar de la importancia atribuida a las dotes mentales o a la idiosincrasia de los bardos como factores primordiales en la creación de la poesía [18]. Incluso no existe espacio para la noción de composición. Desde el punto de vista del bardo, él no compone y a continuación representa su composición; él únicamente reproduce la canción tal cual es. De este modo encontramos otra vez, en la actitud que el bardo toma respecto a su propio rol, la irresistible tendencia a favorecer los determinantes externos de la actividad mental, en vez de los internos. En esta formulación de la interacción bardo-auditorio, la forma del poema se define como el poema-tal-y-como-es representado. El «valor de la canción», la canción y la representación no se diferencian con claridad conceptual y operacionalmente.

Unos tres siglos después de Hesíodo, Platón escribió un infome de la experiencia de la ejecución poética. En el *Ion*, Sócrates se dirige a un rapsoda, un recitador profesional de Homero. El rapsoda no es el bardo épico que he presentado, sino únicamente un individuo que recita de memoria un texto escrito. A pesar de todo, las palabras que le dirige Sócrates son relevantes de la posición del bardo y del auditorio. El dice (533D-533E):

> Este talento ... que tú tienes no es un arte, sino ... una inspiración ... Las Musas... primero otorgan a los hombres su propia inspiración; y a partir de estas personas inspiradas se cuelga una cadena de otros individuos que se inspiran en aquéllos ... ¿Sabes que el espectador es el último de los eslabones que, tal y como yo te digo, extraen su poder del imán original? (*Ion*, 535E) [19].

La versión platónica del flujo de sentimiento de la ejecución poética recupera algo de lo que el compositor épico-oral situado ante un

[17] En la literatura psicoanalítica hay bastantes estudios sobre las fantasías que rodean a la inspiración, por ejemplo: E. Kris, *Psychoanalytic Explorations in Art* (New York, 1952); pp. 291-320, y P. Greenacre, *Emotional Growth* (New York, 1971), vol. I, pp. 225-48.

[18] Esta afirmación es atenuada en el artículo de Finnegan, «What Is Oral Literature Anyway?».

[19] Traducción de Platón, *The Dialogues,* trad. B. Jowett, 3.ª edc. (1892; reimpre-

auditorio debe haber pensado acerca de su inspiración. Está sujeto a influencias exteriores a él, y, al mismo tiempo, es el foco de las influencias que emanan de los demás.

Por lo tanto, la imagen de los procesos mentales del bardo, tal y como están registrados en Homero y Hesíodo y elaborados posteriormente por Platón, es en esencia consonante con el carácter general de la descripción homérica de la vida mental. El acontecimiento mental se inicia a partir de influencias foráneas, y se establece una interacción entre la fuerza iniciadora y la persona que experimenta el acontecimiento.

Es muy importante en esta relación el proceso a través del cual el bardo adquiere su habilidad. Para convertirse en bardo obviamente hace falta adiestramiento y dedicación. Al igual que muchos procesos de aprendizaje en las sociedades sin escritura, el del bardo parece haberse basado en una interrelación maestro-aprendiz. Este último aprende imitando e identificándose con su maestro, el cual, a su vez, había adquirido su conocimiento de un modo similar. Una estrecha interrelación personal de este tipo es el «sine qua non» del aprendizaje en una cultura que no posee libros ni escuelas. La educación de un bardo probablemente se basó sobre todo en la identificación intensa y en la confusión transitoria de los límites del ego que se encuentran en la relación entre el poeta, el poema y el público [20]. De este modo, el objetivo correlativo de la experiencia subjetiva del bardo de ser enseñado por las Musas es una intensa interrelación con su maestro.

Estamos ahora preparados para clarificar algunos puntos. Teniendo en cuenta que las estimaciones de los procesos mentales de los bardos realizados por Homero, Hesíodo y Platón concuerda con el carácter general del retrato homérico de la vida mental, podemos observar que dicha descripción de la vida mental en Homero, concuerda con las condiciones de la composición y representación de la poesía épica-oral. La correspondencia se puede establecer de la siguiente forma:

Poesía Epica-Oral	*Modelo Homérico de la Mente*
1. El bardo recibe y transmite el poema; no lo compone (subjetivamente hablando). Las Musas se lo entregan, pero, objetivamente el poema lo obtiene	1. La actividad mental se inicia en el exterior a partir de un dios, de otra persona o de una parte del individuo.

sión en Oxford, 1924). En 11. 533E-534A se compara la inspiración poética con la locura báquica y coribántica. La locura y la inspiración serán discutidas en el capítulo 7.

[20] El género de Las Musas señala que para la cultura griega los orígenes de la poesía y el canto se situaban en las primeras relaciones entre la madre y el bebé. El bardo, para poder aprender y recibir la inspiración, debe adoptar una actitud de receptividad pasiva que nosotros normalmente identificamos con aquélla que es característica de los niños pequeños.

de su maestro y de la «tradición».	
2. El poema se crea en el marco de un intercambio entre el poeta, el auditorio y los materiales poéticos tradicionales.	2. La actividad mental se presenta como un intercambio personificado más que como una actividad interna neta.
3. El poema se compone de material tradicional, común, suministrado por métodos tradicionales.	3. La actividad mental es considerada preferentemente visible, pública y comunitaria, más que privada e idiosincrática.
4. No se establecen distinciones entre el «talento del poema» y el poema mismo. La composición y la representación son lo mismo.	4. No existe ninguna diferencia nítida entre los órganos de la actividad mental, la actividad misma y los resultados de dicha actividad (no hay diferencia entre la estructura y la función).
5. La confusión de los límites entre el poeta, el auditorio y los personajes del poema es intrínseca a la representación.	5. El yo o el individuo aparecen definidos dentro de un campo de fuerzas en intercambio con las otras personas.

Podemos alargar esta comparación en múltiples direcciones. Encontramos un contexto que completa la aparente inconsistencia con la que se presenta el hombre homérico: como una reunión de partes que, pese a todo, funcionan como un conjunto integrado. La composición del poema revela que está constituido por un cierto número de unidades constructivas: temáticas, métricas, léxicas y así sucesivamente. Sin embargo el proceso de integración poética da como resultado un poema que no es reducible con facilidad a sus componentes constitutivos. La personalidad de cada uno de los héroes principales viene dada, indudablemente, por la tradición, no obstante también existieron ocasiones para crear caracteres singulares que vayan más allá de los modelos estereotipados y tradicionales utilizados por el poeta.

He argumentado que un aspecto importante de los efectos curativos del poema (tal y como sugiere Hesíodo) reside en su capacidad de hacer identificarse al público con los personajes de aquél. Ahora podemos comprender que las condiciones de composición y representación estimulen la confusión de los límites y de este modo se facilite la identificación del auditorio con los personajes (o, también, la fusión de aquél con el poema). Esta confusión es más característica del pensamiento infantil y de los sueños que del pensamiento adulto y consciente. En este sentido, la poesía épica oral saca partido de un aspecto del pensamiento infantil normal que es aprovechado por el modelo de la mente adulto y homérico. Por lo tanto, la forma y el contenido de los poemas colaboran para inducir mecanismos transitorios de pensamiento y sentimiento que nos hacen concebir la esperanza de recuperar un estadio perdido de la infancia, un estado de gran intimidad en el que estábamos rodeados de objetos a los que queríamos y que nos protegían. (La poesía también puede evocar alguno de los aspectos amedrantadores de la infancia, pero probablemene ofrezca al mismo tiempo los mecanismos para dominarlos).

Los poemas están llenos a rebosar del vocabulario que expresa la extensión y expansión del yo. El tema del héroe al cual un dios le otorga tremendo coraje y fortaleza es constante en toda la *Ilíada*. Las descripciones del poder de los dioses deben evocar los sentimientos infantiles sobre el yo poderoso y grandioso [21]. Al mismo tiempo, el poder de los dioses actúa como un freno a la grandeza de los más poderosos héroes. De este modo, otro aspecto de los poemas como terapia es su capacidad de alargar la estatura y aumentar el amor propio de los oyentes en tanto que imponen ciertos límites a la grandiosidad del yo.

Es importante considerar un nuevo rasgo de la relación entre la poesía y la descripción de la vida mental. Me refiero a la intervención psíquica de un dios bajo la forma *atē*, engaño, para conseguir que un héroe cometa algo necio y vergonzoso. Dodds ha observado que en la aristocracia guerrera de la *Ilíada* la vergüenza, el prestigio y el honor adquieren una particular importancia en la relación entre los héroes. Así, cuando Agamenón finalmente reconoce que cometió una equivocación al quitarle la mujer a Aquiles, invoca la noción de *atē*, un agente divino que le obligó a comportarse de ese modo. Dodds arguye que ésta es una forma de salvar el prestigio personal dentro de una sociedad que recompensa el riesgo de ser deshonrado. Sugiere que la facilidad con la cual los héroes homéricos pueden invocar a agentes externos como los causantes de su comportamiento, aporta un mecanismo de defensa psicológico o, incluso, socio-psicológico. La necesidad de proteger los impulsos y las acciones inaceptables encubriéndolas bajo una causa exterior al individuo es muy intensa en las culturas en las cuales la honra es muy considerada [22]. Yo, por mi parte, calificaría el punto de vista de Dodds bajo dos perspectivas. Primero, los datos de los que disponemos en la actualidad no indican que la utilización de la deshonra como censura social no está más estrechamente relacionado con esas necesidades de protección y defensa de lo que lo está el sentido de culpabilidad. Pero más importante para este trabajo es la observación, realizada por el mismo Dodds y por otros autores, de que *todos los tipos de actividades mentales, incluyendo las más triviales y ordinarias, puedan ser atribuidas a focos exteriores*. Por lo tanto, necesitamos una teoría más amplia que la implícita en la idea de que la intervención psíquica es un mecanismo

---

[21] Para ver una discusión teórica y clínica de este concepto relacionado con el narcisismo, consultar la obra de H. Kohut, *The Analysis of the Self* (New York, 1971). El Dr. C. Ducey ha sugerido que *Ión*, 533D (citado anteriormente), es el relato de una fantasía de prolongación narcisística del yo (comunicación personal).

[22] E. R. Dodds, *The Greeks and the Irrational* (Berkeley, 1951), pp. 1-18.

de defensa. El reconstruir dichas intervenciones psíquicas como una subdivisión de intercambios personificados, nos permite observar este fenómeno en el contexto de la poesía épica y oral. Las exigencias de la representación poética, con su especial relación entre el auditorio y el poeta, sostienen una visión del mundo psicológico que es la más adecuada para describir la actividad mental del individuo públicamente, la cual, según dicha visión, consiste en un permanente intercambio entre personas diferentes [23]. Extendería este argumento hasta llegar a decir, incluso, que todos los mecanismos utilizados para describir la vida mental deben ser entendidos en términos de la interacción entre el poeta y su público.

En resumen, he argumentado que la contestación a la cuestión de por qué aparece en Homero un modelo de la mente y de la perturbación mental de este tipo, se debe resolver contestando a la siguiente pregunta: «¿Por qué y de qué modo existe una épica homérica?» Una aproximación en este sentido, sitúa, según creo, un modo de pensar dentro de un contexto literario y social concreto. Esta noción también nos resultará útil para estudiar el retrato que la tragedia griega efectúa de la vida y de las enfermedades mentales, cuando encontremos una alteración significativa en la interrelación entre el poeta, su obra y su público. Aún cuando las tragedias griegas sean composiciones escritas, todavía están embebidas en gran parte en los hábitos de la tradición oral. Tal y como veremos más adelante, existe un cambio alternativo en las relaciones entre los individuos y el grupo dentro de las tragedias: los héroes trágicos, sobre todo en la obra de Sófocles, son más solitarios y autónomos que los de la poesía épica. Igualmente, los diálogos platónicos, que representan una gran ruptura con los rasgos y características de la cultura oral, están asociados con una definición del individuo más penetrante, y presentan una mente privada e íntima.

La discusión precedente acerca del modelo homérico de la mente tiene muchas implicaciones para los modelos contemporáneos de las enfermedades mentales. En primer lugar, si consideramos la figura del bardo análoga a la del médico o terapeuta, podemos señalar una interesante congruencia entre la especialización o actividad del médico y el modelo de la mente y de las perturbaciones mentales con el cual aquél trabaja. Por lo tanto, si el modelo homérico de la mente es el mismo que aparece en la labor del bardo, podríamos intentar extender esta noción a aquellas actividades consideradas más explícitamente terapéuticas. Podemos obtener valiosas enseñanzas considerando que el modelo de la mente y de las enfermedades mentales adoptado por una escuela terapéutica determinada debe estar plenamente adecuado con las teorías del médico acerca de lo que hace en su labor con el paciente y cómo lo hace. Entonces podríamos idear una fórmula para la «teoría» del bardo *qua* terapeuta: el bardo participa con su paciente en un proceso de curación que utiliza un ritmo de diferen-

[23] Esta formulación está implícita en los comentarios de Dodds, ibíd., p. 14.

ciación y reintegración del individuo. Este es un proceso regulado, en el cual el bardo tiene la mayor responsabilidad, pero no la única, en regular el ritmo. Esta formulación es muy útil para considerar las teorías modernas de las enfermedades mentales que hacen hincapié sobre todo en los aspectos transacionales e interpersonales de la enfermedad y de la teoría [24]. Los terapeutas que siguen esta orientación han tendido siempre a verse ellos mismos como observadores participantes. Sugiero que sería provechoso considerarlos también reguladores participantes de un proceso de diferenciación y reintegración del yo. Asimismo también podríamos hablar de regresión controlada, y del bardo como un participante regresor. Al igual que el bardo, aquellos terapeutas también están sujetos a un proceso de confusión y reestablecimiento de los límites del ego, del mismo modo que lo están sus enfermos. Esta visión es en gran medida consonante con dichas visiones de los terapeutas sobre la terapia y con las valoraciones de sus experiencias como médicos.

Otra implicación más que se desprende de este análisis sobre el modelo homérico de la mente, es la dependencia del individuo respecto al grupo, o la definición del indivivuo vis-a-vis el grupo. Mi propósito es destacar que las teorías de la mente y de las enfermedades mentales que recalcan a la mente (o a la persona) como una concentración y condensación de fuerzas dentro de un campo de fuerzas más amplio, están encajadas en contextos donde los individuos interactúan en estrecha conexión con los demás como si fueran partes integrantes del conjunto social. Las teorías que consideran cada mente individual como una entidad discreta tapiada por todas las demás, elaboran presunciones diferentes acerca de la relación entre el grupo y los individuos. Los modelos médicos de la mente tienen sus propias teorías sobre el individuo y el grupo, pero yo creo que dichas teorías se diferencian de las demás en su lenguaje anatómico y fisiológico característico [25].

En suma, los modelos de la mente y de las enfermedades mentales contienen ciertas presunciones referentes al individuo y a la colectividad, y esas presunciones son operativas para el grupo constituido por el médico y el enfermo.

---

[24] Desde esta perspectiva, muchos rituales primitivos de curación (como los ritos chamánicos) requieren una extrema negación del yo del curandero. Este puede llegar a caer en trance, como si su alma partiera en busca del alma de la persona enferma. También las experiencias grupales de éxtasis (ver capítulo 13) precisan de una anulación previa de los límites del yo. En el capítulo 14 se discutirán las teorías modernas que destacan los aspectos interpersonales de los procesos psicológicos.

[25] En el capítulo 13 se discutirán las implicaciones sociales y psicológicas de la teoría médica de la histeria.

6

LA VIDA MENTAL EN LA TRAGEDIA GRIEGA

> Enormidades salvajes y que no tienen parangón, horripilantes para el cielo y la tierra, mi mente se agita dentro de mí, heridas y asesinatos y muerte que se deslizan alrededor de los miembros. Recuerdo que esos actos son demasiado triviales: los hice como una niña. Es la hora de una pasión más intensa; ahora soy una madre, y se espera que cometa crímenes más horribles.
>
> Séneca, *Medea* [1].

La tragedia griega es muy rica en descripciones de la vida interior de sus héroes y heroínas. Esta riqueza es el punto de partida de nuestra presente investigación. El interior de la persona está iluminado con mayor intensidad en la tragedia que en la poesía épica, y lo que descubre nos dice muchas cosas sobre los conflictos y el sufrimiento, sobre las tentativas para solucionarlo que se perciben en las tragedias. Estas revelan un gran interés por la locura, la cual aparece como surgida de una matriz de profunda ambivalencia e inaguantablemente conflictiva. El foco está en el héroe individual, pero nunca se olvida la reciprocidad entre las poderosas fuerzas sociales y los problemas interiores. La tragedia representa la tentativa de tratar la locura y sus consecuencias, y encontramos una sutileza extraordinaria cuando retrata el intercambio entre las fuerzas exteriores e interiores. La gran riqueza e intricación con la que se presenta la locura nos invita a considerar la mente del dramaturgo que es capaz de escribir sobre un conflicto de este tipo y al mismo tiempo mantener un control de calidad artística sobre todo su material. Por esta razón nosotros analizaremos teorías antiguas y modernas sobre la relación entre locura y creatividad. La importancia de la tragedia en la vida cívica y religiosa de Atenas nos impele a considerar cómo los auditorios pudieron haber utilizado esas representaciones para tratar sus propias cargas internas y para tratar una cuestión más amplia: ¿Es el teatro una terapia?

Cuando hablamos de la tragedia griega, tenemos ante nosotros sólo una pequeña parte de las obras representadas en Atenas en el siglo V a.C., aproximadamente unas treinta de un número original cercano al millar. Unicamente las obras de Esquilo (525-456), Sófocles (496-406) y Eurípides (485-406) han sobrevivido hasta nosotros, pero, según el testimonio de la propia antigüedad, esos tres autores fue-

---

[1] De *Roman Drama,* traducido por Frank O. Copley y Moses Hadas, copyright © 1965, por Bobbs-Merrill, Co., Inc.

ron los más grandes trágicos. Su gran popularidad debe haber jugado un papel decisivo en la conservación de algunas de sus obras, a pesar del influjo del tiempo, de los incendios de bibliotecas, y de los caprichos de los maestros de escuela, paganos y cristianos.

Los dramaturgos presentaban series de tres dramas consistentes en tres tragedias y un drama satírico representaba a los jueces, que seleccionaban las tres mejores series para hacer una competición pública en la Gran Dionisíaca, el festival de primavera de Dionisio. Se dedicaba un día al trabajo de cada dramaturgo, y al final del festival se elegían el primer, segundo y tercer puesto por las aclamaciones del público. El ganador, al que se coronaba con una guirnalda de yedra, recibía un honor similar al de un campeón olímpico.

Las representaciones, además de ser ceremonias religiosas y solemnes, también eran una ocasión de liberación emocional. El juego del sátiro aportaba un rasgo de hilaridad, apropiado en una celebración en honor de Dionisio. Pero Dionisio Eleuterio, Dionisio Eleuthereus, Dionisio Lusius, el dios de la liberación y el escape, también permitía que se representase ante toda la ciudad lo indecible y lo impensable. Durante tres días al año el público podía presenciar asesinatos, incestos, locura [2].

Sabemos muy poco sobre los orígenes de estas extraordinarias representaciones. La palabra *tragodia*, literalmente canción, sugiere que la tragedia tuvo sus orígenes en un ritual [3]. La escuela clásica de Cambridge revolucionó todas las ideas sobre el tema al destacar el carácter ritual de la tragedia [4]. Mi pensamiento sobre esta cuestión está influenciado por las teorías más recientes que sostienen que el origen ritualístico de la tragedia no se podrá demostrar nunca y que la tragedia ateniense es una forma artística desarrollada a partir de algo muy distinto a un ritual. Para los griegos, el poder de la tragedia se deriva de haber interpretado artísticamente sucesos y emociones que rituales más antiguos podrían haber expresado, y no de su repetición literal de un rito particular o de un mito asociado a éste. Es el elemento artístico, según creo, lo que permitió a los tremendos espectáculos de los dramaturgos conmover fantasías y temores muy profundamente asentados, del tal modo que el público obtendría un gran enriquecimiento y placer de las representaciones.

Las obras tenían éxito a causa de la habilidad con la que los trágicos mostraban el intercambio de conflictos en niveles diferentes. Conflictos entre hombres y dioses, entre los hombres, entre un ideal de

---

[2] Ver la introducción de D. Clay a su traducción de *Edipo rey* (Oxford, en prensa).

[3] W. Burkert, «Greek Tragedy and Sacrificial Ritual», *GRBS*, 7 (1966): 87-122, discute las tres formas posibles de entender.

[4] Me refiero principalmente a Jane Harrison, Francis Cornford y Gilbert Murray. Se puede encontrar una recensión sucinta y bibliografía en G. F. Else, *The Origin and Early Forms of Greek Tragedy* (New York, 1972), especialmente en el capítulo 1. Else mantiene una postura más crítica que los autores anteriores en lo que se refiere a destacar los rasgos de primitividad.

honor determinado y otro ideal diferente, entre partes distintas de un mismo héroe, entre proyecciones de una parte específica del yo: todos estos aspectos deben ser congruentes y estar integrados entre sí. En el macrocosmos los temas de conflicto son entre la civilización y el barbarismo, entre la odiosa tiranía y los sentimientos y afiliaciones humanas básicas. Los héroes de la tragedia que se vuelven locos (siempre son *convertidos* en locos) se comportan de este modo cuando su mundo se colapsa alrededor de ellos. Su locura forma parte de un intento frenético por retener lo que ellos creen y saben correcto. Su mundo está compuesto por ideas relativas al estado, a la familia, a los dioses, y al microcosmos de sus propias ambiciones y pasiones en conflicto.

Aristóteles sugirió que la tragedia se ocuparía de historiar terribles sucesos acaecidos dentro de ciertas familias, y puntualizó que las grandes tragedias se referían siempre a un mismo número de casas nobles muy limitado[5]. Debido a que todas ellas eran familias reales, se podían utilizar para expresar agrupados muchos niveles distintos de significación y para considerar diferentes eventos, incluyendo sucesos políticos, condiciones sociales, relaciones entre los hombres y las mujeres, entre los hombres y los dioses, referentes al tiempo eterno, a los sueños y fantasías inconscientes universales. En las tragedias los reyes y las reinas, los príncipes y las princesas, representan ante nosotros los rasgos más familiares de las pasiones y temores de nuestra infancia.

Consideremos la *Oresteia* de Esquilo, que es donde se narra el regreso de Agamenón de la guerra de Troya, su asesinato a manos de Clitemnestra y Egisto, la muerte de Clitemnestra por su hijo Orestes, la subsiguiente locura de éste, y la decisión final adoptada por un tribunal ateniense. ¿Qué «pretende» la trilogía? Esta puede ser interpretada plausiblemente como:

1. Una tragedia bélica y sus posteriores consecuencias.
2. Un drama teológico: el conflicto entre las divinidades Olímpicas y las ctónicas.
3. Una representación del conflicto entre sociedades patriarcales y matriarcales con sus pertinentes valores.
4. Una representación del desarrollo de la ley civil en Atenas.
5. Una tragedia de una familia maldita.
6. Una tragedia doméstica sobre las enemistades entre el marido, la esposa y el hijo.
7. La tragedia de un Orestes atormentado por el amor a su madre y el odio de ésta ocasionado por la lealtad de aquél a su padre.
8. La tragedia de un Orestes atormentado por un amor «no natural»: el conflicto de unos deseos incestuosos inconscientes que están representados simbólicamente y que son rechazados por el matricidio[6].

[5] *Poética,* 1453a17-22.

[6] Una revisión de todas las interpretaciones psicoanalíticas de la *Orestíada* se pue-

Esta lista sugiere los múltiples niveles del conflicto que se desarrolla entre los personajes del drama, y los múltiples niveles que están integrados por el artista y su público. Los ejemplos de formas extremas de conflicto, tales como el asesinato cometido por Medea de sus hijos, no son muestras aisladas de material psiquiátrico, sino que son parte de un modelo intrincado y armonioso.

Armonía y equilibrio son términos claves en cualquier análisis de la tragedia griega. Los mismos personajes, especialmente los coros, defienden la necesidad de una armonía y un equilibrio, que no sea ni excesivo ni escaso: que no se reverencie demasiado a un dios a expensas de otro. El desequilibrio es característico de muchos protagonistas de tragedias. El coro del *Hippolito* de Eurípides habla de la «armonía desventurada» (11. 161-64), un rasgo de la naturaleza de la mujer. En *Agamenón* el coro canta el ridículo «equilibrio económico» de la guerra, ya que en ella Ares cambia a los jóvenes por cenizas funerarias (11. 437-44).

Consideremos la locura y la armonía. Existe un minúsculo detalle involucrado en la descripción de Eurípides del viaje imaginario de Heracles, en parte de la ira ilusoria que culmina en el asesinato de su mujer e hijos. Heracles sufre una alucinación en la cual se encuentra atacando la ciudadela de Micenas, derribando con palancas las murallas ciclópeas, murallas que estaban perfectamente unidas y medidas con plomada (*Heracles*, 11. 943-46). Locura y geometría se hacen de contrapunto. Un antónimo típico de la locura, tanto en Platón como en los trágicos, es *sōphrosunē*, moderación o temperancia. El objetivo del dramaturgo, por lo tanto, es suministrar una descripción moderada de los rasgos más inarmónicos e inmoderados de la vida mental humana, un objetivo compendiado por el antiguo crítico Longino, que dijo: «Incluso en las Bacanales se debe ser sobrio»[7]. La descripción de la mente sometida a sus mayores conflictos y perturbaciones ocupa un lugar destacado en el arte trágico, ya que también eso es un reflejo de la empresa que el dramaturgo debe encarar. En resumen, debe tener acceso a las más irracionales de sus fuerzas interiores, ya que de esta forma puede describirlas, pero al mismo tiempo debe mantener el suficiente control de sí mismo para poder presentar una obra con la que el público disfrute ampliamente. Debe bajar su auto-censura en la medida exacta para que el público, a su vez, retire sus propias defensas. La locura es un teatro que se ha vuelto loco.

Las tragedias griegas son representaciones de personas que actúan, que contemplan las actuaciones de los demás y justifican las suyas pro-

---

de hallar en R. S. Caldwell, «Selected Bibliography on Psychoanalysis and Classical Studies», *Arethusa,* 7 (1974): 115-34, sobre todo las páginas 121-22. Véase también G. Devereux, *Dreams in Greek Tragedy* (Berkeley, 1976), capítulos 3, 4, 6; y D. Kouretas, *Anōmaloi Karaktēres eis to archaion drama* (caracteres anormales en el drama antiguo) (Atenas, 1951), recensionado por G. Lyketsos en *Psa. Q.,* 22 (1953): 110-12. Ver también la recensión de P. Hartcollis en *Int. J. Psa.,* 57 (1976): 365-67.

[7] *Tratado de lo Sublime,* sec. 16, para. 4, OCT, ed. D.A. Russell (Oxford, 1968), pág. 26, refiriéndose a *Las Bacantes* de Eurípides, 1. 317.

pias o las de aquellos otros personajes. Por medio del diálogo, el monólogo y el coro, cada obra representa la vida interior de los principales protagonistas así como sus modos característicos de interactuación. Aristóteles definía la tragedia como una «imitación de la acción» (*praxeos mimēsis*) que se basaba en la descripción del carácter habitual (*ēthos*) y del pensamiento (*dianoia*) de los protagonistas [8]. En las obras abundan los términos referentes a la vida mental, términos que forman parte de una amplia muestra de actividades intelectuales y de una gran variedad de estados sensitivos.

Esta concentración de términos mentales es bastante clara en las escenas iniciales de una obra del tipo de *Medea*. La *Antígona* de Sófocles es muy rica en vocabulario para expresar estúpido, necio, loco. *Edipo Rey* es explícita para indicar conocimiento, visión y comprensión, y su intercambio con ignorancia, ceguera e incomprensión [9]. Encontramos en la tragedia un vocabulario de tipo emocional más rico que el de la poesía épica. Del mismo modo la tragedia es más explícita que la épica homérica diferenciando intelecto y emoción, al tiempo que explora su interrelación vital.

Aun cuando sea verdad que en las tragedias aparecen algunos ejemplos de intercambios personificados del tipo de los homéricos (por ejemplo: «hablaba dentro de su corazón», *Antígona*, 1. 227), esos casos son raros; el modo más típico de expresar este hecho en la tragedia sería diciendo «pensaba» o «sabía». En el discurso trágico perviven algunas reminiscencias de los orígenes externos del pensamiento y del sentimiento. Medea tiene «afligido su corazón por el amor de Jasón» (1. 8), pero incluso este tipo de lenguaje es menos habitual en la tragedia que en la épica homérica. Homero solía insertar un agente divino en la causación mental; la tragedia no lo hace. De hecho, la Hécuba de Eurípides afirma que no fue Afrodita la que movió a Helena y a Paris a hacer lo que hicieron, sino que fue el deseo y el amor lujurioso de Helena (*Las Troyanas*, 11. 981-84).

En la tragedia los dioses no son los iniciadores de ningún sentimiento o pensamiento, a pesar de poder actuar. El saltarse visiblemente las normas es la evidencia de la locura: en todos los casos que conocemos de tragedias perdidas o que hallan llegado hasta nosotros, es un agente divino el que vuelve loco al protagonista [10].

En Homero, en la toma de decisiones a menudo está involucrado algún dios que inclina la balanza a uno u otro lado cuando el héroe pondera qué elegir. Por otra parte, el lenguaje homérico para expresar la toma de una decisión es perifrástico: «Mi *thumos* me urge a hacerlo así, pero otros *thumos* me hace desistir de ello».

---

[8] *Poética*, 1449b24, 144b36-50al5.

[9] De hecho, a través de toda la obra Sófocles saca un gran partido de la similitud lingüística entre los verbos «saber» y «ver», que derivan de la misma raíz indoeuropea.

[10] También los sueños son una excepción, ya que a menudo son enviados por agentes exteriores, aunque ello no ocurre de un modo tan consciente como el que aparecía en la épica homérica (ver G. Devereux, *Dreams in Greek Tragedy*, p. 30, nota).

Un ejemplo de indecisión para tomar una alternativa determinada se puede observar en las palabras pronunciadas por el guardia a Creonte en *Antígona* (11. 223-36). Teme decir a Creonte que se ha encontrado el cadáver de Polinices, y que los guardias lo han abandonado por su deber de impedir el entierro del «traidor».

> Mi mente (*psuchē*) me dice muchas cosas:
> «¿Por qué ir a donde seguramente te saldrá caro? ¿Acaso vacilas, loco? ¿Y si Creonte se entera por algún otro, cómo evitarás ser dañado?» Dándole vueltas a ésto (*helisson*), me he entretenido. Y de este modo un camino corto se me ha hecho largo.
> (*Antígona*, 11. 227-32) [11]

Comparemos este pasaje con el que abre el libro 20 de la *Odisea*, cuando Odiseo no toma su decisión hasta que se le aparece Atenea y le asegura que podrá contar con su ayuda. La palabra *helisson*, dar vueltas, cambiar de opinión, se utiliza en ambos pasajes, y el contraste que encontramos es muy instructivo. En *Antígona* es una metáfora para describir un proceso mental; en la *Odisea* es parte de la descripción del estado de Odiseo, que se agita y piensa durante su insomnio. En el pasaje de la *Odisea* se manifiestan y explican con símiles, con un corto relato que Odiseo se cuenta a sí mismo, y con los intercambios personificados. Este último tiene lugar entre Odiseo y partes de sí mismo (incluido su *thumos*) y entre Atenea y Odiseo. El intercambio personificado análogo que aparece en el pasaje anterior de *Antígona* es un debate interior que da la impresión de ser habitual.

El debate interno más famoso de la tragedia seguramente sea aquel discurso de Medea en el cual se decide a matar a sus hijos en venganza, y, después de haber cambiado de opinión muchas veces, finalmente resuelve que debe hacerlo, aún cuando sabe que su decisión es reprochable [12]. Tal y como comienzan sus palabras, ella parece debatir si conviene o no llevar a sus hijos al exilio o si deberá dejarlos en Corinto, pero, a medida que el debate avanza, se plantea si es preferible abandonarlos o matarlos. Al principio únicamente el coro se encuentra presente, pero más adelante se les unen los niños:

> Oh hijos ¡Oh hijos míos! Tenéis una ciudad en la que habitar,
> Tenéis un hogar, y os podéis quedar privados de mí.

---

[11] A no ser que se indique otra cosa, todas las traducciones que aparecen a lo largo de este capítulo proceden de D. Grene y R. Lattimore, eds., *The Complete Greek Tragedies,* 4 vols. (Chicago, University of Chicago Press, 1959).

[12] Normalmente todas las disquisiciones sobre este monólogo lo hermanan con el de Fedra en el *Hipólito,* 11. 373-430. Ambos monólogos son analizados en B. Knox, «Second Thoughts in Greek Tragedy», *GRBS,* 7 (1966): 213-32. El de Fedra se estudia en T. Irwin, «Euripides and Socrates», en *Essays on Attic Tragedy,* editado por R. L. Gordon (Cambridge, en prensa). Claus, en «Fedra», defiende la cualidad más arcaica del monólogo de Fedra, y no acepta la idea de que el discurso represente una interiorización sin parangón de las funciones mentales y morales. Pero yo creo que él exagera un poco.

Sin vuestra madre podréis vivir aquí para siempre.
Yo me marcho al exilio, a otro país,
antes de haberos llegado a ver felices y de disfrutar con vosotros (11. 1021-25).

Ahora me quedaré sin vosotros.
La vida será cruel para mí y llevaré una existencia triste.
Y vosotros nunca volveréis a ver a nuestra madre con vuestros queridos ojos, y llevaréis otro modo de vida.
¿Por qué, hijos, me miráis?
¿Por qué sonreís tan dulcemente que vuestra sonrisa parece la última?
Oh, Oh! ¿Qué puedo hacer? Mi valor me ha abandonado [13], compañeras, cuando veo la mirada alegre de los ojos de mis hijos,
No podré hacerlo. Renuncio a mis planes anteriores,
llevaré a mis hijos a otra parte, lejos
de este país. ¿Por qué he de castigar a su padre con la pena
que ellos sienten y sufrir yo misma tanto?
No, no, no lo haré. Renuncio a mis proyectos.
Ah, ¿qué hay reprochable en mí? ¿Quiero dejar abandonados a mis enemigos sin castigarlos y ser motivo de burla por ello?
Debo enfrentarme a estas cosas. Oh, qué mujer más cobarde soy
permitiendo que mi pensamiento admita estos débiles argumentos (11. 1036-52).

Oh! Oh!
No hagas eso, corazón mío! Tú no debes hacer este tipo de cosas!
Pobre corazón, déjalos marchar, ten piedad de unos niños.
Si viven en Atenas, te querrán.
No! por las vengadoras furias del Hado, no será así:
nunca permitiré que sufran mis hijos
y que sean el despojo de la insolencia de mis enemigos (11. 1056-61) [14].

Aunque este discurso es único en muchos aspectos dentro de todos los ejemplos trágicos que conservamos, es representativo de un debate interno y de los cambios de decisiones que son característicos de las tragedias. El debate interno está, de hecho, incorporado dentro de la dicción trágica. Ciertos compuestos (normalmente formados con el sufijo *meta*—) denotan un cambio de pensamiento o un deseo de volver sobre lo que se había dicho anteriormente [15].

¿Qué hay acerca de los «organismos» de la vida mental en la tragedia, y cómo se compara el tratamiento trágico con el de Homero? En los dos pasajes citados se encuetran términos familiares de la obra de Homero: *thumos, psuchē, kardia, pherēn*. La fluidez de su utiliza-

[13] En la obra de Grene y Lattimore se utiliza espíritu *(spirit,* en el original inglés, *kardia* en el original griego), en vez de valor (courage).
[14] Eurípides, *Medea,* trad. Rex Warner (London, 1944). Utilizado con autorización del editor, John Lane, The Bodley Head Ltd.
[15] Knox, «Second Thoughts».

ción en la tragedia parece, en líneas generales, ser bastante comparables con el estilo homérico. No son términos técnicos psicológicos con aplicaciones específicas.

Dichos términos han llegado a ser más metafóricos de lo que eran en el lenguaje homérico. Como se recordará, la *thumos* y *psuchē* homéricas podían abandonar el cuerpo, y cubrirlo con un «suspiro» o «aliento de vida», además de denotar funciones que se podrían designar «psicológicas». Términos del tipo de *thumos* y *psuchē* utilizados las tragedias van camino de asumir un sentido filosófico más técnico [16]. Tienen cierta semejanza con el uso que nosotros hacemos de términos somáticos para describir sentimientos y sensaciones («tiene estómago»), y no son tan literales en su relación con el cuerpo como lo eran en el lenguaje homérico. En cierto sentido, son más abstractos, lo cual es una forma distinta de decir que su empleo refleja un grado más avanzado de diferenciación mente-cuerpo que la expresada por Homero [17].

En la tragedia nos damos cuenta de la presencia de dos niveles de funcionamiento mental: el emocional y el intelectual. Aunque sólo fuera esto, la distinción entre los coros y los diálogos nos refuerza en este conocimiento.

Para empezar, permítasenos considerar el contraste entre dos párrafos de *Medea*. Jasón ha abandonado a Medea para casarse con la hermana de Creón, rey de Corinto, y Medea está fuera de sí. Comienza entonces una serie de intercambios líricos entre Medea, la nodriza y el coro de mujeres conrintias [18].

> Medea:
> Ah, desdichada! Estoy perdida en mis sufrimientos.
> Deseo, anhelo, poder morir.
>
> Nodriza:
> ¿Qué os decía, queridos niños? Vuestra madre
> tortura su corazón y se tortura con su ira.
> Corred, entrad rápidamente en casa,
> y manteneos fuera de su ira (poneos lejos
> de su mirada) (11. 96-101).

---

[16] Para un sentido concreto de *thumos* ver Esquilo, *Las Coéforas,* 11. 396-92.

[17] B. Snell, *The Discovery of the Mind,* trad. T. G. Rosenmeyer (Cambridge, Mass., 1953), y H. Fränkel, *Dichtung und Philosophie des frühen Griechentums,* 2.ª edc. (Munich, 1962), explican las diferencias entre las descripciones de la vida mental realizadas por la épica homérica y por la tragedia en función del desarrollo histórico. Otros autores (bien representados por J. Russo, «The Inner Man in Archilochus and the *Odyssey*», *GRBS,* 15 (1974): 139-52, y su recensión de G. Kirkwood, *Early Greeck Monody: The History of a Poetic Type,* (Ithaca, N. Y., 1974), en *Arion,* 1 (1974): 707-730, atribuyen las diferencias al estilo. D. Bynum ha puntualizado (en conferencias inéditas) que cuando el cuento folklórico se transforma en un drama en otra cultura, la descripción de la vida mental se hace más prominente. Creo que ambas explicaciones son complementarias.

[18] L. H. G. Greenwood, *Aspects of Euripidean Tragedy* (Cambridge, 1953), ha llamado la atención sobre el abandono en este punto del trímetro yámbico, que es el metro que se utiliza en los diálogos.

Medea:
Sufro,
cuánto lloro con amargura. Os odio,
Hijos de una odiosa madre. Y a vuestro
padre le maldigo. Que toda la casa
sea exterminada (11. 111-14).

Deseo que
un rayo del Olimpo me abra la cabeza.
¿Qué haré yo ahora de mi vida?
Tal vez encontrase mi descanso en la muerte
abandonando esta odiosa existencia (11. 144-47).

Nótense los términos relativos al cuerpo humano en las líneas anteriores: en la línea 99 se dice «tortura su corazón» y «se tortura con sus iras» (*cholos*, emparentado con *cholē*, bilis); y en la línea 101 «poneos lejos de su mirada».

Compárense estos párrafos con el discurso de Medea en las líneas 214-66. Aunque con tensa emoción, dicho discurso es principalmente una argumentación, una explicación, una especie de defensa legal. Su tono intelectual se embellece en las líneas iniciales, en las cuales Medea intenta aplacar las iras o reproches que las mujeres sienten contra ella:

Mujeres de Corinto, he venido fuera junto a vosotras,
no me reprochéis; pues sé
que muchas personas son demasiado orgullosas, unos cuando están solos,
y otros cuando están acompañados. Y esos
que viven con quietud, como yo, tienen mala reputación (11. 214-18).

Pero todo esto ha saltado sobre mí tan inesperadamente que ha roto mi corazón... (11. 225-26).

El tema de la justificación personal por estar aturdida en exceso se amplifica ahora dentro de un discurso sobre la condición de las mujeres en general y sobre las dificultades de los matrimonios, incluidos aquéllos que resultan mejor. La mujer debe someterse: a la voluntad del marido, a las costumbres de la familia del esposo, a los dolores de la maternidad. En efecto, Medea le pide al coro que considere sus argumentos y que entienda las razones por las que busca venganza.

El contraste por lo tanto entre los párrafos líricos (11. 96-212) y los yámbicos, con un lenguaje más prosaico (11. 214-66), es en parte el contraste entre emoción y razón. Pero también es la defensa de una causa basada en dos razones principales: el sentimiento y la razón [19].

En este contexto es conveniente revisar algunos rasgos recurrentes de los coros de la tragedia griega. Dado que éstos iban adornados con música y acompañados de danzas, motivaban una respuesta del pú-

---

[19] Ibíd.

blico mucho mayor que los diálogos o monólogos, y además contenían mayor fantasía e imaginación. Eran frecuentes los temas de escape: «quisiera ser un pájaro», «quisiera estar en otra parte». Asimismo eran comunes los símiles y metáforas (algunas de forma similar, incluso, que las homéricas). En los coros se narraban pequeños ejemplos que comentaban, completaban o mostraban otros aspectos emocionales de la acción en curso. Por ejemplo, cuando Antígona es conducida a la cueva en la que será enterrada viva, el coro rememora la historia de Licurgo, que se volvió loco y fue encerrado en una cámara excavada en la roca por haber desobedecido las órdenes de Dionisio (*Antígona*, 11. 955-62):

> Recuerda al irascible rey,
> hijo de Driante, que enojó al dios y pagó,
> siendo encarcelado en una prisión excavada en la roca.
> Su terrible cólera
> se desvaneció poco a poco. Cuando el terror de la locura desapareció,
> comprendió que bajo los efectos de su arrebato había insultado al dios.
> Necio de él, había intentado frenar
> la danza de las mujeres poseídas por el Dios,
> había querido apagar el fuego de Dionisio, las canciones y las flautas.

Tal y como ya he argumentado en el Capítulo 4, el relato sirve para mostrar, como si fuera por medio de una asociación libre, determinadas facetas de una situación dada, algunas de ellas contradictorias. Aquí el coro simpatiza con Antígona y le anima con esperanzas de libertad. Al mismo tiempo, se le compara con Licurgo, que también estaba loco, y el coro espera que la locura de ella se pueda solucionar. A menudo el contenido de las odas corales trata específicamente de estados o procesos primarios, tales como dormir y soñar, fantasear e imaginar. Nótese el elogio explícito a las gratificaciones suministradas por los sueños y la imaginación en las siguientes palabras de *Ifigenia en Táuride*, de Eurípides (11. 452-455):

> Incluso imaginándolo en sueños me gustaría estar en mi ciudad y en mi hogar, porque los sueños que nos sobrevienen al dormir apaciblemente son agradables, y cualquiera puede ser reconfortado por esta fuente de riqueza cuando se abre a ella [20].

Entre todas las emociones experimentadas y articuladas por los coros destacan la piedad, el temor y el terror. El coro de *Orestes* de Eurípides canta (11. 831-33):

> ¿Qué puede haber más triste y lamentable, qué puede haber más conmovedor en cualquier país que derramar con propia mano la sangre de una madre? [21].

---

[20] Traducción de S. Barlow, *The Imagery of Euripides* (London, 1971). Ver también 11. 1089-95.

[21] Traducción mía.

Los cantores del coro de *Ayax* están expresando continuamente su temor por *Ayax* y por ellos mismos, que tienen que contemplar a aquel loco (11. 139, 227, 253). Asimismo los coristas de la *Electra* (1. 1408) y las *Traquinias* (1. 1044) de Sófocles se estremecen de miedo (*phrittein*)[22]. El terror y la piedad ocupan el primer lugar en la lista realizada por Aristóteles de los estados emocionales más característicos de la tragedia y de los resultados estimulados en los espectadores[23]. Es importante que el coro experimente esos dos sentimientos.

Incluso más que las emociones mismas, los coristas se condolecen por los sufrimientos y trances que sufren los héroes; en muchos aspectos se puede decir que se *identifican* con estos últimos. *Mimēsis*, imitación, aunque no se menciona en las tragedias, describe una de las funciones mentales de los coristas. (Entiendo *mimēsis* en el sentido que Platón le da al término en la *República*, como una combinación de imitación e identificación). Son frecuentes en las tragedias las palabras compuestas con la partícula *sun*— (con, juntamente)[24]. *Sunalgein* (sufrir con otro) es un ejemplo importante. En *Ayax* (11. 283-84) el coro apela a la mujer del héroe, Tecmesa, para que le cuente la causa de la locura de Ayax:

> ¿Cuál fue el inicio de esta catástrofe
> que se ha abatido? Dínoslo: nosotros participamos de tu dolor por ello.

Algunas acciones del movimiento y argumento de una obra se desarrollan cuando un personaje comienza a condolerse de otro, con el cual había estado peleado hasta ese momento. De este modo, al final de *Ayax* Odiseo argumenta que se le deben hacer al héroe unos funerales apropiados, y no tratarlo con desprecio. En Odiseo vemos lo que Aristóteles llamará *philanthropia* (simpatía por un compañero basada en una común identificación humana) que es la fuerza capaz de hacer superar a los hombres el odio a sus enemigos. Es algo parecido a lo que encontrábamos en las súplicas de Príamo a Aquiles para recuperar el cuerpo de Héctor, que se basaban en una apelación a la común naturaleza del padre de Aquiles, Peleo, y del mismo Príamo.

El coro cumple claramente la función de establecer un puente entre el público y el héroe. La identificación simpatética del coro con el protagonista es una invitación al público para que se conduela del héroe de la misma forma que lo hace el coro. Los rasgos y elementos ensoñadores de las odas corales despiertan las fantasías de los espectadores. La música y los movimientos de danza que acompañan a los coros, transmiten los estados internos del héroe y del coro mismo, y

---

[22] J. De Romilly, *La crainte et l'angoisse dans le théâtre d'Eschyle* (París, 1958), y Else, *Origin and Early Forma*, págs. 97-98.

[23] *Poética*, 1449b27, 1451b38, y passim.

[24] B. Snell, *Poetry and Society* (Bloomington, Ind., 1961).

a través de una especie de contagio inducen en el público los sentimientos representados sobre el escenario [25].

Por lo tanto, el coro realza las «razones» no-verbales y afectivas para establecer un lazo de simpatía con el héroe. Los argumentos que éste esgrime para defenderse aportan una base más intelectualizada para una identificación de este tipo. Los coristas, entonces, constituyen una especie de exploración pormenorizada de la vertiente emocional de la conducta humana. Las alocuciones yámbicas de los principales personajes y sus intercambios dan cuerpo a una exploración análoga de las partes más razonadoras y calculadoras de la psique humana.

He analizado en un sentido el término «identificación», que vendría a ser, por lo tanto, una apreciación simpatética de los sufrimientos de otras personas. Pero dicho término también tiene un sentido más literal, que se refiere a la acción de identificarse a un individuo particular. La identificación o la inidentificación de personas importantes en la vida de uno es un motivo muy frecuente en las tragedias griegas: *anagnorisis,* reconocimiento, es algo crucial en muchas obras. Intentaré demostrar que este tipo de identificación también reune una compleja síntesis de emoción e intelecto, y utilizaré algunas formas psicoanalíticas de interpretación para ilustrar la conexión entre los dos sentidos de identificación. Identificarse con las circunstancias de los demás es una fase necesaria del conocimiento de uno mismo. Las fuerzas que interfieren con empatía y simpatía en lo que se refiere a extraños, también interfieren en el pleno reconocimiento de todas las partes de uno mismo.

Los lectores de la *Poética* recordarán que el reconocimiento es un rasgo esencial de la concepción aristotélica sobre el mejor y más deseable tipo de tragedia (ver por ejemplo: 1452a22-68). Gerald Else en su excelente comentario de la *Poética* de Aristóteles, argumentaba que, teniendo en cuenta que las escenas de ese tipo no aparecen en la mayor parte de las tragedias, Aristóteles tiene buenas razones para concederle al reconocimiento semejante importancia [26]. Las escenas de reconocimiento son una parte integrante de la estructura formal, un elemento intelectual, como si dijéramos, que facilitan la búsqueda y la manipulación de las intensas emociones de la tragedia. En su *Interpretación de los Sueños*, Freud comparaba el proceso de los reconocimientos de Edipo con el desarrollo de un psicoanálisis [27]. Aristóteles, al igual que Freud, explica el impacto de una tragedia acertada. Dichas explicaciones son, de hecho, complementarias y no se exclu-

---

[25] Agradezco al Dr. C. Ducey esta puntualización. También fue él el que me recordó la conexión que existe entre la percepción del movimiento humano en el test de Rorschach, y la capacidad de fantasear. Esta conexión la estudia J. L. Singer en *Daydreaming,* (New York, 1966).

[26] G. F. Else, *Aristotle's Poetics: The Argument,* Cambridge, Mass., 1967), págs. 383-85. Ver también «reconocimiento» en el índice de palabras.

[27] SE 4 y 5: 262.

yen mutuamente [28]. Aristóteles destaca los elementos formales de la obra que crea el grado óptimo de respuesta en el público; Freud realza el papel que juega la fantasía inconsciente y la defensa contra esa fantasía.

Cuando examinamos el tema del reconocimiento en la obra de Eurípides *Ifigenia en Táuride*, observamos la naturaleza complementaria de esos dos modos de explicación, así como la compleja mezcla de intelecto y emoción que está vinculada con la identificación y la inidentificación. El conflicto y la ambivalencia, no la mera ignorancia, interfieren en el reconocimiento de un familiar. La intriga está basada en una versión de un mito según la cual Ifigenia no muere, sacrificada por su padre en Aulis, sino que en el momento en que éste iba a descargar sobre ella el golpe que le había de matar, fue transportada por Artemis al país de Táuride. Allí, los marinos griegos que perdían el rumbo, eran sacrificados en honor de Artemis, e Ifigenia era la encargada de oficiar. El hermano de ésta, Orestes, al cual ella había visto por última vez cuando era un chiquillo, arriba a esa extraña costa del Mar Negro. El relato se desenvuelve a partir del sueño de Ifigenia y de la interpretación, correcta o no, que ella hace del mismo (11. 42-58):

> Estas son las visiones que soñé esta noche y que la noche me ofreció.
> Las relataré bajo este brillante cielo, por si pudiesen ser remediadas.
> Vi en mi sueño que habitaba en Argos y que había abandonado este país.
> Y estaba durmiendo al lado de mis compañeras las vírgenes,
> y entonces la superficie de la tierra se estremeció por un terremoto.
> Yo salí fuera y allí parada contemplé cómo se derrumbaba la techumbre del palacio,
> y todo el techo se hundió desde sus partes más altas hasta el suelo.
> Y sólo una columna, así me pareció a mí,
> del palacio de mi padre permanecía en pie, y de su parte más alta
> pendía abandonada una cabellera suave, y hablaba con voz de hombre.
> Yo lloraba y derramaba agua sobre ella (él), como si estuviera (él) preparado para morir,
> marchándome de esta actividad, en lo que me dedico a matar extranjeros.
> Esta es la interpretación que yo le doy al sueño: Orestes está muerto, y era para él para quien realicé este rito.
> Las columnas del palacio son los hijos varones,
> y esos a los cuales rocié con agua morirán.
> No tengo a ninguna otra persona querida a la cual pueda referirse este sueño [29].

---

[28] Véase la valiosa aportación de G. Devereux, «The Structure of Tragedy and the Structure of the Psyche in Aristotle's *Poetics*», en *Psychoanalysis and Philosophy,* edt. por C. Hanly y M. Lazerowitz (New York, 1970), págs. 46-75.

[29] Se puede localizar un análisis detallado de este sueño en G. Devereux, Dreams in Greek Tragedy, cap. 8. Traducción mía basada en la traducción y comentario de G. Devereux, págs. 262-64.

En términos de la construcción formal de la trama, es importante que Ifigenia mal-interprete su sueño; ella debe creer que Orestes está muerto para que el subsiguiente fracaso en reconocerle sea efectivo. Si aplicamos una aproximación psicoanalítica a este suceso y sostenemos que el contenido manifiesto del sueño describe la consumación de una aspiración inconsciente, entonces Ifigenia *desea* que los varones, incluido Orestes, estén muertos. También anhela ser la única en sacrificar y matar a su hermano. Sugiero que Ifigenia se encuentra atormentada por un conflicto inconsciente en sus sentimientos hacia Orestes. La ira inconsciente está desplazada, en parte, hacia su padre, que estaba dispuesta a sacrificar a su propia hija para obtener su gloria material; esto refleja de algún modo sus celos y enojo por ser Orestes el preferido (no fue él el elegido para el sacrificio). En este sentido, los varones de la casa son la causa de su miserable estado. El otro objeto de su cólera es la relación entre Helena y Paris (la ilegítima lujuria que había originado que su propio padre estuviese dispuesto a sacrificarla). Aunque estaba guardada por la diosa (virgen) Artemis, nunca obtuvo ninguna satisfacción sexual y permaneció soltera. El reconocer a Orestes en el extranjero griego dependía en última instancia de que Ifigenia descubriese que su hermano también participaba de su cólera hacia Helena. De este modo, al percatarse de que Orestes era un buen amigo, podía ella poner fin a sus iras y celos inconscientes, renunciar a los deseos ambiguos que le impedían reconocer que Orestes era su hermano, un *philos*. Se podría llevar esta reconstrucción más allá analizando la imaginería y el simbolismo del sueño. En términos simbólicos, el sueño también expresa la aspiración de destruir y castrar a los varones vinculados de algún modo con su vida (Agamenón, Paris, e incluso su propio hermano, Orestes), en vez de soportar pasivamente la afrenta que suponía el deseo sexual de éstos en torno a ella. Se puede suponer, por lo tanto, que esa ambivalencia inconsciente es el origen del fracaso de Ifigenia a la hora de reconocer a su hermano. *Ifigenia en Táuride* generalmente no ha impactado a su público o lectores como la más grande o la más trágica de las tragedias griegas; ella y *Edipo rey* son las únicas obras conservadas que reunen la prescripción impuesta por Aristóteles a las grandes tragedias: contener una secuencia progresiva de reconocimiento e inversión. Esta secuencia es el doble estructural formal del proceso de autoenfrentamiento con la ambigüedad inconsciente.

Reconocimientos e identificaciones equivocadas forman el fundamento básico sobre el que se establecen los mitos de todos los pueblos, particularmente aquéllos que se refieren al nacimiento del héroe [30]. El *Ion* de Eurípides, que trata explícitamente de un niño abandonado que finalmente llega a reconocer a sus verdaderos padres, e *Ifigenia en Táuride* representa los límites de la tragedia en este

---

[30] Ver O. Rank, *The Myth of the Birth of the Hero,* trad. de F. Robbins y S. E. Jellife, edt. por P. Freund (New York, 1932); (fue publicado primero en 1914 en *J. Ner, and Mental* Diseases).

tema y señalan la frontera de separación entre aquélla y la comedia. Finalmente, el reconoce al otro es un aspecto crucial para reconocerse uno mismo.

El reconocimiento también está en gran medida relacionado con el tema del conocimiento trágico, tal y como se expresa en la fórmula de Esquilo *to pathei mathos*, conocer gracias al sufrimiento (*Agamenón*, 1. 177). El «conocer gracias al sufrimiento» y el «reconocimiento» son el reflejo en la literatura imaginativa del aforismo socrático «conócete a ti mismo». Al mismo tiempo profundizan y amplían la noción socrática para poder incluir el más fundamental conocimiento del hombre en relación con los antiguos objetos del deseo y conocimiento infantil.

Orestes en Esquilo y Euripides

Asesinato, suicidio y locura: he ahí los clímax más prominentes de la catástrofe presentada en la tragedia. La locura en términos metafóricos («estás loco si crees que puedes hacer eso») es muy frecuente en todas las obras de los tres grandes trágicos; cualquier tipo de pasión llevada a su extremo puede ser llamada locura. Pero también aparece a menudo la locura clínica auténtica, que va acompañada de alucinaciones e ilusiones y es provocada por un dios o diosa. El caso de locura más famoso de la obra de Esquilo es la de Orestes, al cual perseguían las Furias por haber dado muerte a su madre. La salvaje embestida de las Furias se inicia al final *Las Coéforas* y constituye el tema principal de *Las Euménides*. La primera obra de la trilogía, *Agamenón*, nos presenta la locura profética de Casandra (aunque a ésta no se le denomina explícitamente locura). En *Prometeo encadenado* Ion se vuelve loca a causa del moscardón enviado por Zeus y Hera [31].

La obra de Sófocles en la que la locura aparece más vívidamente representada es *Ayax*, aunque probablemente en muchas otras obras perdidas también se representarían casos de locura (*Athamas y Alcmaeón*) e incluso locura fingida (*Odiseo Mainomenos*).

En tres obras conservadas de Eurípides se encuentra la locura y su solución como tema central: *Heracles, Orestes* y la magnífica tragedia *Las Bacantes*, su última obra. *Ifigenia en Táuride* contiene una escena en la que se describe un súbito arrebato de locura de Orestes, y *Las Troyanas* presenta a Casandra como una loca. De hecho Longino dejó escrito que Eurípides tenía una devoción especial por el amor y la locura [32].

Los dramaturgos ofrecen en sus creaciones cuadros verosímiles y

---

[31] J. Mattes, *Der Wahnsinn in griechischen Mythos und in der Dichtung bis zum Drama des fünten Janrhunderts* (Heildelberg, 1970), estudia la locura en las obras perdidas.

[32] *Tratado de lo Sublime,* 15.3.

clínicamente correctos de hombres que se han vuelto locos [33]. Críticas psicoanalíticas bien informadas han argüido que algunas de estas obras también son muy exactas desde un punto de vista psicodinámico en la presentación que hacen del inicio, la exacerbación y el reposo de la locura [34].

Si las causas de la locura tuviesen que ser compendiadas en una proposición sencilla, ésta podría ser: la locura se origina a partir de un conflicto. A lo largo de este conflicto, la ambivalencia desempeña un papel importante. La ambigüedad fuerte no se localiza necesariamente en el interior del individuo, sino que se encuentra embebida en la textura de la obra. Walter Burket apunta que las tragedias contienen referencias manifiestas al sacrificio, incluyendo ciertos ejemplos que introducen el sacrifico humano dentro de la trama (por ejemplo las obras sobre Ifigenia: *Hécuba, Las Fenicias;* o la pérdida de Sófocles *Políxena*). El asesinato en las tragedias está ideado con el lenguaje y la imaginería propia de un sacrificio; los ejemplos más destacados los tenemos en *La Orestíada* de Esquilo y en *Heracles* y *Las Bacantes* de Eurípides [35]. Es ambivalencia, en una palabra, lo que nos comunica la reiterada referencia a un sacrificio ritual. En el ritual se observa profundamente encajado una mezcla de amor y odio hacia la víctima, ya sea una persona humana o un animal. El animal que se va a sacrificar despiadadamente es, en cambio, adornado con mucho detalle. A su vez, es evidente que el sacrificio humano connota una fuerte ambivalencia con la hija o el hijo que es ofrecida como un obsequio para aplacar a los dioses. Freud propuso en *Totem y Tabú* que los orígenes de la tragedia griega debían estar relacionados con el sacrificio del padre por el grupo de hermanos[36]. A pesar de que la veracidad histórica de las teorías de Freud sea dudosa, sus argumentos sobre el totemismo y el sacrificio como expresiones del pecado y la ambigüedad siguen siendo válidos. Las obras que conservamos en las que se trata la locura están, de hecho, muy coloreadas con un tipo de vocabulario, imaginería y trama que se relacionan con rituales y sacrificios ritualísticos. Incluso en *Ayax*, que parecería una excepción, encontramos la conexión con el sacrificio en virtud de la forma que asume la locura del héroe: matando animales en vez de seres humanos [37].

También es importante reconocer que en la tragedia griega el sa-

---

[33] J. W. Gregory, «Madness in the Heracles, Orestes and Bachae»; A Study in Euripidean Drama» (Harvard, 1974), evidencia cómo la locura se integra dentro de las necesidades literarias y artísticas de la obra.

[34] Caldwell, «Selected Bibliography», revisa de un modo crítico los estudios sobre estas obras que siguen una orientación de tipo psicoanalítico.

[35] La conexión entre la tragedia y el sacrificio se estudia en Burkert, «Greek Tragedy», y en F. I. Zeitlin, «The Motif of the Corrupted Sacrifice in Aeschylus *Oresteia*», *TAPA*, 96 (1965), 464-508, y «Postscript to Sacrificial Imagery in the *Oresteia*», *TAPA*, 97 (1966): 645-53.

[36] SE, 13: 155-56.

[37] El sacrificio se insinúa en 11. 218-20.

crificio y la locura tienen en común el que ambas son encomendadas y ordenadas por los dioses. Agamenón mata a su hija porque así le pide Artemis que lo haga, y no porque él quiera hacerlo. La noción de que la locura es provocada por los dioses oculta plenamente los conflictos y fisuras que siempre existen en todas las culturas. ¡Cuán intolerables e insensibles son esos agentes divinos que, por una desatención a su culto, lo arruinarán todo, provocarán la locura, y desmantelarán poderosas familias y ciudades!

Por lo tanto, la locura en Grecia es inseparable de la religión y de los sentimientos acerca de los dioses. Dichos sentimientos, mezcla de reverencia, temor, amor ocasional y obediencia sumisa, intentan competir con las emociones y deseos que también existen entre padres e hijos y entre los sexos opuestos [38]. En la gran obra en la que Hera hace que Heracles se vuelva loco y que mate a su familia, Heracles proclama que los dioses no pueden actuar con las reglas intolerables y las costumbres inhumanas de la humanidad. ¿Cómo puede alguien hacerse a la idea de que sus padres sean tan perversos? De este modo, y a partir del núcleo del conflicto, de la ambivalencia, del pecado y del sacrificio, se origina la terrible locura de la escena griega.

LA ORESTÍADA DE ESQUILO

Orestes aparece por primera vez en *Las Coéforas*, la segunda obra de la trilogía *La Orestíada*. Al final de la tragedia mata a su madre, Clitemnestra (1. 930), y en la última escena (11. 1021-25) sufre los ataques de las Furias y de la locura que ellas le provocan. Esta última y su solución ante un tribunal ateniense son los temas principales de *Las Euménides*, que es la tragedia que cierra la trilogía. Desde el coro que abre la obra *Agamenón*, hay una atmósfera de temor y angustia, de imnombrables miedos y terrores, que, finalmente revientan en una explosión de locura declarada. Resentimientos en ebullición, iras oscuras, amarguras y una desgracia irresuelta, constituyen el núcleo de la obra. Las abundantes referencias a sueños y terrores nocturnos, combinadas con la extravagante profecía de Casandra, crean un ambiente en el que la razón se tambalea y se coloca al borde de la locura. Apenas existe una tregua cuando en la segunda obra de la trilogía se recogen con motivos de inconsolable dolor, de la cólera y la amargura, y se citan los terrores que acompañan a los sueños tenebrosos (*Coéforas*, 11. 32-36):

> El Terror, que anuncian los sueños de
> esta casa, bramando con claridad, los pelos erizados, henchido de ira,

[38] Una presunción de este tipo es sostenida por P. E. Slater, *The Glory of Hera* (Boston, 1968), pero se debe utilizar con prudencia.

interrumpe el sueño y surge un grito en la inmensidad de la noche,
una voz de terror en lo más profundo de la casa,
introduciéndose desoladamente en las habitaciones de las mujeres.

El coro habla de una «amargura llena de odio» (*pikron stugos*, 1. 80) y de «mantener en secreto las penas». Electra se agita enteramente por efecto de la *cholē*, el rencor (1. 183).

Un siniestro sueño despierta a Clitemnestra, y se propone enviar ofrendas a la tumba de Agamenón, mediante lo cual espera aplacar a los inquietantes espíritus del mundo subterráneo que no le dejan descansar tranquila (11. 527-534)[39]:

Coro:
Ella me lo contó (el sueño). Soñó que daba a luz a una serpiente.

Orestes:
¿Cuál es entonces el final de esta historia?

Coro:
Lo tenía envuelto para que se durmiese como si fuera un niño.

Orestes:
Un pequeño monstruo. ¿Y acaso quería el animal algún tipo de comida?

Coro:
Ella, según el sueño, le dió su propio pecho.

Orestes:
¿Cómo se las arregló para que una bestia de ese tipo no lastimase su pezón?

Coro:
Se lo hirió. La criatura bebió sangre mezclada con la leche.

Orestes:
No en vano soñó estas escenas, que son la visión de un hombre.

Orestes, a continuación, interpreta que la serpiente del sueño es él mismo, y que la visión de su madre anuncia que «yo me convertiré en serpiente para matarla».

Pero hace falta otro elemento para poder conseguir la mezcla que conducirá a la locura: el conflicto. La forma que reviste el conflicto para Orestes se encuentra bastante bien explicitado en la alocución suya que comienza en la línea 269. Apolo le ha encomendado que mate a su madre y que vengue a su padre. Si él no lleva a cabo esta obligación, deberá sufrir castigos terribles:

---

[39] Devereux, *Dreams in Greek Tragedy*, cap. 8, ofrece una interpretación muy detallada.

...voces irritadas que salieron del país de aquéllos
que se pusieron en contra de los hombres, hablaban de enfermedades,
de llagas que se extenderían sobre el cuerpo, y se adherían, y con dientes salvajes comerían su tejido natural...

Nótese la agresividad oral de esta imaginería, similar a la imaginería del sueño de Clitemnestra:

... la locura y el vacuno terror de la noche alcanzan a aquél que ve claro y cuyos ojos se mueven en la oscuridad...

Estos castigos con los que se le amenaza en caso de no vengar al padre, son similares a los castigos que le infringirán las vengadoras Erinias por matar a su madre. El dramaturgo habla con claridad: Orestes es atenazado por el enfrentamiento que se da en su interior entre dos fuerzas cósmicas muy poderosas, los derechos de la madre y los derechos del padre, y se volverá loco por prescindir del camino que adopta en un primer momento. Más adelante, aparenta menos autoestima al permitir que los ciudadanos de Argos y él mismo sean descalabrados por una mujer y por un hombre que posee un corazón cobarde como el de las mujeres (Egisto). En este punto se insinúa, pero sólo muy ligeramente, que Orestes tiene que combatir la parte femenina de su carácter. Pero lo que resulta claro por encima de todo es que la locura de Orestes es inevitable.

En cierto e importante sentido el conflicto es externo, aunque Orestes sufre a causa de él en su interior. Orestes es involucrado en un problema que él no crea. La descripción de Orestes realizada por Esquilo es muy diferente de la que encontramos en Eurípides, ya que en ésta última el conflicto externo entre Apolo y las Furias refleja los conflictos internos que se establecen entre el lado femenino y el varonil del carácter de Orestes.

Al final de *Las Coéforas*, y por unos instantes, Orestes puede contemplar a las Furias, que comienzan a ser una amenaza real para él. El Coro le alaba por su doble asesinato (puesto que Orestes ha obedecido a Apolo y se ha constituido en el salvador de Argos (11. 1046-62)):

Coro:
Has liberado a toda la ciudad de Argos cuando cortaste la cabeza de esas dos serpientes con un certero golpe.

Orestes:
¡No!
Mujeres que servís en esta casa, parecen gorgonas,
llevan ropas negras, y sobre ellas se enroscan un marasmo de serpientes.
Yo no puedo aguantar más.

Coro:
Orestes, el que más quiere a su padre de todos los hombres,
¿qué fantasías te atormentan? Calma, no des pie al terror [40].

— — —

Orestes:
¡Oh soberano Apolo! Cómo crecen y se multiplican,
de sus ojos sale sangre repulsiva.

Vosotras no las podéis ver, pero yo las percibo cerca de mí.
Me arrastran fuera de este lugar.
No puedo permanecer aquí más tiempo.

Nótese que el primer arrebato de la locura le sobreviene cuando el coro le dice que ha eliminado dos serpientes; inmediatamente Orestes ve en alucinaciones a las Erinias bajo forma de serpientes que se retuercen. Clitemnestra es una serpiente. El mismo Orestes es una serpiente (así fue como él había interpretado el sueño de Clitemnestra). Sobre el joven se abalanzan ahora las diosas de aspecto de serpiente, que son al mismo tiempo una condensación de la percepción que él tiene de sí mismo y de su madre, y una proyección de su conciencia asesina y avergonzada. En *Las Euménides* las Erinias son criaturas reales y observables; no son fruto de una alucinación de Orestes. Es evidente que el principal interés del escritor en esta trilogía no lo constituye el conflicto interior.

La descripción del Orestes que se empieza a volver loco, pero que todavía no sufre alucinaciones, es muy interesante porque refleja una experiencia interior, y porque, al mismo tiempo, se plantea en términos de lo que le está ocurriendo (11. 1021-25):

Orestes:
Sabedlo, pues yo no sé cómo terminará todo esto. Soy un carro cuya dirección ha salido fuera del camino; estoy derrotado, mis sentidos rebeldes caen sobre mi cabeza y el terror de mi corazón está preparado para bailar y cantar con ira.

Fuerzas fuera de control entran en escena; comienza un drama de locura, en el cual Orestes participa, pero no es un agente iniciador activo.

Estas líneas contrastan con la sucinta declaración del *Orestes* de Eurípides, que, cuando Menelao le pregunta qué trastornos le afligen, replica: «El convencimiento de saber que he realizado terribles acciones» (1. 369).

Pero, ¿quiénes son esas Erinias, y qué es lo que hacen? La primera vez que la Pitonisa de Delfos las ve, nota una tremenda sacudida de terror y repulsión (*Las Euménides*, 11. 46-50). Son parecidas a las

[40] Fantasías = *doxai*, apariencias. En la medicina griega tardía esta palabra asume el sentido técnico de alucinación (ver LSJ). También es un término muy importante en la obra platónica, en la que se emplea para designar una forma inferior de pensamiento.

Gorgonas: son como Harpías que estropean y contaminan la comida, con la diferencia de que no tienen alas. Son negras y mortificadoras. Su cólera pone a uno fuera de sí. Sus ojos rezuman un lodo pestilente, y sólo criaturas que no fuesen humanas podrían afirmar que les pertenecen. Orestes ya nos ha dicho que las serpientes están enroscadas en ellas y que visten de negro. Están ahí para vengar la sangre materna derramada chupando la sangre del hombre vivo (*Las Euménides*, 11. 184, 264-66, 365, y passim). Sus matrices están llenas a rebosar de fuego y vapores ponzoñosos (11. 137-38) que hacen que sus víctimas se arruguen y sequen.

Pero esta castración (o impotencia) que producen, no es sólo simbólica; ellas, literalmente, destruyen y destrozan los genitales y el resto del cuerpo de sus víctimas. Apolo les dice (11. 185-90):

> No está bien que vosotras os acerquéis a esta casa;
> vuestro lugar está en donde la justicia se dedica a cortar cabezas
> y arrancar ojos,
> en donde hay asesinatos, y la destrucción de la descendencia
> provoca la ruina de la virilidad juvenil, en donde se mutila
> y apedrea, y hombres que gimen con profundos lamentos son
> empalados en estacas [41].

La locura desde luego, es su especialidad (11. 341-46):

> Sobre nuestra víctima
> cantamos esta canción, enloqueciendo la mente,
> privándola de los sentidos, destrozando la razón,
> (cantamos) un himno que procede de las Erinias,
> que atenaza a la mente, que se canta
> sin lira, que consume a los mortales.

Estas criaturas tienen, aún, otra característica más: están sujetas a conflictos y tormentos mortales. Deben torturar a otros para no ser torturadas ellas mismas por pesadillas y sueños. Esta es la razón por la cual la sombra de Clitemnestra les reprocha que duerman mientras persiguen a Orestes. Al principio son atormentadas por una pesadilla, como si incorporasen subliminalmente el reproche de Clitemnestra a su sueño (11. 155-60):

> En sueños la acusación ha caído sobre mí,
> me ha golpeado, como un aguijón bien agarrado por puño del
> auriga,
> en lo más profundo de mis entrañas y de mi corazón.
> Siento el latigazo afilado del ejecutor
> y es grande el dolor de este golpe, demasiado fuerte para soportarlo.

---

[41] Exceptuando el pasaje 11. 155-61, que es de Grene y Lattimore, edts., *Complete Greek Tragedies,* ésta y todas las otras citas de *Las Euménides* proceden de la edición de H. Lloyd-Jones (Englewood Cliffs, N. J.: Prentice-Hall, 1970. Reproducido con autorización de Prentice-Hall, Inc).

Furias durmiendo fuera del santuario de Apolo en Delfos. Orestes, en el centro, se agarra al ónfalo (piedra central) del oráculo. A la derecha está Apolo, y a la izquierda Atenea. Detalle de una crátera lucaniana, siglo IV a.C. Cortesía del Museum of Fine Arts, Boston.

El conflicto que nosotros podríamos inferir se establece entre su necesidad de perseguir a Orestes y su deseo de descansar [42]. El mismo Apolo las denomina locas (*margous*) (1. 67). De hecho el escritor nos aporta un fiable diagnóstico griego de la perturbación que sufren las Erinias: están heridas y lastimadas: «debajo del corazón y el hígado» y Atenea les apremia para que «dejen descansar y serenarse la fuerza cruel de su rabia negra» (1. 832). El dolor del hígado es literalmente hipocondríaco («en los nervios»), y su cólera cruel y oscura, que se vuelve contra el yo, es la *melancholia* (amargura unida a oscuridad) [43]. De este modo los atormentadores tienen sus propios torturadores y torturas.

Poseemos otro motivo de la melancolía que alterna con la persecución de las Furias: éstas son despreciadas, sus honores no les son reconocidos, y por esta razón se dedican a maldecir y destruir a las personas. El principio masculino predomina sobre el femenino: toda la baraja se reúne en contra de ellas. No es extraño que unos vapores y fuegos de podredumbre salgan de las matrices de las Furias, ya que incluso las deidades masculinas niegan la importancia de la mujer en la procreación (*Las Euménides*, 11. 657-66).

Desde un punto de vista psicoanalítico todo este material es de una gran riqueza. Si estas elaboraciones fuesen las de un enfermo, se podría hablar de la existencia de fuentes maternales de destrucción (representaciones internas de otra persona). Por ejemplo, un chiquillo contempla a su madre (o a sus hermanas, tías o a las esclavas,...) como una mujer colérica, insatisfecha, deprimida y castigadora. Se podría destacar la imaginería redundante agresivo-oral y sádico-oral no sólo de las Furias, sino también de toda la trilogía; se puede observar en: Tiestes que se come las carnes de su propio hijo, servidas por su hermana; las águilas devorando a las liebres; el sueño de Clitemnestra dando de mamar a la serpiente; la exhibición de sus pechos a Orestes cuando su madre le ruega que no mate a la mujer que le ha dado a luz. Estas imágenes podrían ser consideradas sin ningún tipo de duda como los sueños, fantasías y síntomas de un melancólico, con la orientación canibalístico-oral que le caracteriza, según fue originalmente descrito por Karl Abrahamt y Freud [44]. Se podría pensar que las alu-

---

[42] Este conflicto contrasta con el de Lisa, la personificación de la locura en el **Heracles**, la cual se atormenta pensando si es correcto volver loco a Heracles por mandato de Hera.

[43] En el capítulo 11 se analizará la noción griega de melancolía y su relación con los actuales conceptos psicodinámicos.

[44] Freud, «Mourning and Melancholia», SE, 14: 237-58; K. Abraham, *Selected Papers on Psycho-Analysis* (London, 1965), págs. 137-56. Ver también M. Klein, «Some Reflections on the *Oresteia*», que pone gran énfasis en las fantasías orales, en su *Our Adult World* (London, 1963), cap. 2, y la recensión de esta obra realizada por A. Green, en *Rev. Fr. Psa.*, 28 (1964): 816-19. Los trabajos recensionados en Caldwell, «Selected Bibliography», págs. 125-26, hacen mayor hincapié en el incesto y en las configuraciones edípicas, que en esos rasgos oral-incorporativos. Sin embargo, se pueden localizar interpretaciones psicoanalíticas más rigurosas en Slater, *Glory of Hera;* A. Green, *Un oeil en trop* (París, 1969); y en los próximos artículos de R. Caldwell.

siones a la sangre, los coágulos y los fuertes olores son referencias a la menstruación y al parto. Por lo tanto, las Furias son la introspección que un niño realiza de una madre colérica, frustrada, dismenorreica, que intenta obtener de su hijo algún tipo de satisfacción, y le castiga para desahogar sus propias miserias, vertiendo sobre él las iras destinadas a su marido. Estas podrían ser las fantasías (o alucinaciones) de un varón que se ha vuelto impotente y que se siente impotente al no poder satisfacer el furor y los deseos de una mujer; serían unas fantasías alimentadas por la madre y que son consolidadas por la proyección de su propia rabia interior. Este tipo de representaciones personalizan un super-ego primitivo, sádico, que busca misericordia y ternura.

Las fantasías orales de mamar, chupar y devorar también presentan, bajo una forma disfrazada, los deseos del niño de verse introducido en el interior de su madre, de ser protegido de la cólera de ella y de su propio enojo siendo uno con aquélla. Las experiencias clínicas nos evidencian que incluso las más fuertes manías y alucinaciones persecutorias pueden poseer rasgos de deseos distorsionados de amar y de ser amado. (Los enfermos que sufren este tipo de ilusiones en el curso de su recuperación pueden llegar a experimentar profundos sentimientos de depresión, angustia y vacío interior).

Pero debo reiterar una vez más que, en la obra y el pensamiento de Esquilo, dichos conflictos se localizan más en el cosmos y en el grupo social que en el individuo. Orestes no camina a través de estos terribles problemas interiores para obtener algún tipo de armonía interna. Al contrario, el socorro le llegará de una confrontación jurídica en la cual él no ejerce ningún tipo de control. Creo conveniente decir que obras como *La Orestíada* son una especie de alegoría o representación de procesos mentales inconscientes. En términos de Esquilo, la locura procede de demandas externas conflictivas e inaguantables, no de algún tipo de ambivalencia interior. Es importante tener presente estas últimas consideraciones a la hora de abordar el *Orestes* de Eurípides.

EL ORESTES DE EURÍPIDES

Mientras en *La Orestíada* de Esquilo encontrábamos una atmósfera dominada por la melancolía nociva (oscuridad, ansiedad, fantasías sádico-orales), en la atmósfera del *Orestes* de Eurípides predomina la paranoia. El coro de Eurípides intenta justificar el asesinato de Clitemnestra y sus consecuencias subsiguientes como ejemplos de «La locura (*paranoia*) de hombres malintencionados» (11. 823-24). Aunque el término griego *paranoia* no se refiere a estados de locura con manías persecutorias, el término tal y como se emplea en la actualidad, enriquecido por las interpretaciones psicodinámicas de los estados paranóicos más fuertes, es muy apto para describir el carácter de Orestes y su estilo de comportamiento [45].

Una antigua recensión de la obra afirma que los protagonistas son muy innobles, y el mismo Aristóteles dice que la personalidad de Menelao es demasiado perversa (*Poética*, 1454a28) [46]. Pero esta tragedia nunca habría llegado a ser tan admirada en la antigüedad ni tan interesante para nosotros en la actualidad, si únicamente fuera un melodrama de villanos. Además Eurípides no sólo describe una personalidad paranoica, sino que también lo hace con simpatía. Nos compadecemos de los sufrimientos de Orestes, del mismo modo que nos indignamos cuando éste hacer sufrir a otras personas. Al igual que ocurre en otras obras de Eurípides, en ésta el diálogo se detiene con minuciosidad en el lenguaje e imaginería de la enfermedad. En un primer momento la naturaleza de la enfermedad permanece, deliberadamente, ambigua. Su forma se manifiesta como la locura de Orestes, realzada por las alucinaciones dramáticas que tiene sobre ataques de las Furias. Da la impresión de que padece una enfermedad de carácter fluctuante, quizás malaria, con accesos intermitentes de fiebre y momentos de confusión mental. Pero, a medida que la obra se desenvuelve, se va haciendo cada vez más claro que la enfermedad se impone en toda la estructura de la personalidad de Orestes y en todas las decisiones que éste toma. Se intenta curarlo de diferentes formas: los cariñosos cuidados de Electra, las tentativas por conseguir el auxilio de parientes consanguíneos, la infructuosa súplica a los ciudadanos de Argos para que respeten sus vidas. Pero nadie hace nada. El amor de Electra y sus relaciones físicas hace que se despierte el temor de Orestes hacia las mujeres, así como sus sentimientos incestuosos. A diferencia del juicio del drama de Esquilo, aquí el debate entre los ciudadanos finaliza con el voto de condenar a muerte a Orestes y a Electra. Finalmente, Orestes amargado y defraudado por su familia y parentesco, *philoi* y *philia*, se vuelve hacia su amigo, y cómplice en el asesinato de Clitemnestra, Pílades, que también ha sido despreciado por su padre y su familia [47]. A partir de ahora los dos amigos se proponen constituir (junto a Electra) una familia nueva, que se base no en la sangre, sino en el derramamiento de sangre. En una especie de maníaco júbilo, desechan su culpa y remordimientos y escapan de la sentencia de muerte actuando al margen de sus propios conflictos,

---

45 Tengo una gran deuda con J. W. Gregory, «Madness in *Heracles*», por sus cuidados y perceptivos estudios sobre la locura en la tragedia de Eurípides. También he encontrado muy útil el trabajo de A. P. Burnett, *Catastrophe Survived* (Oxford, 1971). Sobre la historia de la palabra «paranoia» ver A. Lewis., «Paranoia and Paranoid: A Historical Perspective», *Psychol. Med.,* 1 (1970): 2-12.

46 También Aristófanes el Gramático afirmaba que «Excepto Pílades, todos los demás personajes son unos canallas» (en Eurípides, *Fabulae,* 3 vols., ed. G. Murray, 2.ª edc. (OTC, 1913, vol. 3, pág. 21-22).

47 Sobre *philia* en Eurípides estoy muy agradecido a T. Haggerty, por haberme facilitado su trabajo inédito «The Awakening to Philia», en el cual apunta que el tema de la falsa o auténtica *philia* es tópico de la obra de Eurípides.

en vez de continuar sufriendo con ellos. Matan a Helena y toman de rehén a su hija, Hermione, a la cual están también a punto de asesinar. Antes de que se termine la obra, Orestes captura un esclavo frigio y juega con él, mientras éste le ruega que le perdone la vida. Orestes se mofa de su carácter afeminado, que viene a ser una proyección refleja del lado femenino de su propia personalidad; en el último momento decide perdonarle la vida, ya que se da cuenta de que es un hombre bajo y despreciable, que no es «ni hombre ni mujer».

La acción llega a su clímax en la última escena que es un cuadro de verdadera pesadilla. Orestes, Pílades y Electra están refugiados en el techo del palacio; amenazan con matar a Hermione para forzar a Menelao a que les proteja. Tienen antorchas encendidas, preparadas para prender fuego al palacio. Toda la escena es un cuadro de locura, muerte y angustia, aunque construido como si fuera una boda. Entonces aparece Apolo y, como si se tratara de un juego de manos, endereza todas las cosas y pone solución a todos los problemas. Orestes se casará con Hermione, la hija de Menelao que ha estado a punto de matar (¡sin duda el mejor inicio de un matrimonio!). Pílades se casará con Electra, Helena es divinificada, Menelao tomará una nueva esposa, y todo termina bien. En este punto encontramos un pequeño toque de teatro del absurdo, ya que Apolo asume la responsabilidad de toda la acción, pero no las culpas, y, además, casi llega a convertir en una comedia toda la seriedad e intensidad de la obra. No es extraño, pues, que en la primera representación de la obra, un famoso actor que desempeñaba el papel de Orestes, pronunciase mal una palabra y convirtiese un verso de gran seriedad en una frase nueva merecedora de figurar en cualquier comedia de Aristófanes[48].

La *Orestíada* de Esquilo finalizaba con una triunfante reconciliación de los hombres y las mujeres, de las divinidades olímpicas y las ctónicas, de los deberes cívicos y los deberes familiares; con todo ello se personificaba aquel elemento que constituye la mayor grandeza de Atenas. Eurípides apenas se las arregla para unir entre sí los diferentes recortes de la obra, de tal modo que ésta podría finalizar y el público seguiría esperando algún desenlace que solucionase algo. No ha habido transformación, ni purificación, ni catarsis, ni aprendizaje a través del sufrimiento.

Ciertas diferencias entre los dos escritores (Esquilo y Eurípides) nos conciernen a nosotros de una forma inmediata, sobre todo aquellas que se refieren al conflicto y a la locura. Eurípides nos presenta un cuadro clínico del demente más detallado y vívido que el de Esquilo. En Eurípides tenemos perfectamente historiado el caso: durante seis días, desde el momento en que se realizaron los funerales de la madre asesinada y ésta fue enterrada, Orestes ha tenido alucinaciones y visiones de que las Furias le atacaban. En cierto momento intenta defenderse de ellas con un arco y flechas imaginarias. El primer

[48] 1. 279: un pequeño descuido en la pronunciación tranforma la palabra «calma» (después de la tormenta) en «comadreja».

arrebato de locura le sobreviene durante la noche, cuando, en compañía de su cómplice Pílades, se encuentra al lado de la pira funeraria recogiendo las cenizas de su madre. Ve tres Furias, tres mujeres negras y oscuras como la noche. Tiene períodos de rabia, durante los cuales despide fuego por los ojos y espuma por la boca, y salta de su cama para escapar de sus torturadores. Otras veces duerme agotado. En los momentos en los que no duerme ni sufre alucinaciones, se cubre con vestidos y su túnica. Apenas bebe ni come, y sólo desea morir.

Esta descripción está animada por una riqueza de detalles interaccionales y psicodinámicos que casi no se encuentra ningún informe psiquiátrico de antes del siglo veinte. De todo ello nos quedamos con la idea de que los mismos conflictos y características aparecen en el Orestes psicótico y en el Orestes que aparenta estar sano y cuerdo.

Orestes ha estado durmiendo, y todos están contentos por este respiro. Electra le ha ofrecido comida y alentado. Está inquieto, de tal modo que su hermana le sugiere que intente andar. El acepta (11. 235-36),

> ya que esto tiene la apariencia de salud.
> Y es mejor la apariencia, aun cuando esté lejos de la verdad.

Orestes no está muy convencido de que pueda ser curado aun cuando se encuentra bien. Manifiesta que las apariencias (en este caso apariencia de salud) son mejores que la realidad. Pero lo que es extraordinario en este discurso es que el autor utilice la misma palabra para referirse a la «apariencia» (*doxa*) de salud y para referirse a las alucinaciones (*doxai*) que le atormentan.

Aprovechando que su mente está, de momento, lúcida, Electra le prepara para comunicarle que Menelao y sus naves están entrando en el puerto. Este hecho constituiría una esperanza de salvación, sino fuera porque trae consigo a Helena, la ramera (11. 246-87).

> Orestes:
> Si Menelao volviera solo (sin ella), yo me alegraría más por él.
> Pero si trae a su mujer consigo, llega acompañado de una plaga.
>
> Electra:
> Las hijas que Tindareo engendró (Clitemnestra y Helena) son reprochables, e infames para toda Grecia.
>
> Orestes:
> Pero tú eres diferente de esas dos. Puedes serlo. No sólo hablas de una forma diferente a ellas, sino que también piensas de un modo distinto.
>
> Electra:
> ¡Oh dioses! ¡Oh hermano! Tus ojos se nublan. A toda prisa la locura te vuelve a alcanzar.

Orestes:
¡Madre! Te ruego que no apremies contra mí a esas vírgenes de ojos sangrientos y serpientes por cabello. Se aproximan y están dispuestas para saltar sobre mí.

Electra:
Estate quieto, miserable, en tu lecho; no te agites, pues todas las cosas que ves no son más que imaginaciones tuyas.

Orestes:
¡Oh Febo! Me matarán esas diosas sedientas de sangre, con cara de perro y ojos de Gorgonas.

Electra:
No te soltaré. Te rodearé con mis brazos para impedir que saltes furiosamente.

Orestes:
Déjame. Eres una de mis Furias, eso es lo que tú eres. Me agarras por la cintura para arrojarme a lo más profundo del Tártaro.

Electra:
¡Oh, cuán desgraciada soy! ¿Qué ayuda podré encontrar, ahora que una divinidad es enemiga nuestra?

Orestes:
Dame ese arco de cuerno, regalo de Apolo, el cual me dijo este dios que utilizara para ahuyentar a esas diosas. Cuando ellas me aterren con su locura rabiosa, una de las diosas será herida por la mano de un mortal, sino desaparecen de mi vista. ¿No me oís? ¿No véis las flechas aladas, afiladas, listas para volar? Ah, Ah. ¿Pero por qué desfallezco? Con vuestras alas saltáis hacia el aire con violencia; la culpa es del oráculo de Apolo. ¡Oh, mi dios! ¿Por qué jadeo, resoplando tan fuerte? ¿Hacia dónde me dirigía desde mi lecho? Ahora que ha pasado la tormenta veo la calma. Hermana mía, ¿por qué lloras, cubriendo tu cabeza con tu manto? Me avergüenzo de hacerte sufrir mis penas, de hacer que tú, una mujer joven, participes de mi dolor. No te atormentes por causa de mis males. Tu estuviste de acuerdo con el crimen, pero sólo yo derramé la sangre de nuestra madre. Acuso a Apolo, que me empujó a cometer este acto impío, que me dio palabras de ánimo, pero que no me apoya con hechos [49].

Estas líneas contienen cierto número de puntos llamativos. Un hombre, que había matado a una reina, siendo después perseguido por la cólera de las diosas, ha recuperado la cordura gracias al sueño reparador al cual aquél se refiere en los siguientes términos: «Oh dama, olvido de los sufrimientos, como si fueras una diosa caritativa...» (1. 213). Además el poeta también nos aporta el detalle de que Orestes llora entre las alucinaciones. Esta es una observación clínica sor-

[49] Traducción mía.

prendente: a menudo los psicóticos, cuando se encuentran acosados por sus visiones, quedan profundamente deprimidos y anonadados por la debilidad y desesperación que va unida a la conciencia de sufrir unos conflictos muy intensos y sin solución aparente que van unidos a la locura. El anuncio de que Menelao y Helena llegan a la ciudad despierta en el enfermo las esperanzas, pero también las antiguas iras contra Clitemnestra y Helena. Estas noticias, unidas a los cuidados y el contacto con Electra, despiertan en Orestes la intensa ambivalencia que siente hacia la mujer más importante de su vida, una ambivalencia alimentada tanto por sus deseos de venganza como por sus anhelos de mantener relaciones amorosas con mujeres. Su desconfianza hacia las mujeres es muy profunda, tal y como viene mostrado por la rápida transformación de Electra en un ángel de gracia o en una terrible vengadora. Las observaciones dinámicas de los psicóticos han revelado en múltiples ocasiones la existencia de este dilema, según el cual en el enfermo para defenderse se despiertan tanto sentimientos y visiones persecutorias como visiones de retiradas, Electra, Helena, Clitemnestra y las Furias son confundidas y mezcladas sucesivamente. Electra se presenta a sí misma como una de las tres hermanas, hijas de Clitemnestra, (11. 22-23), y Orestes ve en pesadilla a tres Furias. La situación despierta los sentimientos de debilidad de Orestes, que éste equipara con afemeninamiento. Las mujeres son el origen de la lujuria, y la lujuria, a su vez, es el origen de las dificultades de Orestes. Este, de una forma repentina, pasa de la pasividad absoluta, que se puede equiparar con un carácter de tipo femenino, a la actividad febril. Pide un arco y flechas, las armas de Apolo, para que le suministren un vigor y energía fálica. Con esa ayuda derribará a las Furias. Dos maniobras le permiten a él recuperar su sano juicio: el pasar de la pasividad a la actividad, y el culpar a Apolo, lo cual canaliza las culpas y la responsabilidad hacia una fuente externa.

Del modo como se desarrolla la obra, la curación de Orestes, en efecto, pasa por dirigir la acción criminal contra las mujeres (Helena y Hermione). Tenemos aquí, por lo tanto, la descripción perspicaz de un hombre que, cuando está psicótico, se siente perseguido por mujeres perversas. Y cuando está «normal», manipula sus penas y ambivalencia interior dirigiendo su propia responsabilidad hacia otra persona y matando a las mujeres, de las que temía que lo afeminasen. [50]

También están entrelazados con el esquema de la obra los temas que se refieren a la atracción sexual sublimada de Orestes hacia Electra. Las relaciones físicas de las escenas de consuelo culminan en una fantasía *Liebestod*, de tal modo que hermano y hermana se llegan a plantear la posibilidad (otorgada a ellos por los ciudadanos de Argos) de suicidarse antes de ser ejecutados (11. 1047-53):

---

[50] Cuando Orestes se ríe del afeminamiento del esclavo frigio descubre la angustia que le acosa por su propia inadecuación varonil.

Orestes:
¡Me harás llorar! Quiero replicar (a tu cariño) con un abrazo amoroso. ¿Por qué siento vergüenza de hacer eso? Oh, pecho de mi hermana, oh, dulces caricias que me envuelven, para nosotros, desdichados, esto es una despedida, en vez de los niños y el lecho matrimonial.

Electra:
¡Oh, cómo deseo que una misma espada, si ello es posible, nos mate a ambos, y que un mismo féretro hecho de madera de cedro, nos reciba a los dos! [51]

Electra se convence de nuevo de que ella no es una mujer normal. Cuando propone tomar a Hermione por rehén y está de acuerdo en matar a Helena, Orestes se alborota de alegría y le priva de las cualidades propias de su sexo (11. 1205-06): «Oh, tienes el espíritu de un hombre, aunque tu cuerpo sea de mujer». Al final se casará con su amigo (y, ciertamente, hermano) Pílades. El incesto termina por ser negado. Al mismo tiempo, Electra no acepta ser la verdadera hija de Clitemnestra, que es otra mujer de tipo varonil. (Este aspecto está desarrollando maravillosamente en la versión de Orestes de Sartre, *Las Moscas*).

Resumiendo, las teorías psicodinámicas sobre la paranoia nos permiten iluminar los rasgos más importantes del retrato de Orestes realizado por Eurípides. Gracias a la intuición que Eurípides tiene de este tipo de gente, o a la observación detenida que de ella ha realizado, o a ambas cosas a la vez, el dramaturgo presenta un cuadro consistente y creíble de la clase de persona que sería capaz de asesinar a su madre, de penar su culpa sufriendo manías persecutorias, y, finalmente, de matar de nuevo a una mujer para poder recuperar su equilibrio perdido y salvar su pellejo.

El análisis que hemos realizado del personaje de Orestes nos ilustra un punto ya señalado anteriormente: la tragedia griega «psicologizó» los mitos tradicionales. Aunque Eurípides no nos ofrece una teoría psicodinámica, nos suministra una descripción elaborada en torno a la comprensión del conflicto, de la defensa y auto-protección contra dicho conflicto, y de las transformaciones de estos mecanismos de defensa en síntomas y hechos. Su punto de vista es que la locura no procede de una intrusión extraña, sino que posee un significado personal, caracterológico.

Eurípides ha abundado en las estrechas conexiones que existen entre la historia de la casa de Atreo y la conducta de Orestes. No considera esta conexión en términos de una maldición hereditaria, tal y como se lo había planteado Esquilo, sino que concede una gran importancia a la necesidad psicológica de revivir la conducta patológica de los padres y abuelos [52].

---

[51] Traducción mía.

[52] En una obra anterior de Eurípides, en la actualidad perdida, *Telefos,* Orestes

¿Qué se puede decir del final de la obra, el *deus ex machina*, en el cual aparece Apolo poniendo todas las cosas en orden y evitando posteriores derramamientos de sangre en el futuro? Los diferentes críticos no se ponen de acuerdo en lo que respecta al significado de este final, pero mi punto de vista personal es que el escritor intentó ser ambiguo dejándonos la idea de que el mundo y nuestros propios fantasmas no están plenamente bajo nuestro control. El crimen, y la solución del mismo, se encuentran en parte en mano de los dioses, y en parte en manos de los hombres. La obra no dice que todos los elementos del conflicto se ciñan a la vida interior de los protagonistas y antagonistas. La acción de Orestes, de la misma forma que pasaba en la trilogía de Esquilo, está embebida en un contexto social y cósmico muy amplio. Eurípides nos muestra a un hombre que ha interiorizado todas las fuerzas en conflicto que existían en torno a él, de tal modo que padece todos los conflictos humanos ininteligibles. Al mismo tiempo, y a pesar de haber sido la víctima, Orestes es capaz de tomar decisiones, incluyendo la decisión de si se convertirá, o no, en torturador de sus torturadores.

LAS BACANTES DE EURÍPIDES

Las Bacantes, la última obra de Eurípides, sólo fue representada ya muerto éste. Esta tragedia resume muchos temas que el autor había tocado en diferentes ocasiones durante sus cincuenta años de producción. Es el drama por excelencia de la locura, que explora sin cesar la cuestión de quién está verdaderamente loco y quién está sano y cuerdo. Es la única tragedia conservada en la cual los dos protagonistas principales están locos, e, incluso, se podría llegar a dudar de la cordura de todos los demás personajes, en especial de la de Dionisio. Dada la convención dramática de los griegos de no utilizar más de dos o tres actores en las representaciones, es posible que un mismo actor hiciese el papel de Penteo loco y de su madre, Agave, también loca.

Esta tragedia es un drama de confusión. Ninguna otra obra, con la cual yo esté familiarizado, está tan repleta de imágenes de ruptura, de cambios repentinos de lo vertical a lo horizontal y viceversa, como ésta [53]. Casi se puede decir que es el drama por excelencia de la ilu-

---

niño fue retenido como rehén por Telefos (¿con la complicidad de Clitemnestra?), hasta que los griegos se rindieron a sus exigencias. Al tomar a Hermione de rehén, Orestes está repitiendo con ella lo que le habían hecho a él. La escena de Télefos-Orestes-Clitemnestra se encuentra representada en muchos vasos pintados; Aristófanes en Los Acarnienses hace una parodia de ella.

[53] *Anõ katõ,* de arriba abajo, se repite cuatro veces, con mucha más frecuencia que en las otras tragedias de Eurípides. Barlow, *Imaginery of Euripides,* sobre todo en las págs. 62-67, estudia los cambios de la perspectiva espacial, que, según él, son casi iguales a los de las técnicas cinemáticas, que visualizan los objetos a través de aproximaciones macroscópicas o de alejamientos telescópicos, y que enfocan una misma escena desde diferentes ángulos.

sión *versus* la realidad: el individuo cambia contínuamente y se transforma en otro. Es la más icónica de las tragedias griegas, tanto por sus imágenes como por su preocupación, casi lasciva, por ver y ser vista. Es el epítome del enmascaramiento dramático y de la confusión de identidades: un dios se disfraza de hombre, un hombre de mujer, y, además, el hombre es confundido con una bestia.

De todas las tragedias conservadas, *Las Bacantes* es la obra más estrechamente entrelazada con el marco festivo del ritual y el sacrificio. El dios exige la celebración de los festejos dionisíacos, que culminarán con la persecución y asesinato de un humano a manos de su propia madre. Es una tragedia de extrema ambivalencia, en la cual el amor se confunde con el odio, la lujuria con la destrucción.

Al mismo tiempo también es un drama de infancia y fantasías infantiles. «Oh, no, no, no, por favor, no vayas, te queremos tanto que seríamos capaces de devorarte», le dicen las *Wild Things* al pequeño Max en el libro de Maurice Sendak, y girando sólo unos pocos grados el eje de *Las Bacantes* podemos descubrir en ella un juego de crianza [54]. Esta obra presenta las teorías infantiles sobre la sexualidad y el parto. ¿El sexo es matar o comer? ¿Pueden nacer niños del muslo de los padres al igual que de los úteros de las madres? ¿Dónde está papá durante el parto? Nosotros sólo sabemos lo que hace mamá. ¿Cuándo y dónde puedo espiar a escondidas lo que ocurre en privado? ¿Durante la noche, o a la luz del día? ¿Es suficiente con mirar, y se puede observar sin participar? Penteo pregunta al Extranjero (Dionisio) quién le inició en esos ritos. El Extranjero contesta que fue Dionisio en persona, el hijo de Zeus, del mismo Zeus que se casó con Semele. Penteo continúa: «¿Fue una visión mientras dormías o cuando estabas despierto la que te forzó a hacer esto?». Dionisio le replica: «No, él me veía a mí y yo le veía a él, mientras me enseñó sus rituales» (11. 469-70) [55].

Por último esta obra también es un discurso grandilocuente sobre la razón y la emoción, sobre la sobriedad y el embriagamiento, sobre el éxtasis y la orgía, sobre la racionalidad desmesurada y la locura mesurada. Es un ensayo sobre la *sōphrosunē*, que era la gran virtud que abarcaba la moderación, la castidad y la cordura. ¿Cuándo el cambio de la razón constituye una habilidad para adaptarse correctamente a situaciones cambiantes y mantener la salud mental, y cuándo, al contrario, es la causa y la manifestación de la locura total? Cuando Penteo se abandona plenamente a la locura, y Dionisio le da instrucciones de cómo bailar y danzar igual que una Ménade, Dionisio le ensalza con una frase ambigua, «has asumido una posición diferente en tu mente» (lo cual viene a significar que «te has vuelto loco»), y Penteo, engañado, le pregunta con expectación si puede poner sobre sus hombros la Cima del Citerón (1. 945). Ya todo está per-

[54] M. Sendak, *Where the wild Things Are* (New York, 1963).
[55] Traducción mía.

dido. Cadmo, al final de la obra, se siente destrozado, y acusa a Dionisio de una crueldad sin mesura.

Las Bacantes es, además, un discurso político, en el cual se instituyen la *sophia* (sabiduría) y la *sōphrosunē* como virtudes colectivas. La actitud orgiástica de las mujeres de Tebas, con su éxtasis matizado de rasgos de locura, viene a ser una rebelión política [56]. Tiresias y Cadmo, de una forma tan elocuente como lo hiciera Sócrates en *La República*, apoyan la necesidad de que, dentro de un estado bien gobernado, tengan cabida las ilusiones y las ficciones. Y al igual que en la *República*, las ficciones que permiten la tranquilidad civil, implican a la familia y al parto: Penteo no aceptará la versión de que Zeus fecundó a Semele. Agave, la madre de Penteo, y sus demás hermanas también se burlan de este relato de Semele y su consorte divino. Dionisio, en venganza por estas mofas, incita a las mujeres tebanas a un frenesí orgiástico y vuelve locos a Agave y Penteo.

Dionisio es el dios que induce la locura, y, según algunos relatos míticos, él mismo fue vuelto loco por Hera en venganza de ésta contra Zeus. También se dice que fue Hera la que le ocasionó su carácter afeminado, que está estrechamente relacionado con el tema de la locura [57]. Al igual que ocurre en muchos otros casos, tampoco aquí podemos tener la certeza de que esas otras versiones míticas estuvieran presentes en las mentes del dramaturgo y de su público, como tampoco sabemos si la exclusión de estos temas en la tragedia que nos ocupa quiere decir algo o no. De cualquier forma, el conjunto de mitos que se refieren a personas a las que Dionisio vuelve locas por oponerse a él, es inmensurable.

Por lo tanto, en *Las Bacantes*, al igual que en todas las otras obras sobre la locura, ha sido una divinidad la causante de la demencia, que impone a un mortal como castigo por haber infringido los derechos de ese dios o diosa. En estas últimas obras, a diferencia de la épica homérica, no localizamos rastros de la existencia de determinados estados o actitudes mentales instigados por los dioses; sin embargo la locura es una excepción consciente, una excepción que *Las Bacantes* puede contribuir a explicar y justificar. Esta obra, más que ninguna otra del mismo tipo, destaca que en la locura, las ilusiones y pesadillas van acompañadas de un desdibujamiento de los límites entre el yo y el otro, de una confusión de la identidad personal. Está bastante claro en *Las Bacantes* que Dionisio es una parte de Penteo, una especie de mitad aislada, reprimida y negada por éste, una personificación de sus impulsos y temores inconscientes. Aunque *nosotros* podemos interpretar el rol de Atenea en la locura de Ayax como una reencarnación de los aspectos de la madre del héroe temidos y deseados a la vez por éste, es difícil suponer que una interpretación de este mis-

---

[56] M. Arthur, «The Choral Odes of the *Bacchae* of Euripides», *YCS*, 22 (1972): 145-80, ofrece un excelente análisis de las tensiones políticas de *Las Bacantes*.

[57] Ver G. Devereux, «Le fragment d'Eschyle 62 Nauck^2. Ce qu'y signifie *chlounēs*», *REG*, 86 (1972-73): 278-84.

mo tipo se encontrase entre el público asistente a la representación dramática. El *Orestes* de Eurípides vimos que presentaba unas Furias que eran, sin duda alguna, una personificación de parte del carácter de Orestes. Pero en *Las Bacantes* descubrimos una detallada interacción entre Penteo y Dionisio, tan exacerbada que casi se puede decir que es una interpenetración. En ninguna otra obra conservada la intriga incluye una interacción tan amplia entre el ejecutor y su víctima. Resumiendo, la confusión manifiesta entre el interior y el exterior, entre el sujeto y el objeto (hablando en lenguaje técnico diríamos una reproyección hacia el exterior de los impulsos destructivos interiores), presente en muchos tipos de locura, hace más plausible creer que esta forma de actividad mental esté directamente producida por un dios o diosa.

Pero consideremos primero la locura de Penteo. Esta toma consistencia paso a paso a través de un proceso interpersonal. Dionisio, la otra «persona» de este proceso, personifica las fuerzas de liberación, los deseos ardientes por el éxtasis orgiástico, la sexualidad reprimida y los anhelos ocultos de ser femenino [58]. Más allá de esto, el poder de Dionisio se descubre no sólo cuando provoca el lado lascivo reprimido de la personalidad de Penteo, sino también cuando estimula los deseos más fuertemente negados: entre ellos el anhelo del poderoso tirano de ser un recién nacido guardado celosamente por los brazos de su madre y de llegar a estar compenetrado plenamente con ella. (Téngase en cuenta que Penteo no tiene padre; Dionisio, por otra parte, tuvo un padre, Zeus, que lo llevaba dentro de sí). De este modo, aunque muchos críticos han dado mucha importancia a la sexualidad reprimida (los que posean de éstos una orientación más psicoanalítica, pueden insistir en las insinuaciones redundantes de un niño que desea y teme al mismo tiempo espiar la actividad sexual de los padres), pocos han sido lo que han llamado nuestra atención sobre las líneas 963-70, en las que Dionisio prepara a Penteo para que, disfrazado de mujer, vaya a espiar a las Bacantes [59].

> Dionisio:
> Tú y nadie más que tú, sufres por causa de tu ciudad.
> Te espera una gran prueba. Pero tú eres merecedor
> de tu suerte. Yo te guiaré hasta allí con seguridad.
> Otro será el que te traiga.
>
> Penteo:
> Sí, mi madre.
>
> Dionisio:
> Un ejemplo para todos los hombres.

[58] Los homosexuales griegos ridiculizaban el afeminamiento y se esforzaban por eliminar las fantasías de los hombres de ser mujeres (ver capítulo 13).

[59] W. Sale, «The Psychoanalysis of Pentheus in the *Bacchae*», *YCS*, 22 (1972): 63-82, ofrece una interpretación similar de la regresión del comportamiento de Penteo.

Penteo:
Por ello voy yo.

Dionisio:
Tú volverás a casa...

Penteo:
¡Oh lujuria!

Dionisio:
Acunado en brazos de tu madre.

Penteo:
Me corrompes.

Dionisio:
Intento corromperte.

Penteo:
Voy a buscar mi recompensa.

Este es el hombre para el cual mostrarse débil o comprometerse es un rasgo propio de mujeres; este es el hombre que cree que el peor de todos los males es vertirse de mujer.

«Formación para la resistencia» sería un término adecuado para concretar la defensa que caracteriza a este tipo de carácter, pero es una denominación prosaica y limitadora. Dionisio echa algo dentro de Penteo, pero éste cree que la amenaza proviene del exterior, y no de su interior. O dicho más adecuadamente, el escritor nos comunica que Penteo no sabe qué peligro procede de su interior y cuál del exterior. Creo que la escena del milagro del palacio sintetiza todo el confusionismo. La diversidad de opiniones eruditas sobre si los sucesos se concretan realmente en el escenario o en la imaginación, es un índice de la ambigüedad deliberadamente buscada por el escritor. El palacio está separado de Penteo, a pesar de que representa al mismo Penteo y a la familia de éste[60]. El techo del palacio, el temblor de tierra y el fuego simbolizan la realidad física y psíquica. Las Ménades han escapado de la prisión y Dionisio se ha fugado de la cárcel de Penteo. Aunque éste sabe, y Penteo se encarga de recordárselo, que un dios puede atravesar con facilidad por paredes y murallas, Penteo ordena a sus servidores que «cierren todas las torres de la ciudad» (1. 655).

Penteo se restablece momentáneamente cuando escucha la descripción de un mensajero sobre las actividades de las Ménades (11. 677-774). Las palabras del heraldo, entre otras cosas, describen el reposo de las bacantes, su reposo tranquilo, aunque extravagante, (dando de mamar de su propio pecho a pequeños animales), y los combates que ellas sostienen cuando se sienten amenazadas. Entonces asaltan

[60] En *Ifigenia en Táuride* la imagen del sueño de Ifigenia en la que la casa y los pilares se desploman, simboliza la castración y destrucción de la línea real.

pueblos y villorios, derrotan a los hombres armados y realizan otros hechos sorprendentes con una fortaleza inaudita. Penteo se irrita. «Coger las armas», es su respuesta, y a continuación reune a sus soldados. Penteo busça en su armadura un refugio contra amenazas que, en realidad, proceden de *su interior*, y entre las cuales, además, están incluidos sus deseos de convertirse en una mujer entre las mujeres, y sus temores de que las Ménades se transformen en destructores fálicos.

La «interpenetración» sádica de Dionisio con Penteo constituye el punto sobre el cual será finalmente destruida la energía y resolución del rey (1. 810):

> Dionisio:
> ¿No querrás verlas a ellas acampadas todas juntas en los montes?
>
> Penteo:
> ¡Oh, sí! y daría gran cantidad de oro por verlas[61].

Ninguna otra tragedia griega, ni tan siquiera *Edipo rey,* hace tanto hincapié en lo visto y en lo no visto, en lo que se ve y semeja ser correcto, pero que en realidad es una ilusión. Tal y como han apuntado gran número de estudiosos y comentaristas, Penteo es retratado como un hombre de gran imaginación. Puede visualizar lo que sucede en cualquier parte, en especial si el hecho tiene algún tipo de relación con la sexualidad (11. 215-25):

> Me ha ocurrido que estaba ausente, fuera de la ciudad,
> y diversos informes me contaron que algún daño muy extraño
> ocurriría aquí,
> que nuestras mujeres abandonaron sus casas para saltar y brincar
> en ridículas orgías entre las espesuras de las montañas,
> para bailar en honor de una nueva divinidad,
> un tal Dionisio, ¿quién podrá ser éste?
> En sus reuniones hay copas llenas a rebosar de vino.
> Y entonces, una a una, las mujeres se extravían
> en rincones ocultos donde ellas satisfacen la lujuria de los hombres.
> Ellas afirman ser sacerdotisas de Baco,
> cuando en realidad adoran a Afrodita.

Aunque todavía está sano, Cadmo, Tiresias y Dionisio le dicen que está loco y que no ve ni piensa correctamente. Por ello resulta lógico que al enloquecer tenga visiones extravagantes[62]. Cuando intenta detener a Dionisio imagina que se ha convertido en un toro. Y cuando

---

61 Traducción mía. Sale, «Psychoanalysis of Pentheus», y S. Halpern, «Free Association in 432 B. C.: Socrates in 'The Clouds'», *Psa. R.,* 50 (1963): 419-36, contienen una meticulosa comparación del diálogo de la tragedia con una terapia psicoanalítica.

62 El estereotipo griego de locura destacó siempre las distorsiones visuales, pero muy raramente las auditivas. De hecho, aunque he encontrado algunos ejemplos de sonidos (normalmente de música de flautas) en las alucinaciones, no poseo ningún caso de voces en ellas. Ver cap. 2, nota 6.

pierde la salud, ve doble, «dos soles, dos Tebas». El, que tema verse ridículo y burlarse del aspecto de los ancianos Cadmo y Tiresias, terminará por anhelar exhibirse libremente, «ya que soy el único de todos los hombres de Tebas que se atreve a ello» (1. 926).

Las imágenes de los impulsos scopofílicos se entremezclan sutilmente con las imágenes de la oralidad y de la incorporación oral[63]. En los primeros pasajes de la obra, Tiresias acusa a Penteo de ser incapaz de ver la verdad, de reconocer que está loco, y concluye diciendo (11. 326-28):

> Como tú eres un loco profundo, no te
> curarás con ninguna droga, a pesar
> de estar loco por causa de las drogas.

Estas palabras destacan con énfasis los aspectos orales del dios: éste ofrece vino, que da sueño y es como un bálsamo para todos los enfermos, mientras que para los dioses es una libación. Penteo está, en sentido figurado, drogado y cegado por su propia desgracia, y no se podrá curar por no tomar las medicinas que Dionisio le ofrece: vino, baile, éxtasis, y negación de su propio yo en el seno del grupo de adoradores del dios.

La locura de Agave, auque concuerda con el orden psicológico con el que se describe la de Penteo, tiene unos rasgos bien diferenciados. Dionisio también la vuelve loca a ella para castigarla, pero el proceso es muy distinto. Su locura no arranca de una interacción personal muy intensa, sino de un proceso de absorción dentro de un grupo. Penteo rehusa disfrutar, y prefiere simplemente mirar, en vez de participar, incluso cuando se disfraza de bacante. En cambio Agave no sólo disfruta al máximo, sino que además es una de las cabecillas del grupo de mujeres.

El proceso grupal de enloquecimiento representa la culminación del intenso proceso de constitución del grupo de adoración del dios. La veneración a éste implica bailes desaforados, éxtasis, y el deseo común de escapar de la vida ordinaria (mejor que limitada) de las mujeres y de encontrar otro nivel de experiencia. La experiencia del grupo se construye alrededor de la fusión de sus miembros con la divinidad; el dios se introduce en el acto de adoración, (ver, por ejemplo,

---

[63] B. D. Lewin ha estudiado con amplitud la relación que existe entre los deseos orales y las representaciones fantasiosas concebidas por los niños sobre las relaciones sexuales de sus padres. Ha apuntado la posibilidad de que la imagen de la madre dando de comer a sus hijos pueda utilizarse regresivamente para simbolizar el acto sexual de los padres. Penteo pasa del deseo de contemplar un coito al deseo de comer. Estos temas se encuentran en todos los escritos de Lewin, pero se desarrollan con especial énfasis en *The Psychoanalysis of Elation* (New York, 1950), *The Image and the Past* (New York, 1968). Los temas relacionados con escenas primitivas son decisivos en *Las Bacantes*. En el mito y la fantasía acechan peligros muy específicos a la persona que contempla el coito de sus padres. Entre ellos se incluyen la ceguera y la locura. Si el observador logra sobrevivir, entonces puede llegar a adquirir unos poderes mágicos especiales (Tiresias ejemplifica bien tanto los peligros como los poderes). Ver cap. 8 y notas.

l. 298); esta unión implica bailes e himnos en común. También vemos escenas de caza comunitaria, de despedazamiento y consumo del animal, y de amamantamiento de animales jóvenes. Existe una unión sin fisuras entre las hermanas, una unión de la madre y los hijos, y una fusión con el universo natural, con los animales, las plantas y el paisaje. En la obra se sugieren algunas causas motivadoras de estas diversas fusiones. En lo que se refiere a la unión entre las hermanas, nótese que fue la calumnia de Agave y las otras hermanas contra Semele la que dió pie a Dionisio para arrastrar a las mujeres al éxtasis báquico y, en último término, a la locura. Dionisio, en tanto guía que es de las mujeres, semeja ser mejor hermano que Cadmo, que se interesa exclusivamente por los hijos. Las agresiones de las mujeres contra sus propios vástagos les llevan a buscar una evasión y una relación íntima compensatoria con las crías animales. Pero al mismo tiempo esas agresiones también se dirigen hacia los animales, y de este modo las mujeres se identifican con las bestias que matan. Las bacantes son a la vez cervatillos que huyen del cazador (11. 862-76), y cazadoras que utilizan las pieles de los animales que cazan y devoran.

La locura de Penteo destaca el resquebrajamiento de las partes irreconocibles de la personalidad y su subsiguiente represión. La locura de Agave se centra más en la fusión dichosa del yo, que culmina con un acto de absorción destructiva y canibalística de los hijos respetados de un modo ambiguo. (Agave muestra la cabeza de Penteo, que ella cree que es la de un león, como si fuera una invitación a un festín glorioso). Por lo tanto Eurípides plasma en un drama el significado psicodinámico de los deseos y estados de fusión orgiástica tal y como aparecen en muchas y muy diversas psicosis clínicas. El instinto de alcanzar una fusión y disolución orgiástica del yo gratifica en cierta medida las profundas ansias no satisfechas de conseguir una unión afortunada entre la madre y los hijos, al tiempo que niega la cólera destructiva que acompaña a la innegable realidad de que esos deseos deben ser reprimidos. Las formulaciones psicodinámicas también apuntan que las ansias de fusión son un modo de canalizar las iras hacia los hermanos pequeños que desplazan a los mayores del seno materno [64].

Penteo cae abatido por no poder aceptar el lado femenino de su personalidad que no está orientado hacia el poder (por ejemplo, 11. 310-14). No puede honrar a un dios que es bisexual, que dignifica y libera a las mujeres, y que invita a todo el mundo a disfrutar de placeres que no exigen ni poder ni posición social. Incluso el mismo Zeus había aceptado tener una matriz y llevar en ella una criatura. Al mismo tiempo el dios (y esto forma parte de la naturaleza dual de su compartimiento) ofrece a las mujeres la oportunidad de participar de su divinidad, de compartir con ellas su poder divino. Las mujeres, por lo tanto, se organizan en torno a este dios porque ellas encuentran

[64] Slater, *Glory of Hera,* estudia el intercambio recíproco entre oralidad, fusión y agresividad en el mito griego, sobre todo en los capítulos 7 y 8.

así la ocasión de manifestar al mismo tiempo su feminidad, sus deseos de alimentarse ellas mismas y de alimentar a sus vástagos, y sus ansias de poseer las prerrogativas de los hombres. Es como si pudieran reunir lo mejor de los mundos masculino y femenino. Con sus *thyrsoi* (barras enramadas) son más poderosas que los grupos de hombres armados. Además, la fusión de lo masculino y lo femenino en el éxtasis báquico va acompañada de un sentimiento de tranquilidad, sin codicia ni malicia.

La orgía grupal culmina en locura porque el éxtasis báquico, de hecho, no resuelve los conflictos subyacentes. La urgencia por ser el varón, es decir, el cazador, en vez de ser la mujer o el niño cazado, es demasiado grande. Podemos especular diciendo que el hecho de que el *thiasos* (el cortejo de bacantes) se organice siempre en torno a un varón, señala que existe una constante nostalgia del pene, del poder y de todas las prerrogativas que las mujeres no poseen. A pesar de todo las mujeres siguen dependiendo del hombre, aún cuando éste pueda ser afeminado o bisexual.

La obra culmina con el enfrentamiento de las dos locuras, la de Penteo y la de Agave. Este enfrentamiento no es sólo un encuentro; es un auténtico *agon*, una verdadera lucha. Dionisio dice (11. 973-76):

> ¡Agave y vosotras, hermanas de Cadmo,
> tended vuestras manos! Yo traigo a este hombre joven
> a una gran ordalía. ¿El vencedor? Bromio.
> Bromio, y yo. Los restantes contemplarán el suceso.

Agrave es engañada e inducida a pensar que ella es la vencedora. Un heraldo presenta esta triste ironía (11. 1143-48):

> Dejando a sus hermanas
> en los bailes de las Ménades, ella se dirige hacia aquí, regocijándose
> con su horrible trofeo. Llama a Baco:
> éste es para ella su «camarada cazador», «su compañero de caza,
> coronado con la victoria». Pero toda la victoria que ella trae consigo al hogar es su propia desgracia.

Agave entra en escena; trae la cabeza de Penteo, pero ella asegura que es la cabeza de un cachorro de león:

> Esta es la presa de nuestra caza, conseguida no con redes ni lanzas de bronce, sino con las níveas
> y delicadas manos de las mujeres. ¿Qué mérito tienen
> vuestras presunciones y todas las cosas inútiles
> que constituyen vuestras armaduras,
> ahora que nosotras, con nuestras manos desnudas,
> hemos capturado esta presa y desgarrado su cuerpo sangriento...
> (11. 1204-1209)
>
> — — —
>
> Ahora, padre,
> podrás ser el más alabado de los hombres vivos.

Ya que tú eres el padre de las hijas más bravas
del mundo. Todas tus hijas son valerosas,
pero yo más que ninguna. He dejado mi lanzadera
en el telar; he dirigido mis miras a cosas más altas:
cazar animales con mis delicadas manos.

(11. 123-39)

Las mujeres han entrado en las luchas de los hombres y derrotado a éstos. Pero su victoria es efímera, ya que Dionisio había anunciado que sólo él sería el vencedor.

De este modo, la cuestión de cómo manifestar lo masculino y lo femenino no encuentra una solución armoniosa: no hay forma de evitar y eliminar las cóleras y las envidias elementales. Lo que la comedia presenta como la «luchas de los sexos» es aquí un enfrentamiento trágico [65]. La esposa de Cadmo se llamaba Harmonía, pero la solución que el dios manifiesta al final de la obra está muy lejos de ser armoniosa y equilibrada. Cadmo y su mujer, en cuya boda habían cantado las Musas, deberán sufrir. Su destino es representar la llegada de Dionisio a Grecia, que traía consigo éxtasis y placer. Marcharán al exilio, y, transformados en serpientes, acaudillarán el ejército bárbaro que saqueará a Grecia. La promesa de que en último término ambos serán convertidos en dioses, no consuela a Cadmo. Dionisio prometía paz, éxtasis y armonía; pero de hecho trajo locura y guerra.

La obra ha completado el círculo, como si Eurípides hubiese tomado los protagonistas y la trama y, lentamente, les hubiese dado la vuelta delante de nuestra vista, y así hemos podido ver la locura y la cordura, la crueldad y el éxtasis de cada uno. Eurípides considera la locura como un acto más lejos de la malevolencia divina que de la beneficiencia. Dionisio es presentado como un dios cruel y vengativo más allá de toda mesura; los dioses deben ser más comprensivos y compasivos que los hombres [66]. *Las Bacantes* está muy lejos de ser un elogio de la locura.

Al mismo tiempo Eurípides comunica que la locura es poner fin y negar las necesidades humanas elementales e importunas. Todos los dioses deben ser adorados como es debido. Es una locura resistirse, pero también es una locura ceder excesivamente a estos impulsos. Esta tensión es la que hace de *Las Bacantes* una tragedia: ser humano significa olvidarse de cumplir el compromiso ideal. Da la impresión de que el poeta está diciendo que en el universo existe una irreducible cantidad de crueldad que se encuentra tanto en los dioses, como en las fuerzas elementales de la naturaleza, o en las relaciones entre los seres humanos. Podemos hablar prosaicamente del lenguaje del con-

---

65 Por ejemplo, *Las Eclesiazusae* de Aristófanes.

66 Ver *Hipólito,* 1. 120, y la última escena de la obra, en la que el amor humano queda por delante después de haber abandonado la diosa a su favorito, Hipólito. Ver también *Heracles,* 11, 13441-46; y Haggerty, «Awakening to Philia».

flicto y la ambivalencia. Podemos invocar las verdades poéticas del peán freudiano ante la eterna confrontación entre Eros y la muerte. Podemos continuar escuchando las resonancias de los versos del último y más grande de los trágicos, que ha entonado para nosotros un ditirambo salvaje y el llanto del bebé en una única sinfonía.

7

TRAGEDIA Y TERAPIA

¿No sabes, Prometeo, que hay palabras que son
un remedio para los males de rabia?

Esquilo, *Prometeo Encadenado.*

Conocer a través del sufrimiento.

Esquilo, *Agamenón*

En las tragedias la terapia debe estar en proporción con el espíritu de destrucción de la locura. No basta con locuras ligeras. Las palabras son importantes, pero no suficientes. El sufrimiento sin más carece de sentido, a no ser que sea entendido e integrado. La acción, cuando es irreflexiva y no apunta hacia una nueva solución, perpetúa la situación de locura bajo diferentes formas. En sus obras sobre la locura de dramaturgos han descubierto que para curar aquella es preciso buscar una solución que pase por un conflicto previo. Los tratamientos que son adecuados para curar y/o aliviar al loco son contrastados con aquéllos que no lo son.

¿Es el teatro una terapia capaz de solucionar los problemas personales de los individuos del público? ¿Puede aliviar de algún modo las enfermedades colectivas o comunitarias y las tensiones y conflictos sociales que todos los miembros del público tienen y sienten? Mi posterior discusión versará sobre la naturaleza del arte trágico y los procesos psicoterápicos análogos a él. En un último momento analizaré una hipótesis por medio de la cual nosotros podemos entender algunos aspectos de la función de la locura en la mente del dramaturgo que intenta crear una gran tragedia.

Examinaremos cómo la «cura» o restablecimiento es llevada a cabo en muchas obras a partir de estadios de abierta locura. Podemos empezar por dos ejemplos de enfermedades incurables: el primero es cómico, y está tomado de *Las avispas* de Aristófanes; el segundo es trágico y pertenece el *Ayax* de Sófocles [1].

LAS AVISPAS DE ARISTÓFANES

El argumento de *Las Avispas* gira en torno a un anciano ateniense, Filocleón (amigo de Cleón), que sufre de una terrible manía que

[1] Agradezco a Douglas Stewart que me haya permitido consultar sus notas sobre la locura en *Las Avispas.*

ha llevado a su hijo, Bdelicleón (el que aborrece a Cleón), a encerrarlo. El padre no se lamenta de su condición, de la cual obtiene mucho placer y provecho. Dos esclavos del hijo vigilan al anciano. Después de presentar un acertijo sobre el nombre de su mal, uno de los esclavos proclama (11. 88-91):

> ¡El es un fileliasta! El más violento caso que se haya podido registrar.
> Se vuelve loco por pronunciar veredictos, y llora como un bebé
> cuando no puede sentarse en el asiento de primera fila.
> Durante la noche no consigue dormir, ni un instante.
> O, si cierra sus ojos un momento, se encontrará en el Tribunal..

El esclavo detalla todos los signos y síntomas de la locura del viejo.

> En suma, está loco; cuanto más se razona con él,
> más juzga a todo el mundo. Completamente desesperanzador. Incurable.
> Por lo tanto ahora lo hemos encerrado con cerrojos, para estar seguros de que no podrá salir.
> Al hijo, ya lo véis, le duele mucho la enfermedad de su padre.
> En primer lugar intentó curarlo con palabras. Le habló en buenos términos
> y suplicó al anciano que no se pusiese su manto
> y saliera de casa.
> No consiguió nada. El intento siguiente fue curarlo con agua.
> Lo remojó y medicamentó.
> Nada.
> Entonces le aplicó la Religión.
> Le hizo coribante.
> Con tambor y todo, su padre
> recorrió el camino hasta el tribunal para impartir justicia.
> Finalmente, como último recurso, recurrió a la Oración Pura.
> Una noche apresó al viejo, navegó a Egina,
> y lo hizo dormir en el templo de Esculapio para que se curara...
> y al amanecer apareció inesperadamente ante la puerta del juzgado!
> Desde entonces, no le dejamos salir de casa...
>
> (11. 111-24)
>
> — — —
>
> Por último colocamos estas redes y rodeamos con ellas toda la casa
> y ahora lo vigilamos.
>
> (11. 131-32)[2].

En este episodio se nos ofrece una descripción verídica de los métodos griegos que se utilizaban para tratar a un loco: persuadirlo con buenas palabras, lavarlo y purificarlo, introducirlo en ceremonias coribánticas que tuviesen un objetivo terapéutico explícito, y, finalmente, llevarlo al templo de Esculapio para curarlo por «incubación», tipo

[2] «Las Avispas», trad. de D. Parker, en *Three Comedies by Aristophanes,* edt. por W. Arrowsmith (Ann Arbor, 1969), pág. 15. Ver asimismo la Introducción de esta traducción.

de tratamiento que está relacionado con las purificaciones rituales. (El «paciente» debía pasar una noche en el templo, para que posteriormente el sacerdote interpretase su sueño). El último recurso es el confinamiento.

Como ninguno de estos intentos ha dado un buen resultado, el hijo representa en casa un juicio de broma: el perro será acusado por el crimen de haberse comido el queso, y su padre hará de juez. Filocleón está momentáneamente de acuerdo en limitar sus intervenciones a los sucesos domésticos, y el perro es el primero en sufrir las consecuencias de la constitución de este tribunal casero. El padre se vuelca en esta tarea, pero ¡ay!, el remedio no da resultado. El anciano intentará escapar de casa debajo de un burro, del mismo modo que Odiseo había huido de la gruta del Cíclope debajo de un carnero. Entonces su hijo prueba con una última solución: convierte al viejo malhumorado, cuyos principales placeres eran juzgar y pronunciar sentencias, en un caballero ateniense travieso y jaranero, amigo de los banquetes y las mujeres. La conversión del padre a una nueva vida es la réplica cómica de cuando Penteo se había disfrazado de Ménade, desahogando con ello instintos previamente reprimidos. El viejo da una vuelta completa en el tiovivo, ya que a partir de ahora le gusta tanto la nueva vida que representará para su hijo un problema de diferente tipo. El resultado final se puede comparar con el destino de Orestes en la obra de Eurípides. Un tipo de locura ha sustituido a otro tipo distinto. El anciano ha cambiado completamente, pero no ha dominado sus impulsos instintivos ni asumido la comprensión de ninguna realidad interior.

El *Ayax* de Sofocles

El *Ayax* de Sófocles está construido sobre una tradición mítica muy conocida por el público ateniense[3]. *La Odisea* (11. 545-65) nos suministra una descripción de un Ayax que nunca se resarcirá de su amargura: incluso cuando, en el Hades, Odiseo le habla del perdón, Ayax continúa inexorable en su negativa de reconciliarse con el hombre que le había vencido en la contienda por las armas de Aquiles. Su suicidio está implícito en esta historia; ese episodio, al igual que el de su locura, sólo se explicitarán de la tradición épica tardía.

Ayax empieza con el diálogo entre Atenea y Odiseo en el que la diosa dice a éste que ha vuelto loco a Ayax para evitar que mate a Agamenón, Menelao y a Odiseo, y para castigarle por su falta. Según la opinión de Ayax, Odiseo ha conseguido las armas de Aquiles de una forma injusta, y por ello acusa a los dos Atridas de haber emiti-

[3] J. Starobinski, «L'épée d'Ajax», en *Trois Fureurs* (París, 1974), págs. 12-71, contiene una interpretación muy similar a la mía. Ver también M. Faber, «Suicide and the 'Ajax' of Sophocles», *Psa. R.*, 54 (1967): 441-52, y R. Seidenberg y E. Papathomopoulos, «Sophocles *Ajax:* A Morality for Madness», *Psa. Q.*, 30 (1961): 440-412.

Ayax clavando su espada en el suelo para suicidarse.
Anfora ática de figuras negras pintada por Exequias, s. VI a C. Musée Communal, Boulogne-sur-Mer. Fotografía Henri Devos.

do un juicio erróneo. Ayax se levanta en medio de la noche para dar muerte a esos tres héroes, pero Atenea le confunde la mente y le hace creer que un rebaño de animales son en realidad los hombres que busca. Ayax mata al ganado y a los guardias, y se lleva algunos de los animales a su tienda donde continúa matándolos, torturándolos y azotándolos. Una vez completada la acción, Ayax recupera los sentidos, se da cuenta de lo que ha hecho, y cae en un estado de profunda vergüenza y abatimiento. En un momento, y sin hacer caso de las súplicas de su esposa y del coro, y de la muda llamada de su hijo pequeño, el héroe se suicida con la espada que le había regalado en cierta ocasión su enemigo Héctor. La última parte de la obra gira en torno a los intentos que su medio hermano Teucro realiza ante Agamenón y Menelao para ofrecer unos funerales adecuados al héroe muerto, a lo cual se niegan los dos caudillos que no aceptan consentir tal honra en favor del hombre que había intentado matarlos. Finalmente Odiseo, rival de Ayax, convence a los caudillos aqueos haciéndoles reconocer que, aunque fuese un enemigo, la nobleza de Ayax requiere reverenciarlo de un modo apropiado en la muerte.

La enfermedad de Ayax tiene dos fases. La primera es el estado visionario en el que le sitúa la fría ira de Atenea. La segunda es el estado de lucidez, abatimiento e ignominia que culminará con su suicidio. Las tradiciones popular y médica griega estaban de acuerdo en que Ayax era un melancólico, y el diagnóstico realizado por los griegos probablemente incluyese tanto los aspectos visionarios como los depresivos[4]. La obra, sin embargo aporta dos interpretaciones contradictorias de la aflicción. Para el coro, Ayax ha sido vuelto loco por la actuación de una divinidad, y, una vez que su locura se ha acabado, aquél se deberá sentir aliviado (11. 262-63, 279-80)[5]. Pero su esposa, Tecmesa, explica la posición de Ayax:

> Ayax, mientras estaba loco,
> se regocijaba con todas sus desgracias,
> aunque nosotros, sus compañeros cuerdos, nos lamentábamos. Pero
> ahora que se ha recuperado y respira bien,
> sus propias angustias le dominan totalmente.
>
> (11. 271-75).

La mujer relata el salvaje alborozo de su imaginaria venganza sobre sus enemigos.

> Entonces
> volvió a entrar otra vez, y poco a poco, lentamente,
> recuperó la razón a duras penas.

---

[4] Ver Aristóteles, *Problemata,* 30. Recuérdese la tradición de que el hijo de Esculapio que curaba los trastornos internos, diagnosticó la depresión de Ayax *(barunomenon noēma).*

[5] A no ser que se indique otra cosa, todas las traducciones de este capítulo proceden de D. Grene y R. Lattimore, eds., *The Complete Greek Tragedies,* 4 vols. (Chicago: University of Chicago Press, 1959).

Y cuando vio su tienda llena de destrozos,
se puso a golpear su cabeza y a llorar. Se sentó allí,
destrozado, entre las ruinas y restos de cadáveres,
entre el ganado martirizado; y en un ataque de angustia
con sus puños y dedos se agarró su pelo.

(11. 305-310).

Y le dije a él, simplemente, todas las cosas que yo sabía.
Entonces rompió a llorar; lloraba con profundas y tristes lamentaciones,
como nunca antes de a él había escuchado a nadie;
siempre solía decir que tales llantos eran señal de bajeza,
propios de un espíritu cobarde.

(11. 316-20).

Ahora, dominado por su infortunio,
rehúsa comer y beber, y está sentado allí inmóvil,
tendido entre las bestias que su hierro destrozó.
Hay claras señales, además,
de que se está preparando para hacer alguna cosa terrible; sus palabras
y sus lamentaciones sugieren algo de este tipo.
Compañeros, esto es lo que yo os vengo a preguntar:
¿Acaso vosotros no seríais capaces de confortarlo?
El es noble y podrá escuchar a sus amigos.

(11. 323-30).

Cuando el coro empieza a hablar con Ayax, éste apela a ellos para que

consolar mi dolor.
¡Por el amor de Dios, ayudadme a morir!
El coro le replica:
¡Modera esas palabras terribles!
No busques una cura peor para tu mal,
y consigas hacer tu dolor más grande de lo que ya es.

(11. 361-64).

Más adelante, cuando Ayax, desestimando todas las súplicas que le dirigen, denuncia su decisión de suicidarse, entrega su hijo a su esposa y se despide de ella:

...no llores...
¡Corre y apresúrate!
No es propio de un buen médico gemir y lamentarse de un mal que requiere ser curado con el bisturí.

(11. 579, 581-83) [6].

En estas citas tenemos conceptualizados dos tipos diferentes de enfermedad y curación. El coro cree que la causa del mal es un ataque de cólera divina, y, por lo tanto, la curación sólo podrá derivarse de

[6] Traducción mía.

la absolución. Para Ayax, en cambio, las pesadillas y visiones no constituyen nada más que la primera parte de su dolencia psíquica, y, de este modo, la cura no puede centrarse sólo en el alivio de esas manifestaciones, sino que tendrá que ser el suicidio, «el bisturí».

En el nivel más literal vemos que Ayax considera que la desgracia que ha cometido durante su locura le obliga a suicidarse. pero no es éste el meollo de la tragedia. El coro y Tecmesa le piden al héroe que aleje de sí su sentimiento de humillación y desgracia personal, y que sólo piense en su bienestar. Le dicen que abandonar a su esposa, a su hijo y a sus leales compañeros sólo podrá acarrear toda suerte de perjuicios a éstos, y le recuerdan que su obligación hacia ellos es tan importante como la obligación de «ser siempre el mejor y más sobresaliente de todos» (*Ilíada*, 6.208). Pero Ayax no se puede humillar y no se humillará, aunque durante cierto momento de la obra sus palabras dan la impresión y agitan la esperanza en sus compañeros de que ha desistido de suicidarse.

La tragedia de la obra radica en el hecho de que la enfermedad de Ayax es incurable: él y su dolencia son lo mismo. Este aspecto se puede aclarar haciendo dos consideraciones; la primera desde un punto de vista psicodinámico de la psicosis aguda; la segunda es un análisis del famoso discurso sobre el tiempo.

Los derrumbamientos de tipo psicótico generalmente surgen ante la opresión que supone la presencia de un conflicto irresoluto [7]. Un hombre joven, por ejemplo, se enfrenta a una situación que exige una violenta agresividad. Hasta el momento ha dedicado gran parte de su vida consciente e inconsciente a rechazar los ataques a su carácter, y por ello esa nueva exigencia es intolerable. Incapaz de luchar o huir, le cubrirá una tremenda sensación de ansiedad, miedo y temor a sucumbir. Este conflicto es el antecedente de la psicosis, que incrementará el sentimiento de angustia y destruirá completamente las defensas del individuo. Los episodios de esquizofrenia aguda se caracterizan por confusión, fuerte ansiedad, y un indeciso conjunto de imaginaciones y/o alucinaciones. Estos estadios duran poco tiempo (dan la impresión de que resultan intolerables psicológica y fisiológicamente), y van seguidos de estados de recuperación psicótica. En ellos disminuye el dolor y la angustia, que son sustituidos por un período de estabilidad ilusoria. El individuo se encuentra ahora calmado, feliz incluso, ya que «se da cuenta» de que es un mensajero de dios, un profeta divino que predica un evangelio pacifista, sin cóleras ni agresiones. Pero de hecho bajo su manto esconde un puñal, siempre preparado para desatar el golpe fatal que suponga su propio sacrificio o el de cualquier otra persona, si no es atendido el mensaje divino.

---

[7] Las siguientes formulaciones derivan de los escritos de Freud sobre la psicosis y del amplio trabajo clínico de Harry Stack Sullivan. Los estudios de Elvin Semrad han precisado perfectamente la secuencia de los ataques y sus respectivas soluciones. Ver E. V. Semrad et allii, *Teaching Psychotherapy of Psychotic Patients* (New York, 1969).

Se imagina que una voz le da instrucciones, y descubre la verdad escuchando augurios ininteligibles para los demás (Este estadio se podría comparar con el alborozo de Ayax al matar a sus rivales. El héroe disfruta. Otros se duelen; pero él no). Una vez acabado este momento de recuperación psicótica, el enfermo se vuelve a encontrar deprimido; lo inundan la debilidad y la desesperación. No puede huir durante mucho tiempo por el sendero del escape psicótico, y por ello ahora sufre, en estado consciente, con los mismos conflictos que lo habían llevado a ese callejón sin salida. Cuando el dolor se vuelve a hacer insoportable, entonces busca y encuentra salida en nuevas alucinaciones o, incluso, en el suicidio. Pero si es capaz de poner coto a los aspectos de su yo previamente negados (si, por ejemplo, deja de sentir la necesidad imperiosa de negar todas las agresiones), y consigue descubrir por qué sus conflictos le resultaban intolerables, entonces habrá logrado una cura significativa, entendiendo ésta en el sentido de sobreponerse a sus propios conflictos, no en el de suprimirlos o situarlos en una posición conductual que pueda llegar a hacer resucitar los problemas.

Esta formulación psicodinámica representa una visión trágica de la vida humana, ya que el conflicto es siempre inevitable y su curación sólo se puede conseguir dando un estrecho apretón de manos al problema que nos agobia y atosiga. Estas ideas iluminan el sentido de aquellas dos concepciones opuestas que habíamos encontrado sobre la curación de Ayax, en el *Ayax* de Sófocles. Una vez superado el episodio de alucinaciones e imaginaciones, Ayax está desesperado no sólo por la deshonra que le supondrá haber hecho lo que hizo, sino también porque sabe que él ha llegado a esta crisis debido al tipo de persona que es. Su orgullo y el miedo a la ignominia y el ridículo (así como las presiones internas y externas) no le habían permitido aceptar la decisión de ceder las armas de Aquiles a Odiseo. No se podía humillar, pero tampoco consentir esto o buscar una solución de compromiso, y mucho menos resarcirse con una venganza indirecta, rasgo ajeno a su estilo. Después de su crisis aguda sabe que él no podrá seguir viviendo de una forma honorable. Se siente incapaz de retornar a su casa, de volver junto a su heroico padre sin haber obtenido tantos honores como él. ¿Cómo podrá llegar a su casa familiar habiendo caído en la desgracia absoluta? Se ha desprestigiado demasiado para ser capaz de encararse de allí en adelante con todas aquellas personas importantes en su vida personal. Ayax no es como Odiseo, y no porque éste esté falto de escrúpulos, sino porque es capaz de adaptarse, modificar y sobreponerse a todo.

Volvamos en este momento con Ayax, y más concretamente con su discurso sobre el tiempo, pronunciado justamente antes de que se retire para suicidarse. En él anuncia a su esposa y al coro que va a hacer caso de sus consejos y que desecha la idea de suicidarse.

> De un modo extraño el largo e incontable fluir del tiempo
> trae todas las cosas de la oscuridad a la luz,

y después todo lo vuelve a cubrir (con la oscuridad). Nada hay prodigioso
que el hombre pueda asegurar que no ha de suceder:
el juramento más fuerte y el ánimo más férreo se ablandan.
Mi carácter, que antes era fuerte y rígido,
como ninguna espada bien templada lo era, ahora ha perdido su rumbo:
mis palabras se han suavizado por causa de esta mujer;
y siento piedad por mi esposa e hijo,
viuda aquélla y abandonados los dos entre mis enemigos.
Pero ahora me voy a bañar
y marcho a los jardines situados al lado del mar a limpiar mi suciedad,
con la esperanza de que la cólera de la diosa se calme.
Y cuando haya encontrado un lugar bastante desierto,
haré un agujero en el suelo y ocultaré allí esta espada,
la más horrorosa de las armas, fuera de la vista.

— — —

De ahora en adelante mi norma será: obedecer
al cielo, y reverenciar a los hijos de Atreo.
Ellos son nuestros caudillos y a ellos debemos seguir.
Yo les debo obedecer, del mismo modo que todo lo espantoso obedece a la energía,
por turno y por respeto. Toda la nieve del invierno
deja paso al fructífero verano; la tenebrosa noche
cede su lugar a los blancos corceles que iluminan el día.

— — —

... ¿Acaso no he de aprender a ser temperado y juicioso? ¿Acaso no he aprendido
que el odio a mis enemigos no puede ser tanto
que impida que, después, pueda llegar a ser mis amigos,
y que he de desear hacer bien a mis amigos,
como si supiera que terminarán siendo mis adversarios?
(11. 644-81).

Muchos comentaristas han considerado que este discurso es un engaño consciente por parte de Ayax, en el que no faltan referencias irónicas, como por ejemplo «ocultaré mi espada», (1. 692). El héroe disimula pretendiendo hacer creer a sus amigos que su crisis interior se ha apaciguado. Además Bernard Knox ha demostrado muy convincentemente que este monólogo descubre y describe con mayor mordacidad aún los motivos que Ayax tenía para suicidarse. [8] El Telamónida no es de este mundo, ya que no se conforma con el mundo tal como es; Ayax es como la nieve que no se puede derretir, o como la noche no puede contemplar el día. Tampoco puede permitir que su espada se melle, pues con ella se va a matar. Es incapaz de aprender las lecciones del consenso; por consiguiente, una vez destrozado el ethos heroico, no puede sobrevivir. Humillarse supone lo mismo que

[8] B. Knox, «The *Ajax* of Sophocles», *HSCP,* 65 (1961): 1-37.

hacerse impotente, o, lo que es peor, convertirse en una mujer. No le queda más remedio que matarse porque no encuentra ningún camino que lo saque del callejón sin salida al que lo arrastró su locura. En última instancia al disimular está dando una explicación de su suicidio. La obra alcanza una cota muy alta de dramatismo porque sólo después de la muerte se soluciona el conflicto que en ella se plantea; sólo entonces los hijos de Atreo rinden su odio implacable hacia Ayax ante los argumentos de Odiseo. Sólo entonces Odiseo consigue convencer a ambos de que mudar una opinión no es una debilidad.

Hay otras sugerencias de la descripción dramática del carácter de Ayax que están en armonía con esta misma perspectiva del discurso y de las obras. Para decirlo en pocas palabras: se podría plantear la hipótesis de que Ayax tuvo que ser *monos*, un solitario [9]. Por ello no podría aceptar recibir algún tipo de auxilio. Había cometido un acto de *hubris* contra Atenea al proclamar que únicamente los cobardes precisan ayuda de los dioses (11. 749-59), y entonces no puede consentir que su esposa o sus compañeros le ayuden. Es incapaz de imaginar que sus familiares le auxilien, pues con ello sólo lograrían recordarle su desgracia. Para tratar con sus rivales no se le presentaban dificultades menores. Ayax se nos insinúa como una especie de «hijo único» que se irrita cuando sus contrarios ganan más que él [10]. En la contienda por las armas de Aquiles, fue derrotado por Odiseo. Atenea solía ser su protectora, pero la diosa siempre prefirió a Odiseo ante todos. Hasta en las palabras que Ayax dedica a su hijo (11. 550-52) se ve una nota de envidia.

En resumen, el tema de Ayax que precisa estar solo, aislado, en solitario, y ser reconocido como un individuo especial, se haya entremezclado con el tema de Ayax que no puede aceptar rendirse y ser humillado. La magia de Sófocles ha hecho de Ayax no un hombre obstinado ni un niño mimoso, sino un héroe que despierta nuestras simpatías. Su búsqueda del honor y la honorabilidad conmueve algo de nuestros propios ideales. El poeta ha descrito a la vez una enfermedad que no tiene curación y a un héroe que debe morir porque es incapaz de aceptar nada que no sea una curación definitiva.

El *Heracles* de Eurípides

Es muy instructivo hacer una comparación entre el *Ayax* y el *Herecles* de Eurípides. Heracles, al cual ha vuelto loco la malevolencia de Hera, ha dado muerte a su esposa y a sus tres hijos, y ha estado a punto de matar también a su padre. Al igual que Ayax, cuando se da cuenta de lo que ha hecho, siente deseos de morir. Pero a diferen-

---

[9] B. Knox, *The Heroic Temper: Studies in Sophoclean Tragedy* (Berkeley, 1964), págs. 32-34.

[10] B. Simon, «The Hero as an Only Child: An Unconscious Fantasy Structuring Homer's *Odyssey*», *Int. J. Psa.*, 55 (1974): 555-62.

cia de lo que le ocurría al héroe anterior, Heracles encontrará una solución que le permitirá seguir viviendo.

El *Heracles* es la más antigua de las tres tragedias conservadas de Eurípides sobre la locura[11]. Ya he argumentado anteriormente que en el *Orestes* y en *Las Bacantes* la locura se encuentra interquiciada con la personalidad; en el *Heracles*, en cambio, la locura tiene su origen en un capricho divino y es asimismo curada por una intervención divina. Ningún rasgo de esta obra sugiere que la locura de Heracles sea algo más que una terrible aflicción externa.

La estructura de la tragedia presenta ciertos problemas que han confundido a los críticos, ya que parece haber estado compuesta de dos o tres partes independientes. Aquellos que admiran y respetan profundamente la obra sostienen su unidad intrínseca, en tanto que sus detractores hacen hincapié en sus discontinuidades obvias. Yo, por mi parte, estoy convencido de que dichas discontinuidades forman parte del mensaje de la obra y que facilitan el descubrimiento de cuál era el punto de vista del poeta sobre las causas de la perturbación de Heracles.

La obra empieza cuando la familia de Heracles (su mujer, Megara; sus tres hijos; y su anciano padre Anfitrión) están reunidos alrededor de un altar en Tebas. Han encontrado un refugio provisional en el recinto sagrado. Lico, un advenedizo que ha matado al padre de Megara, Creonte, y se ha echado sobre Tebas, intenta asesinar a toda la familia de Heracles. ¿Pero dónde está éste? Por lo que ellos saben, se encuentra en el Hades, a donde ha ido para ayudar a su compañero Teseo después de haber finalizado sus doce trabajos. Pero en ese momento se presume que está muerto, y por ello todas las esperanzas de la familia están perdidas. Sabemos que él había acometido los trabajos heroicos para recuperar el reino perdido de su padre, Argos. Sus diferentes misiones habían ayudado a civilizar, o someter, toda Grecia; había soportado sobre sí un gran peso, circunstancia que literalmente se expresó en el acto de aguantar el peso de la tierra en vez de Atlas. Por fin aparece, justo a tiempo para salvar a su familia y dar muerte al tirano Lico. Esta parte de la obra se acerca a lo melodramático; en cierta medida es demasiado rígida y estereotipada.

La segunda parte comienza con el diálogo entre Lisa (la locura) e Iris. En él las dos deidades anuncian su intención de volver loco a Heracles para satisfacer la venganza de Hera. Lisa se muestra reacia a hacer su parte (ya que Heracles es un gran héroe y no merece tal castigo), pero tiene que obedecer a Hera. Lisa e Iris empiezan a tocar una música y a bailar una danza de verdadera locura y que hacen de esta escena una de las más pavorosas y que mayor temor infunden de toda la tragedia griega. El arrebato de locura se empieza a gestar cuando todo el grupo familiar está reunido ante el altar de sacrificios para ofrecer una acción de gracias. Heracles, súbitamente, comienza

[11] *Heracles,* probablemente del 418-417 a.C.; *Orestes* del 408; *Las Bacantes,* ca. 406.

a echar espuma por la boca y se vuelve furioso; inicia entonces un viaje imaginario y se dedica a cazar a su propia mujer e hijos dándoles muerte como si fueran sus enemigos; su padre se salva por muy poco. Este arrebato finaliza, y con él esta parte de la tragedia, cuando Atenea golpea a Heracles con una gran piedra en el pecho, dejándolo inconsciente [12].

La tercera parte trata de la recuperación de Heracles, de su paulatina toma de conciencia de lo que él ha hecho y de sus deseos de matarse; finalmente aparecerá Teseo. El diálogo con éste conducirá a Heracles a resolver su horror por los asesinatos.

William Arrowsmith ha ofrecido los argumentos más completos y convincentes sobre la unidad de la obra [13]. Para él, las discontinuidades de la tragedia responden a un esfuerzo deliberado del escritor por expresar la discontinuidad del universo del héroe, por señalar el fuerte contraste que existe entre el mundo de la conducta recibida y convencional, y el mundo en el que «la tradición es muda y la conducta no está convencionalizada». Los héroes saben cómo rescatar a sus compañeros y familiares que se encuentren rodeados de peligros, y cómo destruir a sus enemigos (ésta es la primera parte de la obra). La locura es una «auténtica dislocación» que lleva al héroe a un nuevo problema, (en este caso cómo poner término a su propia debilidad) [14]. ¿Cómo actúa el hombre de acción cuando se da cuenta de que el enemigo de su familia es él mismo, cuando es incapaz de resolver un problema destruyendo al enemigo exterior? «La tradición no da una respuesta clara a esta cuestión, y por ello se debe trasnformar la realidad heroica tradicional y heredada. Pero esta disonancia entre ambas realidades constituye la locura».

El nudo de la obra, el lazo que atraviesa y encadena las diferentes partes de la misma, está formado por el cambio de un ethos mítico y heroico a un nuevo ethos más trágico y existencial. Considérese el empleo que Eurípides hace de la doble paternidad de Heracles: Zeus era su padre inmortal y Anfitrión el mortal. Ya en un momento temprano de la obra Anfitrión denuncia la paternidad formal de Zeus, hecho que contrasta con la poca atención que este dios depara a su propio hijo (11. 339-47).

Al finalizar la tragedia, el papel de padre de Zeus ya es irrevelante. La paternidad de Anfitrión queda establecida a través del amor

[12] U. von Wilamowitz-Müllenforff, *Euripides Herakles,* 2.ª edc. (Berlín, 1895), consigna la tradición tardía de que a la piedra se le llamaba la *sōphoronestēr,* piedra curativa. A. C. Vaughn, *Madness in Greek Thought and Custom* (Baltimore, 1919), también considera este tema del apedreamiento del loco. Es posible que el apedreamiento fuese concebido tanto como un mecanismo curativo, como un medio de mantener a una distancia prudencial a los locos.

[13] En su introducción a su traducción del Heracles publicada por Grene y Lattimore, eds., *Complete Greek Tragedies,* vol. 3, págs. 266-81.

[14] Recuérdense las imágenes de dislocación espacial de la obra, por ejemplo: 11. 735, 765, 1307.

Lisa y Acteón. En esta versión poco frecuente del mito, Lisa ha empujado a Acteón hacia los perros enloquecidos. La figura central es Acteón, y en ella aparece convirtiéndose en ciervo, mientras es atacado por sus sabuesos. A la izquierda de Acteón, de pie, se encuetra Lisa (escrito *Lysa* en la inscripción) con una cabeza de perro sobre su pelo. Más a la izquierda aparece Zeus; Artemisa ocupa el lado de la derecha.

Crátera ática de figuras rojas, siglo V a. C. Cortesía del Museum of Fine Arts, Boston.

La locura de Heracles. La escena probablemente ilustra una versión de la historia diferente de la de Eurípides. De izquierda a derecha están representados Manía, Iolao (sobrino de Heracles), Heracles, Megara (su esposa), y Alcmena (su madre).

Detalle de una crátera ática de figuras rojas pintada por Asteas, siglo IV a.C. Museo Arqueológico Nacional, Madrid. Boceto de Eurípides, *Hércules Furens*, ed. E.H. Blakeney, (Edinburgh; Blackwood and Sons, 1904).

y cariño que existe entre él y Heracles, además de por su capacidad de sufrir junto con su hijo.

Hay otros rasgos que también nos devuelven al tema de la inadecuación de la perspectiva mítico-heroica. Megara describe sus insuficientes esfuerzos para consolar a sus hijos (11. 73-79):

> Primero uno, después otro, se deshacen en lágrimas
> y preguntan: «Madre, ¿a dónde ha ido nuestro padre?
> ¿Qué está haciendo? ¿Cuándo volverá?»
> Entonces, todavía demasiado pequeños para entender, vuelven a preguntar
> por su padre. *Los he entretenido con historias*:
> pero cuando los goznes crujen, brincan,
> y corriendo se arrojan a los pies de su padre.

Anfitrión mantiene cierta esperanza (11. 96-99):

> Mi hijo, tu marido, todavía puede llegar. Guardar la calma:
> limpia las lágrimas que brotan de
> los ojos infantiles de tus niños. Tranquilízalos con historias,
> *dulces ladronas de excusas infelices* [15].

Tener un héroe épico por padre no es, de hecho, un gran consuelo. Decir «papá ha ido de caza» no es una nana muy confortable para un niño que se enfrenta con una realidad brutal.

Más adelante, después del ataque de locura y de haber cometido los asesinatos, Teseo intenta consolar a Heracles echando la culpa de todos los desastres al capricho de la diosa Hera (11. 1313-16):

> Este es mi consejo: sé paciente, sufre
> lo que debes, y que el dolor no te domine.
> El destino no perdona a los hombres;
> todos los humanos son perjudicados,
> y también los dioses, a no ser que mientan los poetas.

Heracles no le cree, y le dice que aceptará el destino y que triunfará de la muerte no con armas, sino con su espíritu interno [16]. Pero al héroe que confía en la fortaleza de su espíritu, lo que más difícil se le hace son precisamente sus lágrimas. Heracles dice a Teseo (11. 1351-56):

---

[15] Ver Hesíodo, Teogonía, 1. 27, donde las Musas dice *pseudea,* ficciones, que es el término que utiliza Homero para designar los relatos de Odiseo (*Odyssey,* 19.203). Las Sirenas (*Odyssey,* 12.39), aunque no mienten de una forma explícita, encantan con sus cuentos. En el capítulo 8 analizaré la oposición de Platón a contar relatos y cuentos a los niños, a pesar de que él inventa sus propios *pseudea.*

[16] Compárese la situación de Heracles con la de Job, el cual, al igual que el héroe, es incapaz de aceptar la idea de un dios injusto. Ver también los fragmentos 11 y 12 de Jenófanes, en *Die Fragmente der Vorsokratiker.,* ed. H. Diels con adiciones de W. Kranz, 5.ª-7.ª edc. (Berlín, 1934-54).

Dominaré a la muerte. Iré
a tu ciudad. Acepto tus innumerables regalos.
Ya que innumerables fueron los trabajos que tuve que soportar;
nunca he rehusado, nunca antes
había llorado, y no creo que nunca
vuelva a sucederme esto: tener lágrimas en mis ojos.

Incluso Teseo, que le ofrece todo tipo de ayuda material y amistosa, se conmueve ante el llanto de Heracles [17]. Responde al deseo de éste de mirar por última vez a su hijo muerto y de volver a abrazar a su padre (11. 1410-17):

Teseo:
¿Has olvidado tus trabajos?

Heracles:
Todos los trabajos que yo he soportado no eran nada comparados con éste.

Teseo:
Si alguien te ve convertido en una *mujer* no te alabará.

Heracles:
Vivo: ¿acaso estoy tan deshonrado? Tú lo creíste así en otro tiempo.

Teseo:
En otro tiempo no; ¿pero, y ahora? ¿Donde está el famoso Heracles?

Heracles:
¿Qué fue de tí cuando estuviste bajo tierra?

Teseo:
Fui el último de los hombres en valor.

Heracles:
Entonces, ¿cómo dices que mi dolor me deshonra ahora? [18]

Antes Heracles había hablado de sus hijos que le seguían a todas partes pegados a él, del mismo modo que las pequeñas embarcaciones siguen al barco que las remolca (11. 631-32). Cuando finaliza la obra y Teseo le lleva consigo, es Heracles el que se ha convertido en un barquito a remolque (11. 1424-27). En cuanto puede identificar la debilidad (la debilidad infantil, la femenina, toda la debilidad humana) se trasforma.

Al contrario de *Ayax, Heracles* es una obra que desprende ternu-

---

[17] S. Becroft, «Personal Relationship sin the *Heracles* of Euripides» (Yale, 1971), argumenta que Teseo debe ofrecer ayuda material a Heracles (un país para vivir, por ejemplo), si éste continuaba vivo. Sin embargo no estoy de acuerdo en la poca importancia que este autor concede al soporte emocional del auxilio de Teseo a su amigo.

[18] Modificado de Grene y Lattimore, eds., Complete Greek Tragedies.

ra. Abundan en ella las palabras con la raíz *phil—* (amor)[19]. El cariño entre el padre y el hijo, entre los dos amigos, ocupa un lugar muy importante en esta tragedia. *Philia* se refiere tanto al tipo de sentimiento que se debe profesar a aquellas personas con las que se está relacionado por lazos sanguíneos, como a aquellas otras con las que existe un vínculo de tipo social, además de a la ternura y al amor per se. En esta obra *philia* es un atributo humano, no divino. Heracles, por ejemplo, es un hombre capaz de jugar con sus hijos. (11. 462-75); capaz de expresar sus sentimientos paternales más profundos (11. 630-36):

> Cogeré tus manos y te guardaré durante mi velatorio,
> como un barco que arrastra tras de sí a barquitos más pequeños,
> pues acepto cuidar y servir a
> mis hijos. En esto todo el género humano es similar:
> ricos o pobres, todos quieren a sus niños.
> Con la riqueza surgen las diferencias: unos poseen algo,
> otros no. Pero todo el mundo ama a sus niños.

La obra, por consiguiente, realza la ternura humana en oposición a la actitud vengativa que se encuentra en los dioses.

Al mismo tiempo, este drama manifiesta una fuerte ambivalencia de los padres hacia los hijos. Heracles salva a su familia de ser inmolada en el altar por Lico, pero más adelante él mismo matará a sus hijos ante ese altar. Un artificio artístico que remarca esta ambivalencia es presentar la oposición entre un padre divino, insensible, y un padre humano, amoroso. ¿Cuándo, entonces, surge la locura? Pensando en los propios términos de la obra, no se puede decir que la locura proceda de alguna *hamartia* (error trágico) de Heracles, o de algún crimen que éste haya cometido. La locura es un castigo gratuito, una expresión de la crueldad de Hera y de sus deseos por vengarse de Zeus. La locura representa la violenta dislocación entre lo divino y lo humano. Un personaje crucial en el arrebato de locura es Lisa. Es ella la que tiende un puente entre el cruel mundo mítico y el mundo humano en el que puede llegar a prevalecer la piedad y el amor. Ella se lamenta de la misión que le han encomendado, y arguye junto con Iris (11. 845-856):

> Mi función me hace detestable a los dioses,
> y no visito de buena gana a los hombres que amo.
> Pero os advierto ahora a tí y a Hera,
> a fin de que vea vuestros deslices, hacerme caso.
>
> Os lo advierto: renunciar a estos malvados planes.
> Yo quisiera llevaros por el mejor camino, pero vosotras elegís el peor.

---

19 En cerca de sesenta citas del *Heracles* aparece *phil—*. Compárese con las treinta del Ayax. Unicamente en el *Alcestes* de Eurípides se encuentran igual número de palabras derivadas de *phil—*.

Conflicto y ambivalencia están conectados con la locura, pero no se localizan en el interior de Heracles de una forma explícita. Todo señala que la locura es inherente al universo, pertenece al orden de las cosas, y no al *desorden* de las mismas. Lo que el dramaturgo pretende expresar a cuento de Heracles y de su locura es que la organización del mundo mítico-heroico no es más que una ilusión. En términos psicodinámicos podemos decir que ese desorden es una consecuencia de la ambivalencia paterna hacia los hijos. La locura y la desesperación suicida se asocian con ese hecho.

Cuando se empieza a tomar en serio la inhumanidad implícita en el ethos heroico, se descubre toda la perturbación. La locura es una parte de la esencia del mundo moral vuelta al revés. Sin embargo, la misma crueldad incomprensible de Heracles señala el comienzo de un nuevo tipo de relación entre el padre y los hijos, de una auténtica identificación entre ambos. Y yendo todavía más lejos, únicamente sobre esta misma *philia* se podrá fundamentar la relación entre los dioses y los hombres (o al menos Heracles así lo anuncia).

En sentido estricto no podemos decir que exista algún tipo de terapia de curación para la locura de Heracles, sino únicamente para la desesperación que le atormenta. Ayax sólo puede solucionar su crisis con un acto «épico» decisivo: el suicidio. Heracles, en cambio, solucionará su conflicto porque en último término prevalecen el sentido de *philia* y su recién encontrada capacidad de identificación con lo débil. En el *Heracles* se define un nuevo concepto de heroísmo, un heroísmo que, en vez de negarlos, se incorpora al sufrimiento y perseverancia del grupo de personas constituido por el anciano, los niños y la mujer (por ejemplo 1 1350).

El proceso en el que se concreta esta terapia es, en sí mismo, dramático. Es un drama que representa a la vez en dos escenarios: en el interior del protagonista, y en el amplio campo en el que el héroe se relaciona con todos los que le rodean. Es interesante considerar, llegado a este punto, un artículo de Georges Devereux titulado «The Psychotherapy Scene in Euripides'*Bacchae*», e intentar aplicarlo al *Heracles*[20]. La «escena de psicoterapia» de *Las Bacantes* es aquélla en la que Agave aparece con la cabeza de Penteo afirmando que es la cabeza de un león al cual ella ha dado muerte. Devereux hace hincapié en que Cadmo le ayuda para que acepte conscientemente el conocimiento reprimido de que ha asesinado a su propio hijo. Esta escena es un buen ejemplo de psicoterapia empática y muy cuidada. En ella Cadmo, paso a paso, muestra a Agave tanto lo que ésta desea negar como lo que desea conocer. Y en cuanto la mujer despierta de su pesadilla, cae en un estado de profunda desesperación. Acepta el horror sin negar enteramente su acción por vía de considerarse ella misma una víctima del designio de los dioses, pero también sin asumir totalmente su sentimiento de culpabilidad. Devereux, oponiendo

[20] *JHS,* 90 (1970): 35-48.

este diálogo a la escena en la que Heracles se despierta, hace la muy importante puntualización de que el héroe no sabía genuinamente lo que había sucedido. La toma de conciencia de sus actos asesinos llega como una noticia a posteriori; Agave, en cambio, asume lo que había hecho. En ambos ejemplos, sin embargo, resultan ser una especie de terapia, en ciertos sentidos afín a la psicoterapia verbal[21].

El camino de dolor que conduce a la solución de la desesperación de Heracles, es consonante con el carácter de este héroe, y representa una curación pesarosa. Este se mueve desde su capacidad para realizar juegos heroicos, imperiales con sus hijos (11. 463-71), hasta su capacidad para sufrir y pensar como un niño pequeño. A través de los diálogos, primero con Anfitrión y después con su amigo Teseo, Heracles comienza a superar su vergüenza y desesperación, y a preferir la vida a la muerte. Es notable la oposición entre estos diálogos terapéuticos y aquéllos otros inútiles y vanos del *Ayax*.

Aunque tanto Heracles como Ayax son hombres de vigorosa inteligencia dados a expresar física e inmediatamente sus cóleras e insatisfacciones, el primero posee una capacidad de sufrimiento y resignación mayor que la del segundo. Ha realizado terribles trabajos, pero incluso después de salir de su locura (y en ella misma) está dispuesto a continuar sus fatigas. En el *Heracles* existen dos imágenes muy fuertes del sudor y el sufrimiento eterno, la de Sísifo y su losa (1. 1103), y la comparación de Heracles con Ixión (1. 1297): «Soy como Ixión, encadenado para siempre a una rueda»[22].

En primer lugar, tanto Ayax como Heracles son capaces de luchar, hasta el agotamiento, pero el segundo, a pesar de estar dominado por la culpa, se resigna a sufrir[23]. En segundo lugar ambos proclaman que no tienen sitio en la tierra a dónde ir, que no les queda más recurso que el suicidio. Pero incluso en este aspecto existen ciertas diferencias (compárese el discurso de Ayax en 11. 457-80, con el de Heracles en 11. 1279-1310): los sentimientos de cólera y amargura del primero son más intensos que los del segundo. También se pueden notar las diferencias que existen entre los dos en otra escena: el loco recupera lentamente el sentido y, dirigiéndose a la persona amada, le pide que le cuente la verdad de todo lo que ha sucedido. En el *Ayax*, de acuerdo con el relato de su esposa, el héroe la amenazó a ella (11. 311-13):

---

[21] Ibíd. No estoy de acuerdo con la opinión de Devereux según la cual Eurípides hizo a Heraces víctima de un ataque epiléptico. Es cierto que el autor necesitaba presentar un arrebato de locura que hubiese sido ocasionado por un agente exterior; no hay ninguna evidencia concluyente de que Eurípides se hubiese propuesto describir un ataque de epilepsia.

[22] Compárese con la referencia a Sísifo del *Ayax,* en la cual se hacía más énfasis en su engaño que en su sufrimiento. Ixion, el primer criminal de la mitología, había matado a su suegro. Después de ser purificado por Zeus, sedujo a Hera y fue castigado a quedar encadenado en una rueda.

[23] Para un estudio de *tlemosune,* paciencia, a lo largo de toda la obra de Sófocles, ver C. H. Whitman, *Sophocles: A Study of Heroic Humanism* (Cambridge, Mass., 1951), y buscar en el índice *Tlemosyne.*

Entonces finalmente dijo estas horribles, amenazadoras palabras:
lo que me acaecería a mí, si yo me negaba
a decirle lo que le acaeció a él.

Heracles no sólo no amenaza a Anfitrión para que le diga lo que le había sucedido, sino que incluso responde a los llantos de su padre, (ll. 1111-12).

Estas diferencias son consonantes con los distintos modos de considerar a sus familiares que caracterizan a Ayax y a Heracles. Ayax contempla a sus padres como personajes ante los cuales él se sentirá desgraciado y que le echarán en cara un montón de cosas (ll. 459-66). Desde su punto de vista, aquellos únicamente aumentan sus sentimientos de ignominia y desgracia. (Su mujer, Tecmesa, le recuerda que debe guardar reverencia (*aidesai*) a su padre y a su madre, y que por ello no se puede matar; su madre rogaba a los cielos que su hijo retornase sano y salvo al hogar familiar. Pero Tecmesa eligió una palabra podo afortunada: *aidesai* se parece mucho a *aidos* que significa sentimiento de vergüenza o cosa vergonzosa, y de este modo venía a reforzar el sentido de culpabilidad que agobiaba al héroe).

Heracles, por lo dicho y lo hecho, goza de toda la confianza de su padre, de un padre que le había declarado su cariño incondicional: «Oh hijo, incluso en tu infortunio tú eres mío» (l.111). Los dos autores han expresado una circunstancia psicológica muy remarcable: Heracles, el personaje que es capaz de aceptar la ayuda que le ofrece un amigo, es el único que considera cariñoso a su padre, y a los padres en general. Heracles tenía un padre indiferente, e incluso cruel, hacia él, pero además poseía otro padre amoroso y tolerante. (Con un enfermo tan amargado y deprimido como Ayax, cualquier terapeuta tendría que haber trabajado mucho y muy fuerte para conseguir que olvidara y perdonara las imágenes conservadas de sus padres).

Eurípides retrata a Teseo como un amigo, auxiliador, y, en cierta medida, que hace las veces de un terapeuta. Teseo, en primer lugar, es un personaje capaz de cambiar su papel: él aparece al frente de una expedición militar que viene a socorrer a la familia de Heracles amenazada por Lico. Entonces se encuentra con que su ayuda militar no es necesaria, pero está preparado para afrontar un tipo distinto de guerra, una lucha en la que tendrá que salvar la vida de Heracles utilizando el amor y la generosidad como armas. Teseo, además, está presto a encarar peligros personales; en este caso el riesgo consiste en la amenaza de contaminación (*miasma*) que supone el tocar y ayudar a un hombre que ha asesinado a su esposa e hijos: «Los que quieren a uno no se vengan de él» (l. 1234). En esta remarcable línea, subvirtiendo una creencia griega sólidamente afianzada [24], Teseo afirma que esa contaminación no es automática, incluso aunque se haya derramado la sangre de personas amadas. El amor, de un amigo hacia un

[24] Ver los comentarios de Wilamowitz sobre el verso l.1234, en *Euripides Herakles*, pág. 251.

amigo, puede dominar los terribles castigos tradicionales reservados a aquéllos que habían cometido un asesinato, o, incluso, a aquéllos que habían mantenido algún contacto con el asesino. En la *Orestíada* veíamos como para librar a Orestes de su mancha era preciso establecer un nuevo orden divino y legal. En esta obra, en cambio, se puede lograr la descontaminación a través de la capacidad de un hombre para ofrecer a otro todo lo que él tiene, y la capacidad del otro para aceptar ese ofrecimiento [25].

El diálogo entre Heracles y Teseo contiene importantes matices. Teseo es capaz de cambiar su táctica cuando una línea del argumento falla. En cierto momento, el énfasis que él pone en el mal comportamiento de Heracles, al no entender de un modo sencillo que un hombre deba aceptar lo que los dioses le envían, conduce a Heracles a una desesperación aún más profunda. Entonces Teseo cambia su actitud y se dedica a recordar con especial énfasis el heroísmo y coraje de Heracles, lo que será mucho más provechoso con vistas a despertar su esperanza y sus deseos de vivir. La solución de la desesperación de Heracles no precisaba de una transformación total y completa. No es el caso de Saúl convertido en Pablo, Heracles puede llevar consigo parte de su propio pasado de héroe épico. Decide tomar su jabalina y sus flechas, y aún cuando a cada momento le golpeen sus costillas, recordará el asesinato de su mujer e hijos (11. 1376-85). Se llevará sus armas para no quedar desnudo ante sus enemigos, pero cuando tenga que utilizarla lo hará con un profundo sentimiento de infelicidad. En último lugar, al terminar sus trabajos, le pide a Teseo que le ayude para llevar a Argos el can-Cervero [26].

Es indudable que el público griego contemplaría este diálogo no como una labor de psicoterapia, sino como un tipo de retórica, de arte de convencimiento. El *Heracles* pone de manifiesto que, para que la retórica devenga en terapia, el hablante debe tener una relación afectiva muy estrecha y especial con la persona a la que él se dirige. Sin que exista un profundo interés por parte del hablante, no podrán funcionar las curaciones basadas en las fórmulas retóricas y lógico-sofísticas.

Si abandonamos por un momento el lenguaje del tratamiento y la curación, y hablamos en el lenguaje de la individuación, de la maduración, encontramos otra diferencia muy significativa e instructiva entre el *Ayax* y el *Heracles*. En la primera de estas dos tragedias, al igual que en otras obras de Sófocles, el héroe define con su conducta un tipo de individuo muy determinado: aquel individuo que logra individualizarse siguiendo sus luces interiores, que actúa de acuerdo con sus convicciones internas, sin importarle las consecuencias que ello le depare. El héroe de Sófocles se da cuenta poco a poco de todo lo que tendrá que sufrir por llevar a cabo aquello que él sabe que es co-

[25] Compárese con el final de *Edipo en Colona*.

[26] La razón de por qué Heracles debe llevar el can Cerbero a Argos es discutida en Wilamowitz, *Euripides Herakles*, pág. 276.

rrecto, tal y como está ejemplificado por Edipo en *Edipo, rey*. Nada lo apartará de la verdad, y no parará hasta descubrir todo el conjunto de la historia. Descubre quien es él poniendo al descubierto todos los hechos que se refieren a su identidad, y perseverando en aquello que sabe que debe hacer. Ayax crece en estatura por la energía de su resolución, por su repugnancia a pensar en salvar su propio pellejo [27].

El *Heracles*, al igual que otra obras de Eurípides, presenta un ideal diferente de individuación y madurez. La persona debe coexistir con la ambigüedad y el desorden moral del universo, y, a partir de ahí, llegar a conocer lo que significa ser humano, estar preparado para sentir y compartir los aprietos en los que se encuentren otras personas. Este es un conocimiento difícil de adquirir; va mucho más allá de la mera piedad. Por lo tanto encontramos en lo que a esto se refiere dos formas de conocimiento trágico diferentes: Sófocles destaca un tipo específico de conocimiento del uno mismo, que se concreta en el precio que se debe pagar por estar dispuesto a llevar a cabo los dictados del propio sentido de uno de lo que es correcto. Eurípides, por su parte, destaca el dolor que va unido al hecho de descubrir y reconocer lo que las otras personas soportan y sufren. Ambos escritores, por lo tanto, han enriquecido nuestro conocimiento de lo que supone ser plena y auténticamente humano.

CATARSIS Y PSICOTERAPIA

La esperanza de que el drama pudiese ser una forma de terapia para los trastornos mentales tiene una larga historia. Recordemos el juicio cómico del que es objeto el perro que había robado un queso en la comida de Aristófanes *Las Avispas*. En la medicina greco-romana tardía encontramos restos de la puesta en escena de pequeños dramas construidos en torno a las pesadillas y alucinaciones de los enfermos, de dramas que intentaban sacar a la persona de su locura. Asimismo existen numerosas recomendaciones realizadas a los enfermos en las que se les aconseja que lean o vean obras que les puedan apartar de sus mórbidas preocupaciones. También en la Francia del siglo XVIII y en los Estados Unidos postrevolucionarios se recomendó utilizar dramas en el tratamiento de la locura; en el primer país los intentos cuajaron en el asilo de Charenton, y en el segundo bajo la égida de Benjamín Rush. En el siglo XX poseemos los psicodramas, que pretenden explotar diversos aspectos de los dramas escritos o representados para satisfacer ciertos propósitos, (entre los cuales no es el principal curar las psicosis agudas). En una obra moderna sobre el empleo del teatro para curar la locura, el *Henry IV* de Pirandello, el protagonista se ha vuelto loco en medio de una representación de tipo histórico,

---

27 La figura de Sócrates es muy importante aquí. En algunas ocasiones se le compara con determinados héroes épicos, en especial Aquiles. Ver D. Clay, «Socrates' Mulishness and Heroism», *Phronesis,* 27 (1972): 53-60.

ha matado a un hombre y permanece loco durante veinte años. Cuando comienza la obra, los personajes están reunidos y planificando la representación de un nuevo drama que sirva para curar a Enrique IV de su locura, pero este nuevo drama también vuelve a terminar con un asesinato. Pirandello ha concretado perfectamente en esta obra el problema crucial que plantea la utilización del drama en la terapia: éste es paliativo, hace más por los terapeutas que por los enfermos. En las líneas anteriores me he referido al drama como una forma de tratamiento para curar las psicosis aguda. ¿Pero qué hay de la capacidad del drama para aliviar el dolor, para ayudar a dar nombre y forma a los conflictos que existen en el interior de los individuos que componen el público? Ya he hablado de la teoría de Hesíodo de que el bardo es un curandero de las angustias privadas. También en estos casos, a pesar de que se pueda conseguir algún atisbo importante, algún logro crucial durante el curso de la contemplación o lectura del drama, los efectos suelen ser transitorios. Muy posiblemente sea una actitud neurótica considerar la tragedia cómo una terapia adecuada para las neurosis, en vez de como una forma particular de distracción, (el *oikeia hedone* de Aristóteles).

Por último reconocer que los dramas si son un tipo de terapia colectiva adecuada para las enfermedades colectivas, para las principales tensiones endémicas de la vida de una sociedad. Si, tal y como consideraré posteriormente, la cultura clásica griega estuvo marcada por unas fuertes tensiones en las relaciones hombre —mujer y padre— hijos, ¿funcionaban las representaciones de dramas sobre el parricidio y el incesto como terapias de masas? El dios de teatro, Dionisio, también era llamado *eleutherios*, el liberador, y *lusios*, el salvador; bajo su influjo se podía hablar de lo inenarrable y representar lo impensable. Todas las emociones y pensamientos reprimidos se liberaban sobre las tablas, bajo formas socialmente aceptables, cuando no se podían expresar en la vida real.

De la forma en la que consideramos estos hechos, se hace recurrente la teoría del efecto catárquico de la tragedia. Mi objetivo en este nuevo apartado de la presente obra es explorar el concepto de catarsis en el teatro y la terapia, y poner de manifiesto que es un modelo inadecuado para asentar los efectos artísticos de la tragedia o el poder curativo de la psicoterapia.

Consideremos en primer lugar los orígenes de la utilización en la actualidad del término «catarsis» en relación con el teatro y la terapia. Debido a una interesante y reveladora confluencia de circunstancias, poco después de que fuese introducido dicho término en los estudios y discusiones sobre los efectos de la tragedia, se incorporó al vocabulario, tanto popular como técnico, de la psicoterapia.

La caracterización realizada por Aristóteles de que la tragedia promueve «una catarsis a través de la piedad y el terror» (*Poética*, 1449b27-28) se ha convertido en uno de los textos más controvertidos de toda la literatura griega. Tal y como puntualiza Pedro Laín Entralgo, las diez palabras de este fragmento han sido un auténtico examen ya que cada autor y cada época ha encontrado en ellas el significado que necesitaba encontrar[28]. En cambio, el sentido preciso que les confirió Aristóteles posiblemente nunca lo podamos llegar a conocer.

La interpretación actual que hace de la catarsis un término médico, por lo tanto no moral, y que como tal conlleva una limpieza de las emociones incurables, tuvo sus antecedentes en diversos trabajos de críticos de todas las épocas, pero principalmente surgió a partir de los escritos de Jacob Bernays. El primero de ellos apareció en el 1857, pero las teorías de este autor no se difundieron hasta el 1880. Bernays define la catarsis como «una designación que ha sido transferida de lo somático a lo afectivo para designar al tratamiento de un enfermo una terapia que no concentre sus fuerzas en transformar o reprimir los elementos dañados, sino en estimularlos y alimentarlos para de este modo provocar el alivio del paciente»[29].

En los ambientes artísticos e intelectuales de Alemania y Austria pronto se hizo muy popular la teoría de que la catarsis trágica servía para eliminar las emociones no curadas[30]. Se empleó para explicar todo lo que se refería al teatro, como si hubiera sido un lema. (Compárese este hecho con la popularidad que han obtenido en la actualidad los términos «crisis de identidad» o «alineación», por citar dos ejemplos).

A comienzos de la década de 1880, Freud, en colaboración con Breuer, introdujo el término «catarsis» en el reino del psicoanálisis para con él describir y explicar un mecanismo de cura hipnótica que se aplicaba a los síntomas histéricos. Este método conseguía que el enfermo hipnotizado primero recordase y acto seguido remediase las circunstancias bajo las cuales aparecían sus síntomas. En las experiencias de ambos, un procedimiento de este tipo provocaba la expresión dramática de emociones dolorosas, tras lo cual el paciente parecía quedar aliviado de sus síntomas y de los trastornos subjetivos que le acompañaban. Los dos autores denominaron a este proceso reacción o catarsis; el término, utilizado en este contexto designaba una intensa rememoración de los sentimientos angustiosos ocultos y su posterior expulsión. La elección de la palabra «catarsis» se vio facilitada por la gran popularidad de la que gozaba en los medios intelectuales, así como por la profunda preparación clásica de la que disponían Freud

---

[28] P. Laín Entralgo, *The Therapy of the Word in Classical Antiquity*, trad. de L. J. Rather y J. M. Sharp (New Haven, 1970), págs. 186-87. Su recensión de todas las opiniones y sus propias formulaciones sobre la catarsis son de un valor incalculable.

[29] J. Bernays, *Zwei Abhandlungen über die Aristotelische Theorie des Drama* (Berlín, 1880), pág. 16, traducido en Pedro Laín Entralgo, *Therapy of the Word*, pág. 187. A. Momigliano, *Jacob Bernays*, (Amsterdam, 1969), es un meticuloso estudio de la vida profesional de Bernays.

[30] H. F. Ellenberger, *The Discovery of the Unconscious* (New York, 1970), págs. 484 y 561. Ver también S. Gifford, «Theory of Abreaction and Catharsis before 1897», *International Encyclopedia of Neurology, Psychiatry, Psychoanalysis, and Psychology*, ed. B. Wolman (New York, 1977).

y Breuer. Además, Jacob Bernays era tío de Martha Bernays, la esposa de Freud, y las dos familias se movían en los mismos círculos sociales de Viena.

A pesar de todo, se debe considerar detalladamente el caso de la ahora popular enferma «Anna O.», que fue el sujeto del primer artículo en el que Freud y Breuer utilizaron el término «catarsis». Breuer había tratado a esta joven que padecía aflicciones histéricas durante los años 1880 a 1882, y había discutido el caso con Freud. Anna O., por lo que parece, caía con facilidad en repentinos estados autohipnóticos, en el curso de los cuales rememoraba los sucesos específicos, y sus sentimientos concomitantes, que parecían haber sido el inicio de su particular transformación. Este temporal de recuerdos y sensaciones le producía cierto alivio de sus síntomas. La paciente denominaba este proceso «limpieza de la chimenea»: eliminar los residuos que atoraban los tubos de aquélla, (lo cual, dicho sea de paso, era una clara interpretación de tipo anal). Los médicos tradujeron esa denominación al griego y designaron al proceso como «catarsis». Recordemos que tanto la enferma como los doctores, vivían en un ambiente intelectual y cultural en el que estaba de moda el término «catarsis». Además la enferma poseía un gran interés por el teatro, y tenía una vida imaginativa muy rica e intensa a la cual llamaba su «teatro particular». Por lo tanto, la confluencia de factores personales y culturales permitió a los médicos utilizar la palabra «catarsis» para describir los efectos de un tipo específico de técnica terapéutica.

Para Freud, la catarsis era una formulación primaria y preliminar del proceso de curación. Hacia 1895, cuando se publicaron los *Estudios sobre la histeria*, estaba empezando a tener serias dudas sobre la efectividad de la catarsis como mecanismo de explicación, y de la reacción como un procedimiento correcto. En los años siguientes Freud fue descartando poco a poco el empleo de la catarsis como principal concepto explicativo. La técnica de psicoanálisis desarrollada por él, apenas concedía ninguna importancia a la estimulación y rememoración de los sentimientos patogenéticos reprimidos. En 1940, fecha en la que se publicó el último trabajo de Freud, a duras penas se podría haber adivinado que la noción de catarsis había jugado cierto papel en la gestación del psicoanálisis. Sin embargo, tal y como W. Binstock ha apuntado convenientemente, en nuestra cultura persiste la idea del gran valor de la catarsis [31].

Resumiendo, el psicoanálisis ha descartado la teoría de que la catarsis tenga valor curativo. El planteamiento que hace Eurípides sobre la curación de la desesperación de Heracles, está mucho más cerca de las complejas teorías contemporáneas sobre psicoterapia, que el propio término «catarsis». «El conocimiento trágico» y «el conoci-

[31] Ver «Purgation through Pity and Terror», *int. J. Psa.,* 54 (1973): 499-504. Ver también D. Kouretas, «La catharsis d'après Hippocrate, Aristote, et Breuer-Freud», *Annales médicales,* 1 (1962): 627-61.

miento a través del sufrimiento» señalan una visión de la terapia que es contraria a las implicaciones de la catarsis.

Yendo más allá, algunos críticos actuales de Aristóteles han argumentado que la catársis, a pesar de que este filósofo haya pretendido que su texto sobre aquella fuese interpretado, es un elemento de escasa importancia en su amplia visión de la construcción y disfrute de la gran tragedia [32]. Estas nuevas corrientes de aproximación a la *Poética* destacan que el tema principal de este tratado lo constituye el intrincado conocimiento y especialización que es necesario poseer para elaborar una obra que satisfaga intelectual y emocionalmente al público. Se puede, por lo tanto, argüir como corolario que las connotaciones del término «catársis» son de hecho muy complejas, y que la intención de Aristóteles al utilizarlo era describir una sutil mezcla de relaciones cognitivas y afectivas.

Vemos, por lo tanto, que existe una confluencia entre lo que Aristóteles dice acerca del arte de la tragedia, y lo que la actual psicología del ego dice sobre la naturaleza del psicoanálisis y de los intrincados caminos a través de los cuales éste llega a la curación. Los puntos de vista de clasicista como Gerald Else y Leon Golden se pueden denominar aproximaciones ego-psicológicas a Aristóteles. De hecho, uno de los precursores de la psicología del ego psicoanalítico, Ernst Kris, ha apoyado una comprensión de este tipo sobre el concepto aristotélico de catársis [33].

El enfermo y el actor movilizan y estimulan su capacidad de llegar a una identificación empática con los otros seres humanos, en especial con todos aquellos que sufren. En el teatro esto implica no sólo que nosotros nos identifiquemos con el protagonista, con el «bueno», sino también que contemplamos los apuros y formas de pensar y actuar de, incluso, aquellas personas que somos incapaces de admirar. (En este punto es muy importante la *philanthropia* de Aristóteles). Cualquiera que haya tenido la ocasión de releer o revisar una gran tragedia griega en diferentes momentos de su vida, sabe muy bien que una obra de ese tipo permite fundamentar una serie de identificacio-

---

32 Estoy influido por el comentario de G. F. Else, en *Aristotle's Poetics: The Argument* (Cambridge, Mass., 1967). Else cree que los críticos han concedido una importancia desproporcionada a la catarsis, y han, en cambio, infravalorado los restantes argumentos de Aristóteles sobre el intrincado equilibrio que existe en las grandes tragedias entre razón y emoción. Sin embargo soy más reacio a aceptar sin más su opinión de que la catarsis se aplica a los personajes de la obra y no al público (1453b37-54a9). Me han parecido particularmente agudas las teorías de L. Golden tal y como aparecen en L. Golden y O. B. Hardison, Jr. *Aristotle's Poetics* (Englewood Cliffs, N. J., 1968); «Mimesis and *Katharsis*», *CP*, 64 (1969): 145-53; «*Katharsis* as Clarification: An Objection Answered», *CQ*, 23 (1973): 45-46; «The Purgation Theory of Catharsis», *J. Aesthetics and Art Criticism*, 31 (1973): 474-79. Las opiniones de Pedro Laín Entralgo en *Therapy of the Word*, también son consonantes con los puntos de vista asumidos aquí.

33 *Psychoanalytic Explorations in Art* (New York, 1952), sobre todo págs, 62-64. Véase también G. Devereux, «The Structure of Tragedy and the Structure of the Psyche in Aristotle's *Poetics*», en *Psychoanalysis and Philosophy*, ed. C. Hanly y M. Lazerowitz (New York, 1970), págs. 46-75.

nes empáticas con los diferentes personajes aún cuando dentro del drama sean completamente contrarios entre sí. De igual forma, durante el curso de un proceso de terapia, esperamos que el paciente nos ofrezca una amplia serie de readaptaciones de amores y odios, cuando se extiende sobre aquellas personas significativas en su vida. El paciente, por ejemplo, podrá llegar a descubrir que un individuo a quien él ha odiado con todas sus fuerzas, de hecho personifica las partes más repudiadas e inaceptables de su propio carácter.

La readaptación de pensamientos y sentimientos, tanto en la terapia como en la tragedia, requiere el concurso de alguna perturbación interior, y no sólo de una confirmación apacible por parte de la persona que siente y piensa. La terapia que sigue una línea completamente recta, en la que no existen trastornos ni sobresaltos, es análoga a la obra construida sin ningún revés dramático, sin *peripeteia*.

La terapia y el teatro pueden completar el conocimiento de la dimensión trágica de la vida humana [34]. Dentro de las instituciones humanas, y sobre todo de la familia (y Aristóteles señala el gran interés de la tragedia griega por la familia), son inevitables las faltas, la ambivalencia y los errores trágicos. El conocimiento de esta inevitabilidad, mientras sea apacible, no conduce necesariamente a un firme pesimismo o a la repugnancia a cortar o eliminar las fuentes de sufrimiento que pueden ser tratadas. Si para algo sirve el héroe trágico es como modelo de actuación esforzada, incluso en abierto desafío a lo irrealizable.

Los afectos y las emociones se hacen más refinadas, más diferenciadas, y, en cierto sentido, más discriminadores. La compasión y el terror no se pueden eliminar, pero sí transformar e integrar en un nuevo nivel de respuesta y comprensión. A este respecto, yo creo que se ha malinterpretado la noción aristotélica original de catarsis al pretender que con ella se significaba un primitivo tipo de limpieza. El Edipo de Sófocles ejemplifica este movimiento desde una pesadilla inicial de contaminación originada en hechos inenarrables, hacia un sentimiento de responsabilidad moral más refinado y focalizado. El terror y la locura no pueden desaparecer; pero serán purificados e integrados en las soluciones dramáticas.

Conectado con los cambios en las emociones se encuentran la intercompenetración y reintegración de los pensamientos y sensaciones. El «conocimiento trágico» implica que al final de la obra los personajes y el público conocerán todo aquello que no conocían al principio de la misma, y se conocerán ellos mismos en un sentido que antes no habían experimentado. Si consideramos la teoría de Aristóteles sobre el placer que provoca contemplar una tragedia, encontraremos que existe toda una escala de gozos. El placer de la tragedia es superior a los deseos y lujurias más indeferenciadas del género humano. La

[34] Ver R. Schafer, «The Psychoanalytic Vision of Reality», *Int. J. Psa.*, 51 (1970): 279-97 y H. Loewald, «Psychoanalysis as an Art and the Fantasy Character of the Psychoanalytic Situation», *J. Am. Psa.*, 23 (1975): 277-99.

tragedia, además, debe excitar al cuerpo tanto como excita al alma; pero la teoría aristotélica sobre las más altas formas de placer, entre las cuales se incluye la tragedia, se diferencia claramente de los apetitos y estímulos corporales, ya que hace mayor hincapié en las respuestas cognitivas. El sentimiento se conmueve ante una obra bien construida, pero desde luego no lo hace en el mismo sentido que cuando se estremece ante una nítida escena de terror, destrucción o sexualidad.

Por último, la tragedia puede inducirnos un nuevo sentido de lo que cada uno es y de las relaciones que mantenemos con los individuos que nos rodean. Los protagonistas trágicos combaten durante la obra con sus interrelaciones y obligaciones con su pasado, presente y futuro. El público adquiere con ello un nuevo sentido de las posibilidades del ser humano y de lo que supone colaborar con fuerzas que son más poderosas que las de un único individuo. Asimismo, en los procesos terapéuticos esperamos ampliar las posibilidades que nos abren las interrelaciones entre el yo y los otros.

Por lo tanto, la terapia y el buen teatro tienen en común una serie de procesos de interiorización. El teatro no es, ni lo fue para los griegos, una terapia para las personas perturbadas o trastornadas. Se esperaba de él que suministrase cierto tipo de placer; era parte integrante de la *paideia*, educación en el sentido más amplio, de cada ateniense. La terapia, por el contrario, se aplica a los individuos aquejados de dificultades; puede facilitar una nueva comprensión de dichos problemas, y mejorar el conocimiento del paciente sobre lo que debe hacer a lo largo del tiempo. De hecho, el enfermo que disfruta de cada sesión como si se hallara ejecutando una magna representación teatral, muy probablemente no está nada convencido de llevar a cabo la tarea mucho más prosaica y dolorosa de poner en práctica día a día las lecciones de su terapia. Ello no quiere decir que la terapia sea una experiencia lúgubre y privada de alegrías, o que, en ocasiones, no pueda llegar a extremos dramáticos. Pero no se trata de esto; el enfermo, a diferencia del actor de teatro, no puede quedar satisfecho después de realizar su representación; ya que él debe ser el escritor, el principal protagonista, y el público de su obra, de su propia vida.

Tengo la impresión de que, en la medida en que una buena obra de teatro sea capaz de hacer que el individuo experimente alguno de los nuevos arreglos aquí descritos, el teatro podrá funcionar como cualquier otro tipo de proceso terapéutico. Las experiencias emocionalmente intensas pero solitarias es muy poco probable que produzcan transformaciones importantes, sobre todo cuando no se llega a una plena integración intelectual.

En el capítulo 13 estudiaré algunas de las tensiones más importantes latentes en la sociedad ateniense, en especial las tensiones que se establecían entre hombres y mujeres. Philip Slater ha fundamentado sobre la base de algunos temas míticos y de la tragedia, una serie de hipótesis importantes referentes a la existencia de este tipo de conflictos dentro de la familia ateniense [35]. Podemos decir, en pocas palabras, que este autor cree que la represión de la que eran víctimas las mujeres tuvo ciertas consecuencias en la educación de los niños varones. Estos, de pequeños, muy probablemente hayan sido cuidados por mujeres llenas de resentimiento e ira, que, incapaces de dirigir su cólera hacia sus maridos, padres o hermanos, la desplazaban hacia sus hijos, a los cuales es posible que, incluso, hayan educado para ser instrumentos de su venganza contra los hombres. Es evidente que en toda la tragedia y mito griegos se encuentran gran número de casos de mujeres que mataron a sus propios hijos (Clitemnestra, Medea) o que los utilizaron para volverse en contra de sus maridos [36]. A su vez, los niños criados por una madre de este tipo crecerían con un gran temor hacia las mujeres y una profunda desconfianza en la sexualidad femenina. Si Slater tiene razón y estas tensiones, incluyendo ese temor masculino y la minusvaloración de las mujeres, estaban presentes en la vida familiar del siglo quinto ateniense, ¿podemos decir que la tragedia era un tipo de terapia para esta clase de trastornos? En la medida en que la tragedia ejemplifica y expresa tales conflictos, podemos considerarla como un diagnóstico, o quizás como el preludio necesario para la terapia. En el sentido en que la tragedia se desenvuelve de acuerdo con los criterios que nosotros acabamos de considerar (por ejemplo, extensión empática de un individuo hacia otros seres humanos), también puede llegar a ser terapéutica en potencia. Sin embargo, en la medida en que las actuales condiciones de las interrelaciones familiares permanecen inalterables dentro de la sociedad, entonces no habrá ninguna terapia que sea verdaderamente efectiva contra esos perversos enfrentamientos hombres-mujeres. Creo que de los tres trágicos es Eurípides el que va más allá a la hora de expresar esos conflictos y, sobre todo, al sugerir que dentro de las familias tiene que nacer un nuevo tipo de *philia*, o amor. Sin embargo, como trágico que es, su interés parece ceñirse a remarcar la inevitabilidad de estos conflictos y la imposibilidad de que la solución no pueda acaecer de una forma diferente a la del desastre trágico.

LOCURA Y TEATRO

He argüido que las representaciones de la mente y de sus perturbaciones tal y como aparecen en los poemas homéricos, son reflejos de la mente que es necesario crear en la épica oral. Esta tesis, con sus pertinentes modificaciones, se puede extender a la mente descrita por la tragedia y necesaria para crear una tragedia. La vida mental de las tragedias griegas es un proceso más interiorizado que el de la épica homérica; y, concomitantemente, el proceso de elaboración de una

---

[35] *Glory of Hera* (Boston, 1968) y «The Greek Family in History and Myth», *Arethusa*, 7 (1974): 9-44.

[36] Por ejemplo, la historia de Fénix, *Ilíada*, 9. 447-57.

tragedia es mucho más privado e interior que el de elaboración de la épica oral. El poeta épico crea y compone ante su público; el poeta trágico compone y crea escribiendo en su soledad, únicamente sus ojos hacen las veces de público.

En este apartado desarrollaré una hipótesis, mucho más especulativa que la anterior, que conecta la descripción de la locura con la tarea de creación poética. A través del loco poeta narra, aunque de una forma disfrazada, sus propios conflictos como creador y artesano. Estimo que esta hipótesis es particularmente revelante en el caso de Eurípides, el más experimental de los tres grandes trágicos. De acuerdo, con ello, la siguiente disquisición se ceñirá principalmente a este dramaturgo y, más en concreto, a su última obra, *Las Bacantes*. Propongo que consideremos a esta tragedia como una obra dentro de una obra [37].

En la *Odisea* encontrábamos poemas dentro de un poema, ejemplos de poetas actuando. ¿Hay algo de este tipo en la tragedia, una obra dentro de otra obra? En *Hamlet* de Shakespeare, en *Peter Pan* de James Barrie, y en muchas de las grandes obras de Pirandello, encontramos el recurso formal de introducir una obra dentro de otra obra. Aunque la tragedia griega no nos aporta ningún ejemplo de este tipo, yo creo que la representación de la locura es una forma peculiar de obra dentro de una obra. De este modo, en Las Coéforas de Esquilo, el arrebato de locura de Orestes es comparado con un baile y un canto, con una representación coral (11. 1024-25), en tanto que en el *Heracles* se puede decir casi literalmente que Lisa e Iris orquestan la locura. Las escenas del loco son obras de la imaginación, dramas esbozados con muy escasos recursos. La locura de Heracles se podría haber titulado «Un nuevo viaje de Heracles en sus trabajos», o «Heracles asesina a los hijos de su enemigo Euristeo». El Orestes de Eurípides presenta una batalla imaginaria contra las Furias. En *Ayax* Atenea es escritora y directora a la vez, y por ello invita a Odiseo a presenciar la locura del héroe. El coro, como público de estos dramas, experimenta todas las emociones que Aristóteles dice que reciben los espectadores de una obra teatral. Finalmente, en *Las Bacantes*, obra por demás repleta de ilusiones imaginarias, teatro y locura se unen en la persona de Penteo disfrazándose y vistiéndose de mujer. Represente el mismo papel que cualquier actor griego tendría que representar cada vez que hiciese de mujer: ajusta su vestido, pide ayuda para hacer los ajustes finales, y en el último minuto pregunta como debe andar y hablar para aparentar ser una mujer. En suma, la obra dentro de la obra es la creación de locura, y en esas escenas de arrebatos enloquecedores el dramaturgo puede plasmar ciertos aspectos de los conflictos que él mismo siente y la lucha personal que mantiene durante sus momentos de creatividad artística. En última

[37] Se puede encontrar un iluminador análisis de *Hamlet* como una obra dentro de otra obra en M. Rose, «Hamlet and the Shape of Revenge», *English Literary Renaissance*, 1 (1971): 132-43.

instancia la locura es un drama sin equilibrio, desprovisto de armonía, y únicamente el consumado ingenio de un gran dramaturgo puede poner en la locura *sōphrosunē*.

Hay tres campos en los que podemos comparar el teatro y la locura con gran aprovechamiento, y explorar la hipótesis de que el loco es un dramaturgo *manqué*:

1. Ilusión y realidad.

2. Lo racional y lo irracional (y la cuestión del papel de la inspiración y la razón a la hora de crear una obra, de elaborar una «locura poética»).

3. Tradición o estereotipo *versus* innovación.

El buen teatro descubre el equilibrio correcto de estos tres conceptos, y la locura prescinde de la obtención de ese equilibrio.

Ilusión y realidad

El teatro siempre debe evocar a los ojos de la mente lo que los ojos físicos no pueden ver. Más allá de este nivel de ilusión teatral existe la «espontánea suspensión de la incredulidad» de Coleridge, la habilidad del que ve para saber y no saber a la vez. El hombre que no es capaz de permitirse a sí mismo suprimir su facultad para juzgar la realidad, criticarla y comprenderla, no podrá disfrutar del teatro; pero el hombre que permite eso con excesiva frecuencia y facilidad es un loco. En *Las Bacantes* Penteo comienza estando en un extremo: es incapaz de concebir ilusiones o las ficciones necesarias. Pero al final de la obra su realismo brutal se ha tornado quebradizo y frágil, y progresivamente se vuelve loco. La frontera entre realidad y locura viene señalada por la escena en la que se viste de mujer, y se engaña a sí mismo pensando que él no está engañado.

Muy bien pudiera ser que Dionisio, tal y como ha sugerido E.R. Dodds, fuese un dios de la ilusión y, como tal, propenso a ser el dios del teatro [38]. En esta obra es evidente que es un maestro de la ficción, y Penteo se convierte en su primera víctima. Dionisio extranjero, Dionisio toro, Dionisio dentro del palacio y fuera de él al mismo tiempo; todas esas incongruencias harán que Penteo se vuelva loco; es evidente que estaban concebidas para provocar este resultado. Dionisio, como el Extranjero, refiere la confusión de Penteo, en el patio (11. 629-31):

---

[38] En el comentario a la publicación de *Las Bacantes,* 2.ª edc. (Oxford, 1960), pág. 151. Aunque Dodds de hecho no ha podido verificar esta hipótesis, ha mostrado un rasgo del dios muy importante.

> Entonces, el Señor del Trueno hizo, o así lo creo (no tengo plena certeza de ello), un fantasma en el corredor. Y el Rey atacó con pasión e intentó herir a esa vaporosidad refulgente, pensando que así derramaba mi sangre [39].

La teatralidad de estas ilusiones reposa sobre el hecho de que una realidad, «un fantasma», esté hecho de aire. Pero Dionisio puede jugar con la ilusión; Penteo debe sufrir un estado de desequilibrio entre la realidad y la ficción.

Las Bacantes, tan relacionadas con el ritual, toca otro aspecto crucial del teatro: el grado en el que uno llega a quedar inmerso en la ilusión. El teatro exige cierto grado de absorción; en cambio el ritual precisa un grado mucho mayor de abandono del yo, de ser participante, y no meramente observante. Penteo no es capaz de encontrar un equilibrio. Al principio no desea verse inmiscuido en el espectáculo de las Ménades; lo único que quiere es detenerlo; pero termina siendo un espectador lascivo que se convierte con rapidez en un participante más del rito. También Agave ha cruzado el límite entre la ilusión teatral y la locura. Tal y como reflejan los propios términos de la obra, se ha tomado el ritual demasiado literalmente y ha sido incapaz de contenerse ella misma, incluso en su más sangriento desplazamiento simbólico, al matar a una nimal en vez de a un hombre.

Para los griegos la imaginación estaba estrechamente unida a la visualización, y por ello los estereotipos griegos de locura hacen especial énfasis en las distorsiones visuales. En los escritos de Aristóteles el continuum comprendido entre la mediana anormalidad y la extrema está parcelado por tres grupos de clasificación de los trastornados, los extáticos, los maníacos y los melancólicos; todos ellos tienen la capacidad de concebir e interpretar imágenes visuales (como en la adivinación). La imaginación, en su forma intermedia y controlada, es muy útil para la creatividad poética, pero en su forma extremada es un rasgo más de la locura [40].

Otro aspecto del sobrelapamiento entre ilusión, teatro y locura es el interés de Eurípides por los fantasmas (*eidolon*) o dobles. Este tema aparece en todas sus obras, en las de su etapa inicial al igual que en las de sus etapas intermedia y final; pero sobre todo es muy importante en el *Alcestes* y en *Helena. Las Bacantes* presentan un doble de Dionisio, y en *Hipólito* se encuentran múltiples referencias a símiles de la persona real. Este interés por el doble, es una parte integrante de las preocupaciones de Eurípides *qua* creador dramático, pues ¿acaso no es éste el trabajo del dramaturgo, crear fantasmas?

Hay muchos datos que sugieren que los griegos poseían un perspicaz sentido del rol de la ilusión para mejorar y enriquecer la realidad. Se puede constatar este hecho en las observaciones de Aristóteles so-

---

[39] Traducción de Dodds; ver su comentario en ibidem.

[40] Aristóteles, *Poética,* 1455a22-34. Ver también los comentarios de Else en *Aristotle's Poetics,* sobre todo en las págs. 496-502.

bre la imitación artística de la realidad (véase, por ejemplo, *Poética*, 1448b4-5), en el interés que los artistas y arquitectos griegos sentían por los fenómenos relacionados con las ilusiones ópticas, y en advertencias como las de Gorgias, sofista y orador del siglo quinto: «La tragedia, por medio de leyendas y emociones, crea un fraude en el cual el farsante es más honesto que el honrado, y la mentira más seria que no mentido» [41].

En nuestra época muchos psicoanalistas, em particular Geza Róheim y, después de él, D.W. Winnicott, han destacado la vital importancia de la ilusión para la vida humana. Winnicott acuñó el término «objetos transicionales» para descubir lo que él creía que constituían las primeras ilusiones en la vida de un niño [42]. Su manta es el primer ejemplo, ya que ella le proporciona una presencia contínua, mayor, incluso, que la que le puede facilitar la madre y, además, es una reminiscencia de ésta última. Se le denomina transicional en cuanto que es lo que permite al niño moverse desde la simbiótica con la madre hacia una relativa autonomía. Winnicott cree que muchos rasgos de la cultura humana, como el arte, la religión y el teatro, están relacionados con la primitiva experiencia de crear una presencia maternal con objetos mundados, del tipo de una manta. Consecuentemente, este autor también afirma la gran importancia que para la salud mental tiene la habilidad de jugar. Otros escritores han apuntado que los psicóticos, y en particular los esquizofrénicos, a menudo presentan cierta incapacidad para jugar, para asumir papeles provisionales, e incluso para fantasear o soñar despierto [43]. Todas estas consideraciones sostienen que la habilidad para desarrollar e imaginar ilusiones es la primera línea de defensa, sino el mismo centinela, de la salud y la cordura. El dramaturgo nos permite mantener un equilibrio entre ilusión y realidad, juego malabar que el loco no podría realizar con facilidad [44].

---

[41] Gorgias, B23, en *Fragmente der Vorsokratiker,* edc. Diels. Se pueden encontrar unos comentarios muy útiles de la retórica como terapia en Laín Entralgo, Therapy of the Word. Ver también C. P. Segal, «Gorgias and the Psychology of the Logos», *HSCP,* 66 (1962): 99-155.

[42] D. W. Winnicott, «Transitional Objects and Transitional Phenomena» en *Colected Papers* (New York, 1958), págs. 229-42.

[43] N. Cameron, Personality Development and Psychopathology (Boston, 1963), págs. 470-513. Ver también J. L. Singer, *Daydreaming.* (New York, 1966), sobre todo págs. 195-98.

[44] Tiene gran valor considerar las implicaciones de esta formulación en otros teatros además del griego. A la luz de ella se puede reexaminar con mucho aprovechamiento la obra de *Hamlet,* en especial teniendo en cuenta los trabajos de K. Eissler, *Discourse on Hamlet and «Hamlet»: A Psychoanalytic Inquiry* (New York, 1971), y Rose, «Hamlet and the Shape of Revenge». El dramaturgo contemporáneo que más conscientemente juega con las conexiones entre locura, ilusión y teatro, es Luigi Pirandello, sobre todo en su obra *Enrique IV.* En este drama el protagonista se ha vuelto loco mientras representaba un papel sobre las tablas, y la trama se desenvuelve en torno a las tentativas que se hacen para curarlo representando un nuevo drama. Es sorprendente que el médico que propone esta estratagema se llame Dionisio. Ver también J. W. Krutch, «Pirandello and the Dissolution of the Ego»; D. Vittorini, «Being and

Lo racional y lo irracional

Si la locura es una ruptura del equilibrio entre realidad e ilusión, en mayor medida será una ruptura del compromiso entre lo racional y lo irracional. Las modernas teorías sobre la psicosis incluyen la idea de que la represión de los instintos y pasiones, un excesivo grado de racionalidad, puede ser la causa originaria del desarrollo de la psicosis. Hemos visto (en la disquisición sobre Ayax) cómo una sobrenatural racionalidad y sentido de «ahora entiendo» puede colmar el estado de alucinación del psicótico.

En contraste con esto, el buen dramaturgo debe encontrar el equilibrio ajustado entre orden y caos, entre razón y pasión, entre habilidad e inspiración. Dentro de sí mismo debe localizar el punto de Arquímedes sobre el que giran la fría sobriedad, el éxtasis controlado y el frenesí lindante con la locura. Si acierta, su público disfrutará de la obra y se sentirá impelido o, incluso, ennoblecido, experimentando una extensa emocionalidad que está configurada por razón y discreción. *Las Bacantes* parecen traernos todas esas cosas juntas, aún cuando alguna sean más explícitas que las otras. Es la obra que de una forma más directa considera la sabiduría, *sophia*, la cordura y temperancia, *sōphrosunē,* y la locura arrebatadora[45]. La acción pende sobre el problema de quién es el que está loco; Tiresias y Cadmo se apremian en decir a Penteo que el ser demasiado racional es en sí mismo una forma de locura. Penteo deseará volverse completamente loco porque carece de la *sōphrosunē* precisa para admitir lo extraño e irracional.

Al mismo tiempo, esta obra tiene tal intensidad y poder que muchos estudiosos de la misma han asumido que, de hecho, debe ser un relato personal del propio Eurípides. Las especulaciones sobre su significado han hecho hincapié en el dato según el cual el gran trágico escribió esta obra durante su auto-impuesto exilio en Macedonia, donde es de presumir que su vida haya sido más elemental y menos intelectual de lo que había sido en Atenas. Mi opinión particular es que Eurípides no sólo estaba intentando dejar zanjada la cuestión del rol de lo racional y lo irracional en la vida humana (preocupación, por demás, de casi todas sus tragedias), sino que además quería cristalizar una nueva forma de entender el oficio poético, el equilibrio entre la locura y el ingenio preciso para escribir sobre los aspectos más distorsionados y perturbados de la vida humana.

A falta de una documentación fiable sobre la biografía de Eurípides, nunca podremos probar o negar la validez de este presupuesto.

Seeming: *Henry IV*»; y un resumen del *Umorismo* de Pirandello en *Modern Drama: Annotaded Texts,* edc. A. Caputi (New York, 1966), págs. 471-92. Agradezco a Judith Kates el que me haya suministrado unas opiniones y notas sobre locura y teatro muy aprovechables.

[45] Ver M. Arthur, «The Choral Odes of the *Bacchae* of Euripides», *YCS,* 22 (1972): 145-80, para encontrar un análisis de la interconexión de lo instintivo y lo político en la palabra *sophia.*

Sin embargo, otro lector de la obra, como mínimo ha llegado a esta misma conclusión. Reginald Winnigton Ingram, en su magistral trabajo *Eurípides and Dionysus*[46], también ha conectado la preocupación de *Las Bacantes* por la *sophia* y la *sōphrosumē*, con el problema del papel de la habilidad poética y del equilibrio en la composición de la obra. En este caso *sophia* en cuanto ingenio poético, debe incluir una sensible simpatía por el asunto que el autor desarrolla. Winnigton-Ingram concluye que «la cualidad personal de la *sophia* que le permite a aquél escribir su obra, y la contribución a la *sophia* que él hace, son, en último término, una y la misma cosa».

En lo que se refiere a la cuestión de la reacción del público ante una obra como ésta, podemos considerar que *Las Bacantes* debe haber llegado hasta el límite más extremo de la tolerancia de los espectadores hacia lo horrible, hacia la crudeza y lo instintivo. El texto sugiere que el cuerpo desmembrado de Penteo era paseado por el escenario, llevando cada actor una o varias partes. Si esto fue así, era una horrible escena, única en todas las tragedias conservadas. La antigüedad guarda silencio sobre las respuestas del público; y Eurípides puede haber permanecido dentro de los límites de la *sōphrosunē* artística.

La cultura griega, creo yo, tenía tanto miedo al proceso creativo como a la locura manifiesta. Ambas cosas producían la impresión de que eran consecuencia de la actuación de un agente exterior. Aunque los poetas y el público sabían perfectamente que para crear la gran poesía era preciso un trabajo muy duro y una considerable dosis de ingenio y habilidad, se reservaba cierto margen de maniobra para la intervención y la influencia divina[47]. Igual consideración se merecía la locura, de la que se creía que tenía un componente divino y un componente humano, a pesar de que a través de los siglos se operase cierto desplazamiento del énfasis de los orígenes exteriores hacia los interiores. Pero todavía el autor médico del siglo quinto que escribió un tratado sobre la epilepsia llamado *De la Enfermedad Sacra*, reservaba un espacio para la causa divina del trastorno.

El *locus classicus* para estudiar la relación entre locura y poesía se encuentra en el *Fedro* de Platón, diálogo en el que Sócrates habla de las cuatro formas de locura divina y con ello aporta el apoyo más grande a nuestra teoría: locura poética, locura báquica, locura profética y locura de amor. Estas cuatro se diferencian de la locura como enfermedad ocasionada por causas naturales. Ello implica que esas locuras se manifiestan de un modo controlado o modulado, y que la mayor parte de la gente podría diferenciar con facilidad esas formas culturales de «posesión», de los casos extremos, entre los cuales no estaban integrados ni la poesía, ni el ritual, ni la profecía ni el amor[48].

---

[46] Cambridge, 1948.

[47] Este proceso se examina minuciosamente en J. Croissant, *Aristote et les mystères*. (Liège, 1932).

[48] Ver E. R. Dodds, *The Greeks and the Irrational* (Berkeley, 1951), págs. 64-82,

La posición de Aristóteles es más compleja; su postura parece haber cambiado y evolucionado entre sus primeros escritos y los últimos. En su trabajo más antiguo destacaba el elemento divino que subyacía a actividades como el éxtasis ritual (coribántico), la adivinación, y, quizás, la creación artística. Más adelante puso mayor confianza en las teorías basadas psicológicamente para explicar esos fenómenos así como ciertos tipos de carácter y sus propensiones. «¿A qué se debe el que todos los que han llegado a ser personalidades destacadas de la filosofía, la política, la poesía o las artes, sean melancólicos?» [49]: esta pregunta refleja el punto de vista más extremo que se puede encontrar en Aristóteles y sus seguidores sobre las conexiones entre genio y locura. El fundamento del carácter que, en sus formas más tenues, está asociado con la creatividad y, en sus formas más extremas, con la locura, es un temperamento de bilis negra. En términos de poesía y drama, el interés de Aristóteles parece haber variado a lo largo del tiempo desde el problema de la naturaleza de la inspiración poética hacia una más detallada consideración del talento que es preciso poseer para producir una buena obra.

En la *Poética* (1455a30-34) Aristóteles establece algunas razones de por qué «el arte poético es una empresa más propia del individuo bien dotado (*euphues*) que del «maníaco» [50]. El primero es sensible pero adaptable, el segundo excéntrico y desequilibrado, aunque los dos tipos existen sobre un continuum. Tanto el hábil como el maníaco tienen una constitución fisiológica dominada por la bilis negra, y ambos tienen una habilidad muy poco frecuente para concebir visualizaciones. Sin embargo, los ingeniosos,de los cuales es Homero el mejor ejemplo, son receptores de una inspiración divina que les permite controlar sus poderes «extáticos» y canalizarlos en favor de una actividad creadora y equilibrada. Los maníacos (relacionados con los extáticos y los melancólicos) poseen un control menor de sus poderes más irracionales. El que todos estos temas aparezcan en la *Poética*, un libro o manual sobre cómo crear el mejor tipo de drama, sugiere que los mismos dramaturgos estaban ciertamente interesados por las relaciones entre el arte y la locura, y que tales intereses muy bien se podrían reflejar en sus obras.

Las teorías modernas sobre la creatividad, especialmente las teorías psicodinámicas, han desechado la idea de una inspiración divina,

---

e I. M. Linforth, «The Corybantic Rites in Plato», y «Telestic Madness in Plato, *Phaedrus* 244DE», *University of California Publications in Classical Philology,* 13 (1946): 121-72.

[49] Ver Croissant, *Aristote et les mystères,* y R. Klibansky, E. Panofsky, y F. Saxl, *Saturn and Melancholy* (New York, 1964), sobre todo cap. 1. Este pasaje se discutirá largamente en el capítulo 12 de este libro.

[50] Else, *Aristotle's Poetics.* El análisis que sigue está tomado en gran medida de los comentarios de Else sobre este pasaje. La literatura psicológica contemporánea referente a la creatividad es muy numerosa, pero a menudo poco convincente. Sin embargo, hay dos trabajos breves y muy aprovechables: L. Edel, «The Madness of Art», *Am. J. Psychiat.,* 32 (1975): 1005-1012, y W. Niederland, «Psychoanalytic Approaches to Creativity», *Psa. Q.,* 45 (1976): 185-211.

pero mantienen en cambio la noción de que cierto toque de locura se encuentra siempre asociado con la creatividad. Las investigaciones psicodinámicas minuciosas de las vidas de los artistas y creadores han iluminado algunas de las causas que fundamentan la creatividad; entre ellas se encuentra la necesidad de superar traumas psíquicos, sobre todo separaciones y pérdidas traumáticas. En conjunto es razonable decir que la naturaleza del proceso o procesos creativos todavía tiene que ser adecuadamente elucidada.

Tradición y cambio

La tragedia griega toma sus personajes de los mitos tradicionales de su cultura. Además de las transformaciones que hayan podido realizar los grandes trágicos en la forma y contenido de algunos mitos particulares, es indudable que nuevas tensiones y significados fueron introducidos en las viejas y arcanas historias. Las tragedias reflejan el cambio fundamental que se ha operado en la vida griega, al tiempo que, en cierta medida, también han sido motores de esos cambios. En un sentido muy profundo las tragedias adoptaron los aspectos de continuidad y cambio replanteando los mitos honrados a lo largo del tiempo. Una vez más es Eurípides, entre los tres grandes trágicos, el que más claramente asumió el tema del cambio. La locura del Ayax, del Heracles y del Orestes de este dramaturgo entran de lleno en el contexto de los valores cambiantes y en conflicto.

Los grandes trágicos, ya sean griegos, isabelinos o contemporáneos, recogen los mitos que tienen significado para sus culturas y los traducen al lenguaje de las tensiones y sucesos de su momento. A pesar de todo, se podrá decir cuando menos, que el loco de la gran tragedia, fuere Orestes o Lear, es colocado únicamente para expresar esas dolorosas transformaciones y conflictos culturales.

Por otra parte, hay un tipo especial de transformación que los trágicos griegos, Sófocles y Eurípides sobre todo, efectuaban para describir la locura. No sólo partían de los mitos recibidos y tradicionales, sino también de estereotipos conservados culturalmente sobre la naturaleza del loco y de su conducta. Transformaron esas imágenes bidimensionales del demente, convirtiéndolas en retratos individualizados que, al mismo tiempo y merced al arte de los trágicos, llegó a ser un tipo de figura clásica. En pocas palabras, estos autores se movieron desde un estereotipo general a través de descripciones individualistas hacia un nivel de definición más genérico. (Tengo la impresión de que los autores griegos tardíos y los romanos tendieron a utilizar la figura del loco del drama clásico como un nuevo estereotipo. Horacio, en su *Ars Poética* (11. 123-25), advierte al poeta de que «deja a tu Medea sea salvaje e inconquistable, Ino llorosa, Ixion pérfido, Io extraviada y Orestres triste» [51]).

[51] Traducción mía. Ver el comentario de Else en *Aristotle's Poetics*, pág. 460.

¿Cuál fue, en la medida en que podamos reconstruirlo, el estereotipo griego del loco? En primer lugar existen signos físicos: delirar, errar perdido o correr furiosamente, tener los ojos redondos, sudar, babear, echar espuma por la boca. Se hace más énfasis en las alucinaciones visuales que en las auditivas; las imágenes aterradoras ocasionan la locura o la acompañan. Además los locos se comportan de forma contraria a las buenas costumbres greigas; así, por ejemplo, perjudican a sus amigos y compañeros, y, en cambio, colaboran y ayudan a sus enemigos[52].

El apedreamiento era un método estereotipado de la cultura griega para tratar al loco peligroso[53]. Esta costumbre parece haber tenido connotaciones ritualísticas; su origen muy probablemente derive de una tentativa mágica de curación y conjuración del peligro de contagio que el loco implicaba. Recuérdese que el Orestes de Eurípides es condenado a morir apedreado en el *Orestes*, mientras que en *Ifigenia en Táuride* es apedreado por los pastores. Ayax, a su vez, teme morir apedreado si él no se suicida, y el arrebato de locura de Heracles finaliza cuando Atenea le golpea con una gran piedra en la cabeza; más tarde la tradición llamará a esa piedra «piedra de la cordura».

Los dramaturgos griegos del siglo quinto reelaboraron la tradición, innovaban, pero al mismo tiempo intentaban mantenerse dentro de un esquema tradicional reconocible. Sus innovaciones afectaban al contenido de las historias, a la sutileza de la motivación descrita y a la forma de la obra. Experimentaban con la estructura de la intriga, introduciendo cada vez más y más complicadas inversiones y complejas escenas de reconocimiento. Con el paso del tiempo se incrementó el número de actores y cambió el papel del coro, junto con la música y los bailes de acompañamiento.

Eurípides desarrolló intrigas de escenas de reconocimiento que iban más allá que las de cualquiera de sus contemporáneos, dejando a un lado la notable excepción del *Edipo Rey* de Sófocles. Su habilidad para idear complejas secuencias de *peripeteia*, inversión, alcanzó alturas vertiginosas, tal y como quedó ejemplificado por su *Orestes*[54]. La locura de Orestes, con sus súbitos ataques, remisiones y tranformaciones, corre pareja con desenvolvimiento laberíntico y los repentinos comienzos y paradas de la estructura de la obra. La *Poética* de Aristóteles dedica mucho espacio y esfuerzos a describir, clasificar y prescribir los diferentes tipos de reconocimiento e inversión. El filósofo intenta desarrollar una taxonomía de las estructuras de la trama que se correlacionen con el grado de placer que el público experimenta.

Por lo tanto, los dramaturgos experimentaron en gran medida, y

---

[52] Ver por ejemplo Gorgias, *Encomium to Helen,* B11 y B11a, en *Fragmente der Vorsokratiker,* edc. Diels.

[53] A. Vaughn, *Madness in Greek Thought and Custom* (Baltimore, 1919).

[54] A. P. Burnett, *Catastrophe Survived: Euripides' Plays of Mixed Reversal* (Oxford, 1971) ofrece una brillante disquisición sobre las escenas complicadas en la obra de Eurípides.

por ello sumieron importantes riesgos. Tenían que alcanzar el preciso equilibrio entre la necesidad del público de disfrutar con un relato tradicional bien narrado, por un lado, y por el otro de excitarse e impresionarse por las innovaciones. El público tenía que experimentar su propia variedad de *anagnorisis*, reconocimiento, reconociendo lo viejo y lo nuevo y viendo unido lo nuevo a lo viejo. La comedia contemporánea (es decir, Aristófanes) y las tradiciones tardías sobre la tragedia del siglo quinto documentan con profusión el hecho de que Eurípides no tuvo un consistente apoyo popular y de que, en general, no quedaba frecuentemente en primera posición en los certámenes. Hasta Aristóteles, que tuvo un ojo muy sagaz para entender el desarrollo histórico de las formas trágicas y que plasmó la continua innovación artística del siglo quinto, Eurípides no fue reivindicado convenientemente; el filósofo lo defiende en su *Poética*.

El loco ejemplifica la parte que puede fracasar en la difícil tarea de cambiar las posiciones viejas por las nuevas. El loco, al igual que los restantes héroes trágicos, no proclama necesariamente y de una forma consciente que él posee una nueva doctrina o un nuevo mensaje; de hecho se puede encontrar apegado más firmemente a los valores viejos que sus propios compañeros o antagonistas. Es conveniente recalcar de nuevo que *Las Bacantes* es una obra sobre lo arcano y lo innovador; Dionisio, sin duda alguna al respecto, representa lo nuevo, pero Tiresias recuerda que en muchos aspectos la divinidad recién llegada es realmente vieja y auténtica. Cadmo defiende la tradición, al igual que lo hace Dionisio, y ello a pesar de que es un «hombre nuevo», alejado de los hombres sembrados de Tebas sólo unas pocas generaciones antes [55]. Penteo se ve a sí mismo intentando mantener ciertos valores establecidos, pero él también está protegiendo su propia autoridad, una cosa que per se no es eterna.

En suma, la locura, en cuanto que se ha transformado desde lo estereotípico a lo clásico (es decir, que se ha convertido en un retrato individualizado que todavía simboliza algo universal), está muy bien situada para representar el dramático problema de la tradición versus innovación. Este problema, a su vez, constituye parte y parcela de la función social de los trágicos, ya que documenta, interpreta y convierte en formas clásicas todas las tensiones y conflictos inherentes a una época de transición.

[55] Comunicación personal de G. Debereux.

III

EL MODELO FILOSOFICO

8

LA CONCEPCION PLATONICA DE LA MENTE Y DE SUS TRASTORNOS

> Vi a Sócrates (en el Hades) y parecía estar enamorado de Jacinto (o al menos disfrutaba con él).
>
> Luciano, *Verdadera Historia.*

Llegamos a Platón. A partir de ahora nuestro discurso deberá bajar de tono, nuestros argumentos deberán ser más razonados. También aquí hay pasión, es cierto, pero la pasión debe servir para argumentar y descubrir la verdad. Estamos obligados a dejar a un lado la piedad y el terror: la Musa de la filosofía habla de un modo dialéctico, y la dialéctica no se puede escuchar entre los gritos del coro y la angustia del héroe trágico. Cuenta la tradición que Platón, «el dramaturgo de la vida y la razón», escribió algunas tragedias en su juventud, pero después de descubrir la filosofía, las quemó todas[1]. Aunque fue educado en la tradición homérica y concocía las grandes tragedias del siglo quinto ateniense, pensaba que los poetas no representaban mas que un obstáculo para alcanzar la verdad, y por ello los censuró con acritud, expulsándolos de su ideal de gobierno, de su verdadera República. Fue así como Platón luchó contra sí mismo y proclamó a una parte de sí enemiga de la otra. Sabía que su guerra interior finalizaría con la victoria de la razón y con la rendición, difícil de aceptar, de la pasión, con la victoria de la filosofía sobre la poesía. Este fue el hombre que dividió el alma en diferentes partes, que separó a la psique del soma, y que afirmó que la primera debe ser el amo y el segundo esclavo. Soñó que los filósofos podían ser reyes y los reyes filósofos, pero cuando intentó hacer de Siracusa su República, sus sueños se convirtieron en pesadillas. Fue uno de esos escasos hombres cuyo sueño perduró a pesar del fracaso de su realidad. Entre sus eternos monumentos se encontraba la Academia, su escue-

---

Nota: Los capítulos 8 y 9 son revisiones corregidas y aumentadas de mis artículos sobre Platón: «Models of Mind and Mental Illness in Ancient Greece: II, The Platonic Model», *J. Hist. Behavioral Sciences,* 8 (1972): 389-404, y 9 (1973): 3-17.

[1] J. H. Randall, Jr., *Plato: Dramatist of the Life of Reason* (New York, 1970), y D. Clay, «The Tragic and Comic Poet of the *Symposium*», *Arion,* n.s. 2/2 (1975): 238-61, con referencias bibliográficas, y sobre todo D. Tarrant, «Plato as Dramatist», *JHS,* 75 (1955): 82-89.

la, que siguió funcionando desde el siglo cuarto antes de Cristo hasta el siglo sexto después de Cristo, casi un millar de años. Si hubiese sido capaz de contemplar a su escuela a lo largo de la historia, se habría mostrado disconforme, aunque no sorprendido, de que la filosofía hubiese fallado en su intento de transformar el mundo. Lo que más ha perdurado han sido sus diálogos, aunque también aquí fracasó, sin conseguir alcanzar aquellas verdades esenciales por las cuales tanto había luchado. Las formas de la verdad, del bien y de la belleza se le escaparon. Lo que lo ha inmortalizado, por lo tanto, no han sido la particularidad de sus cuestiones y respuestas, sino la idea de la filosofía, la idea de que los hombres deben dialogar entre sí, o incluso con ellos mismos, para encontrar la verdad. Desde la perspectiva que nos aporta la historia de las ideas sobre la mente y las enfermedades mentales, podemos epitomizar a Platón como el hombre que se tomó realmente en serio la diferencia entre la mente y el cuerpo, y que relacionó las actividades de la primera con la cordura, y los impulsos del segundo con la locura. Unicamente los hombres cuerdos pueden filosofar, y sólo la filosofía puede hacer a los hombres cuerdos.

Platón vivió del 427 al 348 antes de Jesucristo, y escribió un gran número de diálogos; comenzó esta labor hacia los cuarenta años y muy posiblemente continuó con ella hasta el momento de su muerte. Todos estos diálogos están concebidos como conversaciones de su maestro, Sócrates; Platón no aparece nunca en ellos. Casi toda la información que poseemos en la actualidad sobre ambos pensadores procede de estos diálogos, hasta tal punto que a menudo es muy difícil determinar cuál es la opinión de Sócrates y cuál es la de Platón [2]. No me preocuparé de diferenciar excesivamente las posiciones de Platón y las de Sócrates.

Cualquier afirmación sobre lo que Platón dice acerca de un problema importante en un diálogo determinado, puede ser contrapuesto a algún pasaje de otro diálogo. Parto del presupuesto de que existe una considerable coherencia y unidad en el pensamiento de Platón, pero como cualquier pensador original y creativo que tenga que luchar durante mucho tiempo con cuestiones difíciles e importantes, tuvo que actuar, forzosamente, de muy diferentes formas y llegar a preguntas muy variadas. Aunque algunos diálogos se pueden situar cronológicamente en los diferentes momentos de su carrera, quedan todavía muchas cuestiones irresolutas sin datar. Por ello es difícil hablar con certeza de la «evolución» de su pensamiento, y a menudo se deben hacer ciertas suposiciones apriorísticas sobre el desarrollo

---

[2] E. A. Havelock, «The Socratic Self as It Is Parodied in Aristophanes' *Clouds*», *YCS*, 22 (1972): 1-18, aporta una revisión sucinta con notas bibliográficas sobre el tema de las relaciones entre el pensamiento de los dos filósofos. La recensión de G. Vlastos de la obra de W. K. C. Guthrie, *A History of Greek Philosophy*, vol. 4, *Plato, the Man and His Dialogues: Earlier Period*, Cambridge, 1974), en *TLS, 12 (Diciembre de 1975):* 1475-76, ofrece una visión panorámica del estado actual de los estudios referentes a Platón y a su obra.

de su ideología para poder datar algunos de sus diálogos. De acuerdo con esto concretaré mi análisis en los principales problemas y respuestas de su obra. Cuando reunimos todos aquellos rasgos de sus diálogos que parecen ser fantasías inconscientes recurrentes, debemos tener en cuenta que estamos analizando los resultados de la esforzada labor de un hombre, y que sólo podemos suponer de un modo superficial cómo era su forma de ser [3].

EL DESCUBRIMIENTO DE LA MENTE: LOS ANTECEDENTES PRE-SOCRATICOS

En los siglos sexto y quinto a.C., en diferentes lugares geográficos del mundo de habla griega, apareció cierto número de pensadores que son conocidos como los pre-socráticos. Entre los nombres más famosos de este grupo se encuentran, Tales, Anaximandro, Anaxímenes, Heráclito y Empedocles. Anaxágoras, Demócrito y Parmenides fueron contemporáneos de Sócrates, y por ello no se puede decir que hayan sido estrictamente pre-socráticos. ¿Qué es lo que tenían en común estos pensadores tan heterogéneos? Las historias de la filosofía, incluyendo dentro de ellas ensayos breves de Aristóteles sobre el desarrollo de la filosofía hasta su momento, suelen juzgar el presocratismo desde el punto de vista de los *contenidos* de sus doctrinas. Esos hombres han sido considerados como los primeros filósofos del mundo occidental, pero el énfasis con el que se han destacado sus doctrinas, más que su lenguaje y sus tentativas por formular una nueva aproximación al pensamiento, han oscurecido su verdadero sentido de pioneros [4]. Ya que ésta es una de las áreas de los estudios clásicos

---

[3] La recensión de D. Clay de la obra de G. Vlastos, *Platonic Studies* (Princenton, 1973), en *Arion*, n.s. 2/1 (1975): 116-32, examina las grandes dificultades que se encuentran al intentar descubrir la auténtica personalidad de Platón a través de sus diálogos. Platón es un pensador tan fecundo e imaginativo que resulta muy difícil identificar su carácter o problemas interiores, con alguna de sus originales creaciones. Sin embargo, ciertos temas e imágenes que aparecen reiterativamente en todos sus diálogos, deben representar su impronta personal. El estudio más amplio de las relaciones entre la psicología personal de Platón y las vicisitudes de su filosofía es el de Y. Brès, *La psychologie de Platon* (París, 1968). Es una obra original, aunque se resiente de ciertas insuficiencias metodológicas tanto desde el punto de vista de la formación clásica, como desde el psicoanalítico. Está recensionada por L. Brisson, «Platon psychanalysé», *REG*, 86 (1973): 224-31.

[4] Las notas que siguen sobre los pre-socráticos se basan principalmente en H. Cherniss, *Aristotle's Criticism of Plato and the Academy*, vol. 1 (Baltimore, 1944); B. Snell, *The Discovery of the Mind*, traducido por T. G. Rosenmeyer (Cambridge, Mass., 1953); y E. A. Havelock, *Preface to Plato* (Cambridge, Mass., 1963). J. Burnet, *Early Greek Philosophy*, 4.ª edc. (London, 1958), aporta unos puntos de vista opuestos a los de la anterior obra. Las teorías de Havelock sobre Platón y los pre-socráticos son muy controvertidas y polémicas. Su *Preface to Plato* ha sido recensionada, en ocasiones desde posturas muy críticas, por F. Solmsen, *AJP*, 87 (1966): 99-105; R. G. Hoerber, *CP*, 59 (1964): 70-74; N. Gulley, *GR* (1964): 31-33; y H. Myerhoff, *Gnomon*, 36 (1964): 422-24. Creo que ninguna de las principales objeciones presentadas por estos críticos

más problemáticos y controvertidos, resumiré las implicaciones e influencias de los pre-socráticos para la historia de la mente, y en especial en lo que se refiere a la actividad posterior de Platón.

1. Los pre-socráticos comenzaron a desarrollar el vocabulario abstracto y definidor fundamental para todo el pensamiento filosófico, psicológico y médico posterior.
2. Definieron lo «mental» y la «mente», definiendo esta última entidad como aquella que organiza y abstrae el pensamiento.
3. Diferenciaron dos modos de pensamiento, o de discurso: el fisiológico («ciencia natural») y el mitológico [5].
4. Afirmaron la superioridad del modo de discurso fisiológico, denominado lenguaje de la conciencia, del verdadero ser, y equipararon el discurso mitológico a los sueños, a las pesadillas, a la evolución y a la muerte.
5. Afirmaron la superioridad de aquellos que piensan de una forma abstracta y de esta forma de pensamiento. El filósofo, que es el que «abstrae», es superior al poeta.

El siguiente fragmento de Anaxágoras (circa 500-428 a.C.) ilustra la novedad del lenguaje y de los conceptos que emergen en los escritos de los pre-socráticos:

> Todas las restantes cosas tienen algo de todas los demás, pero la razón no tiene límites y se auto-gobierna, no está mezclada con nada, está aislada pero es ella misma... Tiene un pleno conocimiento de todas las cosas y es lo más poderoso; la razón lo controla todo, domina todo lo dotado de vida, ya sea lo grande o lo pequeño[6].

La razón, *nous*, está aislada de todo aquello de lo que también forma parte. En éste y otros pasajes Anaxágoras desarrolla la teoría de que la razón es una fuerza poderosa, que organiza y crea el universo. Nótese que ya no es Zeus; sino la razón per se. Un texto de este tipo concede una importancia a una mente incorpórea que es radicalmente diferente de la que le conferían las nociones mito-poéticas de la épica homérica. Encontramos ahora un lenguaje completamente innovador para definir la oposición entre los abstracto y lo concreto. Las abstracciones (palabra derivada del latín *abtrahere*, llevar fuera de) son términos «situados fuera de» los ejemplos concretos; y, se-

---

a las tesis más importantes de Havelock desacreditan la validez de estas últimas, aunque ello no obsta para que aquéllas precisen ser rebatidas en profundidad.

[5] Ver referencias en *LSJ,* voz *Phusilogeō.* Aristóteles llama *phusiologoi* a los presocráticos. Estos términos no aparecen nunca en los fragmentos conservados de estos filósofos.

[6] Traducción modificada de la ofrecida por G. S. Kirk y J. E. Raven, *The Presocratic Philosophers* (Cambridge, 1962), págs. 372-73. Traduzco *apeiron* por «sin límites» en vez de por «infinito», que tiene un sentido demasiado abstracto en este contexto.

gún mi opinión, éste es el proceso que Anaxágoras está intentando plasmar.

Aunque Homero (sobre todo en la *Odisea*) utiliza la palabra *nous* como el término más «cerebral» de todo el vocabulario homérico que designa la vida mental, la cita anterior va mucho más allá que cualquier ejemplo homérico en lo que se refiere a atribuir a la razón un marcado carácter de unicidad, así como en el alcance de sus opiniones sobre la actividad de aquélla. Se puede considerar este fragmento como una frase de transición del sentido de *nous* previa a la utilización que de este término harán Platón y sus seguidores para denotar con él lo intelectual, lo abstracto, y para definir las actividades de la psique [7].

Otro ejemplo de la evolución en la utilización del término *psuchē* desde Homero a Platón se puede encontrar en la afirmación de Heráclito de que «Nunca encontrarás los límites de la *psuchē* en el camino, aunque recorras toda la ruta» [8]. Por lo tanto, la psique ya no será durante más tiempo el *eidolon*, el doble o el superviviente espectral del hombre vivo; es algo que no tiene dimensiones, que no es físico, una entidad inmesurable.

Otro fragmento de Heráclito nos puede servir para ilustrar de una forma energética el cambio que se ha producido desde la idea homérica de que siempre era un dios el causante de la conducta irracional del individuo, a la nueva teoría platónica de que el hombre es el único agente responsable de sus propios actos. «*Ēthos anthropō daimon*» (la personalidad es un espíritu para el hombre) [9]. En Homero veíamos cómo una divinidad o *daimon* puede traer mala suerte a la persona. La expresión «Daimonie!» se utiliza para significar «Estás loco», y se puede interpretar como «¿Qué demonio te ha entrado en el cuerpo?» Para Heráclito, en cambio, ese demonio es el hombre mismo.

Los pre-socráticos, por lo tanto, son los primeros en definir la unicidad de la razón, y para ello transforman términos tradicionales como, por ejemplo, *nous* y *psuchē*. Además localizan esta razón y su actividad dentro de la persona. Al definir dos formas de pensar, uno de ellas superior y la otra inferior, ponen la base para que se asienten algunas de las aportaciones más importantes del pensamiento platónico. Una de estas aportaciones es la de cómo se puede entender que el hombre sea a la vez una criatura capaz de pensar de una forma abstracta, sofisticada y lógica, y, a la vez, dejarse llevar por los impulsos y pensar estando dominado por las fantasías. Otra cuestión se refiere a cómo se puede controlar a esa criatura, ya sea a través de la educa-

---

[7] K. von Fritz, «*Noos, Noein,* and Their Derivatives in Pre-Socratic Philosophy», *CP,* 40 (1975): 223-42; *CP,* 41 (1946): 12-34.

[8] H. Diels, ed., *Die Fragmente der Vorsokratiker,* con adiciones de W. Kranz, 5.ª-7.ª edc. (Berlín, 1934-54), Heráclito, B45.

[9] Ibid., Heráclito, B119, D. Clay ha llamado mi atención sobre la conexión entre este fragmento y el *daimonie* homérico.

ción o el convencimiento, o de la coerción. Platón, junto a otros grandes pensadores de su momento, realizó una contribución de gran importancia al plantear las cuestiones relacionadas con el autodominio y la irreflexión, ya sea a nivel individual o a nivel colectivo. Pero volvamos a Platón y empecemos por analizar la descripción que hace de la psique.

La representación de la actividad mental en los diálogos platónicos

El término griego *psuchē* es utilizado desde tiempos de Homero hasta las últimas creaciones griegas sobre filosofía y religión. Es el principal término *psico*lógico y *psiqui*átrico empleado por Platón, la palabra de la que se sirve para hablar sobre la mente, ya sea en su estado normal o perturbada. Su traducción plantea importantes problemas, ya que es muy difícil encontrar un término del vocabulario inglés que tenga la riqueza significativa que caracteriza al original griego tal y como lo utiliza Platón. Es muy frecuente traducirlo por «alma», aunque si se tiene que elegir un término sencillo, sería preferible emplear el de «mente».

Da la impresión de que esta palabra conserva buena parte de los matices de época homérica en tiempos de Sócrates. Textos como el que hemos citado de Heráclito («los límites de la *psuchē*») parecen señalar un sentido radicalmente distinto, pero hasta llegar a Sócrates y Platón no se transformó completamente ese término [10].

Entre los principales cambios efectuados por Platón se encuentra la idea de que la psique es equivalente al yo. El nuevo sentido de psique bien podría ser una parte o parcela de la definición de esa evasiva noción llamada yo, término que no encuentra ningún equivalente en el griego clásico. En Platón localizamos un gran número de perífrasis que designan «lo mismo» o «él mismo», pero ninguna que se refiera al «yo».

El yo, que está implícitamente asociado con, o viene definido por la psique, piensa, decide, funciona, y es consciente de lo que hace. Havelock está en lo cierto cuando afirma que la psique platónica es, en algunas ocasiones, equivalente a la conciencia. Platón también afirma que la psique es un aspecto ético del yo: es el yo convertido en agente moral [11].

---

[10] Esta es una opinión minoritaria, defendida por J. Burnet en «The Socratic Doctrine of the Soul», *Proc. Brit. Acad.*, 7 (1916): 235-59; Havelock, en *Preface to Plato;* y D. Claus en «Psyche: A Study in the Language of the Self before Plato» (Yale, 1969). La teoría más aceptada cree que la psique sufrió una evolución gradual, sin que hubiese existido una «revolución» socrática.

[11] Ver Havelock, «Socratic Self». La palabra inglesa «yo» *(self)* deriva de una raíz que también se emplea para designar significados relacionados con «el grupo». Por lo tanto, la distinción originaria entre «el yo» y «el otro» parece haberse basado en la diferencia entre «nuestra tribu» y «los otros» *(AHD).*

Esta concepción de la psique como el yo pensante y que toma decisiones, es muy acusada en los diálogos más primitivos de Platón. En la *Apología* Sócrates sostiene que su misión es continuar filosofando y cuestionando mientras quede en él un aliento de vida. Su propósito es remarcar a los atenienses la suprema importancia que tiene prestar atención a la psique de cada uno (30A — B; 36C). De igual forma en el *Protágoras* podemos contemplar a Sócrates reprochando a un joven que viene de visitar al sofista Protágoras (313B):

> Pero cuando surge algo que valoras más que tu propio cuerpo, a saber, tu psique (cosa de cuyo tratamiento benéfico o perjudicial depende todo tu bienestar), entonces no consultas ni a tu propio padre... ni a ninguno de nosotros, que somos amigos tuyos, sobre la cuestión de si debes confiar o no tu psique a ese desconocido recién llegado. Antes bien procedes del modo opuesto, y después de haber escuchado las noticias por la noche... te llegas aquí nada más despuntar el alba, y no para consultarme o discutir conmigo sobre si debes o no confiar *tu yo* a Protágoras, pero estás listo para gastar tu dinero y el de tus amigos [12].

El uso que en este texto se hace de las palabras psique y «yo» contrasta con el que se hacía en las primeras líneas de la *Ilíada*: «(La cólera destructiva de Aquiles) envió a las psiques de muchos bravos guerreros al Hades, mientras ellos mismos (*autous*) eran víctimas de los perros del campo y las aves del aire». Platón argumenta que el yo no es sinónimo del cuerpo. A pesar de que no está nada claro que el filósofo haya afirmado que la psique es equiparable a la persona (o lo que es lo mismo, que la psique es la definición de la persona), un falso diálogo platónico (*Alcibíades I*) realiza esta afirmación [13].

Los diálogos de Platón de sus primeras épocas se esfuerzan por aclarar «la cosa misma», ya sea esa cosa la piedad, la virtud, la temperancia, el amor, o la justicia. Aunque Platón muy probablemente no dispuso de ningún término técnico para referirse al yo, el lenguaje de esos diálogos está repleto de frases en las que se encuentran «lo mismo», «el mismo», y todos los pronombres reflexivos, «yo mismo», «tú mismo» y «él mismo». La concepción platónica de que la psique es la parte esencial del hombre aparece siempre al lado de su esfuerzo por encontrar las características, o definiciones, esenciales de las cosas del mundo.

A pesar de que esos diálogos primitivos hacen mucho énfasis en la conexión que existe entre la psique y el «uno mismo», en otras obras de su época intermedia se introduce la idea de que la psique es una estructura y una entidad organizada. Como tal estructura no tiene una existencia material ni vaporosa (como era en Homero), ni con más razón es una sustancia física (teoría, que, en cambio, comparten De-

---

12 Traducción de T. M. Robinson, *Plato's Psychology* (Toronto, 1970), pág. 11.
13 Ibid., pág. 8. *Alcibíades I,* 13OC: «*hē psuchē estin anthrōpos*».

mócrito y los escritores médicos)[14]. A veces la psique es comparada a objetos físicos, como por ejemplo un encerado o una pajarera (*Teetetes*, 191D y 197D), pero esas analogías no sirven más que para destacar los contenidos de la psique. Las comparaciones más afortunadas y famosas realizadas por Platón de la psique como una entidad organizada son las que establece entre la psique y el estado en *La República*, y la psique y el cuerpo en el *Timeo*.

Otra gran diferencia que distancia a Platón de Homero es el vocabulario utilizado por aquél para referirse a las *actividades* de la psique, (en Homero de hecho no existía *actividad*, sino receptividad pasiva). La psique controla los impulsos recibidos por el individuo, los medita, y determina su destino dentro de la mente. Si no fuera por este proceso, pronto podría llegar a estar llena a rebosar de sensaciones, como si se tratara de un nuevo caballo troyano cargado de guerreros (*Teetetes*, 184D). (Véase también *Filebo*, 39A, y *Teetetes, 191A-E)*.

La psique se mueve por sí misma; no la mueven (Fedro, 245C - D)[15]. Un epítome de las actividades de la psique puede ser: «dirigir, normativizar, deliberar, y otros cometidos (*erga*) de este tipo» (*La República*, 353D; véase también 518B).

Platón destaca la unicidad de la mente y de los procesos mentales de muchas formas; la más importante de ellas es a través de metáforas tomadas de las matemáticas. Esta ciencia suministra unos modelos de la mente inmateriales, anantropomórficos. Este hecho puede ser la razón de que Platón asigne (en *La República*) un papel de primera importancia a la aritmética y la geometría en la educación del rey-filósofo. En el *Menón* se puede ver como Platón utiliza la noción de un «número irracional» (por ejemplo, la raíz cuadrada de 2) al lado de una noción de la virtud radicalmente diferente. Platón busca una virtud que no sea una simple suma o *ratio* de virtudes particulares, ambiciona llegar a definir la virtud en abstracto.

La idea de la inmortalidad de la psique, cuyas raíces obviamente se encuentran en Homero, sirve a Platón para destacar el carácter único e individual de la psique. Esta sólo está relacionada con el cuerpo provisionalmente.

La psique tiene que aprehender entidades materiales, pero lo debe hacer por medio de mecanismos no materiales. El conocedor es diferente del objeto del conocimiento. Platón reitera enfáticamente que lo que la mente aprehende no posee una entidad física: «lo muy hu-

---

[14] Claus, «Psyche», págs. 221-30 (Demócrito), y págs. 240-46 (escritores médicos).

[15] La idea de movimiento se encuentra frecuentemente asociada con la psique. En el *Timeo* sobre todo la psique *es* un movimiento. Tal y como G. Vlastos apunta, Platón describe los sucesos mentales como si fueran movimientos: «The Disorderly Motion in the *Timaeus*» (1939), y «Creation in the *Timaeus:* Is It a Fiction?» (1964), en *Studies in Plato's Metaphysics,* edt. por R. E. Allen (London), 1942), págs. 379-420. La significación del movimiento ordenado como opuesto al desordenado será analizada más adelante en este mismo capítulo.

mano por lo que se preocupa el verdadero conocimiento, la cualidad de los colores, de las formas, aquello visible sólo a las mentes racionales, el guía del alma» (*Fedro*, 247C). De este modo podemos entender la obra de Platón como una prolongación de los esfuerzos de los pre-socráticos por acuñar el vocabulario del discurso abstracto. Al lado de la concepción de que la mente es única, radicalmente independiente y no física, existe la noción de que los *objetos del conocimiento* tienen que ser descritos de un modo semejante. Platón poseía muchos términos para designar a esas «esencias intangibles»: seres verdaderos, ideas, formas, (por ejemplo: la idea de dios; la forma de justicia). Havelock sostiene que esas referencias a las ideas y a las formas eran eslabones sucesivos para acercarse a lo abstracto y a la definición, categorías a las cuales Platón no podía referirse por no tener términos apropiados para ello. La «definición» como concepto aparece por primera vez en Aristóteles [16]. Yendo más allá de categorizar a Platón como un filósofo idealista, nos damos cuenta de que intentó describir y entender las interrelaciones que se establecen entre las cosas y sus definiciones. Platón ayudó a descubrir lo abstracto, pero todavía no estaba seguro de donde se localizaba lo abstracto. Sin embargo, el utilizar términos posteriores, ¿tiene un status lógico u ontológico?

Concluimos, por lo tanto, que la psique está asociada con el «yo», es una estructura y tiene una organización, actúa y desarrolla su función de forma inmaterial, percibe objetos inconcretos, no materiales. Está estrechamente relacionada con el yo convertido en un agente moral, en una entidad filosofadora.

Los diálogos más primitivos (como el *Fedo*, por ejemplo) se refieren a una psique diferente y opuesta al cuerpo. Los posteriores y de la última época de Platón presentan otro esquema de la psique, según el cual ésta estaría dividida en varias partes, que en circunstancias ideales cooperarían entre ellas, pero que en la realidad es muy frecuente que se hallen en conflicto. La teoría inicial plantea algunos problemas epistemológicos serios, sobre todo en lo que se refiere a la cuestión de como una entidad no física, la mente, puede aprehender objetos físicos. Sin embargo, la necesidad de poner a punto una teoría que explicase los conflictos del hombre consigo mismo, era de mayor importancia que aquel otro tipo de cuestiones. La posición socrática en lo que se refiere a los fenómenos de hombres que actúan en contra de sus propios intereses, fue reconocer que el individuo no se equivoca a sabiendas (así aparece en el *Protágoras*). Platón se debió dar cuenta muy pronto de que este modelo era incapaz de explicar adecuada-

---

[16] Por ejemplo, *horos, Los Tópicos,* 101b39; *horismos, Poética,* 91a1. Sobre *Metafísica,* 1078b, de Aristóteles, ver R. Robinson, *Plato's Earlier Dialectic,* 2.ª edc. (Oxford, 1953), págs. 46-60. Robinson está de acuerdo en que Sócrates y Platón no poseían ningún término abstracto para designar la definición. T. Irwin cree (comunicación personal) que los ejemplos aducidos por este autor contradicen, de hecho, su conclusión.

mente los conflictos engendrados por los apetitos y pasiones, y por ello asumió un nuevo modelo que incluía dentro de la psique, y cómo diferentes partes de la misma, a la razón, a la pasión y los apetitos [17]. El lenguaje de este modelo era desvergonzadamente antropomórfico: para significar la oposición entre diferentes partes de la psique se representaba un verdadero combate entre personas diferentes dentro de un mismo individuo. La utilización de lenguajes muy elaborados y de formulaciones matemáticas para referirse a la mente debe ceder su sitio a las analogías de corte antropomórfico cuando llega la hora de analizar aquellos conflictos relacionados con la razón y los apetitos [18].

En *La República* Platón divide la psique en tres partes: la racional (*logistikon*), la afectiva (*thumoeides*), y la apetitiva (*epithumetikon*). En este esquema la parte superior (racional) está en conflicto con la inferior (apetitiva). La parte intermedia (la *thumoeides*) posee una energía y pasión que se pueden alinear indistintamente del lado de lo racional o de lo apetitivo. La parte racional representa las funciones mentales más elevadas: el conocimiento, la disección, la dirección, y la abstracción (aun cuando este último término no aparece en Platón). La parte apetitiva refleja las necesidades imperativas de la persona, como por ejemplo los placeres carnales y los instintos, pero también todos los otros tipos de urgencias perentorias, como la de atesorar dinero (que a su vez servirá para satisfacer otros nuevos deseos). Esta parte, de hecho, viene a ser el animal, la bestia salvaje, del interior de la persona, su parte imperativa, pueril, exigente. Para simbolizar esta tripartición de la psique se utilizaba a menudo la imagen de un monstruo dividido en tres partes, cada una de las cuales se correspondería respectivamente con la apetitiva, la afectiva y la racional. La primera sería una criatura de muchas cabezas como el can Cerbero: esas cabezas, pertenecientes a animales salvajes y a animales domésticos, lucharían entre sí y se devorarían unas a otras. La segunda sería un león arrogante, y la tercera, mucho más pequeña que el león, sería un hombre. Exteriormente la criatura en su conjunto tendría la apariencia de una persona humana [19]. Se puede decir que, en general, la influencia y preponderancia de la razón declina según nos vamos moviendo desde la parte racional a la afectiva, y de ésta a la apetitiva. Cada parte posee sus placeres, satisfacciones y reglas de actuación específicas (58OD). Cada una de ellas se puede comparar con un diferente tipo de persona: el amante de la sabiduría (*philosophos*) se corresponde con lo racional, el amante de la victoria (*philonikos*) con lo afectivo, y el amante del lucro (*philokerdes*) con lo apetitivo (581C).

Cada una de estas tres partes posee su propia forma característica

---

[17] Ver. T. Irwin, «Euripides and Socrates», en *Essays on Attic Tragedy*, edc. R. L. Gordon (Cambridge, en prensa).

[18] Ver W. I. Grossman y B. Simon, «Anthropomorphism: Motive, Meaning, and Casuality in Psychoanalytic Theory», *Psa. Study Child*, 24 (1969): 78-111.

[19] Paráfrasis de *La República*, 588B-589A.

de conocimiento y sus peculiares objetos de conocimiento. En los diálogos de época intermedia y tardía se considera que las partes inferiores de la psique son las encargadas de aprehender todo lo que se refiere a los elementos inferiores del mundo. La parte apetitiva acoge las percepciones sensoriales, las demandas y necesidades sensuales, los objetos concretos, particulares, mortales. A su vez, la parte racional puede llegar a conocer las cosas más generales y abstractas, lo intempóreo, lo incorpóreo, todo aquello que es resumido por el término «formas» (ideas) (*Timeo*, passim; *La República*, passim; *Fedro*, 247C). Otra expresión diferente de esta oposición es: «lo conveniente» versus «lo que es».

Podemos resumir los diferentes atributos que caracterizan a las formas superiores e inferiores de actividad mental del siguiente modo:

Partes inferiores de la mente	*Partes superiores de la mente*
Lo apetitivo.	Lo racional.
Lo somático.	Lo físico.
Procreación, el ser naciente, y lo que muere.	El verdadero ser.
La opinión (*doxa*).	El verdadero conocimiento (*epistemē*)
Lo pictórico e ilusorio.	Lo intelectual.
La oscuridad.	La luz.
El sueño.	La conciencia.
El niño.	El adulto.
La imitación.	El entendimiento abstracto.
El cambio.	Lo estable.
El conflicto.	La armonía.
La heterosexualidad.	La homosexualidad y la asexualidad [20].

En algunos diálogos, sobre todo en aquellos que de una u otra forma aluden a la crianza y formación de los niños (*La República* y *Las Leyes*), Platón sostiene que la capacidad de utilizar las partes superiores de la psique se desarrolla de un modo natural a lo largo de la vida del hombre, desde su infancia hasta la madurez. La idea platónica de que existe un conocimiento innato y una memoria posterior

[20] La imaginería sexual de Platón trae a colación temas muy complejos. Se puede decir con pocas palabras que el amor físico homosexual es el primer paso hacia el amor a la verdad, a lo bueno y a lo bello. El amor heterosexual (o sexualidad) no se considera de este modo. Tanto en *La República,* como en *El Banquete* y en el *Fedro,* las escenas de contemplación o descubrimiento de la esencia del bien están muy impregnadas de un lenguaje de fusión y trascendencia mística. En ellas se incluyen imágenes de unión sexual y reproducción, pero estas imágenes son las típicas de las fantasías sexuales pregenitales. En ninguno de los diálogos platónicos, en lo que yo conozco, se encuentra la más mínima alusión en defensa del placer heterosexual. El aspecto heterosexual de la teoría platónica de fusión con el bien destaca más el anhelo que el deseo sexual. Es muy importante tener en cuenta el homosexualismo de Platón y la relación de este aspecto de su personalidad con su filosofía, pero este tema únicamente será considerado aquí de una forma indirecta.

(anamnesis) (véase *Fedro)* nos suministra una forma diferentes de describir la relación entre las partes superiores y las inferiores. En el *Fedro* (246-56) Platón presenta, con un lenguaje poético y mito-poético, el relato de la pre-existencia de la psique, y de su conexión en dicha existencia con las formas o ideas de lo verdadero, de lo bueno y de lo bello.

El recuerdo, sin embargo, también funciona como factor transformador; a través de este proceso la mente transforma lo que recibe en algo verdaderamente mental, sin limitarse a registrarlo de una forma pasiva. El recordar esas formas permite, en las circunstancias apropiadas, convertir las representaciones sensoriales (*doxa*), que son las formas inferiores de vida mental, en verdadero conocimiento (*epistemē*)[21]. En el *Menón* Platón compara los pensamientos (*doxai*, meras opiniones) con hombrecillos mecánicos y volubles a los que el viento arrastra en todas direcciones (*Menón*, 97D - 98B). Es, entonces, la memoria la que encadena esas pequeñas figuras de tal modo que ya no podrán correr de un lado para otro descarriadas. A través de ese proceso de encadenamiento la memoria transforma las opiniones en verdadero conocimiento (véase el *Teetetes*, 197-98). Esta metáfora de los pensamientos volubles y los pensamientos amarrados y firmes aparecerá siglos después en Freud, el cual la utilizará para caracterizar la diferencia que existe entre las energías de los procesos primarios (pensamiento primitivo) y las de los procesos secundarios (pensamiento racional).

Esta imagen en la que una parte de la psique amarra y controla a la otra nos arrastra a la cuestión de los conflictos y cooperación que se establece entre las diferentes secciones de una psique parcelada. Platón, al separar al intelecto de lo apetitivo, a la razón de la pasión, se tendrá que volver a plantear el problema de armonizar adecuadamente esos extremos. En el momento que se plantea decisiones de control político, y, lo que es más importante, sobre educación, tiene que reconocer, con gran dolor por su parte, que la razón no puede prescindir de ningún modo de las emociones y los apetitos. El filósofo debe amar la sabiduría; debe gozar con ella casi de una forma lujuriosa, y no limitarse a buscarla. Platón ofreció dos constructos teoréticos principales para tender un puente a lo largo del espacio que separa al intelecto de lo apetitivo, sobre todo entre la parte intermedia de la psique, *thumoeides*, y la idea de *eros*.

En *La República* nuestro filósofo realiza un gran esfuerzo para introducir y defender la noción de la parte mediana de la psique, *thumoeides*, lo afectivo apasionado. Esta se puede aliar con la parte superior o con la inferior. Por ello se la compara con un león, ya que este animal es una criatura soberbia y regia, poderosa y destructiva en potencia, a la cual es mejor tener como vigilante que como enemi-

---

[21] Platón ha escogido un término, *doxa,* que tiene connotaciones de locura. Para ejemplificar el sentido de *doxai* como alucinaciones ver Esquilo, *Las Coéforas,* 1. 1052; también *mainomenē doxa,* en *Las Bacantes,* 1. 887 (coro).

go. Se puede encolerizar, pero se espera que su cólera sea justiciera. Es la parte que «ama el honor» y «ama la victoria». Se corresponde con el grupo de los centinelas, que son los buenos guerreros al servicio del estado. Podemos decir resumiendo que esta parte concretiza el ideal del buen ciudadano griego, el de un hombre motivado e inspirado en todo momento por los clásicos ideales aristocráticos de obtener honor y victoria a través del coraje y la excelencia competitiva [22]. Es un tipo de ciudadano que Platón consideraba indispensable para asegurar la supervivencia del estado. Por lo tanto, esta parte intermedia añade cierta dosis de eficacia a la actividad de las otras dos, la superior y la inferior. Ni la filosofía ni el apetito absoluto podrían sobrevivir sin tener un aliado de este tipo. Lo afectivo apasionado cumple una determinada función teórica: la necesidad de que haya algo que proporcione fuerza motriz a la actividad física.

Con *eros* ocurre algo muy similar, ya que es una energía transferible de la que puede disponer tanto la razón como lo apetitivo. En *El Banquete* se plantea el problema de cómo se puede conseguir que los hombres amen la verdad, lo bueno y lo bello. También en el *Fedro* se toca este tema. En *El Banquete eros* es la fuerza energética que estimula toda la actividad humana desde lo fundamental hasta lo sublime. *Eros* nos arrastra al amor y la lujuria, nos lleva a desear procrear hijos y a reproducir otras formas de posterioridad: instituciones, gobiernos, obras de arte, poesía [23]. También alimenta nuestras ansias de saber, de aprender, y de acercarnos a las formas de lo verdadero, de lo bueno y de lo bello. ¿Cuál es el origen y naturaleza de este amor? ¿En su origen procede del cuerpo y tiene a éste como destino, o llega de esferas más elevadas y puede ser corrompido? Sócrates, en su discurso sobre el *eros*, invoca cierto número de referencias míticas y alegóricas que señalan la naturaleza intermedia y mediadora de aquél [24]. No es humano ni divino; es el hijo de la Pobreza y la Abundancia. Estas afirmaciones nos sugieren que Platón no deseaba situar esta fuerza en la esfera de la mente o del cuerpo, en lo alto o en lo bajo, sino que prefería considerarla como un término energético, que compartiese operaciones y funciones de cada uno de los dos extremos.

Se podrían analizar con gran aprovechamiento muchos otros aspectos de las concepciones platónicas sobre el funcionamiento mental en estado normal. Para comprender con exactitud la psicología platónica es esencial considerar las cuestiones que se refieren al placer y al dolor, las que hacen mención a la naturaleza de las formas, y las relacionadas con las virtudes platónicas y con la estrecha conexión que es establece entre el individuo y el estado. Sin embargo, problemas

---

[22] A. W. H. Adkins, *Merit and Responsibility* (London, 1960).

[23] Compárese *El Banquete,* en el cual las referencias a la sexualidad destacan la fecundidad, con el *Fedro,* donde las imágenes sobre ella se centran en la excitación (homosexual), la erección, la penetración y la mutilación.

[24] F. M. Cornford afirma incorrectamente que, para Platón, el *eros* tiene su origen en lo alto, [«The Doctrine of Eros in Plato's Symposium», en *The Unwritten Philosophy* (Cambridge, 1950)].

de tiempo y espacio nos obligan a abandonar esos otros caminos de investigación y a centrarnos en aquél otro que nos llevará al tremendal de los trastornos y desórdenes de la psique, y a la esperanza de su curación.

PERTURBACIONES DE LA RAZÓN

Para Platón la filosofía debe estar al servicio de lo racional y en contra de lo irracional. Al igual que un general que precisa conocer con precisión al enemigo astuto, Platón se dedica a recorrer y explorar con minuciosidad el territorio de lo irracional[25]. Nuestro filósofo aprendió a respetar su poder y a contar con sus formas poéticas, cambiantes. Sin embargo lo describió con tanta exactitud que casi sospechamos que él hablaba a partir de un profundo conocimiento personal. A pesar de ser un racionalista por excelencia, nunca renunció completamente a cierta admiración por lo irracional, tal y como evidencia la máxima socrática de que «nuestros grandes beneficios nos llegan a través de la locura».

Platón conocía perfectamente esas formas de locura que estaban asociadas (o pensaba él que lo estaban) con los trastornos del cuerpo, pero de las cuales se interesaban los médicos del cuerpo. El, como médico de la psique, centraba su interés sobre las enfermedades del entendimiento que llevan al hombre a actuar en contra de sus propios y auténticos intereses; su interés se concentraba sobre la locura de las decisiones inmorales[26].

Platón tuvo que haber visto la representación de las grandes tragedias sobre la locura de los dramaturgos griegos, pero sin duda pronto percibió que la demencia simulada sobre las tablas no era nada comparada con el estado de ruptura interna que acaece dentro de un individuo cuando enloquece. Para Platón la locura de la persona y la locura del estado entran en el mismo saco.

En *La República* desarrolla su tesis de que la estructura de la psique y la estructura del estado son paralelas, que viendo la organización del estado podemos encontrar en ella escrita con letras mayúsculas la organización de la psique. A pesar de que no parece haber privilegiado la psique como origen de las «formas y rasgos» del estado,

25 Ver Jenofonte, *Recuerdos de Sócrates,* 1.1.15-18, en donde se afirma que las preguntas «¿Qué es la *sōphrosune?*» y «Qué es la *mania?*» son tópicas de la investigación socrática. Téngase en cuenta que el primer *elenchus* (argumento) de *La República* trata el caso de si es o no es justo devolver el arma a un loco que te la haya entregado previamente (331C-D). Ver el estudio y notas bibliográficas de W. Leibbrand y A. Wettley, *Der Wahnsinn* (Freiburg, 1961), págs. 59-66. También Brès, *Psychologie de Platon,* págs. 287-319.

26 No fue Platón el que creó la alusión metafórica «enfermedad de la psique», pero sí la utilizó profusamente (F. Kudlien, «Krankbeitsmetaphorik in Laurentiusshymmus des Prudentius», *Hermes,* 90 (1962): 104-115; F. Wehrlis, «Ethik und Medizin: zur Vorgeschichte der aristotelischen Mesonlehre», *Mus. Helvet.,* 8 (1951): 36-62, y «Der Artzvergleich bei Plato», ibid., págs. 177-84.

Platón no tuvo ninguna duda sobre la interdependencia de ambos conjuntos[27].

En el Libro 4 compara la parte racional de la psique con el rey filósofo, la afectiva con los guerreros, y la apetitiva con la masa de ciudadanos, dentro de la cual también se incluían los artesanos.

Sus definiciones sobre la locura y la enfermedad de la psique se extendieron a lo largo de todo el conjunto de este diálogo por medio del entretejimiento de la psicología con la teoría política. Resumiendo: la justicia es salud, tanto en la psique como en el estado, y la injusticia es malestar. Pero, ¿qué es la justicia? A lo largo de los primeros libros de *La República* se discute esta cuestión tan importante, y ya en el Libro 4 emerge la solución platónica. La justicia surge en el estado cuando un individuo se dedica a sus asuntos personales, pero al mismo tiempo desempeña aquellas tares que son propias de su clase, y su trabajo sirve, además, para afirmar y consolidar el estado. A su vez, en la psique la justicia aparece cuando cada parte de aquélla realiza su función específica, teniendo siempre al *logistikon* de guía y señor. Sólo de esta forma puede ser el hombre una unidad, «un elemento individualizado del resto, auto-controlado y bien armonizado» (*hena genomenon ek pollōn, sōphrone kai hermosmenon)* (443E). La *sophia,* la sabiduría fisolófica, es el conocimiento *(episteme)* que puede dirigir ese proceso de unificación. *Doxa,* apariencia, mera opinión, y *amathia*, ignorancia, amenazan con destruir el equilibrio apropiado. *Sōphrōn* se traduce por «auto-controlado», y con ello se denota temperancia, decencia sexual y salud. La injusticia es *polupragmosunē*, que significa que una parte determinada ejecuta varias funciones a la vez.

La equiparación de la justicia con la salud, y de la injusticia con la enfermedad, se llega a hacer explícita (444D - E):

> La salud se consigue al ordenar todos los elementos del cuerpo según una relación natural de dominación de unos por otros, en tanto que los trastornos se originan cuando ese mismo cuerpo es gobernado por reglas contrarias a la naturaleza... ¿Y acaso la justicia en el alma no se consigue cuando sus reglas de conducta también son ordenadas según una relación natural de control de unas por otras, en tanto que la injusticia se deriva de que ese mismo alma sea gobernada por reglas de actuación contrarias a la naturaleza?[28].

El orden es la esencia de la justicia y de la salud de la psique, y el conflicto, en cambio, concreta la injusticia y la enfermedad. En general no se ha tenido en cuenta que Platón, en este punto, efectúa una transformación muy sutil de las nociones de la medicina griega

[27] Ver J. Neu, «Plato's Analogy of State and Individual: *The Republic* and the Organic Theory of the State», *Philosophy,* 46 (1971): 236-54.

[28] Traducción de P. Shorey, *Plato: The Republic,* LCL (Cambridge, Mass., 1946).

contemporánea de él[29]. La medicina hipocrática señalaba que la salud se deriva del ajustado equilibrio de los humores (y/o cualidades) básicas corporales; el predominio de un humor sobre otro podía ocasionar la enfermedad. Desde la perspectiva de Platón, equilibrio y armonía en realidad significan que la parte inferior *esté dominada* por la superior.

A lo largo de toda la obra platónica encontramos la referencia a la «enfermedad de la psique» como una metáfora de las perturbaciones indeseables de aquélla; sin embargo, no en todos sus escritos se utiliza con el preciso sentido con el que se encuentra en las anteriores citas de *La República.* En *El Sofista* (227E - 28E) las enfermedades de la psique son equiparadas con defectos y éstos lo son con la discordia. «La cobardía, la intemperancia y la injusticia, ...todas son formas de enfermedad de la psique». Estos tres defectos son la antinomia de tres de las cuatro virtudes cardinales de Platón: el coraje, la temperancia y la justicia (la cuarta es la sabiduría). Lo opuesto a la sabiduría es la ignorancia, y en *El Timeo* ésta es calificada como una dolencia de la psique que está íntimamente relacionada con la locura. Una vez terminada su discusión sobre las enfermedades del cuerpo, Platón se dispone a considerar las enfermedades de la psique (86B):

> De esta forma acaecen las dolencias del cuerpo; las del alma, que son debidas a la condición del cuerpo, se originan de la siguiente forma. Debemos reconocer que la locura (*anoia*) es una enfermedad del alma, y que existen dos tipos de locura: uno de ellos es la locura propiamente dicha (*mania*), y el otro es la ignorancia (*amathia*). Cualquier sentimiento que atosigue a un hombre, siempre que envuelva alguna de estas condiciones, deberá ser denominado «enfermedad»; y debemos estar de acuerdo en que las enfermedades más grandes del alma son los placeres y esfuerzos desmesurados[30].

Por lo tanto, en Platón se hallan interrelacionados dos temas: por un lado el de la enfermedad de la psique en cuanto discordia, y por otro la enfermedad de la psique en cuanto ignorancia.

Uno de los muchos tipos de ignorancia, quizás el más pernicioso, es la propia ignorancia, el auto-engaño. Sócrates es presentado en innumerables ocasiones proclamando su desconocimiento, afirmando que su sabiduría consiste en saber que no sabe nada. Jenofonte, discípulo de Sócrates y Platón mucho menos filosófico, epitomiza perfectamente la posición socrática:

> Llama locura (*manía*) a aquello que es lo opuesto de la sabiduría, aunque, ciertamente, no equipara la ignorancia con la locura. A

---

[29] Esto me fue sugerido en primer lugar por T. Irwin, haciéndose evidente más tarde en mis propias investigaciones sobre las metáforas políticas de los escritos médicos. Véase también G. Vlastos, «Slavery in Plato's Thought» o «Isonomia Politikē», en su *Platonic Studies,* págs. 147-203.

[30] Traducción de R. G. Bury, *Plato,* vol. 8, LCL (London, 1920).

pesar de todo cree que no conocerse a sí mismo, e imaginar que uno sabe todas las cosas que él sabe que no sabe, es lo que más cerca puede estar de la locura completa. (*Memorables de Sócrates* III, IX, 6)[31].

En Platón la ignorancia y el conocimiento constituyen una popularidad central, y a lo largo de sus diálogos varía el énfasis que se hace en cada una de estas dos nociones. En los más primitivos (los socráticos) se hace hincapié en el «conócete a tí mismo». En los diálogos posteriores y de época tardía, el concimiento de lo abstracto, de lo racional y del universo de las ideas, se convierte en el ideal más importante. Este conocimiento es la buena moral. La ignorancia es equiparada con (o causada por todo) lo temporal, lo ilusorio, lo corpóreo y lo sensual. La excesiva pasión, el orgullo arrollador, y las irreprimibles ansias de poder, pueden llegar a interferir la adquisición del conocimiento; de hecho son tipos diferentes de locura. El placer y el esfuerzo desmesurado son, en última instancia, las causas de la ignorancia o intemperancia (véase, por ejemplo, *La República*, 402E - 403).

En esta misma obra la descripción del hombre despótico (tirano) se efectúa por medio de metáforas de la incontinencia, de lujuria desenfrenada y de locura (573A - C).

A continuación se derrumba la protección del alma y el cuerpo guardián se empieza a comportar como un loco, y si encuentra en el hombre alguna opinión o apetito que todavía sea justificado, respetable y capaz de avergonzarse, los elimina y arrincona hasta que consigue quitarle toda su sobriedad, y henchirlo e infectarlo con un extravío procedente del exterior... Y así, una vez más, el hombre loco, trastornado, intenta y ansía dominar no sólo a los hombres, sino también a los dioses...... El hombre se hace tiránico en el pleno sentido de la palabra, cuando por naturaleza o por costumbre, o por ambas cosas a la vez, se empieza a comportar como el borracho, el erótico o el maníaco (*melancholikos*)[32].

Platón detalla los deseos de la parte irracional y salvaje de la psique como si fueran un elemento más de la descripción del tirano. Entre esos deseos incluye los complejos edípicos reprimidos[33]. Durante el sueño, cuando se relaja la parte racional de la psique y su centinela se pone a dormir,

la parte bestial y salvaje, llena a rebosar de comida y vino, juguetea y, renunciando al sueño, se dedica a satisfacer sus propios instintos (*ēthē*). Sabes bien que en tales casos no hay nada que no se atreva a acometer, liberándose de todo sentimiento de vergüenza o mesura. No dejará de intentar acostarse con su madre (o así lo

[31] Traducción mía. Ver también Platón, *La República,* 571D; y *Las Leyes,* 689A.
[32] La traducción de este pasaje y de los siguientes está tomada de Shorey, *Plato: The Republic.*
[33] Ver Freud, *Interpretation of Dreams,* SE, 4: 67; 5: 620.

cree), o con cualquier hombre, dios o bestia [34]. Está preparada para realizar crímenes detestables; no se priva de comida, y, en una palabra, se rinde a una extremada locura y desvergüenza (571C - D).

En todos nosotros, incluso en el más respetable y de mejor reputación, existe una fuente de deseos salvajes, terribles, fuera de toda norma, y que, según parece, nos son revelados a nosotros durante nuestros sueños (572B).

En algunas orientaciones del pensamiento platónico encontramos la implicación de que la cordura es la forma más racional de reflexión, y la locura la menor. Las formas (ideas) son estables, inmutables, «seres», en tanto que todo lo demás se limita a ser «lo que llegará a ser». El universo de las *doxa*, opiniones, nace y muere, está sujeto a múltiples cambios y variaciones.

Todo el pensamiento platónico está saturado de este temor a los cambios desmesurados, demasiados amplios, a la excesiva variación (y a la excitación desproporcionada). En términos más cosmológicos, como los que aparecen en el *Timeo*, la oposición que existe entre los requerimientos regulares, organizados y periódicos, de un lado, y del otro los requerimientos salvajes y mutables, se encuentra entretejida con el constraste entre *psuchē* y *sōma*, entre las ideas y las cosas sensibles. El requerimiento irregular se identifica con los desórdenes físicos, morales y cósmicos (véase, por ejemplo, *Timeo*, 43 - 44; y *Las Leyes*, 897C).

En las discusiones sobre la música y el drama se puede constatar este interés por destacar el cambio salvaje versus el ordenado, (se puede consultar, por ejemplo, *La República*, libro 3 en su conjunto, y en especial las secciones 392-403). Sócrates habla de ritmos musicales y de representaciones dramáticas que son muy tranquilas, dotadas de pequeñas graduaciones y más o menos uniformes. En ellas no están permitidas las emociones fuertes o las cacofonías repentinas. No duda en condenar los ritmos que resultan «apropiados para facilitar la liberalidad e insolencia, o la locura y otras muchas perversiones» (*La República*, 400B). La música no debe ser demasiado licenciosa o demasiado provocativa.

En claro contraste con lo anterior, Platón sitúa entre los más altos valores la armonía, la simetría y la temperancia (*sōphrosunē*). En este punto Platón se extiende sobre un valor griego fundamental, y que vendría expresado, por ejemplo, en el aforismo délfico «Nada en exceso». Este interés por la armonía y el equilibrio es la otra cara de la moneda de la preocupación del filósofo por los conflictos, sobre todo por aquellos conflictos que tienen lugar entre las diferentes partes de la psique. El dominio de lo racional es lo más armonioso.

Si se hiciera caso de la concepción platónica sobre la salud y la enfermedad mental, entonces la mayor parte de los hombres estaría-

---

[34] «Así lo cree» es mi versión de *hos oietai*, traducido por Shorey como «en sueños».

mos locos. El filósofo es el único que puede afirmar que está sano, y los hombres que pueden llegar a filósofos son muy escasos (ver *La República*, 491B). Sólo Sócrates, con su perseverancia en poner en práctica los dichos de «Conócete a tí mismo» y «Nada en exceso» (excepto la filosofía, desde luego), y con su buena disposición para buscar la verdad, y para morir por la creencia de que «la vida no examinada no merece ser vivida», estaba sano.

Los orígenes de la locura

Pero, ¿cuál es la opinión de Platón sobre la causa de la perversión, enfermedad y locura humana? En el *Timeo*, obra en la que presenta su versión mítica de la creación del hombre y del cosmos, Platón manifiesta un profundo desacuerdo con la naturaleza humana. El demiurgo, el artesano que modeló al hombre, no podía llevar a cabo su labor sin contar con ciertas limitaciones, que estaban constituidas por las emociones, «terribles e irresistibles».

> (Estos poderes que crearon al hombre) recibieron.... del alma la regla inmortal de actuación; y alrededor de ella procedieron a modelar el cuerpo mortal, lo convirtieron en el soporte del alma, y construyeron dentro del cuerpo un alma de diferente naturaleza, mortal y sujeta a sentimientos terribles e irresistibles: el primero de todos ellos es el placer, el más grande estímulo de las perversidades, a continuación la fatiga, que disuade a las personas de todo lo bueno; también la audacia y el miedo, ambos malos consejeros, se enfurecían si eran apaciguadas y esperaban extraviarse con facilidad; todo esto lo mezclaban con el sentido irracional y con todo aquello con lo que se atreve el amor de acuerdo con las leyes necesarias, y de este modo formaron al hombre (*Timeo*, 69C-D)[35].

¿Existe una «teoría psicológica» que sea equivalente a esta versión mitológica? En pocas palabras se puede decir que, según las reformas que Platón sugiere en *La República*, la familia es la causante de que todos nosotros nos convirtamos en esa imperfecta criatura denominada hombre. La propuesta platónica de sustitución de la familia por una clase de guardias, demuestra que el filósofo había alcanzado un profundo, aunque perverso, entendimiento del importantísimo papel psicológico que sobre el desarrollo infantil ejercen las circunstancias familiares más tempranas. Sus argumentos de que el mito es una fuerza de influencia perniciosa para la formación del niño, y de que la poesía y el teatro subvierten la vida del adulto, se basan en el convencimiento del poder de la *mimēsis*. *Mimēsis*, en su concepción platónica, designa una mezcla de imitación e identificación, que son dos componentes de primera importancia de la educación infan-

---

[35] Traducción de Platón, *The Dialogues*, trad. B. Jowett, 3.ª edc. (1982; reimpreso en Oxford, 1924).

til. Las recomendaciones hechas por el filósofo de que se prohiba contar relatos sangrientos a los niños griegos, demuestra que el filósofo conocía los deseos reprimidos infantiles y las angustias que van unidos a aquellos; canibalismo, parricidio, castración.

La interpretación platónica de los orígenes de la imperfección humana incluyen el hecho de las diferencias sexuales entre los hombres y las mujeres, y la relación entre el coito y la concepción. Es evidente que, para el filósofo, las diferencias sexuales son más una fuente de conflicto que de armonía. En la prolongación del mito del *político* se ve que el intercambio y la reproducción sexual caracterizan a esa parte de la vida humana en la cual *no* es el dios el que lleva el timón, y en la que, además, todas las motivaciones son salvajes, mutables e impulsivas. Al contrario, durante los períodos en los que el dios guía el volante y los móviles de la actuación humana están dirigidos por el bien y la perfección, la concepción no se deriva de la cópula. Los hombres surgen de la tierra ancianos, y a medida que crecen se van haciendo jóvenes. En *La República* Platón configura la «mentira noble» que él cree necesario contar a la comunidad, y sobre todo a los guardias: éstos no nacen de mujeres, sino de la tierra, que es su madre común [36].

Podemos llevar el análisis un poco más allá. Si nosotros revisamos las listas de los rasgos característicos de las partes inferiores y superiores de la mente (páginas 247 y 248), y acto seguido consideramos esta última proposición (la denigración que Platón hace de las diferencias sexuales y del acto sexual como método de procreación), surge un esquema sencillo pero coherente.

Observemos los items de la lista: oscuridad; cambio; sueño; conflicto; procreación; ser naciente y muriente; y heterosexualidad. ¿Se pueden reducir todos ellos a una sencilla estructura que los unifique? Yo creo que sí, y que, además, podemos entender mejor esa unificación pensándola en términos de una experiencia infantil determinada y de sus fantasías concomitantes: considerándola una fantasía derivada de una *escena primitiva*. Esta interpreción se basa en que todos esos términos se pueden identificar con facilidad con las fantasías infantiles conscientes y con las imágenes inconscientes de los adultos que persisten en ellos, sobre las relaciones sexuales de los padres. Una reconstrucción de este tipo une entre sí temas muy diversos del sistema platónico, y añade una nueva e importante dimensión a nuestra comprensión del significado de la ignorancia y la locura en la obra de Platón. Esta discusión también ilustrará un aspecto de la historia de la psiquiatría dejado de lado hasta el momento presente, a saber, el estudio de las fantasías inconscientes que sobre la locura pueden aparecer en cualquier época o cultura. Clínicamente, cuando un enfermo dice «Yo estoy loco», debemos prepararnos para entender cual es el sentido idiosincrático de esa afirmación del paciente; ya que, para algunos, eso puede significar que el individuo ha perdido su inteli-

[36] *El Político,* 268E-274E, sobre todo 271A; *La República,* 414B-15D.

gencia, en tanto que otros entenderán que no es capaz de controlar su cólera criminal o sus impulsos sexuales reprimidos, y otros, en fin, creerán que se rinde a un estado de desamparo infantil. De este modo, a través de la analogía, entenderemos las imágenes y motivos que aparecen recurrentemente a lo largo de todos los diálogos, y que apuntan hacia un significado específico de la locura.

¿Qué debemos entender cuando hablamos de «escena primitiva», de «traumas» y «fantasías» derivadas de una «escena primitiva»? [37]. Durante el psicoanálisis de algunos adultos, Freud descubrió recuerdos, sueños, fantasías conscientes y experiencias corporales que, una vez analizadas, parecían hacer referencia a testimonios o descubrimientos infantiles de las relaciones sexuales de los padres, a la contemplación, por lo tanto, de una escena primitiva. De vez en cuando las reconstrucciones psicoanalíticas de las vivencias infantiles pudieron ser verificadas por nuevas fuentes de información. Uno de los más claros ejemplos de ello fue la Princesa María Bonaparte. Freud había supuesto que, a pesar de haber sido huérfana, había tenido ocasión de contemplar en repetias ocasiones la cópula de personas adultas, aunque ella no recordaba ninguna experiencia de este tipo y, además, pensaba que ello era poco verosímil. Pero posteriormente se enteró a través de su viejo cochero que ella, de niña, había estado presente en muchas ocasiones en la misma habitación en la que él se había acostado con su niñera [38]. Sin embargo, lo más frecuente era que estas reconstrucciones fuesen suministradas por el material reunido a lo largo de los análisis. La verificación de la realidad de estas recomposiciones lo aportaba tanto su efecto terapéutico, como su plausibilidad cognitiva y afectiva en conjunto [39].

En algunas ocasiones las personas que participan en los análisis, son conscientes de haber contemplado de niños los actos sexuales de sus padres, o de otros adultos. Este tipo de personas nos muestran la correlación que existe entre ciertas fantasías de los adultos y las experiencias traumáticas de su infancia [40]. Estos individuos son muy propensos a desarrollar agudas reacciones defensivas ante esas manifestaciones, y pueden llegar a mostrar fuertes obsesiones sexuales, intensas ansias exhibicionistas, y toda una amplia variedad de perversiones, incluyendo una actitud pseudo-estúpida en algunos momentos. Perturbaciones del sueño y miedo a la muerte pueden ser otros síntomas.

---

[37] La mejor revisión y evaluación crítica de este tema es A. Esman, «The Primal Scene: A Rewiew and Reconsideration», *Psa. Study Child,* 28 (1973): 49-82.

[38] M. Bonaparte, «Notes on the Analytic Discovery of a Primal Scene», Psa. Study Child, 1 (1945): 119-25.

[39] En especial el análisis de Freud del «hombre lobo» y de sus sueños, SE, 17: 29-47.

[40] Ver P. Greenacre, «The Primal Scene and the Sense of Reality», *Psa. Q.,* 42 (1973): 10-41, y W. A. Meyers, «Split Self-Representation adn the Primal Scene», *Psa. Q.,* 42 (1973): 525-38. Ver asimismo N. Simon, «Primal Scene, Primary Objects, and *Nature Morte:* A Psychoanalytic Study of Mark Gertler», *Int. Rev. Psa.,* 4 (1977): 61-70.

Es indudable que las causas que llevan a los padres a realizar los actos sexuales a la vista de sus hijos, desempeñan un importante papel en la configuración del trauma, así como en su naturaleza y dimensión. En aquellas partes del mundo en las que toda la familia duerme en la misma habitación (o, incluso, en la misma cama), los padres manifiestan su sexualidad en presencia de los hijos por necesidad, y no por ansias exhibicionistas o sádicas insatisfechas. Los padres que poseen intimidad, pero que *prefieren* introducir a sus hijos en el lecho matrimonial, suelen actuar de este modo llevados por sus propios conflictos, y por ello dichos conflictos ejercerán una considerable influencia sobre los niños. Es falso que estos actos *no* tengan ningún efecto en el desarrollo de las criaturas, aún cuando sean ocasionales. A pesar de todo, ciertos detalles del marco social, y de las motivaciones de los padres, así como la posibilidad de que el niño pueda descargar su propia excitación, pueden hacer que la escena sea menos traumática, neutra, o incluso positiva, aún cuando son muy poco frecuentes los testimonios que sostengan esta última contingencia[41].

A lo largo del psicoanálisis de la mayor parte, sino de todos, los pacientes, surge una gran cantidad de material en forma de fantasías, sueños y comportamientos, que lleva el sello de haberse gestado bajo la influencia de la contemplación de una escena primitiva, aunque no resulta fácil reconstruir una escena concreta o un conjunto de ellas. A toda esa serie de datos le denominamos *fantasías* derivadas de una escena primitiva, en vez de *traumas*, ya que este último término queda estrictamente reservado para aplicarlo a los pacientes que conservan plena conciencia de haber presenciado una escena de este tipo, ya fuese de una forma ocasional o regular. Les llamamos fantasías derivadas de una *escena primitiva* porque manifiestan una gran semejanza con las fantasías de aquellas personas que muestran síntomas o huellas de contemplar en la actualidad escenas como las descritas. Las fantasías que se derivan de estas escenas son muy frecuentes, quizás universales, pero su influencia sobre la vida mental es muy variable. Aunque no tenemos ninguna certeza sobre los orígenes y significación de estas fantasías, podemos suponer que se incorporan a las teorías que los niños se hacen sobre la reproducción y las relaciones sexuales. El material que alimenta estas recreaciones infantiles viene suministrado por los pocos datos y observaciones que los niños pueden llegar a entrever de la sexualidad de los adultos. A continuación estas teorías se imaginan con la fantasía que caracteriza a las diferentes edades de los niños. Por lo tanto, en las fantasías relacionadas con las escenas primitivas se conjunga al mismo tiempo la expresión del conocimiento y de las ansias infantiles.

¿Cuáles son las principales características de las fantasías relacionadas con las escenas primitivas, ya hayan derivado o no, de la con-

---

[41] Apuntado por Esman en «Primal Scene», 73 y por G. Devereux, «Primal Scene», and Juvenile Heterosexuality in Mohave Society», en *Psychoanalysis and Culture,* edt. por G. B. Wilbur y W. Muensterberger (New York, 1951), págs. 90-117.

templación de una escena de este tipo? Dicha escena puede dar la impresión de que es un ataque sádico de un cónyuge contra el otro, o de los dos a la vez. Es posible que el niño no entienda ni sepa de qué sexo es cada uno de los dos cónyuges, quien es el que posee un pene y quien es el que está haciendo algo al otro. La inmadurez mental del niño, la oscuridad, y un estado de somnolencia o leve delirio, son factores que facilitan el confusionismo del pequeño. En la escena que el niño observa puede llegar a existir cierta confusión de los límites entre él y sus padres, confusión que probablemente aumentará debido a la excitación que la criatura contempla pero que no es capaz de entender o copiar. A menudo es frecuente que el niño que presencia una escena de este tipo desarrolle una sensación de soledad y exclusión, y con ello se acentúan sus sentimientos de celo y posesión. Por un lado lo que él ve le resultará fascinante, pero por otro le impresionará. No puede ver, y sin embargo, aún estando inmóvil, abrirá enormemente los ojos. El niño tiene una sensación de inmovilidad, pero también de vértigo o de estar flotando. A veces su excitación puede culminar en una pérdida del control de su vientre o vejiga, o en náuseas y vómitos [42]. (Esos mismos actos corporales también pueden llegar a representar la simbolización infantil de la actividad sexual de los padres. Un niño pequeño explica como hacen los bebés sus padres: se ponen sus pijamas y se meten en el baño; allí comen un montón de azúcar, hasta que se sienten mal, y entonces vomitan). Las fantasías de este tipo a menudo se imaginan que la escena es en realidad un show, una representación que toma lugar sobre la arena [43]. En última instancia el niño relacionará todos estos sucesos con el nacimiento de nuevos hermanitos.

De este modo, el niño asocia la confusa, oscura y agresiva escena del coito de sus padres con la desafortunada llegada de unos niños que le robarán a aquéllos.

Ahora ya podemos volver a exponer nuestra hipótesis con mayor claridad: el sentido inconsciente esencial con el que aparece concebida la locura en los diálogos platónicos, es el mismo que se encuentra en las confusas percepciones de los niños sobre las salvajes y violentas relaciones sexuales de sus padres. La anterior inferencia se desprende de las imágenes y el contexto global de todos aquellos diálogos que tratan de algún modo de la locura. En la ecuación anterior se encuentran los dos rasgos principales que caracterizan la concep-

---

[42] William Faulner, *Light in August* (New York, 1950), págs. 104-107, ofrece una brillante descripción de un caso de este tipo.

[43] Las objeciones que Platón hace al teatro muy posiblemente pudiesen ser un corolario de este hecho. Es decir, para él el contemplar una representación cualquiera está impregnado de fantasías derivadas de las escenas primitivas. En cierto sentido esta escena es un teatro malo, ya que representa una ruptura de límites excesiva, una intriga pobremente modulada y una fantasía insublimada. Ver H. Edelheit, «Mythopoiesis and the Primal Scene», *Psa. Study Soc.*, 5 (1971): 212-33 (que debe ser tomada *cum grano salis*), y D. Dervin, «The Primal Scene and the Technology of Perception in Theatre and Film», *Psa. R.*, 62 (1975): 269-304.

ción platónica de la locura, según la cual ésta es impulso desenfrenado e ignorancia a la vez. La impetuosidad de la escena primitiva está asociada con la falta de control de los instintos y apetitos; a su vez, su aspecto terrorífico, aunque fascinante, se relaciona con la ausencia de luz y la ignorancia. Mientras no se puedan controlar o abolir las fantasías ligadas a estas escenas, no se podrá poner coto a los instintos ni descorrer el velo de la ignorancia. La filosofía aporta nuevos métodos de observación y nuevos objetos de búsqueda, y por ello sirve para liberar a los hombres de su ceguera y locura.

Hay otro aspecto de la escena primitiva de gran importancia para entender a Platón, y es el funcionamiento de dicha escena como focalizadora de los sentimientos de exclusividad, posesión y rivalidad. El consciente de Platón anhela minimizar todas esas emociones, ya que en realidad constituyen un impedimento para alcanzar la salud política. Por esta razón toda la investigación filosófica viene a ser una reflexión sobre la preocupación inconsciente por la escena primitiva. El cariño fraternal únicamente puede reemplazar a los sentimientos fraticidas si se consigue volver irrelevantes las connotaciones sexuales de aquella escena.

Debemos admitir que esta hipótesis es mera especulación, en especial si deseamos realizar ciertas afirmaciones referentes al autor de los diálogos, a Platón mismo. Aunque no podamos probar su validez, podemos demostrar su utilidad para explicar muchos aspectos de la psicología, epistemología y teoría política platónica.

He aludido más arriba a la aparente disconformidad de Platón con la idea de que la procreación depende de las relaciones sexuales; pero vale la pena analizar la amplitud de su desdén y su desconfianza en todo lo que sea sexualidad muy intensa, homosexualidad incluida. La heterosexualidad es un mal necesario, cuando se limita a facilitar la procreación. Pero únicamente se considera un bien relativo la sexualidad en aquellas expresiones más rareficadas de ella en las que aparece en unión mística con las formas, con las ideas. El verdadero filósofo debe trascender, incluso, la homosexualidad, si es que quiere penetrar en los niveles más elevados de la verdad [44].

El Banquete contiene un mito que representa una *feliz* fantasía de una escena primitiva, y ese mito es rechazado por Sócrates. Me refiero al mito sobre los orígenes de los deseos sexuales que es referido por Aristófanes (189E - 190A); Noel Bradley ha sagazmente interpretado y considerado que este relato mítico es una fantasía sobre una escena primitiva [45]:

---

[44] H. Kelsen, «Platonic Love», *Am. Im.*, 3 (1949): 1-70, es el estudio más amplio sobre la homosexualidad platónica. G. Vlastos, «The Individual es Object of Love in Plato», en sus *Platonic Studies,* págs. 3-42, estudia las interrelaciones entre la homosexualidad de Platón y su sentido del amor (la discusión es muy confusa en algunos aspectos, y resultaría beneficiada con unas formulaciones psicodinámicas más precisas). La interesante y útil recensión de Clay (citada en la nota 3) desafortunadamente no ayuda a deshacer esta confusión.

[45] «Primal Scene Experience in Human Evolution and Its Phantasy Derivativees», *Psa. Study Soc.*, 4 (1967): 34-79.

En sus orígenes los sexos no eran dos como son ahora, sino tres; había hombres, mujeres, y el resultado de la mezcla de los dos, este último sexo, que poseía un nombre que se correspondía con su doble naturaleza, tuvo una existencia real, aunque en la actualidad se ha perdido, y la palabra «andrógino» se utiliza exclusivamente como un término de reproche. En segundo lugar, el hombre primitivo era redondo, su trasero y sus costados formaban un círculo; tenía cuatro manos y cuatro pies, una cabeza y dos rostros, que giraban en sentidos opuestos, y giraban sobre un cuello redondo; tenían, además, cuatro orejas, dos miembros secretos, y en el resto eran iguales que nosotros.

Podía andar derecho del mismo modo que los hombres actuales, y hacia adelante o hacia atrás, como le apeteciese, también podía andar a rolos muy rápido, volviéndose sobre sus cuatro manos y sus cuatro pies, ocho en total, como los equilibristas que andan con sus piernas levantadas [46].

La interpretación de Bradley se apoya en esa confusión de la identidad personal y sexual, en la estrambótica situación de los miembros y genitales, y en el rápido movimiento de forma de rollo. Al punto nos viene a la memoria la «bestia de dos espaldas», giro con el que Shakespeare describía al hombre y a la mujer en pleno coito. Entre el material que poseemos de fantasías relacionadas con la escena primitiva se encuentran monstruos híbridos que representan al ayuntamiento de los padres. Aunque en toda la mitología griega están omnipresentes las criaturas compuestas, del tipo del centauro, la esfinge o la quimera, Platón se inventa otras más que utiliza para simbolizar la psique humana (véase más arriba la pág. 246; también *La República*, 588B - 589A).

Hay otro elemento más de la psicología platónica que también nos trae a este mismo punto, y es su antipatía por los conflictos y su concepción de que la injusticia es *polupragmosunē*, esto es, ser y hacer muchas cosas a la vez. Considérese la censura que Platón hace de la tragedia (este tema será discutido en un capítulo posterior): selecciona los peligros que van ligados a la *mimēsis* (imitación o imitación-identificación), y aporta el siguiente ejemplo de una situación indeseable sobre el escenario (395D - E):

(No se permitirá a los jóvenes de la República) representar las funciones de las mujeres, ni imitar las riñas de las esposas jóvenes o viejas con sus maridos, desafiando a los cielos, jactándose a gritos, dichosas en su arrogancia, o desdichadas y poseídas por el dolor y la lamentación, más exaltadas que una mujer enferma, ya sea de amor o de laboriosidad [47].

El temor de Platón ante una posible confusión de sexos de este tipo es, de hecho, una reminiscencia de la confusión entre hombre y mu-

---

[46] Traducción de Platón, *Dialogues,* traducidos por Jowett.
[47] Ibidem.

jer que se encuentra en las fantasías relacionadas con la escena primitiva.

Pero volvamos a considerar la estructura de *La República* de una forma global, como un conjunto. Yo creo que un aspecto *inconsciente*, pero fundamental, del modelo que Platón hace de su estado ideal es su vigoroso deseo de proteger a la élite y a los guardianes de los traumas derivados de las escenas primitivas así como de sus consecuencias. Esta aspiración inconsciente unifica las diferentes teorías de Platón de cómo tratar el conflicto tanto dentro de la psique como dentro del estado. El diálogo transcurre durante un día de fiesta de la Atenas del 410 a.C. La fiesta se commemora en honor de una deidad relativamente nueva en Atenas, la diosa Bendis [48]. Su culto tracio debió ser en origen de tipo orgiástico, y, al igual que otros cultos de ese mismo tipo, fue reprimido por los atenienses. Las alusiones a una religión orgiástica ayudan a configurar el escenario en el que se desenvuelve el diálogo, que, como es bien sabido, considera el problema de la razón *versus* la pasión y de cómo se pueden mezclar ambos polos opuestos. Después de las festividades diurnas, Sócrates es invitado a asistir a las celebraciones que tienen lugar durante la noche (*pannuchida*), y el diálogo discurrirá a lo largo de las horas de oscuridad. Desparramadas por todas partes aparecen contínuas referencias a la noche, a los terrores nocturnos (330E), a los dioses que se disfrazan aprovechando las tinieblas (381E), y batallas que transcurren durante la oscuridad (520C-D).

Todo en esta obra sugiere un interés fundamental por lo que acaece durante la noche (véase también 377, 379-80).

Una de las principales alegorías de este diálogo, el mito de la caverna, está construida, sin duda alguna, en torno a la oposición entre la opresiva oscuridad y la luz brillante. Contínuas referencias al sueño inundan todo el texto [49]. (Recuérdense los deseos ilegales que afloran en las pesadillas nocturnas).

Entremezcladas con las imágenes de la noche aparecen las imágenes y los temas relacionados con la sexualidad. Incluso antes de que se introduzca la cuestión central de toda la primera mitad del diálogo, «¿Qué es la justicia?», Céfalo, un anciano, inserta el tópico de la sexualidad (329B-C).

> Recuerdo haber escuchado a Sófocles contestar a la siguiente pregunta: «¿Qué tal te va, Sófocles, con tu sexualidad (*aphrodisia*)? ¿Eres todavía capaz de disfrutar con una mujer?». «Calla, hombre», dijo «estoy muy contento de haberme librado de eso, tan feliz como si me hubiese librado de un arrebato de locura (*luttōnta*) o de una bestia furiosa» [50].

---

[48] Ver *OCD*², voz Bendis.

[49] Ver la lista de Shorey, *Plato: The Republic,* vol. 2, pág. 143, nota 9.

[50] Traducción mía. Recuérdese también *mainomenon,* locura, en 329D.

Existen en esta obra algunas disertaciones sobre la sexualidad y fortuitas alusiones a los placeres sexuales, en especial a los ilícitos. El mito de Giges sirve para presentar una importante argumentación acerca de la moralidad. Giges, que es un pastor, encuentra un anillo que lo puede hacer invisible; con su ayuda seduce a la reina, mata al rey y toma posesión de su reino (359-360D)[51]. Pero las argumentaciones más conocidas sobre la sexualidad y la procreación se encuentran en el Libro 3 y en el Libro 5. En el primero de ellos se idea el ardid de la «mentira noble», ya citado anteriormente, y en el segundo se expone el prototipo de situación sexual y marital que caracteriza a los guardianes, adelantando con ello la abolición de la familia nuclear.

En el Libro 3 Platón propone que los gobernantes cuenten a sus gobernados una «mentira», «una especie de cuento fenicio», ya que lo fenicios tenían fama de embaucadores. Según ella toda la vida anterior de los ciudadanos no habría sido más que un sueño (414D). No nacieron de la unión de un hombre y una mujer, sino que fueron gestados, con armadura incluida, dentro de la tierra, su madre, y acto seguido surgieron de ella, (nótese la similitud de este relato con el mito de Cadmo y los hombres sembrados por éste). En el Libro 5 pretende que los gobernantes no permitan a los guardianes casarse más que de cuando en cuando y únicamente con fines eugenésticos. Los niños no deben conocer a sus padres biológicos. Todas las criaturas nacidas al mismo tiempo se considerarán hermanos y hermanas entre sí. El niño que nazca de una relación no regulada por el estado será ilegítimo, «una criatura concebida en la oscuridad y en la deplorable incontinencia» (461B)[52]. Todos los adultos que estén cohabitando en el momento del nacimiento de un grupo de niños serán considerados los padres y madres de todos ellos. La unión entre ese grupo de «progenitores» y de «hijos» es incestuosa y por ello está prohibida; no se hace ninguna referencia especial a la unión entre esos «hermanos y hermanas». Es aquí donde hallamos la más dramática confirmación de nuestra hipótesis de que en *La República* funciona a nivel inconsciente una fantasía originada en una escena primitiva. El ideal que se persigue es ordenar, regular, las relaciones sexuales, y, en la medida en que ello sea posible, disociarlas de la paternidad social y biológica.

La concepción sobre la locura se nos volverá aún más clara si consideramos los objetivos políticos de estas reformas, sobre todo aquellos que pretenden eliminar las envidias y rivalidades y privilegiar la lealtad hacia el estado. Platón cree que la sexualidad es un apetito

---

[51] Herodoto (*Historias,* 1, seccs. 8-13) ofrece otra versión de este mito, según la cual el rey insiste en que Giges se oculte en el dormitorio para ver a la reina desnuda. Un brillante análisis de la versión platónica se puede encontrar en C. Hanly, «An Unconscious Irony in Plato's *Republic*», *Psa. Q.,* 46 (1977): 116-47.

[52] Ver también *La República,* 560B. D. Clay me ha comunicado que *hupo skotou* es normalmente un término que designa el nacimiento ilegítimo; ver J. Adam, *The Republic of Plato,* 2.ª edc. (Cambridge, 1963). Sin embargo, creo que en este pasaje la frase tiene un sentido literal y metafórico.

posesivo, y que lleva a los hombres a buscar contínuamente una compañera sexual (esposas) como una forma más de propiedad. Pero los guardianes y los filósofos gobernantes deben tener todas las propiedades en común, y de ahí que las mujeres y los niños no pueden pertenecer a nadie. La propiedad privada es germen de envidias y, en último término, incluso de luchas y contiendas. Será inevitable que el amor fraternal sea sustituido por el fratricidio si un hermano cree que los otros tienen más cosas o son mejores que él. En todas las disquisiciones platónicas sobre los males de la política griega se halla implícita la noción del fratricidio. (*La República* es uno de los dos diálogos en los que aparecen los hermanos de Platón). El estado es una madre que trata de igual modo a todos sus hijos [53].

El elemento inconsciente que se corresponde con esos argumentos conscientes se refleja en las imágenes referentes a la concepción y el nacimiento en la oscuridad. La experiencia infantil derivada de una escena primitiva se consolida bajo la forma de unos sentimientos de fuerte acaparación. Más allá de esto, cuando el niño descubre que las relaciones sexuales conducen a la aparición de nuevos hermanitos, su experiencia en este sentido focalizará una tremenda rabia hacia sus nuevos hermanos y hacia los padres que lo engendraron.

Por último, vamos a considerar la principal alegoría de *La República*. Nos referimos, inútil es decirlo, al mito de la caverna (514A-C). En este relato la oposición entre luz y oscuridad es fundamental para exponer y evidenciar los objetivos pedagógicos, filosóficos y políticos de esta obra platónica.

> A continuación... compara nuestra naturaleza por lo que se refiere a la educación y a la ausencia de ella, por medio de esta escena. Imagínate unos hombres que vivan en una especie de caverna subterránea con un largo corredor que abra su entrada hacia la luz. Imagina que estos hombres tienen sus piernas y cuellos encadenados desde su *infancia*, de tal forma que *permanecen* en el *mismo sitio*, únicamente capaces de *mirar en una sola dirección, y los grilletes les impiden volver la cabeza.* Hazte a la idea de que la luz procede de una hoguera ardiendo que está situada detrás de ellos y elevada, y de que entre el fuego y los prisioneros, a un nivel más alto que el de éstos, hay una carretera a lo largo de la cual se construyó un muro bajo, como los que los *titiriteros* colocan entre ellos y los hombres para mostrar sus títeres por encima de él... Imagina, ahora, que por allí pasan unos hombres llevando herramientas de todos tipos, que sobresalen por encima del muro.... Es ésta una ex-

---

[53] D. E. Hahm, «Plato's Noble Lie' and Political Brotherhood», *Classica et Mediaevalia,* 30 (1975): 211-27, hace un interesante análisis del tema de la fraternidad en *La República.* Este autor se centra en los aspectos adaptables del esquema de Platón, en tanto que yo me ciño a los conflictos inconscientes que subyacen en este tema. El otro diálogo en el que aparecen los hermanos de Platón es el *Parménides;* en él se consideran las categorías, subdivisiones y «familias» a las que pertenecen los objetos y sus formas, así como las complejas interrelaciones que se establecen entre todas esas categorías. Véase también, *La República,* 328B.

traña escena y unos extraños prisioneros.... *Como nosotros*.... ya que, para empezar, dime ¿crees que esos hombres podrán ver algo más de sí mismos o de los otros que las sombras que el fuego proyecta sobre la pared?.... Y si su cárcel tuviese eco, ... ¿no crees que los presos supondrían que las sombras que pasan son las que hablan?.... Por lo tanto, en todos los sentidos estos prisioneros juzgarán que la realidad está formada por las sombras de los objetos artificiales.... Piensa encontes, cuál será la forma de liberar y *curar* a estos individuos de sus cadenas y de su idiotez [54].

A estos prisioneros les resultaría muy difícil salir de la caverna, y, al hacerlo, quedarían cegados en los primeros momentos por la luz brillante. A medida que se acostumbrasen a la luz del sol, se irían dando cuenta de que habían vivido en un mundo de ilusiones. Será muy difícil conseguir que vuelvan a la cueva, y sin embargo algunos de ellos deben retornar a ella; éstos son los filósofos que llegarán a reyes, y que se dedicarán a instruir a los que se habían quedado en la caverna.

Sostengo la hipótesis de que esta escena se puede entender como si fuera una fantasía concebida a partir de una escena primitiva: toda la trama es similar a la de unos niños que se encuentran en la oscuridad del dormitorio, contemplando las sombras y escuchando los ecos de sus padres haciendo el amor. Los prisioneros están inmóviles, no pueden volver sus cabezas (lo que se corresponde con la inmovilidad y atención con la que el niño asiste a la escena que sus padres representan ante él). Ven un juego de sombras, una representación de títeres [55]. Contemplan sombras de animales, objetos y personas. Esos prisioneros, que somos nosotros mismos, pueden ser liberados de su *aphrosunē*, de su ignorancia y locura [56]. Por lo tanto, estos dos estados representan y definen el estado de mal entendimiento sobre las cosas que se mueven en las sombras y en la oscuridad. Más adelante (518C), Platón denomina al espectáculo de la caverna «el mundo de las cosas visibles», en oposición a los objetos que se ven fuera de la caverna, en el mundo del verdadero ser, el mundo de las formas. La caverna y la luz del sol se corresponden, por lo tanto, con el pensamiento de las partes inferiores de la psique y con el de las partes superiores respectivamente.

La alegoría continúa con el ascenso de la psique hacia el *noeton topon*, el dominio del puro intelecto. Nótese como se entrecruzan las imágenes de la luz brillante, de la cordura, con el nacimiento y la procreación (517B-C):

---

[54] Traducción de Shorey, *Plato: The Republic,* vol. 2, págs. 118-19, nota a. La letra cursiva es mía. Según lo que yo conozco, mi reconstrucción es la primera de las «fantásticas interpretaciones freudianas» a las cuales alude Shorey en 514A, aunque dudo que sea la última.

[55] Ver G. F. Else, «The Structure and Date of Book 10 of Plato's *Republic*», *Abhandlungen der Heidelberger Akademie der Wissenschafte* (Heidelberg, 1972), págs. 28-29, 39, y nota 57.

[56] En *Las Bacantes de Eurípides* se utiliza la misma palabra para designar la locu-

La última cosa que se descubre en el mundo del puro intelecto, y aún así con gran dificultad, es la idea del bien. Una vez encontrada, debemos concluir que la idea del bien es la causa de todas las cosas justas y bellas. En el mundo de lo visible es la idea del bien la que ha creado la luz y el dominio de la luz. En el mundo del puro intelecto la idea del bien ha producido la verdad y la inteligencia. El que tenga que actuar con cordura, tanto en la vida privada como en la pública, no debe perder de vista un solo momento a la idea del bien [57].

En este punto la línea argumental vuelve de nuevo a lo político, al gobierno del estado ideal. Los que han ascendido de la caverna a la luz deben volver a bajar a la sima para instruir a los que moran en la oscuridad y traerlos hacia la luz. Estos son los líderes políticos, los que deben llevar el control de la República: «Así nuestra ciudad será gobernada por nuestras mentes despiertas (*hupar*), y no como todas las otras ciudades que son gobernadas de una forma oscura, como en un sueño (*onar*), por hombres que luchan entre sí por culpa de vanas sombras y disputan por los puestos y cargos como si fueran un gran bien» (520C) [58]. La propagación de la oscuridad y las sombras lleva irremediablemente a los conflictos y a la guerra civil; en cambio, la propagación de la luz facilita la cooperación y la supresión de los placeres individuales en favor del bien común. Platón estaba convencido de que la forma de gobierno de las ciudades griegas (es decir, la democracia o la tiranía hedonística) era plenamente equiparable a la cópula y a la concepción entre tinieblas [59].

Por otra parte, esta formulación no sorprenderá a los conocedores y estudiosos de la teoría política totalitaria. Todos los estados totalitarios, ya sean reales (como la Alemania de Hitler o la Unión Soviética) o imaginarios (*Brave New World, 1984)* han trazado una línea de relación entre el mantenimiento del control político y la regulación estatal de la natalidad. Desde esas perspectivas las democracias se describen con las palabras caos, carnaval de locura, desavenencia perpetua y estado de total libertinaje.

De este modo, nuestro análisis sobre los argumentos y símbolos que en *La República* aparecen relacionados con la concepción, el acto sexual y la muerte, nos lleva a una aterrorizada y tormentosa fantasía derivada de la escena primitiva; de este sótano, de este sustrato inconsciente, es de donde parecen surgir las ideas de Platón sobre el mal, la locura, y ese particular estigma de la locura que es la rivalidad

---

ra de Agave. En 1. 1264 Cadmo le apremia para que mire al sol (¿al cielo?) y pueda aclarar su cabeza.

57 Traducción mía. Ver *La República,* 506E-507A, para la imagen de las «creaciones del bien».

58 Traducción de Shorey, *Plato: The Republic,* vol. 2, pág. 143. Ver también las notas a pie de página g y h de Shorey, pág. 143.

59 Otros pasajes que relacionan la actividad sexual ilícita con el mal gobierno, son 557B (donde se equipara *polupragmosunē* con un vestido de muchos colores), 558B, 560B.

política y la guerra civil. Unicamente si fuésemos capaces de idear, tal y como Platón anhelaba, nuevos métodos de sexualidad y concepción que pudiesen eliminar la posibilidad de que los niños descubran en la oscuridad el ayuntamiento de sus padres, podríamos llegar a eliminar ese horrible conjunto de perversiones.

En el próximo capítulo estudiaré la pretensión platónica de descubrir nuevos métodos de observación y nuevos objetos de contemplación. Llegamos con ello al problema de la educación, que es el núcleo de la terapia platónica necesaria para resolver las enfermedades de la psique. ¿De qué forma Platón saca a los hombres del mundo de ilusiones, locura, nacimiento y muerte en el que viven para llevarlos al mundo de la verdad, de la cordura y del verdadero ser?

9

EL FILOSOFO COMO TERAPEUTA

... porque tú me harás mayor bien acabando con la ignorancia de mi psique, que acabando con una aflicción de mi cuerpo.

Platón, *Hippas Minor*

¿Si la locura es ignorancia, si la enfermedad es una perturbación, cual es el tratamiento? ¿Cómo podemos estabilizar a la atormentada psique, borracha de lascivia y de apetito y de toda la promiscuidad asociada con cada impresión sensorial? La respuesta es la filosofía. Sólo ella es la *therapeia* para las enfermedades del alma.

Desde la perspectiva de Platón, todas las formas griegas tradicionales de terapia se pueden reducir a una u otra variante de la poesía. Las canciones de Homero, las grandes representaciones trágicas, y los canturreos de una madre a su hijo, he ahí todo lo que los griegos han utilizado para desahogar su aflicción y reestablecerse de los males.

E.A. Havelock, en su *Perface to Platon*[1] ha examinado a fondo todas las razones que subyacen al antagonismo de Platón hacia toda la tradición poética helénica. En la *República* Platón afirma: «existe una inmemorial disputa entre la filosofía y la poesía» (607B). A pesar de todo, este enfrentamiento no puede ser muy antiguo, ya que en tiempos de Platón la filosofía se acababa de inventar. Pero ya algunos fragmentos de los pre-socráticos (Jenófanes, por ejemplo) anunciaban que el surgimiento de la filosofía se encontraba asociado con la denuncia del papel preponderante de maestros de Grecia que se concedía a los poetas[2]. En la *República* Platón lanza un ataque contra la poesía en dos frentes. En el primero de ellos comienza discutiendo los mitos y los cuentos infantiles (Libro 2) y culmina (Libro 3) con la denuncia platónica de «mala poesía». En esta línea ataca a los contenidos de ambas formas de expresión, que según él sería una teología perjudicial y unos efectos nocivos del drama. El drama es demasiado emocional, demasiado irregular, y, por lo tanto, inconsecuente con sus fines morales. Teme que la representación de un espectáculo

[1] Cambridge, Mass., 1963.

[2] H. Diels, ed., *Die Fragmente der Vorsokratiker,* adiciones de W. Kranz, 5.ª-7.ª edc. (Berlín, 1934-54), Jenófanes B1.

de cobardía o crueldad de uno de los personajes de la tragedia, ejerza un efecto contagioso sobre el público y los actores. Se inquieta ante lo que considera contradicciones e inconsistencias entre la caracterización de un personaje y el hecho de que las grandes tragedias deban describir todas las complejidades de un personaje y situación concreta. En resumen, Platón rechaza toda la obra de Homero y los trágicos, que se había convertido en un gran arte opuesto a la propaganda y la prédica. Se podría comparar la opinión platónica con los argumentos esgrimidos por los gobiernos totalitarios de la actualidad: el arte se debe ajustar al «realismo socialista» o a formas de cualquier otro signo.

Platón, según Havelock, comprendió perfectamente que la *mimēsis* era un elemento crucial en el modo en que la poesía y el drama ejercían su influencia. Este término, tal y como lo emplea Platón, parece reunir dos formas conscientes de imitación: el papel representado por el actor, y los procesos en los que se involucran actores y público y que se podrían denominar identificación inconsciente. En el discurso platónico se observa con claridad que este autor equiparaba la representación de un papel transitorio con una identificación permanente. De ahí su temor a que una conducta melévola representada en el escenario llevaría inevitablemente al público a convertirse en malvado y perverso. La visión de Platón del poder de la *mimēsis* se debe yuxtaponer a su noción de la justicia, que consiste en que cada hombre haga el trabajo apropiado para él y sólo un trabajo. Platón critica la *polupragmosunē* (realizar muchas coas a la vez), que considera que es una forma de mal, de injusticia y de locura. La representación poética, en este mismo sentido, promueve cierto número de identificaciones: Homero hace resonar muchos acordes dentro de nosotros. (Para reunir más datos sobre la *polupragmosunē* con un aspecto de la escena fantástica primitiva, ver el Capítulo 8). Otra característica de la poesía que lleva a Platón a rechazarla es la gran emotividad de la experiencia poética y la pasividad del público (e incluso la pasividad del poeta, que es inspirado por la Musa). En *Ion* Platón define la representación del rapsoda como una locura acérrima de una gran capacidad destructiva para el público. Platón nunca permitiría nada que pudiese dar lugar a una excitación emocional excesiva.

En el Libro 20 de la *República* Platón reanuda su ataque contra la poesía y el teatro (e incluso contra las artes plásticas), y termina por desterrar de su estado imaginario a todas estas formas artísticas. Esta condenación global de la literatura y el arte dramático se basa en un total rechazo de la *mimēsis* como método válido de aprendizaje, ya que la *mimēsis* es el *moduo operandi* de las partes inferiores de la psique. La parte superior aprende por *epistemē*, por *noēsis*, procesos en los que toman parte el intelecto, la lógica y la dialéctica, más que la identificación y la imitación. La discusión epistemológica del Libro 11 llega a insinuar que la *mimēsis* debe ser rechazada porque se conecta en cierta medida con la sexualidad y la reproducción. La *mimēsis* es «una ramera barata», que tiene comercio sexual con un hombre barato, y da a luz a un vástago barato» (603B). De este modo la *República* oscila entre una regulación estatal de las artes dramáticas y musicales, hasta la plena prohibición de todas las formas de arte [3]. El estado sólo podrá ser gobernado con seguridad y correctamente a través de nuevos y radicales métodos de educación, que son los que se perfilan en la *República*.

Las diatribas de Platón contra la poesía y la *mimēsis* son otros tantos ataques furibundos contra la educación griega tradicional. La poesía refleja el sistema y los valores de la comunicación oral, esto es: transmisión cara a cara del conocimiento, ya sea ético o fáctico, y valoración de la continuidad transgeneracional de la tradición y de la autoridad. En efecto, Platón desecha la verdadera esencia de la noción de lo «clásico», que consiste en encontrar el mejor modelo de las cosas e imitarlo. La noción platónica de las formas (ya sea la forma de lo bueno, o de lo bello, de la mesa o de la silla) parece incorporar en parte el ideal de lo clásico. Pero la noción de Platón transciende el sentido de ejemplo ideal de una teoría verdadera o de un cuerpo hermoso. Todo lo que no sea la forma en sí misma es una copia: el hombre es una copia de la forma del hombre, y el poeta que «imita» al hombre en su composición realiza una copia de una copia.

La filosofia como contrahechizo

Platón desea sustituir la poesía por la filosofía. Tal y como ya hemos visto, redifinió la angustia y la enfermedad mental como estados de ignorancia provocados por el predominio de los apetitos instintivos sobre la racionalidad. ¿Pero ignorancia de qué? La respuesta socrática será ignorancia y desconocimiento de uno mismo; y la prolongación platónica de la definición socrática es: ignorancia de las formas. Pero Platón no sólo ha planteado su propia definición de la locura y las perturbaciones mentales, sino que también llegó a plantear que el origen de la enfermedad es la poesía misma, el método tradicional de tratamiento. «Hechizamiento», «encantamiento» y «brujería» son términos que Platón utiliza para caracterizar los efectos de la poesía; la filosofía debe suministrar un «exconjuro» (608A) [4]. Pero incluso Sócrates disfrutaba y se beneficiaba» de la poesía: «nosotros mismos estamos hechizados por ella» [5]. Sin embargo la labor del filósofo está muy clara (608-B):

[3] El Libro 3 se centra en la educación y preparación de los guardias, el Libro 10 en los filósofos. Aparentemente el alejamiento de la poesía debe ser más estricto en el caso de los filósofos que en el de los guardias.

[4] Ver P. Laín Entralgo, *The Therapy of the Word in Classical Antiquity*, traducida por L. J. Rather y J. M. Sharp (New Haven, 1970), págs. 108-138.

[5] G. F. Else, «Structure and Date of Book 10 of Plato's *Republic*», *Abhandlungen der Heidelberger Akademie der Wissenschaften* (Heidelberg, 1972), pág. 47.

> Mientras que ella (la poesía) no pueda aportar un buen argumento que venga en su propia ayuda, prestemos atención a las razones que hemos dado, recitándolas como un exconjuro, y teniendo cuidado de no volver a enamorarnos de ella, ya que es pueril y propia de las masas. Nosotros percibimos que no debemos tomar tal poesía por un modo serio de alcanzar la verdad, pero él que le presta atención debe tener cuidado temer por la ciudad-estado y tomar en consideración todo lo que hemos dicho sobre la poesía [6].

La alegoría de la caverna proporciona una pista para comprender lo que subyace detrás de su rechazo. Dentro de la caverna tiene lugar una representación dramática, un «show» de marionetas (*thaumatopoia*, realizar espectáculos maravillosos). Los habitantes de la caverna presencian un juego de sombras, representado por personas que pasan entre el fuego y la espalda de los espectadores [7]. De este modo, para Platón, el mundo de conceptos y opiniones no es totalmente fortuito: hasta cierto punto está muy organizado, aunque su orden no resulta visible a los espectadores. Platón equipara el teatro y la poesía épica con ese desfile de imágenes. Dichas imágenes son las de la cultura helénica, los mitos y las tradiciones tal y como se presentan en la poesía. De acuerdo con mis análisis de la alegoría de la caverna, el mito y la poesía son equiparadas a la escena sexual primitiva.

He argumentado que la tragedia, en concreto, no sólo presenta mitos, sino que también los realiza para darles un nuevo significado. Sin embargo, desde la perspectiva de Platón, las interpretaciones poéticas son inadecuadas [8], ya que ni son muy explícitas en lo que se refiere a las conexiones entre el pasado y el presente, ni están suficientemente modeladas por la articulación de ideas y principios abstractos. Las interpretaciones poéticas son muy propensas a ser manipuladas, y, en principio, cada dramaturgo podría presentar su propia interpretación del significado de un mito determinado. En efecto, Platón considera las tragedias y los poemas épicos del mismo modo que un psicoanalista considera los sueños y las neurosis. El psicoanalista interpreta el sueño como una forma de apareamiento y condensación de las imágenes y sentimientos del pasado con los del presente. Del mismo modo la neurosis es una repetición bajo formas simbólicas de una parte del pasado del enfermo, una rememoración mítica e imaginativa, una especie de drama interior. Pero, desde una perspectiva psicoanalítica, el sueño que no es decodificado e interpretado, es un testimonio muy limitado sobre la relación entre el pasado y el presente. Una neurosis que no es entendida y leída, tiene la *capacidad potencial* de revelar la conexión entre el pasado y el presente, pero en reali-

---

[6] Traducción mía, basada en A. Bloom, *The Republic of Plato* (New York, 1968).

[7] H. Doolittle, *Tribute to Freud* (New York, 1956), discute el papel de imágenes y sombras procedentes de escenas antiguas en su breve encuentro con Freud. Sus «calcomanías» tienen ciertas connotaciones de escena primitiva, pero también son imágenes de su creatividad poética.

[8] Agradezco al Dr. Stanley Palombo su valiosa ayuda en los siguientes puntos.

dad es sólo una monótona rememoración, incompleta e incomprendida. Platón consideraba la tragedia como un desfile de sombras, un reestreno mudo, pero no una interpretación explícita.

¿Cuál es el exconjuro que supone la filosofía y cómo actúa? En el *Fedro* Sócrates, mientras rechazaba los intentos de explicaciones naturalistas de los mitos por considerarlas una pérdida de tiempo, delineaba lo que, para él, es la labor esencial de la investigación filosófica: «Primero debo conocerme a mí mismo, tal y como ora la inscripción délfica; sería ridículo mostrar curiosidad por aquello que me es ajeno, cuando todavía soy un ignorante respecto a mí mismo: ... soy un monstruo más complicado e hinchado de pasión que la serpiente Tifón, o que una criatura simple y afable...» (229E-230A)[9].

¿Cuál es el método por el cual un hombre puede llegar a conocerse a sí mismo, o a conocerse a sí mismo en relación con las ideas y el mundo del verdadero ser? El método inicial es el *diálogo*, y la *dialéctica* por último.

Diálogo y dialéctica

Diálogo es conversación. En los más primitivos diálogos platónicos (aquéllos que, según los eruditos, presentan la descripción de Sócrates más precisa) encontramos a un Sócrates dedicado a la conversación filosófica. No sólo aduce pruebas lógicas para sus argumentos; también hechiza, persuade, seduce. Ridiculiza, confunde y fuerza a su oponente a sentirse incómodo. Es como un tábano o una anguila eléctrica. En *Cármides* Sócrates describe su tipo de discurso (su *logos*) como un «hechizo mágico», como si las propias palabras estuvieran dotadas de cierto tipo de fuerza. En este diálogo el discurso socrático tiene un sabor, un regusto, homérico: él nos cuenta una historia. Por tanto, en los primeros diálogos no encontramos tanto el bosquejo de un método filosófico general (a pesar de que sus contenidos ya están presentes), como la descripción de los interrogatorios socráticos. El método se reduce al hombre en acción.

En los diálogos posteriores, Platón desarrolla y pone a punto un método general, la dialéctica. La dialéctica se basa en el diálogo, pero no es sinónimo de él. La dialéctica es un método de preguntas y respuestas: es dividir, definir, categorizar, abstraer. Tal y como se presenta la dialéctica en Platón (y tal vez en otros pensadores contemporáneos de éste) la forma de la pregunta parece estar determinada según ciertas reglas. Frecuentemente las preguntas se formulan de tal modo que sólo admiten una respuesta de si o no. Es normal que determinada línea argumental sea cerrada por una *reductio ad absurdum*. Su propósito es obtener cierto grado de estabilidad y claridad que permita definir los variados y cambiantes aspectos del mundo de

---

[9] Traducción de Platón, *The Dialogues,* trad. B. Jowett, 3ª edc. (1892; reimpreso en Oxford, 1924).

los fenómenos, del mundo del devenir. La dialéctica es el instrumento que permite atravesar del devenir al ser, de la opinión y las apariencias al verdadero conocimiento (ver el listado de las páginas 247 y 248) [10].

La dialéctica consiste en ir asentando hipótesis paulatinamente, utilizándolas como escalones por lo que se avanza hacia las conclusiones que resultan de las hipótesis, para finalmente determinar si las hipótesis han conducido a una contradicción o no. Si de este modo se llega a una contradicción, se debe volver a andar todo el camino y a reexaminar todas las hipótesis.

La dialéctica se diferencia radicalmente del diálogo en que éste último confía profundamente en las técnicas de la retórica: persuasión, seducción, indulgencia con los temores irracionales e identificación con el hablante. El objetivo de la dialéctica es descubrir y dejar al descubierto la verdad, no persuadir o camelar. En ello contrasta con la retórica y con la polémica, que es el arte de la contienda verbal para lograr deshacer los argumentos del oponente [11]. La retórica busca ganar unas elecciones; la dialéctica busca la verdad.

Sin embargo la dialéctica no actúa con independencia de las emociones. Las emociones que están asociadas a la dialéctica son diferentes de las que van asociadas a la retórica. Entre las que se unen a la primera encontramos la sorpresa, la frustración ante un problema complicado, la vergüenza de no saber, la incomodidad que se produce al descubrir la existencia de contradicciones dentro de las propias creencias, y el placer que sigue a la resolución de un problema. Para decirlo en una frase: ésas son las emociones académicas, opuestas a las emociones retóricas.

Aunque son académicas, o pedagógicas, son en gran medida débiles. Para Platón son un aspecto necesario de la lucha del alma por perseguir la verdad. La obtención de la verdad no es una experiencia pasiva, sino que conlleva cierto sentimiento de malestar. La dialéctica y la filosofía no son tranquilizadoras o reconfortantes (al contrario de lo que ocurría con Hesíodo y con el efecto terapéutico del bardo), sino destructivas e irritantes. Platón espera que, cuando los hombres estén introducidos plenamente en los procesos dialécticos, «aumentarán su ira hacia sí mismos, y dispensarán mayor dulzura a las demás personas» (*el Sofista*, 230B). Este tipo de confusión es el *sine qua non* del cambio genuino (véase, por ejemplo, *República*, 518A-B).

De este modo, a lo largo de la transición del diálogo a la dialéctica que se opera en la obra de Platón, contemplamos una intención cada

---

[10] Ver R. Robinson, *Plato's Earlier Dialectic* (Oxford, 1953); G. Ryle, *Plato's Progress* (Cambrigde, 1966), en especial los capítulos 4 y 6; A. J. P. Kenny, «Mental Health in Plato's *Republic*», *Proc. Brit. Acad.*, 55 (1969): 229-53; y J. Stannard, «Socratic Eros and Platonic Dialectic», *Phronesis,* 4 (1959): 126-34; H. L. Sinaiko, *Love, Knowledge, and Discourse in Plato* (Chicago, 1965).

[11] Por ejemplo, *Menon,* 75C-D.

vez mayor de alejarse de la poesía hacia la filosofía con método de tratamiento de la ignorancia y la confusión.

Aunque la distinción entre dialéctica y diálogo (o entre la filosofía y la poesía) subraya un problema, apenas lo resuelve. Platón mostraba mucha mayor preocupación por el equilibrio apropiado entre el sentimiento y el intelecto. El sabía perfectamente que los hombres se resisten a conocer la verdad, y que son las apetencias las que están en la base de esta resistencia. Y además, ¿qué es lo que puede motivar a una persona a codiciar más el conocimiento que la conquista del poder o el logro de una amplia gratificación sexual?

Para buscar una respuesta a esta cuestión volvamos al *Fedro* (244) y al tema de las «ventajas de la locura». Sócrates señala que algunos de nuestros mayores beneficios los obtenemos a través de la locura, a condición de que sea una locura divina y no ocasionada por una enfermedad humana. Enumera los siguientes tipos de locura:

1. Locura profética (la de la sibila de Delfos).
2. Locura ritual, o «teléstica» (la de los ritos dionisíacos).
3. Locura poética (la «inspiración»).
4. Locura amorosa.

Tal y como ha observado Dodds, es imposible que «el padre del racionalismo occidental alabe aquí más la locura que la cordura y lo irracional que lo racional» [12]. Quedaba fuera de toda posible duda que la filosofía era superior esos tipos de inspiración divina, incluso.

Esta parte se hace comprensible en relación con el problema central del *Fedro*: la cuestión de las relaciones entre el «amor carnal» y el amor al conocimiento. El problema que Sócrates se esfuerza por resolver es el de idear un método de búsqueda y de transmisión de la verdad que pueda llegar a «escribir en los corazones de los hombres» (278A). Unicamente la dialéctica resulta adecuada para esta función; no la retórica ni la sofística. Estas formas de locura fascinaron a Sócrates y son aplicables a su problema. Si pudiera tomar prestado algo del entusiasmo y del éxtasis de estas locuras y combinarlo con la dialéctica, Sócrates estaría seguro del éxito. La dialéctica debe llevar a un cambio radical, permanente y *cualitativo* de la forma de pensar, sentir y actuar de los hombres. El silogismo por sí sólo no es suficiente.

Al mismo tiempo que la «locura divina», se debe considerar la utilización que Platón hace de los «mitos» (por ejemplo: el mito de la caverna, los mitos de la inmortalidad del alma, la descripción de Eros en el *Symposium* y en el *Fedro*). El empleo platónico de los mitos y de las alegorías de tipo mítico es una concomitancia de la transición del diálogo a la dialéctica [13]. En los diálogos de la época intermedia, sobre todo, se puede seguir, *pari passu*, la evolución de la idea del

[12] E. R. Dodds, *The Greeks and the Irrational*, págs. 207-224.
[13] Stannard, «Socratic Eros».

método dialéctico, el rechazo de las formas de pensamiento de Homero y de los poetas míticos, y la deliberada introducción de los mitos platónicos. Los diálogos posteriores, en donde la dialéctica está en una posición en cierta medida más firme, contienen menos «mitología»; pero en su última obra *Las Leyes,* volvemos a encontrar que la balanza se inclina en favor de «la razón para unos pocos y la magia para las masas» [14]. Las masas deber ser tratadas como niños.

El equilibrio entre la emoción y la razón es delicado. La filosofía y la dialéctica son drogas fuertes, y la «locura filosófica» se alza como un peligro claro. La dialéctica es una sustancia pesada, y por ello los jóvenes no deben beber de ella prematuramente (*República*, 537-539D). A la larga, los verdaderos filósofos les parecen hombres locos al mundo (*Fedro,* 249D; *República*, 499C). Cambiando completamente los valores convencionales, se debe pasar a considerar este tipo de locura como una inspiración divina, y los filósofos se deben convertir en reyes y gobernar las naciones. La última demostración de los peligros y riesgos que acompañan a la dialéctica se encuentra en la vida y muerte de Sócrates. Los atenienses que lo juzgaron y sentenciaron no distinguieron la agresividad del filósofo por mostrar a los hombres la verdad, de la actitud agresiva que manifestaba hacia los atenienses contemporáneos de él como conciudadanos suyos que eran. No todo el mundo aceptó los aspectos perturbadores de la filosofía, y Sócrates fue ejecutado.

Sócrates murió por consecuencia con los principios con los que había vivido. La filosofía, por lo tanto, puede servir para unir al hombre con su verdad personal y ayudarle verdaderamente a conocerse a sí mismo. Es en este sentido en el que el ideal socrático se acerca más a los objetivos de diferentes escuelas de psicoanálisis y psicoterapia: en los ideales de una conciencia integrada del yo, del pasado personal, del presente y del futuro, y de relación entre uno mismo y el grupo al que se pertenece.

Creo que este aspecto, o algo parecido, es muy evidente en el último libro de la *República*, que comienza con un ataque contra la poesía. El libro concluye con el famoso mito de Er, donde se refiere la forma en que las almas son premiadas y castigadas después de la muerte, además de su oportunidad de elegir las vidas que van a llevar en sus futuras reencarnaciones. Todas las almas, excepto la de Odiseo, son incapaces de escoger vidas que sean mejores que las anteriores, y por ello todas eligen vidas que constituyen repeticiones interminables de sus sufrimientos pasados (o de sus desdichadas personalidades). Ayax elige convertirse en león; Tersites, el bufón, se transforma en mono. De acuerdo con la línea maestra del Libro 10, la superioridad de la filosofía sobre la poesía, el mito de Er afirma la dificultad de comprender la vida anterior de una persona para intentar cambiar esa vida. Sólo Odiseo parece haber adquirido la suficiente sabiduría

[14] Dodds, *The Greeks and the Irrational,* págs. 207-224.

como para ser capaz de transformar su vida[15]. La moraleja es evidente: únicamente la filosofía permite al hombre escapar del ciclo interminable de repeticiones infructuosas de su pasado. Sólo ella nos permitirá ser superiores a las restantes personas.

¿Pero es la filosofía el instrumento de búsqueda de la verdad que el auténtico filósofo será capaz de aplicar a todas las cosas, incluido él mismo y sus propias creencias personales? Supongamos que la dialéctica sirviese para encubrir ciertas contradicciones e inconsistencias de la vida o el trabajo del filósofo? En las obras de Platón no tenemos datos suficientes para poder contestar esta pregunta, pero esta cuestión sugiere que la dialéctica podría ser utilizada para preguntarse, incluso, los principios más fundamentales del método y las creencias filosóficas. Por ejemplo, en el *Pármenides*, diálogo muy controvertido, Platón aplica el método dialéctico a la teoría de las formas, a las relaciones entre las formas, y a las relaciones entre éstas y sus particularidades. Muchos investigadores creen que Platón llega a una contradicción en la teoría de las formas tal y como se manifiesta en el diálogo. Incluso aunque Platón no intente mantener la contradicción, esa discusión es una de las preguntas relativamente imparciales que se pueden llevar a donde se quiera[16].

El *SŌPHRONISTERION*

Sin embargo, Platón por otra parte está muy interesado en que su forma de gobierno ejerza un control político muy estricto que no permita la disidencia desenfrenada. ¿Hasta qué punto Platón considera literalmente su equiparación de la locura con la ignorancia? Allí donde exista disidencia dentro del estado, existe la posibilidad de un cambio arriesgado. En *Las Leyes* (un diálogo en el que no aparece Sócrates), Platón propone castigar a todos aquellos que no acepten su programa de fe en los dioses. Si son ateos y además se comportan de una forma perjudicial, deberán ser condenados a muerte. Pero si están equivocados en sus creencias y no ejercen una militancia activa nociva para sus conciudadanos, entonces les aguarda un curioso tra-

---

[15] *La República,* 620C. Odiseo elige la psique del *apragmōn idiotēs,* el hombre simple, sencillo, que no cae en la tentación de la *polupragmosunē.* Ver el estudio de V. Ehrenburg, «Polupragmosunē: A Study in Greek Politics», *JHS,* 67 (1947): 46-67.

[16] A. E. Taylor, *Plato: The Man and His Work* (Cleveland, 1952), pág. 351, argumenta que Platón no está de acuerdo en que su teoría de las formas sea imperfecta, pues el diálogo es «un elaborado *jeu d'esprit*». G. Vlastos aún ha defendido con más fuerza la teoría de que este diálogo es una «relación de honesta perplejidad», y que Platón tiene el poco frecuente deseo de someter sus propias teorías a una profunda crítica. Además cree que, de hecho, los argumentos del diálogo contradicen la teoría de Platón de una forma válida. Ver Vlastos, «The Third Man Argument in the *Parmenides*», en *Studies in Plato's Metaphysics,* edt. por R. E. Allen (London, 1965), págs. 23163, 254-55 sobre todo, y 259-61. Véanse también los otros ensayos que sobre el *Parménides* hay en este volumen, realizados por G. Ryle, W. G. Runciman, P. T. Geach y G. Vlastos.

tamiento. Platón inventa una institución llamada *sōphronisterion* (de *sōphrosunē*, templanza), que es una especie de cárcel y reformatorio, una «casa de templanza». *Sōphrosunē*, se debe tener en cuenta, es de hecho la antítesis platónica de la locura.

> ...dejar que aquellos que se han convertido en lo que son (entiéndase ateos) sólo por su deseo de saber, y no por una mala voluntad o por su naturaleza malvada, que sean puestos por el juez en el *sōphronisterion*, que se les mande permanecer encarcelados no menos de cinco años. Y durante ese período de tiempo que no se les deje mantener relaciones con los demás ciudadanos, excepto con los miembros del consejo nocturno, y con éstos dejarles conversar para que se mejore la salud de sus almas. Y cuando el plazo de encarcelamiento haya expirado, si alguno de ellos tiene la mente cuerda, dejarlo que se reintegre a la compañía de la gente sana, pero si no, y si es condenado por segunda vez, que sea castigado con la muerte. (*Las Leyes*, 908C-909B) [17].

La traducción, aunque no es literal, capta el sentido de este pasaje por su utilización de los términos «salud», «mente cuerda» y «compañía de gente sana». Se concluye, por lo tanto, que este tipo específico de disidencia es una forma de locura (además de una forma de ignorancia e inmoderación), y que el tratamiento correcto para ella es el aislamiento en una institución en la cual las actitudes y sentimientos sean reformados a través de la persuasión y coacción. Platón está a punto de hacer una definición política y moral de la locura. Se encuentra aquí un precedente de la reeducación coercitiva de aquellos que tienen ideas indeseables. Sin duda alguna esta teoría es el reverso indecente de la dialéctica.

Cuando es analizada esta institución, aparece una nueva noción: la salud de la psique no es simplemente análoga a la salud del estado, sino que además aquella depende de ésta. El estado sano mantendrá sanas las psiques de sus ciudadanos, al tiempo que designa y decide qué es lo sano y qué es lo enfermo [18]. Todo esto, tal y como veremos más adelante, constituye las premisas de la psiquiatría social, y al mismo tiempo su vergüenza y su gloria.

Ya que la «enfermedad del alma» es equiparada a la naturaleza conflictiva fundamental del alma humana, todos, en mayor o menor medida, estamos locos. Platón propone realizar tratamientos muy radicales para poner armonía, orden y control en la persona. La dialéctica, al perturbar profundamente al individuo y hacer que reexamine sus ideas y valores, origina cordura. La filosofía, para Platón, aleja al hombre del mundo, ya que no permite una simple aceptación pasi-

---

[17] Platón, *Dialogues*, traducidos por Jowett. *Las Nubes* de Aristófanes ofrece una caricatura que anticipa (en casi sesenta y cinco años) la propuesta platónica de un *phrosisterion*, lugar de meditación. Es posible que cuando Platón escogió el nombre estuviese intentando refutar a Aristófanes.

[18] Ver P. Rieff, *The Triumph of the Therapeutic* (New York), 1966), págs. 67-69.

va de los valores convencionales. *Per contram,* sus programas de cambio político-social radical tienden a fomentar el máximo grado de integración posible entre el individuo y el estado. Platón nunca resolverá satisfactoriamente el conflicto entre estas dos premisas: el alejamiento del filósofo del mundo y la integración del estado y el filósofo. Aunque el mismo Platón en ninguna ocasión considera contradictorios estos dos objetivos, también queda claro que no puede hallar (ni siquiera en fantasías utópicas) una solución plenamente satisfactoria al problema de cómo producir hombres cuerdos.

El oficio del filosofo y su situacion institucional

La Academia de Platón era el gran compromiso entre estas dos tendencias contradictorias de su pensamiento. Por un lado, el filósogo debería estar satisfecho de construir «la república que está dentro del hombre» (*La República*, 608B); por otro, tanto el filósofo como el mundo precisan una república de la cual sea rey el primero. La Academia era el espacio de unión entre la vida de contemplación y la vida de acción, era un marco en el que los hombres podían dedicarse a la filosofía y a la dialéctica, y desde el cual estos hombres podían inmiscuirse en el mundo de los políticos griegos del cual aquéllos se podrían retirar con toda prisa). Allí también se enseñaban los contenidos de la filosofía de Platón, y en algunos momentos sus miembros llevaron a cabo labores de investigación muy activas, sobre todo en el campo de las matemáticas y la astronomía [19].

Para poder apreciar el significado de la Academia y la íntima conexión que existe entre su estructura y función, y el modelo platónico de la mente, deberemos examinar su contexto cultural. Este contexto, hablando en términos generales, se puede concretar como el de la transición crucial de una cultura basada fundamentalmente en la tradición oral, en la enseñanza cara a cara de las técnicas y los valores, a una cultura que, cada vez más, confía en la lectura y en la escritura. En términos más específicos, este contexto estaba caracterizado por el conflicto y la crisis de los valores educacionales griegos, problema en el que estaban inmiscuidos Platón y Sócrates. La actividad de ambos era causa y reflejo de esta crisis de la educación.

El modelo platónico de la psique, dividido en una parte cognitiva y en otra apetitiva o somática, estaba íntimamente emparentado con la percepción que el filósofo se hiciera de su propia actividad en relación con la sociedad que le rodeaba. Su posición como maestro y des-

---

[19] Los eruditos no se ponen de acuerdo en el tipo de actividades y enseñanzas que se impartirían en la Academia, sobre todo durante la vida de Platón. No sabemos a ciencia cierta que doctrinas eran enseñadas allí, si es que era alguna, ni si entre ellas se encontraba la dialéctica. Ver H. Cherniss, *The Riddle of the Early Academy* (New York, 1962), y Ryle, *Plato's Progress.* Se pueden encontrar informaciones más breves sobre este tema en Taylor, *Plato,* págs. 5-6, y H. I. Marrou, *A History of Education in Antiquity,* traducida por G. Lamb (New York, 1956), págs. 102-105.

pués como mediador entre los antiguos y nuevos métodos de enseñanza y aprendizaje, estaba estrechamente relacionada con su valoración de la función de la parte racional de la psique. La tesis de que una fantasía primitiva subyace en los escritos de Platón, también es muy revelante en este sentido, ya que esa fantasía señala la percepción platónica (por muy exagerada y deformada que sea) de todo lo que está comprendido dentro de los viejos métodos de comunicación oral.

El desarrollo de la alfabetización en la Grecia Clásica[20].

Durante los siglos que separan a Homero de Platón, se fue propagando gradualmente el uso de la escritura. Es probable que la épica homérica fuese compuesta bajo la influencia de la nueva técnica, o con ayuda de ésta. En el siglo séptimo se utilizaba la escritura para la composición y conservación de la poesía, y en las inscripciones. Un siglo después, el empleo de la escritura se había extendido mucho, usándose en todo tipo de inscripciones públicas o privadas, en monedas, e incluso para indicar el autor o poseedor de un cacharro de cerámica.

Sin embargo, la utilización de la escritura en estos contextos no significaba que los rasgos de la comunicación e información oral hubiesen sido reemplazados por los de la comunicación escrita. Los datos que conocemos sugieren que la alfabetización arraigó sólo muy gradualmente, y que la educación se continuaba basando sobre todo en la presentación oral y en la memorización y recitación. Este sistema educacional se mantuvo hasta bien entrado el siglo quinto. (La educación en este sentido estaba reservada a las clases altas). En las «escuelas» se enseñaba música, gimnasia, y algo de lectura y escritura. El punto central de la educación del joven aristócrata seguía siendo su compromiso íntimo y estrecho con un hombre de edad que le enseñaba las artes y saberes necesarios para ser un ciudadano de la polis[21].

Tenemos datos para creer que hacia finales de la segunda mitad

---

[20] Ver E. A. Havelock, *Preface to Plato* (Cambridge, Mass., 1963), «Pre-Literacy and the Pre-Socratics», *Bull. Instit. Class. Stud.*, 13 (1966): 44-45, *Prologue to Greek Literacy* (Norman, Okla., 1971), y *A History of the Greek Mind,* vol. 2 (en preparación); M. McLuhan, *The Gutenberg Galaxy* (Toronto, 1962); W. J. Ong, *The Presence of the Word* (New Haven, 1967); R. Finnegan, «What Is Oral Literature Anyway?», en *Oral Literature and the Formula,* edc. B. A. Stolz (Ann Arbor, 1976), págs. 127-76. Ver también I. Watt y J. Goodie, «Consequences of Literacy», *Comparative Studies in Society and History,* 5 (1963): 305-345. Algunos aspectos importantes de la relación entre cultura oral o letrada y la «terapia de la palabra» se pueden encontrar en el prefacio de W. J. Ong a la obra de P. Laín Entralgo, *Therapy of the Word,* págs. IX-XVI. Ong hace un excelente uso de las ideas de Havelock y confirma el punto esencial de mis propios argumentos. Ver también A. G. Woodhead, *The Study of Greek Inscriptions* (Cambridge, 1967), págs. 6 y 15-16 y *OCD*², voz *Alphabet, Greek.*

[21] La evidencia procedente de pinturas de cerámicas del siglo quinto señala que se aprendía a leer y a escribir durante la adolescencia, y no a los seis o siete años de edad.

del siglo quinto, los hijos empezaban a ser más cultos que sus padres. Si esto fue así, surge entonces la fascinante posibilidad de que el público que asistió al estreno de *Edipo rey* (una obra de Sófocles cuyo argumento gira en torno al tema de la ceguera y la visión, y que se representó por primera vez hacia el 430), estuviese formado principalmente por unos padres de escasa cultura y por unos hijos bastantes más cultos que aquéllos [22].

La prosa escrita de amplia difusión aparece por primera vez en el siglo quinto. Las historias de Herodoto (quizás terminadas poco después del 430 a.C.) todavía mantienen la huella característica de una obra pensada para ser leída en voz alta, ya fuese un grupo o en privado. La prosa de Tucídides (circa 420 a.C.) es mucho más compacta y analítica.

Los pre-socráticos parecen haber escrito sus obras, pero sus composiciones eran en verso o con una prosa gnómica y epigramática. Los diálogos de Platón (escritos después del 390 a.C.) pretendían ser relatos de conversaciones, pero en realidad eran composiciones escritas concebidas para un estudio y lectura cuidadosa. Ya en la segunda mitad del siglo cuarto se podía escribir un tratado en prosa, sin utilizar ninguno de los adornos de la comunicación oral.

Teniendo en cuenta lo que sabemos en la actualidad sobre la expansión del alfabetismo en Europa, y sobre las mezclas de la comunicación oral con la escrita en muchas sociedades contemporáneas en las que la alfabetización es sólo limitada, el cuadro que hemos presentado de la gradual difusión del alfabetismo en Grecia, parece bastante plausible. Lo que sí puede haber sido específico del caso griego, es el *uso* que los griegos hicieron de esta confluencia entre las formas orales y las escritas. Los griegos no sólo utilizaron la escritura para dejar registrados sus clásicos, sino que también explotaron ese potencial para crear nuevos tipos de material, en especial prosas analíticas y de exposición. Estamos de acuerdo en que los griegos realizaron una síntesis creativa entre lo oral y lo escrito, pero no podemos ir mucho más allá en este sentido [23].

Platón y el impacto de la alfabetización

Havelock afirma que Platón fue una figura central en la transición de una cultura oral a otra escrita. La obra de Platón es un hito de esta transición, pero al mismo tiempo está considerablemente influenciada por ella. El indicador más claro de la concepción platónica de este cambio y de su papel en la posterior promoción y difusión de este cambio, lo constituye el ataque que él hace a la poesía y a los

---

[22] Esta posibilidad añade una nueva dimensión al intenso conflicto que se desenvuelve a lo largo de esta obra; que es ante todo una reflexión sobre el conflicto que estalla entre padres e hijos sobre saber cómo aprender.

[23] Havelock, «Prologue to Greek Literary».

poetas. Al argumentar que los filósofos debían reemplazar a los poetas como profesores de Grecia, Platón estaba por una parte testimoniando y por otra promoviendo el cambio de un sistema educativo basado en lo oral, en la educación cara a cara, hacia otro sistema educativo fundamentado en la comunicación organizada, sistematizada y, por lo tanto, escrita [24].

Havelock argumenta que la psique racional, tal y como la presenta Platón, funciona de acuerdo con las premisas de la alfabetización, y no de acuerdo con las características de una cultura oral. De igual modo, el «yo» que emerge de la obra platónica, es un yo pensante.

> La «personalidad», como principio inventado por lo griegos y luego ofrecido a la posteridad para su contemplación, no pudo ser ese nexo de respuestas motoras, de reflejos inconscientes, y de pasiones y emociones que tantas veces habían sido movilizadas al servicio del proceso memotécnico. Por el contrario, era precisamente todo esto lo que representaba un obstáculo para plasmar una conciencia del yo personal emancipada de las condiciones de la cultura oral. La psique que poco a poco se impone y se independiza de la representación poética y de la tradición poetizada, tenía que ser una psique pensativa, reflexiva y crítica, o no podría ser nada [25].

El yo pensante, calculador y con capacidad de abstracción, contrasta con el yo implícito en los poemas épicos, y que viene definido por el nexo social. La diferencia entre la actividad del bardo y la del filósofo ilustra las puntualizaciones de Havelock sobre la psique autónoma. El bardo se contempla a sí mismo actuando de una forma tradicional y transmitiendo una información, también tradicional, a su público. Enseña y consolida lo que la cultura ya sabe y valora. Funciona en estrecha y continua relación con su audiencia. Ese tipo de relación es un aspecto de la gran intimidad social y de la estrecha independencia personal que caracteriza a las culturas orales y tribales. Esa intimidad y continuidad se concretan, además de en ideales, en hechos. La cultura se preocupa contínuamente por actuar de ese modo aunque los ideales sean siempre verdades fatuas. El poeta no se ve a sí mismo como aislado, o diferente de una forma radical, del público que le sigue. Su sentido de la individualidad únicamente se apoya en su especialidad de poeta, en ser un creador de historias. Al igual que otros artesanos tienen sus dones, a él los dioses le concedieron el don del canto.

---

[24] El mismo Platón no dice nada sobre la introducción o difusión de la alfabetización en su momento o en las décadas inmediatamente anteriores. El ataque que hace en el *Fedro* (274C-279C) el empleo de la escritura tiene un sentido muy específico dentro del marco del diálogo, pero no posee una aplicación global. H. Sinaiko, *Love, Knowledge, and Discourse in Plato,* argumenta muy convincentemente que Platón deseaba combinar lo mejor de la palabra hablada y de la palabra escrita. Para encontrar más referencias a la escritura y literatura en Platón ver el índice de Platón, *Dialogues,* traducidos por Jowett, voces *Letter, Syllable* y *Writting.*

[25] Havelock, *Preface to Plato,* pág. 200.

Para compararla y contrastarla con lo anterior, examinemos a continuación la relación entre el filósofo y su público. En primer lugar tenemos la descripción del trabajo de Sócrates (sobre todo la de los primeros diálogos), según la cual éste se encaraba en el ágora con un tipo de público, los ciudadanos atenienses, que todavía no son discípulos de ningún método o sistema filosófico particular. Desde esa posición Sócrates cuestiona, discute, y obliga a sus oyentes a reexaminar el significado de los valores tradicionales. A pesar de que parece compartir dichos valores con sus interlocutores, valores como la justicia, la piedad, el coraje, la templanza, poco a poco demuestra la inadecuación de los criterios tradicionales. En algún caso llega a un callejón sin salida, *aporia*, pero en otros redefine de una forma radicalmente nueva esos términos convencionales. El abismo que separa al público del filósofo se subraya, e incluso se exagera, sobre todo en la *Apología*. Sócrates dice claramente cosas que el público, su público, no desea oir, y las dice, además, de una forma innovadora, desconocida y nada confortable.

¿Pero que es lo que era tan desconcertante en las formas socráticas? Una lectura de los diálogos en general, y de la *Apología* en particular, demuestra que lo que excitaba tanto antagonismo era su capacidad dialéctica, su habilidad para irritar. Ciertamente no es ninguna sorpresa que uno de los acusadores de Sócrates, Anito, hubiese sido derrotado dialécticamente por aquél. En el Menón (89E) Sócrates se dirigió a él como hijo de un noble y virtuoso ateniense, y acto seguido le demostró que la virtud no puede ser enseñada, ni siquiera por un caballero ateniense a su hijo [26]. Esta disputa es lo que alimentaba un resentimiento latente, resentimiento que se puede racionalizar con facilidad bajo la forma de un proceso exigido por el bien del estado.

Pero el afán de litigio y el gusto por la discusión, incluso *ad hominem*, no era algo incongeniable para los dialécticos griegos. A la larga, lo que resultaba más extraño y desconcertante del método socrático, fue el no ser, de hecho, únicamente un ataque *ad hominem*. La misma impersonalidad de la disputa excitaba la ansiedad primero, y después el antagonismo. El método socrático de hacer preguntas en los diálogos, suponía una carga muy pesada para las facultades cognitivas y racionales de los oyentes, y desagradaba sus sentimientos emocionales y placenteros. La primera tarea de filósofo es domar los instintos y pasiones por medio de preguntas racionales y abstractas. El filósofo siempre utiliza los mismos instrumentos, ya sea para dirigirse a sus colegas o para gobernar el estado.

En la inter-conexión poeta-público que se da en los poemas épicos, no hay lugar para las distinciones entre pensamiento y sentimiento. Al contrario, para conseguir el efecto sensual y relajante de la poesía, se deben combinar el pensamiento y el sentimiento. La filosofía, en cambio, es irritante y no sirve (excepto a unos pocos) para tranquili-

---

[26] Ver el comentario de R. S. Bluck en *Plato's Meno* (Cambridge, 1961), pág. 344. Véase asimismo S. Reid, «The *Apology* of Socrates», *Psa. R.*, 62 (1975): 97-106.

zar la psique angustiada y para apaciguar nuestros peores temores. Resumiendo: la ruptura que la psicología platónica establece entre las partes racionales y las apetitivas, es paralela a la ruptura entre el filósofo y su público. El filósofo destaca por encima de todo la autonomía e interiorización del pensamiento, y por ello asume que la mente es un agente activo, sintetizador y regulador. Los oyentes, ya sean una parte del propio yo del filósofo, una parte de las psiques de otros filósofos, o simplemente «las masas», son los depositarios de la emoción y la sensibilidad.

La República nos proporciona los ejemplos más claros que existen entre el quehacer filosófico y el modelo filosófico de la mente. Está construida en torno a la proposición de que las divisiones de la psique se corresponden con las divisiones del estado (entiéndase el estado ideal de *La República*). El rey filósofo se corresponde con el *loqistikon*, que es la parte racional, abstracta y definidora de la psique, la parte que sabe y aprende a través de la dialéctica. A esta noción subyace la idea de que el *loqistikon* es, además, análoga al filósofo (Sócrates) que se afana para tratar de guiar hacia la verdad a todos los que participan en el diálogo[27]. Aunque los diferentes personajes que participan en éste no son equiparados con cada parte específica de la psique, existe alguna correspondencia con el *loqistikon*, sobre to-
En *La República*, Sócrates se corresponde con el *loqistikon*, sobre todo cuando se ocupa del proceso dialéctico, en tanto que Trasímaco, que había afirmado que la justicia significa «los fuertes hacen lo que pueden, y los débiles sufren lo que deben», es un prototipo de la parte inferior de la psique, el *epithumetikon*. Glauco, por otra parte, vendría a representar la actividad de la *thumoeides*, ya que él es el hombre joven impaciente y «erótico» que debe ser colocado en el lado que corresponde a la pregunta dialéctica[28].

En el *Timeo*, la dramática continuación de *La República*, la parte racional de la psique (*nous*) es equiparada con el cerebro, la parte vigorosa y afectiva con el corazón, y la apetitiva con el hígado y con otros órganos situados por debajo del diafragma, incluidos los genitales. El cuerpo es análogo al cuerpo político, y el filosófico es la cabeza de la organización[29].

En resumen, aunque he sido yo el que ha reconstruido el modelo de actividad de la mente que está implícito en la visión social del bardo, la construcción análoga, la de que el modelo de la mente descrito por la filosofía es afín a la actividad del filósofo, no es explicitada por el propio Platón. En ocasiones el filósofo es equiparado a la parte racional de la psique, en tanto que todo el resto de la humanidad es identificada con las partes inferiores. En otras ocasiones es la sepa-

---

[27] Ver, sin embargo, Robinson, *Plato's Earlier Dialectic,* pág. 146-47, «A Conflict between Plato's Epistemology and His Methodology».

[28] Sugerido por Shorey y Bloom, *Republic of Plato,* pág. 345.

[29] Recuérdese la tradición de que Aristóteles fue conocido como el *nous* (mente) de la Academia, citada por J. H. Randall, Jr., *Aristotle* (New York, 1962), pág. 13.

ración entre la parte filosófica de la psique del filósofo y sus partes sensoriales y apetitivas, la que se enfatiza. De igual modo, la oposición entre la psique y el soma se considera análoga al papel que el filósofo representa cara a cara con el mundo, o al papel que las facultades racionales de aquél desempeñan en contra de los tiranos y tentaciones de su propio cuerpo.

Platón y la Revolución Académica

¿Cómo era la educación ateniense del siglo quinto? Según lo que podemos reconstruir, sabemos que las clases superiores recibían lo que se puede denominar enseñanza elemental, que comenzaba en la adolescencia y consistía en aprender a leer y escribir, memorizar poesía (sobre todo Homero), y practicar música y gimnasia [30]. Esta enseñanza era la plataforma de preparación del joven para llegar a ser un ciudadano ateniense competente, erudito y buen orador. No estaba concebida para fomentar la formación de pensamientos independientes, sino antes bien para impartir los conocimientos, las reglas morales y las virtudes cívicas tradicionales. Lo importante era aprender a través del ejemplo; los diferentes héroes homéricos eran presentados como modelos de una u otra virtud. También en el entrenamiento militar debió ocupar un lugar de considerable importancia el aprendizaje de valores cívicos fundamentales. Sin embargo, la parte más importante de la educación de los jóvenes la constituía su estrecha relación con un hombre de edad avanzada. Este hombre podía ser un pariente o amigo del padre. Era el mentor del adolescente, el que le señalaba la habilidad de hablar en público, el comportamiento correcto en lugares sociales como el gimnasio, e incluso algunas pequeñas nociones de economía y finanzas prácticas. A todo ello le acompañaba, sin duda alguna, el aprendizaje de los puntos de vista políticos específicos de la familia extensa. A menudo, aunque no sabemos con qué frecuencia, esta relación implicaría una abierta relación homosexual, en la cual el maestro sería el *erastes*, el amante, y el discípulo el *eroumenos*, el amado. Esta costumbre pudo servir para desviar y anular gran parte de las tensiones y problemas de las relaciones entre padre e hijo. El padre, en las familias de clase alta, era percibido como una figura un tanto remota, no siempre inserto íntimamente en la familia, y desde luego, nada en la crianza de los niños [31]. El maestro parece haber suplido en parte la intimidad que faltaba en las relaciones padre-hijo.

En cierto momento de la segunda mitad del siglo quinto, unos individuos, que serían denominados sofistas, comenzaron a aparecer en

---

[30] *OCD²*, voz *Education*. El mejor trabajo de conjunto sobre la educación griega sigue siendo el de Marrou, *History of Education in Antiquity*.

[31] Me remito a las páginas 390 y 520 nota 29, en donde se ofrece una discusión más completa y con valiosas referencias bibliográficas.

Atenas, ofreciéndose para, a cambio de dinero, dar una instrucción especializada en diferentes habilidades, entre las cuales las más importantes eran la oratoria forense y la retórica política. Su enseñanza iba unida a nuevas ideas filosóficas y científicas, y nuevos valores morales que eran contemplados con mayor o menor recelo por los atenienses de todas las clases sociales. Algunos diálogos platónicos contienen conversaciones, reales o imaginarias, con sofistas afamados (Gorgias, Pitágoras); en ellas el *sofista* intenta ofrecer una definición del mundo. En cierto sentido estos hombres satisfacieron una necesidad importante de la sociedad ateniense al proporcionar una educación más intensiva y «sofisticada» para los jóvenes de un conjunto social que estaba creciendo de un modo complejo e implicándose cada vez en mayor medida en los problemas derivados del gobierno de un gran imperio. Por otra parte, los sofistas pronto fueron considerados como una amenaza a la educación tradicional ateniense, ya que, de una forma implícita, ofrecían una idea del conocimiento relativo y relativamente impersonal. Probablemente fuesen los sofistas los que comenzaron a utilizar los exámenes y las lecturas para realizar su labor educativa. Ofertaban un sustituto lógico de la educación típica del joven caballero ateniense, pero lo que ofrecían afectaba el particular equilibrio social y personal que un caballero debía mantener.

Sócrates intentó diferenciarse con nitidez de los sofistas. No aceptaba dinero por su labor educadora, y continuamente insistía en que él no daba ningún conocimiento de tipo especial, sino el conocimiento de la propia ignorancia de uno. Sin embargo, su labor era la continuación de la que habían empezado a realizar los sofistas. Sócrates, y más tarde Platón, desarrollaron unos métodos de enseñanza y aprendizaje que descubrían un conocimiento completamente independiente del proceso de educación a través de la imitación de modelos ejemplares. El tipo de aprendizaje tradicional es lo que Platón denuncia en *La República* llamándole *mimēsis.* La instauración de la Academia, una escuela que exigía requisitos previos («No dejar entrar a nadie sin geometría») y el *curriculum,* contribuyó a dotar de un mayor grado de impersonalidad el corpus del conocimiento. Aunque todavía se debía impartir un gran número de enseñanzas orales, ahora ya existían nuevos textos que podían ser estudiados, nuevas conferencias que podían ser pronunciadas, y nuevos libros para ser escritos.

En cierto modo, al institucionalizarse la enseñanza, la libre manifestación de los impulsos sexuales (y también de algunos agresivos) se convirtió en contraria al aprendizaje. La enseñanza de materias y pensamientos abstractos iba pareja de la progresiva desaparición del vínculo demasiado personalizado y sexualizado que existía entre el maestro y el discípulo. Es cierto, por supuesto, y el mismo Platón lo reconoce así, que no puede haber aprendizaje sin pasión, pero el problema pedagógico nuevo es cómo sustituir la pasión por el profesor por la pasión por aprender.

Havelock ha sostenido que los atenienses juzgaron y ejecutaron a Sócrates por considerarlo una amenaza, real y fantasmagórica, al sistema de educación tradicional [32]. Tal y como veremos, esa suposición tenía una parte de verdad. Pero los atenienses que lo llevaron a juicio y lo condenaron, no tenían muy claro el tipo de sistema con el que Sócrates los amenzaba ni la naturaleza de la amenaza. Le acusaron de «corromper a la juventud», cuando, por el contrario, al abstenerse de utilizar la sexualidad como un instrumento dialéctico evitaba la corrupción de la juventud.

El Banquete ilustra la perplejidad que Sócrates debía excitar en muchos atenienses. El tema del diálogo es el *eros*, que para los griegos implicaba un amor tanto homosexual como heterosexual. El marco de la conversación es una fiesta en la que tradicionalmente estaban incluidos el diálogo, la bebida y la sexualidad. Sin embargo, los elementos de esa mezcla son bastante diferentes de los que sería de esperar. Al final la discusión se concreta en la definición socrática de los distintos tipos de *eros*, desde el amor heterosexual al homosexual, y de aquí al amor de los cuerpos bellos, y por último el amor a la belleza, que es la forma más elevada de amor. Para subrayar la seriedad de Sócrates sobre los tipos de *eros* que se deben valorar, Platón introduce la figura borracha y licenciosa de Alcibíades [33]. El diálogo concluye con la afirmación hecha por Alcibíades de que ni siquiera él ha sido capaz de seducir a Sócrates. No hay ningún dato en este diálogo o en otros que permita creer que Sócrates no estuviera interesado y se mantuviera al margen de los placeres de la carne. Más bien habría que pensar que el amor a lo abstracto y a lo filosófico le produjo un gradual alejamiento del amor carnal. Algo parecido así Sócrates hubiese proclamado: «No soy contrario a mantener relaciones sexuales con mis alumnos, y de hecho me gustaría mucho, pero lo primero es la filosofía. Ella es lo más importante».

Las Nubes de Aristófanes nos aporta muchos datos sobre los temores y fantasías que Sócrates y el método socrático debieron despertar. Esta obra se representó (en dos versiones diferentes) alrededor del 423-420 a. C., unos veinte años antes del proceso y ejecución de Sócrates y al menos treinta o cuarenta antes de la fundación de la Academia. Un padre, Estrepsíades, se preocupa por las deudas que ha contraído su hijo a causa de su pasión por los caballos. Decide entonces mandar a su hijo a la escuela de Sócrates, el *phrontistērion*,, depósito del saber, y el buen pensar. Allí aprenderá una «nueva forma de pensar» [34], los métodos socrático-sofísticos de argumentación; utilizando esta lógica perversa, podrá librarse de todas las deudas contraídas. Como el hijo no acepta ir, es el mismo padre el que se afilia a la escuela, con la esperanza de llegar a aprender alguna de esas ha-

[32] Ver E. A. Havelock, «Why Was Socrates Tried?», en *Studies in Honor of Gilbert Norwood,* edt. por M. E. White (Toronto, 1952), págs. 95-109, estudio que constituye la base y fundamento de la presente disquisición.

[33] D. Clay, «Socrates' Mulishness and Heroism», *Phronesis,* 27 (1972): 53-60, demuestra que Sócrates *es* eros.

[34] Frase tomada de George Orwell *1984*.

bilidades. Después de algunos penosos encuentros con Sócrates, en escenas que son caricaturas de los métodos filosóficos y sofísticos de enseñanza, Estrepsíades se convierte, a pesar incluso de haber demostrado anteriormente que era demasiado duro de mollera para aprender el método. Ante la insistencia del coro, Estrepsíades intenta de nuevo convencer a su hijo para que acuda al *phrontistērion*, cosa a la cual aquél se sigue negando. Entonces el padre hace que el hijo presencie un agrio debate entre el «discurso justo», los métodos tradicionales de educación ateniense, y el «discurso injusto», los nuevos métodos educativos[35]. Para satisfacción de Estrepsíades, su hijo aprende el método socrático y se convierte en un agudo sofista lógico de primera clase. Pero después el hijo se vuelve contra su padre, empieza a pegarle, y justifica sus palizas con todas las nuevas habilidades socráticas que ha aprendido. La obra termina cuando Estrepsíades, ultrajado, prende fuego a la escuela socrática.

En primer lugar encontramos aquí el tema del hijo que no hace caso a su padre y que le pega, tema que, tal y como Dodds ha señalado, es muy frecuente en la literatura del siglo quinto[36]. El hijo ya era irrespetuoso y desobediente con su padre antes de que alguno de los dos tuviera algo que ver con Sócrates. Pero fue la experiencia en la escuela la que fundamentó que el hijo, sintiéndose plenamente libre, empezara a pegar a su padre, y después justificara sus actos apelando a la buena lógica y a las leyes de la naturaleza. (Accidentalmente, al principio de la obra se dice que el conflicto entre el padre y el hijo había sido fomentado por la madre, idea que también se encuentra en la descripción platónica del origen del hombre «timocrático», *La República*, 549C). Esta versión de los valores tradicionales es una de las consecuencias directas de la nueva educación, (ver *Las Nubes,* 1.911).

En primer lugar encontramos aquí el tema del hijo que no hace caso a su padre y que le pega, tema que, tal y como Dodds ha señalado, es muy frecuente en la literatura del siglo quinto[36]. El hijo ya era irrespetuoso y desobediente con su padre antes de que alguno de los dos tuviera algo que ver con Sócrates. Pero fue la experiencia en la escuela la que fundamentó que el hijo, sintiéndose plenamente libre, empezara a pegar a su padre, y después justificara sus actos apelando a la buena lógica y a las leyes de la naturaleza. (Accidentalmente, al principio de la obra se dice que el conflicto entre el padre y el hijo había sido fomentado por la madre, idea que también se encuentra en la descripción platónica del origen del hombre «timocrático», *La República*, 549C). Esta inversión de los valores tradicionales es una de las consecuencias directas de la nueva educación, (ver *Las Nubes*, 1.911).

---

[35] K. J. Dover prefiere hablar de «discurso superior» y «discurso inferior» en su edición de *Las Nubes* (Oxford, 1970), pág. XXIII.

[36] Dodds, *Greek and the Irrational,* pág. 61, nota 104; ver también *La República,* 562E, y P. Shorey, *Plato: The Republic,* LCL (Cambridge, 1946), vol. 2, pág. 307, nota g.

También se relaciona con estas perturbaciones de las relaciones padre-hijo, la perturbación del ajustado equilibrio en el amor homosexual creado por la enseñanza socrática. Al igual que ocurre en todas las cosas griegas, se esperaba que el comportamiento homosexual fuese asumido con cierta moderación y pudor. Había unas reglas fijas para cortejar y ser cortejado. Las relaciones homosexuales demasiado obvias o demasiado promiscuas, eran ridiculizadas. Aristófanes hace hincapié en esta idea de hombre *sōphrosunē*, pudoroso (11. 979-80): «Respecto a sus amores, su conducta era viril: nunca los encontrarías pavoneándose, hablando afectadamente, o prostituyéndose a sí mismos con voces y coqueterías afeminadas, o con miradas provocativas» [37]. De hecho, si se seguían las formas tradicionales y pudorosas, el físico estaría bien proporcionado (11. 1012-19):

TIPO .... estupendo
COMPLEXION .... espléndida
HOMBROS .... grandes
LENGUA .... pequeña
NALGAS .... musculosas
ANIMO .... discreto

En cambio, con las nuevas enseñanzas socráticas el físico se arruinaría:

TIPO .... afeminado
COMPLEXION .... cadavérica
HOMBROS .... jorobados
LENGUA .... enorme
NALGAS .... fofas
ANIMO .... ridículo [38]

Estas líneas dan bastantes más detalles que aquello de «Sigue a Sócrates, y te convertirás en una gran polla». La nueva educación, se dice, amenaza con convertir a los homosexuales en floridos petimetres afeminados y maricas, mientras la antigua educación defendía un tipo de homosexualidad que convertía al adolescente en un verdadero hombre. La gloriosa juventud ateniense que aparecía en la escultura y la cerámica, tienen penes de pequeñas dimensiones y bien proporcionados; los bárbaros, los esclavos y los sátiros tienen, en cambio, grandes falos. El típico equilibrio bisexual mantenido por los aristócratas atenienses debía ser bastante precario, y la nueva educación representaba una amenaza a este equilibrio. La libido y la agresividad entre el padre y el hijo estaban contenidas por la homosexualidad, que se fundamentaba en la educación tradicional. Otras fantasías que se expresan en esta obra son la locura, la masturbación y el incesto

[37] *Aristophanes: Three Comedies,* edc. W. Arrowsmith (Ann Arbor, 1969).
[38] Ibídem.

hermano-hermana [39]. Da la impresión de que Sócrates ha abierto una caja de Pandora de deseos reprimidos.

De igual modo, el «diálogo socrático» entre el filósofo y Estrepsíades está cargado de imágenes de desenfrenada sodomía y feminización. El maestro humilla y se aprovecha de su discípulo, le provoca angustia, dolor y una ansiedad castradora (tal y como se sugiere en 1.734), y ocasiona una fuerte represión infantil [40]. La educación puede parecer nueva, pero el juego es viejo y familiar: se trata de saber quién puede joder a quién y conseguir salirse con la suya. Así pues, ésta es la lectura que Aristófanes hacía de los objetivos fundamentales de Sócrates.

De este modo, en *El Banquete* de Platón (en el que Aristófanes es uno de los participantes) y en *Las Nubes* de Aristófanes, se definen, de formas muy diferentes, los problemas centrales de la educación. En *El Banquete* se plantea un ideal educativo y filosófico, que consiste en el progresivo alejamiento de lo concreto hacia lo abstracto, de los placeres corporales y del amor a los cuerpos particulares, hacia el amor a la belleza abstracta. La enseñanza y el aprendizaje deben tener de algún modo la chispa del *eros*, pero no pueden caer en sus manifestaciones públicas y abiertas. Para el poeta cómico, en cambio, la vieja educación, aunque no es perfecta, encuentra un equilibrio mejor y más «temperado» que la nueva, ya que ésta amenaza con destruir la virilidad (y la educación) por culpa de sus gratificaciones sexuales y explosivas.

Los nuevos sistemas de educación eran un reflejo de las condiciones cambiantes de la sociedad griega, al tiempo que constituían, asimismo, un modo de hacer frente a esos cambios. Dodds y otros autores han analizado los cambios en la organización social, económica y política que se encontraban asociados con profundas transformaciones en la familia. En pocas palabras podemos decir que las obligaciones hacia los parientes fueron disminuyendo mientras aumentaban las obligaciones con la polis y con las nuevas unidades políticas [41]. Se perdió la autoridad absoluta del padre, de tal manera que, por ejemplo, los padres ya no tenían el derecho de vida o muerte sobre las personas de sus hijos. A finales del siglo quinto, incluso se llegó al extremo de que los hijos pudiesen llevar a juicio a sus padres para que éstos respondiesen de determinadas acusaciones.

Los temas relacionados con la autoridad de los padres sobre sus hijos y con la transformación de estas normas tradicionales, son muy

---

[39] Ver por ejemplo, 11. 650-54, 924, 1371.

[40] S. Halpern, «Free Association in 432 B. C.» *Psa. R.*, 50 (1963): 419-36, analiza esta relación como una caricatura de la psicoterapia.

[41] Dodds, *Greek and the Irrational,* sobre todo capítulo 2; G. Glotz, *La solidarité de la famille dans le droit criminel en Grèce* (París, 1904; reimpreso en New York, 1973). Dos artículos interesantes pero frecuentemente olvidados son Z. Barbu, «The Emergence of Personality in the Greek World», en *Problems of Historical Psychology* (New York, 1960), págs. 69-144, y R. de Saussure, «Le miracle grec», *Rev. Fr. Psa.,* 10 (1938): 87-148, 323-77, 471-536.

típicos de Platón. Uno de sus primero diálogos, El *Eutifrón* o sobre la naturaleza de la santidad, comienza con el episodio de un padre que es llevado a juicio por su propio hijo por haber abusado de un esclavo. De una forma accidental, y en comentarios informales, se encuentran frecuentes menciones a parricidios (*El Sofista*, 241D). También en *La República* abundan las referencias a este crimen. La democracia, de la forma en la que la define Platón en el Libro 8 de *La República*, se caracteriza por el declinar de la autoridad paterna y de la vergonzosa reverencia de los hijos hacia sus padres. Resumiendo podemos decir que las formas tradicionales de regulación de la rivalidad entre los padres y los hijos parecen haber resultado inadecuadas en los siglos quinto y cuarto, o al menos Platón y otros griegos percibieron o creyeron percibir que eran inadecuadas. Para Aristófanes son Sócrates y los sofistas los que ocasionaron, o contribuyeron a ocasionar, esta seria situación. También los jueces de Sócrates participaron de esta misma opinión.

Pese a todo, resulta engañoso y deformador hablar de Platón como de un hombre implicado en una «revolución», ya que por sus propias líneas de pensamiento era una persona muy conservadora. Dodds ha descrito muy elocuentemente el intento platónico de estabilizar y poner orden en el «conglomerado heredado» de la tradición griega[42]. El sistema educativo de Platón, tal y como lo define en *La República*, es al mismo tiempo radical y conservador. De este modo podemos considerar las ideas platónicas sobre educación, que aparecen en *La República* y en *Las Leyes*, como un intento por encontrar un equilibrio entre las tendencias al cambio, que se basaban en ciertos principios intelectuales, y la necesidad de prevenir, y evitar, la anarquía que podría seguir al debilitamiento de la moral tradicional. En un nivel diferente, también podemos percibir aquí las reverberaciones del problema platónico por establecer un equilibrio entre la razón y la emoción, entre lo dialéctico y lo apetitivo.

El programa de formación en matemáticas y dialéctica que se planteaba en *La República*, encontró su expresión concreta en la Academia. Aunque no disponemos de mucha información sobre los primeros años de la Academia, podemos decir de ella que fue la primera institución de enseñanza de altura e investigación del mundo occidental, la primera universidad. La preparación en la dialéctica, al mismo tiempo que en los contenidos de la filosofía de Platón, debieron ser el rasgo central de la Academia. Aunque en ella eran frecuentes los discursos y conferencias, la parte más importante de la preparación se debía basar en las lecturas privadas. Según la tradición, algunos de los hombres jóvenes allí instruidos, se marcharon a otras ciudades para colaborar en su gobierno.

Por lo tanto, la alternativa educativa que encontró su mejor expresión y concretización en la Academia, sirvió tanto para innovar como para estabilizar. La introducción de la alfabetización y de la

[42] Dodds, *Greek and the Irrational,* capítulo 7.

enseñanza basada en libros, suponía la ruptura provisional entre generaciones. La presencia de unos libros que constituyen autoridades independientes de la autoridad y tutela paterna, envalentona a los jóvenes y los hace entrar en desacuerdo y enfrentamiento con los padres. Los libros se convierten no sólo en fuentes de información independientes, sino también en un nuevo tipo de superego. Más adelante, la alfabetización y la posibilidad de descubrir en los textos una inmensa diversidad de opiniones distintas sobre prácticamente cualquier tema, viene a representar un golpe más a la autoridad paterna. Pero en cuanto se consolida la nueva tradición de enseñanza y escritura, los padres comienzan a compartir los valores de los hijos. En este momento se convierte en un valor primordial la conciencia de la relatividad del pensamiento y de la opinión. El niño tiene que crecer para darse cuenta de la puerilidad del mundo materno, de un mundo de moralidades absolutas pintadas en blanco y negro.

Creo que Platón anhelaba establecer una nueva tradición, en la cual se aceptase el aprendizaje filosófico y académico. No sé si Platón sospechaba o no que el conflicto generacional es inevitable, y que si las diferencias entre padres e hijos no se pueden expresar en términos de valores educacionales, se deben expresar de alguna otra forma. Sin duda alguna Platón debía ser consciente de que su propia institución no podría permanecer inmune durante mucho tiempo a las rivalidades destructivas. Y en efecto, poco después de su muerte, Aristóteles y otros discípulos suyos se separaron de la Academia, y con el tiempo Aristóteles llegó a formar su propia escuela, el Liceo.

También podemos decir que el modelo filosófico de la mente describe a una persona que va a la escuela, que pasa de la enseñanza elemental a la secundaria, de ésta a la universidad y que finalmente termina en la educación profesional. Es un modelo de persona que debe aprender gradualmente a utilizar la razón y el discurso abstracto, y a hacer frente a los impulsos que interfieren en ese tipo de aprendizaje. El niño aprende en el colegio a sentarse quieto, a concentrarse. Abandona gradualmente el mundo de su madre y se inicia en el de los hombres. Mientras es pequeño se le permite jugar en la escuela, pero a medida que pasa el tiempo debe restringir su juego y ceñirse al servicio del aprendizaje. Debe dejar de aprender para amar, y empezar a amar el aprender [43]. Debe aprender a controlar su materia, y en el proceso sublimar y desviar sus sentimientos de rivalidad hacia sus iguales y maestros. Se debe esforzar por obtener una victoria que es más hermosa que la victoria olímpica, y por ganar premios más preciosos que aquéllos que se otorgan a los vencedores olímpicos [44].

No nos sorprendamos, por lo tanto, de que este modelo de la mente desprecie sin miramientos los apetitos y las pasiones. También en mu-

[43] Ver R. Ekstein, y R. L. Otto, *From Learning for Love to Love of Learning: Essays on Psychoanalysis and Education* (New York, 1969).

[44] Ver la pretensión de Sócrates de que la ciudad establezca este tipo de premios (*Apología,* 36).

chos aspectos desprecia sin contemplaciones a los niños, coartando su curiosidad natural y privilegiando el hacerles renunciar a sus instintos. Nos debemos preparar ahora para comprender cómo pudo Platón equiparar nada menos que la plena utilización de la razón, con la locura y la enfermedad del alma. Platón articuló y ratificó la ruptura entre razón e instinto, entre pensamiento y acción, entre reflexión y sentimiento. Su mérito principal lo constituye su esfuerzo por volver a juntar de nuevo todo lo que él mismo había hecho pedazos.

10

PLATON Y FREUD

> Y con respecto al «ensanchamiento» del concepto de sexualidad que fue necesario para analizar a los niños y a los llamados pervertidos, cualquiera que mire con desprecio al psicoanálisis desde una posición estratégica superior, debería recordar que esa sexualidad ensanchada del psicoanálisis coincide fielmente con el Eros del divino Platón.
>
> Sigmund Freud, *Tres ensayos sobre la teoría de la sexualidad* [1]

La intención de este capítulo es explicitar una suposición que ha determinado los análisis realizados sobre Platón en este libro: es útil y posible considerar al filósofo griego en relación con Freud. En la segunda mitad del siglo veinte es difícil leer a Platón sin poseer ningún conocimiento sobre Freud. Por otra parte, tal y como ha sugerido Dodds, Platón, de haber vivido en la actualidad, habría estado muy interesado en la moderna psicología profunda, en la psicología del conflicto interno [2].

Creo que el modelo platónico de la mente y de los trastornos mentales ocupa un lugar muy importante en el pensamiento de Freud. Al perfilar este componente del pensamiento freudiano, podremos llegar a ver más claramente sus otros componentes. O lo que es más importante, un análisis de este tipo descartará ciertos problemas contenidos en la noción de que la mente se encuentra dividida. Estos problemas nunca fueron resueltos de una forma satisfactoria por Platón, y, de igual modo, una investigación de la evolución del pensamiento de Freud a lo largo de los años, demuestra que también este autor se planteó una amplia serie de posibles soluciones. Algunas de las cuestiones que podemos anticipar que se plantearán en la discusión posterior son: el lugar del sentimiento, los problemas incluidos bajo el término «sublimación», la cuestión de si un conflicto psicológico puede manifestarse o no en términos de procesos que no sean en el fondo antropomórficos y el problema del tipo de proceso verbal, ya sea psicoterapia o diálogo, que se precisa para cambiar a un individuo.

Considérese el punto de partida de Freud en su discusión sobre el *ego* y el *id*, el así llamado modelo estructural de la mente: «El *ego*

Nota: El capítulo 10 es una revisión corregida y aumentada de mi artículo «Plato and Freud: The Mind in Conflict and the Mind in Dialogue», *Psa. Q.*, 42 (1973): 91-122.

[1] SE, 7: 134.

[2] E. R. Dodds, «Plato and the Irrational», *JHS*, 65 (1945): 16-100.

representa lo que se puede denominar razón y sentido común, en contraste con el *id*, que contiene las pasiones. Todo esto se incluye en la misma línea de divisiones populares con las que todos estamos familiarizados»[3]. Las «distinciones populares» a las que Freud se refiere son, según creo, aquellas que se introdujeron y articularon en el pensamiento occidental con la filosofía de Platón. Esa distinción fundamental en el pensamiento platónico también es muy importante en el de Freud.

Él mismo Freud comparó sus ideas con las de Platón en algunos comentarios desparramados contenidos en sus primeros escritos, particularmente en *La Interpretación de los sueños*, (volver a la pág. 256, donde se trató de los comentarios de Platón a los deseos reprimidos que se manifiestan en los sueños, y a los que Freud alude con aprobación). En 1920 Freud se expresó con una comparación mucho más explícita:

> Y con respecto al «ensanchamiento» del concepto de sexualidad que fue necesario para analizar a los niños y a los llamados pervertidos, cualquiera que mire con desprecio al psicoanálisis desde una posición estratégica superior, debería recordar que esa sexualidad ensanchada del psicoanálisis coincide fielmente con el Eros del divino Platón. (cfr. Nachmansohn, 1915)[4].

En efecto, la mayor parte de las referencias freudianas a Platón se relacionan con algún aspecto de las similaridades entre el Eros y la libido[5]. La historia de los estudios que comparan a los dos autores, ha sido analizada en otra parte[6]. Basta con decir que todos esos estudios fracasan del algún modo a la hora de determinar si las configuraciones globales de las teorías de estos dos hombres son suficientemente congruentes como para poder justificar una aproximación «comparada y contrastada» entre ambos. Si consideramos que los dos pensadores comparten una misma noción o estructura central subyacente, entonces nuestra comparación estará justificada. La noción fun-

[3] *The Ego and the Id*, SE, 19: 25.

[4] *Three Essays on the Theory of Sexuality*, SE, 7: 134. El artículo que cita Freud es de M. Nachmanson, «Freuds Libido Theorie verglichen mit der Eroslehre Platos», *Int. J. Psa.*, 3 (1915): 65-83.

[5] Ver el índice de SE, 19: 25.

[6] Simon. «Plato and Freud». Ver en particular P. Laín Entralgo, *The Therapy of the Word in Classical Antiquity*, traducida por L. J. Rather y J. M. Sharp (New Haven, 1970); E. Amado Levy-Valensi, «Verité et language du dialog platonicien au dialogue psychanalytique», *La Psychanalyse*, 1 (1956): 257-74; W. Leibbrand y A. Wettley, *Der Wahnsinn* (Freiburg, 1961). El trabajo reciente más amplio es Y. Brès, *La psychologie de Platon* (París, 1968), ver capítulo 8, nota 3. Artículos útiles escritos desde una perspectiva psicoanalítica (aunque no interesados principalmente por comparar a Platón y Freud entre sí) son: H. Kelsen, «Platonic Love», *Am. Im.*, 3 (1942): 1-110, y P. Plass, «Philosophic Anonymity and Irony in the Platonic Dialogues», *AJP*, 85 (1964): 254-78, Y «Eros, Paly, Death in Plato», *Am. Im.*, 26 (1969): 37-55. Una contribución muy importante es la de C. Hanly, «An Unconscious Irony in Plato's *Republic*», *Psa. Q.*, 46 (1977): 116-47.

damental es que el hombre es una criatura con conflictos interiores, y que se encuentra dividido entre una parte racional y superior, y una parte inferior o deseante.

Para la presente discusión no resulta muy importante saber hasta qué punto conocía Freud la obra de Platón, ni comprender de qué modo utilizó este conocimiento en su propio pensamiento. De hecho Freud no estaba totalmente impregnado por la filosofía de Platón [7]. Nuestra tarea es otra: es perfilar la existencia de ciertas estructuras o formas similares en las teorías de los dos hombres, y relacionar sus consecuencias históricas. Se debe tener en cuenta que Freud no se dedicó desde sus inicios a estudiar los conflictos del hombre o las causas de su comportamiento. El comenzó tratando a gente con «enfermedades» como histeria, neurastenia y similares, y así fue dando forma a la idea (a partir de la obra de Jean-Martin Charcot, Hipolyte Bernheim y otros) de que esas enfermedades deberían ser entendidas como la expresión de ciertos conflictos interiores. Los sueños, al igual que otros productos de la vida mental, constituyen, desde este punto de vista, el resultado de una batalla interior entre los deseos y las represiones. Freud, por lo tanto, situó en el centro de sus teorías sobre las enfermedades psiquiátricas las «distinciones populares» referidas anteriormente, esto es, la división entre razón e instinto, aunque creía que el instinto actuaba a menudo al margen del conocimiento consciente. Resumiendo, tanto Platón como Freud, aunque cada uno por un camino diferente, se interesaron por los problemas planteados por la idea de que el hombre podía llegar a actuar contra sí mismo o contra sus propios intereses.

Consideremos entonces algunas ramificaciones del modelo de la mente según el cual ésta se encuentra dividida en dos partes, una inferior y otra superior. Estas partes están continuamente en conflicto entre sí, y cada una de ellas tiene sus propios intereses, deseos y una forma característica de funcionamiento. La línea de separación individualiza una estructura racional, organizada y organizativa, y otra salvaje, no diferenciada y desenfrenada. En Platón encontrábamos lo racional (*logistikon) versus* lo apetitivo (*epithumetikon*), psique *versus* soma, u otras variantes del mismo tema [8]. Dicho tema persiste a lo largo de todas las variaciones y vicisitudes de las concepciones freudianas sobre el aparato mental: consciente *versus* inconsciente (en el modelo topográfico), instintos del *ego versus* instintos sexuales, y *ego versus id* (en el modelo estructural, en el cual la distinción consciente/in-

---

[7] Freud dijo en una ocasión que su conocimiento de Platón era fragmentario. Cuando era joven había traducido al alemán algunos ensayos de J. S. Mill, entre los cuales se encontraba «Grote's Plato» (*Edinburgh Review,* abril, 1866). Freud quedó impresionado por la noción platónica de *anamnesis,* recuerdo, de la que Mill se había ocupado de forma muy simpática. Ver E. Jones, *The Life and Work of Sigmund Freud,* vol. 1, *1856-1900* (New York, 1953), págs. 55-56. El ensayo de Mill se puede encontrar en B. Gross, editor, *Great Thinkers on Plato* (New York, 1969), págs. 135-93.

[8] Creo que en este punto el modelo tripartito de Platón no resuelve satisfactoriamente las cuestiones planteadas por el modelo psique-soma.

consciente asume ahora una connotación diferente)[9]. Tanto Platón como Freud consideraron que la parte impulsiva e irracional es la más corporal, la más primitiva y de desarrollo anterior, la pueril y la animal. Y ambos autores (hasta la llegada de la teoría estructural) asociaron las funciones morales con la parte racional, estructurada, y equipararon la verdad racional a la bondad moral y al control personal. En el modelo topográfico freudiano, por ejemplo, la consciencia y el censor representan la afirmación de la realidad, la racionalidad, la moralidad y la sociedad. Incluso en su modelo de *ego-id-superego*, Freud pone especial cuidado en señalar que no se puede delinear con precisión la división de funciones entre el ego y el superego.

En este modelo es esencial la noción de que existen dos formas de pensar diferentes, cada una de las cuales es característica de cada parte de la psique. En la teoría platónica, las partes inferiores de la psique «piensan» como si estuvieran dormidas o en un sueño. Funcionan con sombras e ilusiones, con significados cambiantes, con contradicciones y oscilaciones en la identificación y la identidad (véase, por ejemplo, *La República,* 380D). Freud cree que la actividad de la mente durante los sueños señala el camino para diferenciar el consciente del inconsciente, y permite construir un sistema en el que se encuentren los procesos unitarios de pensamiento *versus* los procesos secundarios. Términos como «condensación» y «desplazamiento» describen de un modo más ceremonioso que el utilizado por Platón los procesos que según este autor pertenecen al *modus operandi* de las partes inferiores de la psique. También es sorprendente encontrar la metáfora de pensamientos «estreñidos» en Platón para indicar que éstos no corren a ciegas (*Menón,* 970-98B), metáfora que utiliza Freud para diferenciar el funcionamiento de las energías en los dos sistemas (esto es, el proceso primario opera con las energías liberadas).

Ambos pensadores se interesaron por el tema de la utilización del lenguaje antropomórfico para dar forma a las descripciones de la vida mental. Platón, al igual que Freud, emplea de un modo libre el lenguaje de una persona dentro de otra persona. Ambos, sin embargo, buscan algún tipo de *sistema* lingüístico: Platón busca algo que se apoye en la geometría y la aritmética; Freud modelos aparentemente físicos y cuantitativos. Ninguno de los dos puede prescindir del lenguaje antropormórfico, aun cuando sean cautelosos con los riesgos que puede suponer aceptarlo de un modo demasiado literal. Esta observación aporta una causa más de la congruencia entre las visiones de Platón

[9] Una historia sucinta de los cambios del pensamiento de Freud se puede encontrar en C. Brenner, *An Elementary Textbook of Psychoanalysis,* edc. revisada (New York, 1973). Mi teoría de que esta dicotomía fundamental se encuentra en todas las formulaciones freudianas, aun cuando éstas evolucionen y se transformen, se opone en gran medida al énfasis con el que el actual pensamiento psicoanalítico destaca la unicidad y carácter innovador de la teoría estructural. Pero yo creo que el poder de esta teoría se basa más en sus formulaciones clínicas que en su radicalidad como formulación teorética. Ver W. I. Grossman y B. Simon, «Anthropomorphism: Motive, Meaning, and Causality in Psychoanalytic Theory», *Psa. Study Child,* 24 (1969): 78-111.

y Freud: el modelo de la mente perturbada es un modelo que en gran parte se deriva de la experiencia introspectivamente aprovechable del conflicto que tiene lugar en el interior de la persona (véase, por ejemplo, *La República*, 439D-441C). Las voces interiores que oye la persona perturbada se plasman y representan en el lenguaje antropomórfico de la teoría [10].

Estas consideraciones señalan otro rasgo crucial del modelo compartido por Platón y Freud: es un modelo de conflicto y *control* a la vez. ¿Qué parte debe imponer las reglas, la superior o la inferior, la razón o los instintos? Tanto en Platón como en Freud, la metáfora es política, pero también para ambos, es algo más que una metáfora [11]. Las cuestiones sobre el control de la interioridad están relacionadas de forma muy compleja con los problemas planteados en el caso del control de un segmento de la sociedad por otro, o de un individuo por el grupo. Cuando Freud invoca al Eros de Platón para dar un paralelo de su propia visión de la sexualidad, concluye:

> La civilización humana se apoya en dos pilares, uno de los cuales es el control de las fuerzas naturales y el otro la represión de nuestros instintos. El trono del gobernante se apoya en esclavos encadenados. Entre los componentes instintivos que se introducen de este modo, los instintos sexuales, en el sentido más estrecho del término, se destacan por su fuerza y salvajismo. ¡Sería desastroso, si se los dejara sueltos! El trono sería derribado y el rey pisoteado [12].

Otra metáfora sobre el control que es común a Platón y a Freud, (destacada por muchos, aunque no por Freud), es la del hombre que lleva un caballo: un caballo y su jinete *(El Ego y el Id),* y un auriga y dos caballos *(Fedro).*

El otro lado del problema del control es el modo en que cooperan las dos partes de la psique. Freud postula un proceso de *sublimación* de la libido (o de la agresividad) a lo largo del desarrollo. Señala que es la curiosidad sexual infantil el principal origen de la curiosidad el deseo de aprender posterior. En las frecuentes situaciones clínicas de inhibición de una actividad que antes se desarrollaba felizmente, se postula *echar abajo* la sublimación. Un fotógrafo de mediana edad que siempre ha disfrutado con su trabajo, de repente se da cuenta de que está perdiendo interés por ese trabajo. Sus sueños e imaginaciones revelan que se encuentra preocupado por deseos sexuales exhibicionistas. Pronto nos damos cuenta de que lo que le ha perturbado ha sido por un lado la incipiente sexualidad adolescente de su hija, y por otro el atractivo marchito de su esposa ya menopáusica. Entonces

---

[10] Ver W. I. Grossman, «Reflections on the Relationships of Introspection and Psycho-Analysis», *Int. J. Psa.*, 48 (1967): 16-31, y Grossman y Simon, «Anthropomorphism».

[11] Ver G. Vlastos, «Slavery in Plato's Thought», en sus *Platonic Studies* (Princeton, 1973).

[12] «The Resistances to Psycho-analisys», SE, 19: 218.

nuestro fotógrafo abandona las actividades que suponen mirar y ser mirado, incluida la fotografía. El mirar se ha convertido en excesivamente sexualizado y conflictivo; la inhibición es la defensa. Es precisamente este tipo de situaciones clínicas las que más llaman nuestra atención, ya que en ellas es probable que se entremezclen durante su desarrollo los impulsos libidinosos y agresivos con habilidades, talentos e intereses [13]. El término «sublimación», y sus afines «neutralización», «autonomía primaria» y «autonomía secundaria», derivan de la psicología del *FT6psicoanalítico, y constituyen intentos para enfocar el problema de cómo cooperan en diferentes ocasiones las distintas divisiones de la psique, mientras en otros momentos parecen sostener una especie de batalla. Las formulaciones de Platón sobre el eros* en *El Banquete* (ver pág. 301 más arriba) intentan hacer frente al mismo problema. Las teorías que dividen la mente en unas partes inferiores y otras superiores, deben postular, o bien un foco de energía psíquica que pueda ser utilizada por cualquiera de aquellas, o por ambas a la vez, o bien dos tipos de energía diferentes, una que caracterizase el funcionamiento mental superior, y otra el inferior. Pero aún así, ambas energías deben mantener algún tipo de relación entre ellas [14].

Las teorías que dividen la psique clasifican esencialmente las diferentes motivaciones que parecen guiar el comportamiento humano. La parte superior se plantea objetivos nobles, piensa con claridad, y tiene una gran capacidad para actuar de un modo sosegado y reflexivo. La parte inferior, en cambio, se mueve por motivaciones más oscuras, piensa de una forma desordenada, llevada por impulsos emocionales, y actúa de un modo impulsivo. El resultado, por lo tanto, es que el teórico que postula este tipo de división de la mente, en realidad está utilizando un lenguaje de tipo antropomórfico que se refiere a mejores o peores tipos de individuos dentro de una misma persona. Es innecesario decir que este tipo de esquemas suelen ser desarrollados por estudiosos que valoran, por encima de todo, el intelecto, y por ello nadie se debería sorprender al darse cuenta de que, aunque sus teorías hablan de la superioridad de la parte racional, se les nota cierta envidia hacia aquellos cuyas vidas están regidas y gobernadas por las partes inferiores de la psique.

Para Platón, al igual que para Freud, esta división es una configuración básica que perfila y sitúa las fuerzas sobre los pormenores de las teorías que emergen de aquélla. En ambos autores encontramos ciertas variaciones a través del tiempo en aspectos que se refieren

---

[13] Ver S. H. Fraiberg, *The Magic Years* (New York, 1959), págs. 23-27, para localizar un ejemplo infantil. La actual psicología del ego destaca que la curiosidad tiene unas raíces independientes de los instintos escopofílicos, aunque ambas cosas están muy estrechamente vinculadas. Ver H. Hartmann, E. Kris, R. Loewenstein, *Papers on Psychoanalytic Psychology,* monografía 14, *Psychological Issues,* 4 (1964).

[14] Roy Schafer, *A New Language for Psychoanalysis* (New Haven, 1976), representa una tentativa de reformular las proposiciones psicoanalíticas sin echar mano de lenguajes energéticos.

a determinados matices de aquella división. En los primeros escritos de Freud, sobre todo en su *Proyecto para una psicología científica,* 1895, el *ego* es definido como una organización que une, demora, filtra y trasmuta los impulsos asociados a sistemas neuronales relativamente inestables [15]. Este *ego* es lo que, entre otras cosas y finalidades, hace posible la existencia de la memoria, ya que convierte las percepciones en recuerdos fijos y estables. Esta visión del ego en el *Proyecto,* y la discusión del desarrollo del pensamiento a través del objeto ausente alucinado en *La interpretación de los sueños,* consideran la cuestión de cómo los impulsos y deseos corporales se transmutan en pensamientos, juicios y otras actividades mentales de tipo superior. Se puede comprobar que la distinción freudiana entre los instintos del *ego* y los instintos sexuales se ajustan a un mismo modelo, del mismo modo que ocurrirá más adelante con la diferenciación entre el *ego* y el *id.* En efecto, encontramos muchas variaciones del problema de las relaciones mente-cuerpo, ya que todos estos esquemas de las obras de Freud (y de Platón) intentan localizar ciertas funciones de la persona en un agente de tipo mental, mientras que otras son situadas en un agente de tipo más físico o corporal. Algunas teorías psicoanalíticas posteriores han atribuido cierto grado de pensamiento organizado al *id,* y/u otorgado, características del tipo de las del *id* al *ego*. Creo que estas teorías únicamente han contribuido a multiplicar las entidades del interior de la mente, estando dividida, además, cada una de ellas en una parte racional y otra apetitiva.

Hay que hacer una aclaración sobre el término «instinto». He hablado hasta ahora como si pudiéramos equiparar el término platónico de «apetito» (*epithumiai*) al freudiano de «instinto» o «impulso instintivo» (*Triebe*). En su conjunto podemos decir que esta identificación está justificada, y ello a pesar de los diferentes sentidos de los dos términos en Platón y Freud. El empleo freudiano de «instinto» se refiere a una especie de puente entre la mente y el cuerpo: se puede decir que el instinto es el *representante mental* de las exigencias corporales. [16]. Una forma distinta de describir esta relación puede ser afirmar que el instinto es el deseo, el anhelo (esto es, una construcción mental), que se fundamenta en una necesidad biológica. La mayor parte de los deseos imperiosos y urgentes son impulsos instintivos.

Para Platón, hablando en conjunto, los apetitos son deseos irresistibles que no pueden ser ignorados con facilidad. Aunque es ver-

---

[15] SE, 1: 283-397. La exposición que sigue bebe mucho a las conversaciones con el Dr. W. Grossman; ver asimismo W. Stewart, *Psychoanalysis: The First Ten Years, 1888-1898* (New York y London, 1967).

[16] Ver en particular «Instincts and Their Vicissitudes» y la Editor's Note, SE, 14: 105-140, sobre todo 111-13. Freud habla de los instintos de dos formas: 1) «un concepto situado en la frontera entre lo mental y lo somático... un símbolo físico de los estímulos originados dentro del organismo y que se extienden a la razón», y 2) un concepto que diferencia entre el instinto, como algo somático, y las «representaciones instintivas», o representaciones psíquicas de un instinto. Es decir, Freud no se termina de aclarar en lo que se refiere a la distribución de los aspectos somáticos y psíquicos de los instintos.

dad que el filósofo nos habla de dos tipos diferentes de apetitos (*epithumiai*), los necesarios y los innecesarios (*La República*, 558D-59D). Existen aquéllos «de los cuales no nos podemos apartar... y ... cuya satisfacción es beneficiosa para nosotros» (estos son los deseos necesarios), y aquellos otros de los que nos podríamos librar si fuéramos capaces de auto-disciplinarnos, y cuya satisfacción es perjudicial para nosotros (éstos son, inútil es decirlo, los deseos innecesarios)[17]. Por lo tanto, Platón dividiría los apetitos sexuales (*aphrodisiai*) en necesarios e innecesarios. La cuestión revelante, sin embargo, es que todos estos deseos son un compuesto de lo somático y lo físico, aunque algunos son más físicos que otros. De este modo, en Platón y Freud, los deseos imperiosos se pueden clasificar a lo largo de un espectro. En un extremo del espectro se sitúan los deseos que surgen de necesidades e impulsos corporales básicos, mientras que en el otro extremo están aquéllos que podríamos denominar deseos cultivados. Freud posiblemente enclavase el anhelo por la acumulación de dinero en algún punto hacia la mitad del espectro, etiquetando dicho deseo como un producto derivado de impulsos anales instintivos pero adaptados, con un componente racionalizado. Por lo tanto, los «impulsos instintivos» de Platón difieren de los «apetitos» de Platón más en cuestiones de énfasis que en características esenciales.

Cuando retomamos las nociones de enfermedad y locura, encontramos otro paralelo sorprendente, que ya se halla implícito en la noción de una psique dividida en partes racionales e irracionales. Para Platón, la enfermedad de la psique es una manifestación de la parte salvaje, primitiva, de la mente, que expresa sus reclamaciones y lo hace con vigor y energía. En Freud encontramos formulaciones más complejas sobre la enfermedad, formulaciones que generalmente no son tan antagónicas con el lado instintivo. Esta noción expresa claramente que la enfermedad es el resultado y el signo de un combate entre los propósitos racionales (y/o morales) y los propósitos instintivos, apetitivos. Relacionado con estó está la otra noción de que la enfermedad de la psique representa una especie de ignorancia. Para eliminar la ignorancia hace falta liberar las partes de la mente que generalmente se deben dedicar a buscar y descubrir la verdad. De este modo, tanto Platón como Freud concedieron una gran importancia a la ignorancia en sus trabajos: Freud dentro del diálogo analítico, y Platón dentro del diálogo filosófico. Pero esta noción resulta inevitable cuando la psique o la persona es considerada una división. Un grupo dentro del individuo tendrá siempre relaciones con otros, y utilizará cualquier recurso para mantener su ventaja. Estos recursos pueden ir desde las amenazas, a la persuasión, pasando por el soborno y el engaño disfrazado con apariencia de ignorancia.

«Enfermedad de la psique», «terapia», «enfermedad mental»: he

---

[17] Esta diferenciación me fue señalada por T. Irwin. Un punto de notable disimilitud entre Platón y Freud es que este último puso a punto una teoría muy elaborada del origen de los instintos a partir de una amplia variedad de formas derivativas, simbólicas y disfrazadas.

ahí metáforas médicas. A su vez, la metáfora que formalizó Sócrates para referirse a su actividad filosófica fue la de «tratamiento». Freud, que empezó como médico, se dedicaba de un modo explícito a curar enfermedades. Aunque él nunca prescindió completamente del modelo médico-paciente-enfermedad, poco a poco se fue apartando cada vez más de este modelo, y se ciñó a una esfera de discurso que se refería más a deseos, impulsos, defensas y represiones. Así, por ejemplo, en 1921 hablaba de médicos y pacientes, pero en 1937 ya se refería a analistas y analizados [18].

Platón y Freud valoraron la necesidad de mantener un equilibrio apropiado entre las distintas partes de la psique. Freud, por supuesto, pone mucho mayor énfasis en los peligros derivados de la represión de los instintos del que le concede Platón, aún cuando éste siempre haya tenido gran cuidado por dar a los apetitos lo que se merecen. El modelo platónico es una jerarquía de mando y control, o una relación entre amo y esclavo. El modelo freudiano es algo parecido a una alianza, nunca fácil de lograr y conservar, entre las diferentes partes de la psique, es una inestable democracia parlamentaria dentro de la psique. Sin embargo en todos los escritos de Freud resuenan los ecos, por más lejanos que sean, de la lucha y los combates entre la razón y los instintos; y esa lucha está asociada con la noción de enfermedad y malestar. Una versión particular de los objetivos de la terapia es «donde estaba el *id*, allí debería estar el *ego*» [19]. Análogamente, al tratar sobre el malestar producido por la civilización y sus descontentos (en *El futuro de una ilusión* y en los primeros capítulos de *La civilización y sus descontentos*), Freud utiliza el mismo modelo: la cultura exige que la gente renuncie a las gratificaciones que encuentra en la satisfacción de sus instintos, por ello la gente está resentida y siempre dispuesta para sacudirse el yugo de la civilización. La cultura debe ofrecer algo con lo que endulzar la amarga píldora. (La segunda parte de *La civilización y sus descontentos*, sin embargo, introduce una versión radicalmente nueva del problema que implican los sentimientos de culpabilidad disfrazados) [20]. De nuevo debemos anotar que ni Platón ni Freud son plenamente consecuentes en su elección de modelo político para describir las interrelaciones entre las diferentes partes de la psique fragmentada. Freud, por ejemplo, puede llegar a ver los instintos como si fueran «esclavos encadenados», en tanto que Platón, en algunas ocasiones, se refiere a ellos como si aquellas partes estuvieran en condiciones amigables.

El problema de la naturaleza del tratamiento está irrevocablemente relacionado con la cuestión del control de las partes inferiores por las superiores. ¿Cómo se puede lograr y mantener este control? Platón

[18] Se puede consultar, a título de ejemplo, «Recommendations to Physicians Practicing Psycho-analysis», SE, 12; 109-120 (1920); «Analysis Terminable and Interminable», SE, 23: 209-253 (1937).
[19] SE, 22: 79.
[20] SE, 21: 59-148; sobre la escasamente platónica noción de culpabilidad insconsciente ver las págs. 123-45.

apuntó varias soluciones, ninguna de ellas original ni en su época ni en la nuestra; unas consistían en imponer el control del individuo por la sociedad, otras en controlar la parte del individuo que es salvaje e irracional. En *La República* y en *Las Leyes* propuso la coacción, la promesa de premios, la sugestión, las ficciones benignas, las exhortaciones a la renuncia a los instintos, y la insinuación de futuras recompensas en el otro mundo. También sabía cómo seducir y vencer a la otra persona en una confrontación dialéctica. Asimismo Freud reconoció la existencia de una amplia gama de mecanismos de control, e interpretó la historia de la civilización como una sucesión de experimentos para perfeccionar los métodos de reprimir las fuerzas de los instintos. Situado en la perspectiva del médico que cura a un paciente, descubrió una impresionante serie de «curas» o formas de hacer que el paciente actúe de una forma más racional: La sugestión, la hipnosis, la promesa de tranquilidad y la prohibición tienen indudables efectos curativos [21]. Sin embargo, Platón y Freud argumentaron que es posible otro camino, un camino que permita una integración más plena entre lo racional y lo irracional. Ambos sabían muy bien que era preciso un gran esfuerzo metodológico para abrir este camino y, una vez abierto, para recorrerlo.

La principal contribución de Platón es el *ideal* de que el hombre puede llegar a controlar lo irracional a través de un entrenamiento y educación esmerada que enfatice todo lo abstracto del alumno, esto es, sus poderes intelectuales. La finalidad de esta preparación es cultivar las facultades de la dialéctica para, con ellas, alcanzar la verdad. De un modo similar, la principal contribución de Freud ha sido desarrollar un camino que llevara a lo permanente, a la reorganización de la interioridad. El ideal de Freud es desarrollar un método de comprensión que conduzca a la auto-comprensión, que permita una forma de auto-control más benigna que la que el enfermo había probado antes del tratamiento.

Freud resume el tratamiento psiquiátrico en la siguiente frase: «¿Qué hacen? Dialogan» [22]. A pesar de ello, el diálogo no es más que la apariencia superficial, que sólo se ciñe a un único aspecto de la situación analítica. El analista y el analizado analizan «dialogando». En Platón hemos visto cómo el diálogo conduce a la dialéctica, que es una forma de pensar más «objetiva». Por lo tanto, tanto el diálogo platónico como el analítico pretenden lograr armonizar las partes opuestas. Para Platón esto significa reprimir la parte salvaje y fortalecer la razón, y de igual modo vemos que en *ciertos* pensamientos de Freud subyace la idea de que la «curación» acarrea el fortalecimiento en las partes racionales. Para Platón y para Freud el diálogo implica una lucha entre la razón y la emoción. Es indudable que, tal y como ya hemos visto, el interés de Platón por eliminar y abolir los

---

[21] Ver «On Psychotherapy» y «Psychical (or Mental) Treatment», SE, 7: 257-68 y 283-302.

[22] No he podido localizar la fuente de esta cita.

sentimientos proviene de su deseo de suprimir todas las cosas que supongan un estorbo a la filosofía; sin embargo Platón se percata de que no se puede prescindir completamente de las emociones, ya que son necesarias para impulsar y vitalizar la investigación, para establecer juicios de *convicción* acerca de la verdad.

La separación que existe entre los dos miembros de la díada que estamos analizando, también refleja en parte la situación dialéctica y la analítica. La separación que existe entre el enfermo y el médico, o entre el discípulo y el maestro, se conceptualiza en conformidad con las divisiones que se establecen dentro de la psique. Platón cree que el filósofo es al resto de la humanidad lo que la parte racional de la psique a la irracional. Y él mismo Freud tiende a equiparar al doctor con lo racional (el *ego*) y al enfermo con lo irracional (el id). Por ejemplo, al hablar de la transferencia Freud escribe: «... una lucha entre el doctor y el enfermo, entre la vida intelectiva y la instintiva, entre el entendimiento y el intentar actuar...»[23]. El análisis y la dialéctica intentan reducir las dimensiones de esa separación y tender un puente sobre ese abismo. El alumno y el enfermo se deben acostumbrar a realizar por sí mismos lo que en un principio sólo son capaces de realizar con el auxilio del filósofo o del médico.

De este modo, la experiencia de los que participan en el diálogo, ya sea en el filosófico o en el analítico, se relaciona muy estrechamente con la organización teórica que existe en la mente. El marco del trabajo proporciona los más vívidos e inmediatos ejemplos sobre el problema de la razón *versus* emoción, de lo racional *versus* lo irracional, y del pensamiento *versus* la acción. En el mismo proceso de diálogo, dialéctico o analítico, surgen dificultades y resistencias al buscar la verdad. Platón habla entonces de la *aporia*, un callejón sin salida. Los participantes en el diálogo se consternan y confunden; se turban y ruborizan. Aunque Freud hace una conceptualización de los orígenes y significado de estos obstáculos muy diferente de la de Platón, es común a ambos autores la constatación de que dichos obstáculos existen y que se les debe hacer frente.

Resumiendo, sostengo la tesis de que la semajanza entre los modelos platónicos y freudianos implica la interrelación de los siguientes factores:

1. Ambos autores se plantean como objetivo prioritario de su labor el estudio del hombre en conflicto, y en especial del conflicto auto-destructivo.
2. La naturaleza del tipo de trabajo que realizan ambos, y que consiste en una especie de diálogo para buscar la verdad, enfrenta a los participantes con los actos del hombre que se encuentra en conflicto consigo mismo o con otras personas.
3. Ambos pensadores se basan en datos introspectivos, los facilitados por el diálogo interior, que parecen confirmar la existen-

[23] SE, 12: 108.

cia dentro de la mente de diferentes partes enfrentadas entre sí.

4. Platón y Freud desarrollan su teoría desde la perspectiva de que el diálogo precisa de su director, y tienden a concebir las divisiones del diálogo del mismo modo que las divisiones que existen dentro de la mente.
5. Las teorías de Platón sobre la mente se refieren a ella considerándola un instrumento capaz de dedicarse a la dialéctica; las de Freud consideran que la mente se puede dedicar al psicoanálisis, ya sea con el papel de médico o con el de enfermo.

Ambos pensadores encuentran por todas partes conflictos y luchas por alcanzar la dominación: en el interior de la mente, en el seno del grupo social, en el mundo político. ¿Donde deberemos buscar el origen de esta perspectiva? ¿Cuál es el modelo de este modelo? Una respuesta interesante, más obvia en el caso de Platón que en el de Freud, es que las formas predominantes de organización política proporcionan la base para sentar las diferentes divisiones que se establecen en el interior de la mente. Esta teoría nos llevaría a pensar que son las divisiones internas de la sociedad griega, sobre todo las que se sitúan entre amos y esclavos (o entre clases sociales), las que proporcionan el modelo. Se podría argumentar que *La República* representa el retrato idealizado de la estructura social de un estado griego, y en especial de Esparta [24].

¿Cuál es el esquema político o social que fundamenta la obra de Freud? De hecho, es omnipresente en todas las obras de Freud y aparece bajo una gran variedad de formas dispares. *La interpretación de los sueños*, famosa por sus modelos mecánico y físico del proceso de los sueños, está repleta de analogías y referencias políticas, sociales y económicas [25]. Por ejemplo, el censor del sueño actúa como el censor postal. El aparato psíquico (*Instanz*) es un organismo en el mismo sentido que un departamento de gobierno. A lo largo de toda su carrera Freud prestó mucha atención a las relaciones entre la mente y la sociedad humana, y entre la mente y la historia de la humanidad.

Esta línea argumental es muy prometedora, y merece una investigación posterior, sobre todo en el caso de Freud; pero es una equivocación pensar que la estructura política es el modelo básico de la estructura de la mente, ya que ella misma es un producto de la mente. En este caso particular un producto de mentes que estructuran y construyen los hechos de la vida social según un esquema determinado.

Otro origen posible de este modelo de la mente es la interrelación padre-hijo; el padre sería lo racional, y el hijo lo apetitivo. En unas ocasiones ambos entran en conflicto, y en otras cooperan entre ellos. Pero obviamente ésta es una versión muy concreta de las relaciones padre-hijo, y además constituye un reflejo, o un producto, de una par-

---

[24] A. Gouldner, *Enter Plato* (New York, 1965), pág. 148 y passim.
[25] Comunicación personal del Dr. A. Tyson.

ticular actitud cultural hacia los niños, aunque sea una actitud muy difundida.

Nos encontramos ante un veredicto escocés: no podemos probar nada. Todo lo que podemos decir es que se establece una relación dialéctica entre tres tipos de estructuras: *(a)* la estructura o modelo que existe en la mente del teórico y que se impone a los fenómenos que aquél estudia; (*b*) las estructuras o modelos globales localizados en el interior de las culturas y por medio de los cuales esa cultura interpreta y construye el universo a su alrededor, (*c*) las estructuras que, de una forma u otra, pueden existir, (esto es, no deja de ser probable que algunos modelos del mundo de los fenómenos se correspondan con estructuras inherentes a los fenómenos)[26].

Llegados a este punto se puede considerar lo que puede ser común a la psicología íntima de los hombres que son sensibles a la existencia de conflictos, y propensos a verlos por todas partes. Aventuraré una hipótesis especulativa, que en parte se basa en los propios relatos de Freud de cómo, a través de sus propios auto-análisis, descubrió la importancia de sus conflictos edípicos.

En la familia de Freud existía una configuración inusual: un padre tan mayor que podía ser su abuelo, dos hermanastros mayores que él (los hijos del anterior matrimonio de su padre), y un sobrino de su misma edad. Además en la actualidad sabemos, gracias a las amplias investigaciones de Max Schur, que el padre de Freud había tenido otra esposa, entre su primera mujer y la madre de aquél[27]. Este hecho fue, aparentemente, ocultado a Freud, o si éste llegó a saberlo, lo reprimió. También sabemos que Freud, el hombre que descubrió la importancia del trauma primitivo, antes de cumplir los cuatro años vivió en una habitación apiñado con toda su familia. Es indudable que pudo contemplar reiteradamente los desnudos y relaciones sexuales de sus padres. En el relato que hace Freud de su auto-análisis sobre su propio complejo de Edipo, la configuración de su familia se le aparece con cierta dosis de misterio, análogo al misterio con el que se enfrentaba Edipo en la obra de Sófocles. Podemos suponer,a partir de la información de Schur sobre la infancia de Freud y sobre la vida de su padre, que aquél sabía por una parte demasiado, y por otra demasiado poco, acerca de la concepción, la cópula y la paternidad.

Apenas tenemos datos fidedignos sobre la biografía de Platón, pero en general todo el mundo está de acuerdo en aceptar que su padre murió durante su juventud, y que a continuación su madre se casó

---

[26] J. Piaget, *Structuralism,* edición y traducción de C. Maschler (New York, 1970), págs. 106-119, contiene una excelente exposición de la relación entre las estructuras y la mente que hace la estructuración. Ver también Simon, «Plato and Freud», y Grossman y Simon, «Anthropomorphism».

[27] M. Schur, *Freud: Living and Dying* (New York, 1972), sobre todo págs. 19-22 y 127-31, en las que Schur especula sobre la significación e influencia de que Freud probablemente hubiese contemplado antes de los cuatro años de edad repetidas representaciones de escenas primitivas.

con su tío materno. De esta unión nació un hermano menor, Antífono. El padrastro de Platón tenía de su anterior matrimonio un hijo de más edad. Los propios padres de Platón habían tenido tres hijos, dos niños, Glaucón y Adimanto, y una niña. No se conoce el orden de nacimiento de los hijos. Platón, desde luego, no podía definir los complejos edípicos, pero sus diálogos contienen repetidas referencias a deseos parricídicos e incestuosos.

Yendo aún más allá, podríamos pensar que Platón luchó contra esos impulsos edípicos, y que tuvo un sentimiento de indignidad similar al de Hamlet ante el nuevo matrimonio de su madre y sus posteriores partos. Mi hipótesis sobre la importancia en los diálogos de la imaginería relacionada con la escena primaria, sugiere que Platón mantuvo una fuerte lucha interior para sobreponerse a algún trauma derivado de dicha escena, o que al menos estuvo muy al corriente de su fantasía. Supondré, por lo tanto, que él era extraordinariamente sensible a cualquier manifestación restringida de la sexualidad adulta que tuviese la ocasión de contemplar[28].

En suma, sugiero que las características atípicas de los contextos familiares de Platón y Freud de alguna manera llevaron a una superación de los complejos edípicos y de escena primitiva (interrelacio-

---

[28] Tenemos escasa información autobiográfica sobre Platón, exceptuando la *Séptima Carta,* que muchos eruditos creen que es auténtica. (El análisis que yo mismo efectué de las imágenes de esta carta me permite concluir que en ella se manifiestan la misma impronta de fantasías derivadas de escenas primitivas que encontrábamos en diferentes partes de *La República*). El fundamento para trazar formulaciones psicoanalíticas debe desprenderse de los diálogos, pero ya he expuesto los problemas que hay para obtener de ellos información sobre la personalidad del filósofo (capítulo 8, nota 3). De cualquier modo, consigno a continuación los puntos que creo que deben ser considerados en todas las aproximaciones psicoanalíticas al carácter de Platón y a la relación entre su carácter y su obra: (1) sabe todo lo que se refiere a la vida de su familia, incluyendo la muerte de su padre y el nuevo matrimonio de su madre; (2) hay sospechas de que en política era indeciso, de un carácter similar al de Hamlet *(Carta Séptima);* (3) su aspecto depresivo; (4) la propuesta hecha por él en *La República* de eliminar la familia, siendo éste un diálogo en el que aparecen sus hermanos; (5) la idealización de la que hace objeto a Sócrates, así como la profunda amistad que le une a él, pero todo ello acompañado de insinuaciones que evidencian una cierta ambivalencia como, por ejemplo, el no querer presenciar la muerte de Sócrates; (6) la posibilidad de que el juicio y muerte de este filósofo reaviven conflictos edípicos irresueltos en torno a la muerte de su padre y al nuevo matrimonio de su madre; (7) la preminencia del tema del parricidio a lo largo de todos sus diálogos; (8) evidencias de homosexualidad, como su relación con Dion, su falta de interés, o incluso desdén, por la sexualidad femenina, y la inexistencia de datos que apunten hacia alguna relación heterosexual, todo ello junto a alusiones ambivalentes hacia la homosexualidad (por ejemplo, *Fedro,* 250E); (9) la prominencia de imágenes procedentes de la escena primitiva en todos sus diálogos; (10) su énfasis en la renuncia y control de los instintos, así como su desdén por todo lo sensual, apunta hacia un severo superego; (11) los contenidos de sus teorías filosóficas y la evolución y desarrollo de éstas, y sobre todo el esquema de la gradación de la realidad, según el cual las formas son lo más real; (12) sus métodos de enseñanza y el problema de la propagación de sus teorías; (13) su habilidad para transformar sus malestares individuales y personales en un método de diagnóstico y tratamiento de los malestares de la sociedad en su conjunto. Ver C. Hanly, «Unconscious Irony in Plato's *Republic*».

nados) más problemática de lo que hubiese sido con una situación diferente. Estos conflictos sirvieron para concienciar a los dos pensadores de la omnipresencia en toda la vida humana de los complejos, deseos y frustraciones.

La necesidad de dominar sus propios complejos interiores les llevará a desarrollar unas teorías que destacasen la omnipresencia del complejo. Freud escribió *La interpretación de los sueños* como una parte de su propia lucha para dominar los problemas derivados de la muerte de su padre. Platón, según yo creo, comenzó a escribir sus diálogos como un intento para controlar complejos suscitados por la muerte de Sócrates.

Otro rasgo del estilo de pensamiento de ambos consistía en pensar a través de esquemas, o mejor dicho, en buscar esquemas similares en fenómenos diversos. Una manifestación de este estilo es el argumento analógico, esto es, descubrir cosas por analogía. Platón compara el alma con el estado; Freud compara la historia del pueblo judío con la secuencia de desarrollo del niño pequeño [29]. En él encontramos la noción de que las normas contemporáneas de la vida del adulto tienen una historia, y que esa historia consiste en versiones infantiles de la norma adulta. Si el comportamiento de un adulto resulta extravagante, se debe buscar una determinada situación infantil que lo ilumine: se debe buscar el contexto edípico que explique el contexto vital del presente del adulto. Tanto en Freud como en Platón, es fundamental el método de deducción de la estructura de lo desconocido a partir de la estructura de lo conocido. ¿Existe alguna íntima conexión entre la buena disposición de ambos para buscar los esquemas de los problemas y su buena disposición para encontrar las cosas esquematizadas? ¿Acaso el contexto familiar atípico de ambos precipitó en ellos no sólo la conciencia de los complejos, sino también la conciencia de ese contexto? Mi modesta aportación se reduce a aventurar el interés de estas especulaciones, que podrían llegar a convertirse en hipótesis de trabajo sugestivas para comprender el proceso creativo de hombres como Platón y Freud.

Hasta aquí he venido destacando el rasgo más importante de las características comunes que acercan a Freud y Platón: la utilización por parte de ambos de un determinado modelo de la mente y de su pertinente definición del conflicto. Posteriormente ambos descubren la esencia de problemas similares, a saber, aquellas dificultades relacionadas con la división entre el instinto y la razón. Aunque hicieron frente a dificultades semejantes, las soluciones que propuso cada uno fueron bastante dispares.

Reiterando lo que es obvio: Freud es ante todo un clínico y sus contribuciones más originales y perdurables no se encuentran preci-

---

[29] *Moses and Monotheism,* SE, 23: 58, 66-72, y passim. Ver R. Robinson, *Plato's Earlier Dialectic* (Oxford, 1953), págs. 202-223. M. Black, *Models and Metaphors* (Ithaca, New York, 1962), contiene una provechosa exposición de los aspectos positivos y negativos de las analogías y de la construcción de modelos.

samente en el campo de la filosofía. Los métodos de asociación e interpretación libre constituyen el núcleo de la obra de Freud. Sus concepciones sobre el inconsciente, las vicisitudes de los instintos y la transferencia, van mucho más allá de lo que cualquier precedente clínico, filosófico o poético haya ido jamás.

La diferencia más profunda entre los dos radica en sus diferentes actitudes ante el conflicto. Tal y como ya se ha mencionado, ambos pensadores eran extraordinariamente sensibles a la existencia de conflictos y contradicciones, paradojas e ironías. Para Freud todo ello es el aporte fundamental de nuestra existencia. Se pueden resolver mejor o peor los conflictos personales, pero el conflicto y la infelicidad probablemente sean inevitables. Una de las primeras afirmaciones de Freud sobre la «curación» de la histeria fue que los psiquiatras deben ayudar a sus pacientes neuróticos a abandonar sus sufrimientos exóticos y a prepararlos para la ordinaria felicidad de la vida [30].

Platón reconoce la omnipresencia del conflicto, pero no está preparado para aceptarlo. No solo sueña con eliminar el conflicto, sino que además tiene un plan para llevar esto a cabo. Para Platón la solución de muchas dificultades reside en la eliminación de las contradicciones, ambigüedades y conflictos. Para conseguir un estado justo es preciso que cada persona haga sólo una cosa, no varias: cada orden de la ciudad debe realizar una única función. La armonía platónica insinúa en ciertas ocasiones la necesidad de conseguir un arreglo armónico entre todas las fuerzas en conflicto, pero, sobre todo, conlleva un sentido de separación de elementos de tal modo que cada uno se mantenga independiente de los demás, aun cuando debe haber un elemento dominador, (ver, por ejemplo, *El Banquete*, 187A-E). En el estado-ciudad ideal de *La República* las rivalidades, las competencias y todas las emociones que les acompañan deben ser minimizadas o suprimidas. Los hombres y las mujeres deberían ser igualados; se debería quitar su importancia a las diferencias biológicas. Aunque esta noción no está desarrollada de una forma explícita por Platón, implícitamente éste consideraba que la familia es el foco del problema.

A partir de las consideraciones anteriores sobre estas dos actitudes antitéticas, hacia el conflicto, podemos centrarnos en lo que yo considero una destacable ausencia en el pensamiento de Platón. Me estoy refiriendo a ciertos aspectos del superego, que en determinadas ocasiones se puede oponer al *ego* y al *id*. Un individuo puede sufrir un dolor irracional, pero dentro de él actuará un agente moral como quinta columna. Yo creo que Platón nunca habría aceptado esta teoría, incluso aunque hubiese podido leer la obra de Freud. La teoría freudiana sobre la inevitabilidad de los confictos deriva de la concepción de que los deseos infantiles y los objetos de estos deseos son indestructibles. Esta noción implica que los objetos son interiorizados por los niños a lo largo de su desarrollo experimentando con ellos. Al igual que la moral controla, reprime y aprueba diferentes aspectos

[30] SE, 2: 305.

de estos objetos representados interiormente, esas representaciones van acompañadas de la mezcla de amor y odio, agresión y libido, temor y ansia, que el niño experimenta en relación con sus padres.

Platón parece estar de acuerdo en que una educación moral temprana puede verse llena de todo tipo de ambivalencias, pero le horroriza este hecho, y siente una tremenda necesidad de evitarlo o de eliminar sus consecuencias. Las ideas de Freud sobre el superego precisan de un agente situado en el interior de la mente en el que se aloje el amor y el odio hacia la propia persona. Para Platón los orígenes fundamentales de los valores morales son exteriores al hombre; esto es lo que ocurre, por ejemplo, con las formas de la verdad y de lo bueno. Lo bueno no puede ser demasiado bueno. Las formas no son corruptibles por el odio y la agresión. Las emociones negativas de este tipo están restringidas al cuerpo y a sus exigencias; la ambivalencia es ruptura.

La discusión que hemos venido desarrollando en las páginas anteriores no es más que un pequeño avance en el estudio comparativo de estos dos grandes pensadores. Nos quedan muchas cosas en el tintero, tanto por lo que se refiere a Platón, como en el caso de Freud: la obra de este último se debe entender dentro de un marco de referencias filosóficas mucho más amplio que el platónico [31]. Pero es posible que este rastreo de formas similares en ambos pueda estimular a muchas personas para comprender de un modo más amplio y rico la obra y el alcance de Platón y Freud.

---

[31] Ver P. Ricoeur, *Freud and Philosophy: An Essay on Interpretation,* traducido por D. Savage (New Haven, 1970). Las relaciones de Feud con Kant, Hegel e, incluso, Spinoza, están comenzando a ser exploradas por Ricoeur y otros autores. C. Hanly, «Unconscious Irony in Plato's *Republic*», págs. 138-39, critica mi comparación de Freud con Platón sobre la base *(inter alia)* de la gran diferencia que existe entre la filosofía contemporánea y la antigua (el Renacimiento habría sido el punto de giro). Creo que Hanly tiene razón al destacar estas diferencias, pero prescinde de los aspectos más importantes de mi estudio sobre las similitudes y diferencias entre los dos pensadores.

IV

EL MODELO MEDICO

11

EL CORPUS HIPOCRATICO

El Corpus Hipocrático

Tú puedes ser un indigesto trozo de carne, una mancha de mostaza, una migaja de queso, un fragmento de patata a medio asar.
Charles Dickens, *A Christmas Carol*

Entre los diversos modelos que estamos considerando, el modelo médico es notable por dos rasgos quizá relacionados, su simplicidad y su durabilidad. Su simplicidad se basa en la suposición de que todas las enfermedades de la mente son enfermedades del cuerpo, y en su corolario, que un estado de salud mental acompaña a un cuerpo sano. Los órganos o sistemas cuyos defectos se implican en la enfermedad mental varían ampliamente en las teorías de los antiguos médicos griegos y en las de los muchos médicos que han conducido el problema desde aquellos días. Pero desde la afirmación hipocrática de que el cerebro es la fuente de todos los problemas mentales hasta máximas tan modernas como «detrás de cada pensamiento retorcido hay una molécula retorcida», hay una impresionante continuidad en ese artículo de fe [1]. Hemos dicho en el capítulo 3 que en la medicina grecorromana de la antigüedad tardía cristalizó un cuerpo de pensamiento, teoría y detalles de la práctica, y que fue transmitido con extraña literalidad hasta bien entrado el siglo diecinueve.

El modelo sencillo del «cuerpo que actúa sobre la mente» va acompañado por la suposición de que el profesional más adecuado para tratar los desórdenes mentales es el doctor, el hombre formado para comprender los cuerpos. Y con una convincente simplicidad y economía de pensamiento, se deduce que los tratamientos apropiados son las herramientas del doctor: los fármacos, el régimen y el bisturí. La persona del doctor, sus palabras, exhortos, su filosofía de la vida, la resolución de sus conflictos personales, sólo son relevantes en tanto que vayan dirigidos a que el paciente tome su medicina, por así decirlo. El doctor tiene unas responsabilidades profesionales y un código ético, mejor o peor definidos, aunque con variaciones en los detalles de un período histórico a otro. Las obligaciones del paciente son bastantes simples: debe ser obediente y cooperante. De ser posible, debe-

[1] Esta frase fue creada por el neurofisiólogo Ralph Gerard.

ría ser también inteligente y educable, aliado de los médicos en la lucha contra su enfermedad[2].

Además, el hecho de tener una enfermedad, e incluso el sucumbir a ella, no implican culpa ni vergüenza, sino sólo el fracaso del paciente o del doctor en sus respectivas obligaciones. La práctica médica y el modelo médico de enfermedad, incluso de enfermedad mental, ofrecen un marco de soporte social para el estudio y tratamiento objetivos y no punitivos: las enfermedades del cuerpo o de la mente son dignas de ser analizadas y comprendidas con la actitud apropiada para cualquier fenómeno natural. No se involucran espíritus ni duendes, sino sólo agentes físicos reconocibles, tales como aire y agua, bacterias y toxinas, virus y hormonas. Los dioses, o Dios, permanecen respetuosamente a un lado, sin que su existencia sea necesariamente negada por el doctor, pero tendiendo a ser invocados, bien como un factor ubicuo e inespecífico en cuanto a los asuntos humanos, bien como el recurso final al que, en su caso, se acude.

Este congregado de ideas y actitudes al que hemos llamado modelo médico se hizo más o menos explícito por primera vez, en la medida en que podemos afirmarlo, con el nacimiento de la medicina hipocrática en los siglos V y IV a. C.

Mi discusión del modelo médico se basará principalmente en ese difuso y confuso grupo de escritos conocido como el Corpus Hipocrático. Debe señalarse un buen número de dificultades metodológicas. El breve artículo de Ludwig Edelstein acerca de Hipócrates en el *Oxford Classical Dictionary*, contiene un lacónico resumen de todo lo que sabemos de la vida de Hipócrates:

> El Asclepíada de Cos, un contemporáneo de Sócrates (469-399), a pesar de ser el más famoso médico griego, es todavía el peor conocido de entre ellos por la posteridad. Es probable que fuese de pequeña estatura, que trabajase mucho, que muriese en Larissa; no se puede afirmar nada más acerca de su vida y su personalidad. Y lo mismo para el corpus de obras que llevan su nombre: ...los así llamados libros hipocráticos... muestran las actitudes más ampliamente diferentes hacia la medicina... No hay un solo libro cuya autenticidad no fuese discutida ya en la antigüedad... Ciertamente no parece que ninguno de los libros preservados bajo el nombre de Hipócrates sea genuino.

No todo, sin embargo, está perdido. Aun siendo Edelstein un estudioso de la medicina griega tan distinguido como lo fue, sus puntos de vista acerca de la dudosa autenticidad de todas las obras del corpus no son aceptados unánimemente. Mi propia aproximación a la cuestión hipocrática se centra en las similitudes de espíritu que brillan a través de la diversidad de contenido y teoría en esos libros, y creo

[2] Ver M. Siegler y H. Osmond, *Models of Madness, Models of Mediane* (New York, 1974), especialmente capítulos 4 y 5.

que podemos depositar alguna confianza en la intuición de los antiguos doctores y editores que vieron una unidad en estas obras [3].

Las fuentes de la medicina griega vienen de muchos siglos antes de la época clásica. Es difícil distinguir qué contribuciones proceden de la medicina egipcia y babilónica [4]. Los sanadores mencionados por Homero funcionaban también como guerreros [5]. El doctor, tal como aparece en los siglos V y IV, es un artesano más que un profesional en nuestro sentido. Indudablemente unos pocos médicos alcanzaron fama en sus propios días y en los cinco siglos siguientes: una fama que puede transmitir la falsa impresión de que a la mayor parte de los doctores se les otorgaba gran respeto. El cuadro reconstruido por los estudiosos (especialmente Edelstein) a partir del tono y ambiente de las obras médicas supervivientes es más bien de un grupo de artesanos y practicantes esforzándose en establecer su valía y su reputación [6]. Muchos doctores fueron probablemente itinerantes, y la medicina institucional no existió en los siglos V y IV; es decir, que no había escuelas médicas (*pace* los términos modernos «escuela de Cos» y «escuela de Cnidos»). La formación era por aprendizaje, y hasta la existencia de algo como gremios es dudosa. No había hospitales, y es improbable que se guardasen registros de casos sistemáticos, a largo plazo. El corpus hipocrático refleja hasta qué punto la enseñanza debió haber sido oral; el corpus no contiene ningún tratado sistemático, ni siquiera un libro de texto. Lo que sí incluye es un cierto número de cotejos de experiencia clínica, a menudo con vívidas descripciones de casos, y obras polémicas dirigidas a una audiencia profana y destinadas a aumentar la credibilidad del doctor tanto como a difundir información acerca de la dieta, el ejercicio y los fármacos.

El lector moderno que llega a estas obras tiene una experiencia se-

---

[3] P. Laín Entralgo, *The Therapy of the Word in Classical Antiquity,* traducido por L. J. Rather y J. M. Sharp (New Haven, 1970), pág. 141 y referencias citadas allí.

[4] Un estudio reciente es el de D. Goltz, *Studien zür altorientalischen und griechischen Heilkunde* (Wiesbaden, 1974). No he podido consultar este trabajo, pero de acuerdo con F. Kudlien «asume... una postura justificadamente escéptica en lo que se refiere a determinar con exactitud cuáles son las contribuciones o 'influencias' que proceden de Oriente» (comunicación personal). Véase asimismo F. Kudlien, *Der Beginn des medizinischen Denkens bei den Griechen von Homer bis Hippokrates* (Zurich, 1967), pág. 13. La influencia de la medicina egipcia es estudiada en J. B. de C. M. Saunders, *The Transitions from Ancient Egiptian to Greek Medicine* (Lawrence, Kans., 1963).

[5] Véase, por ejemplo, *Ilíada,* 2. 732 y passim. «Un médico vale por muchos hombres» (ibid., 11. 514).

[6] O. Temkin y C. L. Temkin, editores, *Ancient Medicine: Selected Papers of Ludiwg Edelstein,* traducción de C. L. Temkin (Baltimore, 1967). También el «Nachträge» de Edelstein sobre Hipócrates, *RE,* suplemento 6, págs. 1290-1345. E. B. Levine, *Hippocrates* (New York, 1971), ofrece una amplia información, sobre todo en lo que se refiere a notas bibliográficas, págs. 155-68, al igual que L. Bourgey, «Greek Medicine from the Begining to the End of the Classical Period», en *Ancient and Medieval Science,* edc. R. Taton, traducido por A. J. Pomeroy (New York, 1963). Todas las referencias a Hipócrates, a no ser que se señale otra cosa, proceden de E. Littré, editor, *Hippocrate: Oeuvres complètes,* 10 vols. (París, 1849).

mejante a la de Alicia en el País de las Maravillas. Encontramos brillantes retratos clínicos mezclados con malas y fantásticas observaciones. Encontramos teorías que parecen un cruce entre inspiradas conjeturas acerca de los procesos fisiológicos, y teorías que parecen apenas extraídas de arcaicas y primitivas fantasías. Encontramos extraordinaria arrogancia (o ingenuidad) cuando el autor de un tratado denuncia todos los errores de sus competidores y luego bosqueja su visión de las cosas, cometiendo casi toda la misma suerte de errores. Y encontramos algunos clásicos aforismos e ideales hipocráticos que han guiado e inspirado legítimamente a los médicos a lo largo de los siglos. Encontramos ingenuos intentos de crear una ciencia, o al menos un ambiente científico. Hay obvias similitudes con la moderna medicina, obvias discrepancias, y una confusa zona fronteriza de información y teoría con la cual los historiadores de la medicina han luchado durante los pasados dos milenios [7].

¿Qué se puede decir, entonces, acerca de las nociones de locura, de actividad mental normal y anormal en este heterogéneo grupo de escritos? Primero, que están dispersas, y en sólo unos pocos libros se puede encontrar una discusión sostenida o una descripción acerca de la vida mental. Ciertamente, no incluyen ningún libro de texto de psiquiatría del cual poder extraer un «sistema». Sin embargo, tienen cierta unidad, y con escasas dificultades se pueden llegar a trazar unas pocas premisas básicas acerca del funcionamiento mental. Esa unidad resulta muy chocante, ya que dichas premisas son el fundamento de muy diversas teorías sobre cuáles son los órganos o humores implicados en la actividad mental o en sus perturbaciones [8]. Según el punto de vista representado en el corpus, el cerebro es la sede de la actividad mental. Esta perspectiva es asumida sobre todo en *De la Enfermedad Sacra;* otras obras, en cambio, consideran que la sede de la inteligencia se encuentra en el corazón y la sangre [9].

Como primer paso en la construcción de nuestro modelo médico, consideremos un ejemplo del doctor en su trabajo, describiendo y prescribiendo una perturbación que envuelve un serio desarreglo mental:

---

[7] Ver Kudlien, *Beginn des medizinischen Denkens,* «Einleitung», y su «Early Greek Primitive Medicine», *Clio Medica,* 3 (1968): 305-336. R. Joly, *Le niveau de la science hippocratique* (París, 1966), destaca los elementos irracionales y fantasiosos que aparecen en Hipócrates. Estoy plenamente de acuerdo con las opiniones de Joly sobre el tema del sexo y la reproducción. L. Bourgey, *Observation et expérience chez les médecins de la collection hippocratique* (París, 1953), hace hincapié en el elemento empírico.

[8] A no ser que se pueda diferenciar el material de la escuela de los de la Cnido (y esto es muy problemático), no soy capaz de distinguir con claridad la actividad mental y la enfermedad mental.

[9] W. Leibbrand y A. Wettley, *Der Wahnsinn* (Freiburg, 1961), págs. 24-57, reúnen y comentan las fuentes. Littré, *Hippocrate,* vol. 6, págs. 111-12, aporta algunos ejemplos de la teoría según la cual la sangre es el elemento más importante en la vida mental. *Psuche* no es un término sobre esta última que sea muy frecuente o importante en el pensamiento de Hipócrates aparece a menudo en *De la dieta* (ibid, pág. 466) que ha sido situada ya en el siglo cuarto. Ibid. vol. 10, pág. 479, se citan varios pasajes en los que aparece *psuche.* Ver también D. Claus, «Psyche: A Study in the Language of the Self before Plato» (Yale, 1969), págs. 240-46.

Otra enfermedad debida al espesamiento. Nace de la bilis, siempre que la bilis fluye hacia el hígado y se asienta en la cabeza. Esto es, entonces, lo que sufre el paciente. El hígado se hincha, y a causa de la hinchazón crece hacia el diafragma, y en seguida el dolor ataca en la cabeza, especialmente en las sienes. Y apenas oye con sus oídos, y a menudo no ve con sus ojos. Y los temblores y la fiebre se apoderan de él. Estas cosas le ocurren al comienzo de la enfermedad, pero también aparecen intermitentemente, a veces muy intensamente y a veces menos. Cuando la enfermedad se extiende, andando el tiempo el sufrimiento del cuerpo se hace mayor, y las pupilas de los ojos se dilatan (¿literalmente? «se desparraman»), y ve confusamente, y si llevas tu dedo a sus ojos, no lo percibe porque no puede ver. Esta es la señal por la que puedes saber que no puede ver, que no pestañea cuando el dedo se aproxima. Tira de los hilos de su ropa (si ve) imaginando que son piojos. Y siempre que el hígado se expande hacia el diafragma, delira. Piensa que ve ante sus ojos cosas que se arrastran y otros animales de varias suertes, y hombres armados luchando, y se imagina a sí mismo luchando en medio de ellos. Y habla de tales cosas como viendo batallas y guerras, y se levanta y amenaza a cualquiera que no se lo permita hacer. Y si se pone de pie, no puede alzar sus piernas, y se cae. Y sus pies están siempre fríos. Y cuando está dormido, puede salir bruscamente de sus sueños, y está aterrorizado, viendo sueños espantosos. Esta es la manera en que sabemos que está sobrecogido y aterrorizado por sus sueños. Porque cuando es devuelto a sus cabales, cuenta los sueños, que se ajustan a lo que hizo con su cuerpo y lo que dijo con su lengua. Esto es, entonces, lo que sufre. A veces puede yacer mudo todo el día y la noche, respirando rápida y pesadamente. Y cuando para de estar delirante, en seguida es devuelto a sus cabales. Y si alguno fuese a preguntarle, responderá apropiadamente y comprenderá lo que se dice. O, un poco tiempo más tarde, puede caer de nuevo en la misma dolencia.

La enfermedad le acontece a uno especialmente en un país extranjero, o cuando por acaso atraviesa una ruta abandonada y el terror se apodera de él, saliendo de alguna aparición espantosa. Y puede apoderarse de él de varias formas.

(Tratamiento:) Cuando tiene esta condición, se le deben dar a beber cinco óbolos de eléboro negro, y administrarlo en vino dulce, o purgarlo con lo siguiente:

Nitro egipcio, una cantidad del tamaño de una vértebra de oveja, muélelo bien, y mézclalo en un mortero con la mitad de un cuarto de litro de miel cocida, otro tanto de aceite de oliva, y un litro de agua de cocer remolachas que haya sido expuesta al sol. O, si quieres, en vez de las remolachas, mézclalo con leche de burra hervida. Púrgalo con esta mezcla, tenga fiebre o no. Para las sopas, que tome una mezcla de cebada bien hervida, añadiéndole miel. Que beba una mezcla de miel, agua y vinagre, hasta que el resultado de la enfermedad esté decidido. En catorce días o más, estará claro si el resultado es fatal o no.

A menudo esta enfermedad, después de haber remitido, recurre. Si lo hace, hay peligro mortal. Entonces, el resultado se decidirá en siete días, tanto si es fatal como si no lo es. Si escapa a la recurrencia, no morirá, y, para la mayoría (¿la mayor parte?), el tratamiento conduce a la salud. Cuando haya pasado la enfermedad, debería seguir un buen régimen, aumentando suavemente lo que recibe el estómago, sin acalorarlo, para que no sobrevenga diarrea. Porque ambos (acaloramiento y diarrea) son peligrosos. Y que se lave diariamente, y que dé cortos paseos después de las comidas. Que se vista con ropa ligera y suave. Y en el momento apropiado (¿la estación correcta?) que beba leche y suero durante cuarenta y cinco días. Si sigue este régimen, pronto estará sano. Pero la enfermedad es severa, y exige muchas preocupaciones [10].

Esta notable descripción clínica está escrita por un médico para beneficio de otros médicos. Forma parte de una colección de descripciones de varias «enfermedades internas», una especie de notas de lectura o agenda de un clínico más que un texto sistemático. Es un informe de un delirio, un agudo síndrome cerebral con fluctuaciones en el nivel de desorientación, acompañado de alucinaciones visuales [11]. En nuestros días, una causa corriente de tal estado podría ser el abandono del alcohol, el delirium tremens. Aparece el deterioro del oído y la visión junto con los cambios mentales. El doctor ha hecho cuidadosas observaciones y algunas deducciones perspicaces, como cuando correlaciona la posterior descripción del paciente de sus sueños delirantes, con la delirante conducta observada.

No podemos identificar fácilmente la particular constelación de enfermedades que el médico tiene en su mente. No sabemos a ciencia cierta si teoriza que la enfermedad es adscribible a la bilis o si quiere decir que, de hecho, implica aumento del hígado y quizás ictericia. Es una enfermedad seria y puede ser fatal. El tratamiento consiste en eléboro, un poderoso catártico generalmente descrito para los desarreglos mentales. Sin embargo, una purga con otra medicina más una cierta dieta puede ser también un tratamiento adecuado.

Este pasaje es representativo de los informes acerca de la vida mental trastornada en el corpus hipocrático, exceptuando que es más detallada y más vívida que la mayoría. No se cuestiona ninguna etiología «emocional» para esta condición: nace de una enfermedad que amenaza la vida. El informe es parte de un catálogo de enfermedades, la mayor parte de las cuales no tienen acompañamientos mentales, aunque otras sí los tienen. Tenemos aquí el caso típico, una obvia

---

[10] *De los trastornos internos,* texto griego en Littré, *Hippocrate,* vol. 7, págs. 284-89. Traducción mía basándome en Littré. *Kluzein* aquí significa «purgar», no «lavar». (Ver LSJ y las referencias allí contenidas, especialmente a los fragmentos de Sófocles). El jugo de remolacha era considerado un buen purgativo para el exceso de bilis (J. Stannard, «Hippocratic Pharmacology», *Bull. Hist. Med.*, 36 (1961): 497-518), además las cantidades apuntan más a un purgativo que a un líquido para lavar (hemicotilo = 402 cm^3.

[11] El corpus hipocrático es particularmente rico en términos para designar los delirios. Los que yo he reunido son: *parapheromai, paraphroneō, paranoō, parakrouō, parakopē; ekmainomai, mainomai, mania; lēros* y *paralēros, paralērō; paralelao; paraplesia; phuluareo* (*katanoeo* = salir de un delirio). No todos estos términos designan específicamente delirio; también pueden connotar estar «fuera de la cabeza de uno». Ver W. H. S. Jones, *Hippocrates,* 4 vols., LCL (London, 1923) vol. 1, pág. lix.

perturbación física, en la cual el doctor encuentra, trata, y piensa acerca de una perturbación mental. El doctor está interesado en los detalles de la perturbación mental, pero sólo en la medida en que son una parte y una parcela de una descripción clínica usual de la enfermedad como un todo. De este modo, tenemos una viva impresión de la mente de un clínico en su trabajo, diagnosticando, clasificando, observando cuidadosamente y registrando, y prescribiendo con atención. Aunque las bases del tratamiento prescrito no puedan ser deducidas de este único fragmento, es una mezcla de experiencia, ensayo y error, una teoría de los efectos patogénicos de la bilis, y la pretendida utilidad del eléboro como *cholegogue* (un fármaco para purificar la bilis).

De la enfermedad sacra

Entre todas las obras del corpus hipocrático, *De la Enfermedad Sacra* contiene la discusión más extensa acerca del funcionamiento mental, tanto en la salud como en la enfermedad, y, por virtud de su consideración de la relación entre la actividad del cerebro y el pensamiento, sentimiento y conducta, casi llega a ser una exposición sistemática del modelo médico del funcionamiento normal. El hecho de que el tratado se dirija ostensiblemente a la epilepsia no disminuye su relevancia para nuestros propósitos, dado que la discusión de la epilepsia es de hecho típica de la forma en que los médicos griegos consideraban las perturbaciones mentales severas.

Esta obra, en contraste con el pasaje antes citado, se dirige principalmente a los profanos, y explica las creencias del doctor acerca de las causas y tratamientos de la enfermedad en general y la epilepsia en particular. Difiere de la primera selección en su carencia de prescripciones específicas para el tratamiento, que serían de esperar en una obra para médicos practicantes. También es polémica, al afirmar simultáneamente la única competencia profesional del médico y la única importancia del cerebro y sus enfermedades [12].

El autor del tratado afirma que la así llamada enfermedad sacra no es más ni menos sagrada que cualquier otra, y que el epíteto fue aplicado al principio por charlatanes que deseaban disimular su ignorancia y eludir la responsabilidad de sus fracasos en la curación de la enfermedad. La enfermedad sagrada debe ser comprendida en términos de fisiología, no de religión; su imponencia no le confiere ninguna especial pertenencia a la divinidad.

La enfermedad, como todas las otras enfermedades, tiene una naturaleza y unas causas, y es es principio curable: es de la competencia

---

[12] Trabajos sobre este tratado son O. Temkin, «The Doctrine of Epilepsy in the Hippocratic Writtings», *Bull. Hist. Med.*, 1 (1933): 277-322, y *The Falling Sickness*, 2.ª edc. (Baltimore 17, 1971). Textos, comentarios y traducciones en H. Grenseman, *Die Hippokratische Schrift, «Über die heilige Krankheit»* (Berlín, 1968), y Jones, *Hippocrates*, vol. 2. Ver también Levine, *Hippocrates*, págs. 107-110.

de los doctores. Es hereditaria y se origina *in utero*. Las perturbaciones del cerebro causan las más serias enfermedades, y ésta no es una excepción. Cuando las venas que llevan aire al cerebro se bloquean —por exceso de flemas, por ejemplo— aparece la enfermedad [13]. Entre las muchas observaciones clínicas astutas del autor, está el hecho, confirmado por la medicina moderna, de que la enfermedad raramente aparece *de novo* después de los veinte años. Describe los síntomas (por ejemplo, la estupefacción y la espuma en la boca) y la conducta del paciente (por ejemplo, la renuncia a la compañía a causa de la vergüenza). Pero para nosotros su descripción del papel del cerebro es la más importante.

> Los hombres deben saber que del cerebro, y sólo del cerebro, arrancan nuestros placeres, alegrías, risas y bromas, así como nuestros dolores, penas pesares y lágrimas. A través de él, en particular, pensamos (phroneomen), vemos, oímos, y distinguimos (diaginoskomen) lo feo de lo hermoso, lo malo de lo bueno, lo placentero de lo no placentero, en unas ocasiones usando la costumbre como criterio, en otras percibiéndolo a partir de su utilidad. Es la misma cosa la que nos vuelve locos (mainometha) o delirantes (paraphroneomen), nos inspira con el miedo y el terror, tanto de día como de noche, nos trae insomnio, errores inoportunos, ansiedades sin objeto, ausencias de pensamiento, y actos que son contrarios al hábito. Estas cosas que sufrimos vienen todas del cerebro, cuando no tiene salud, sino que deviene anormalmente caliente, frío, húmedo, o seco, o sufre cualquier otra afección no natural a la cual no está acostumbrado. La locura viene de la humedad [14].

En suma, el cerebro es la fuente de la actividad mental y emocional. Y dado que extrae de su entrada de aire aquellas partes que contienen la inteligencia y el juicio, es también el intérprete de la consciencia (*ton hermēneuonta tēn sunesin*).

¿Qué es esta enfermedad llamada sagrada? ¿Qué significó para los lectores contemporáneos de esta obra? ¿Qué significa en términos de nuestro conocimiento médico contemporáneo? ¿Cuál es la relevancia de la epilepsia para las principales cuestiones acerca de la naturaleza y tratamiento del desorden mental?

Varios estudiosos, especialmente Oswei Temkin, han evidenciado que «la enfermedad sagrada» es el nombre popular de la epilepsia. Aunque el término *epilēpsis* sólo se usa en el tratado en una ocasión

---

13 La descripción de la anatomía vascular es inadecuada y confirma que el autor del tratado no tenía apenas experiencia alguna en disecciones y que escribía para un público que tampoco poseía experiencias de este tipo. C. R. S. Harris, *The Heart and the Vascular System in Ancient Greek Medicine from Alcmaeon to Galen* (Oxford, 1973), es un estudio muy completo sobre el conocimiento que los griegos tenían de la sangre y el corazón. Ver también L. Edelstein, «The History of Dissection in Antiquity», en *Ancient Medicine,* ed. Temkin y Temkin; F. Solmson, «Greek Philosophy and the Discovery of the Nerves», *Mus. Helvet.,* 18 (1961): 150-97.

14 Traducción de Jones, Hippocrates, vol. 2, pág. 175.

(sección XIII), y aún entonces sólo en el sentido general de rapto (su traducción literal), es claro que en el corpus hipocrático y en la literatura más o menos contemporánea el término se refiere a raptos epilépticos [15].

El rapto o captura implícito en el nombre de tal condición sobreviene indudablemente como un ataque, aparentemente a partir de la melancolía, y los afectados fueron percibidos y se percibieron a sí mismos como siendo raptados. Así, lo que se describe es dramático y episódico, y, debido, a que llega como desde fuera, parece haber poco que hacer con el sentido de sí mismo de la persona.

Los que la sufren pueden caer, quedar mudos, mover los miembros a sacudidas, echar espuma por la boca, y dejar pasar sus excrementos, y los ojos pueden dar vueltas [16]. Puede verse afectado un único lado. Los ataques nocturnos de miedo inexplicable o de locura (o delirio) se mencionan como una variante de la enfermedad (aunque también se describen extrañas conductas y ataques nocturnos diferentes a los de la enfermedad).

Estos síntomas coinciden por completo con lo que ahora se denomina epilepsia de gran mal, aunque características tales como los repentinos terrores nocturnos pueden coincidir parcialmente con lo que se llama epilepsia psicomotora, o pueden no ser verdaderos ataques epilépticos. En todo caso, a la vista de los inmensos problemas que entraña la identificación de enfermedades antiguas, estamos ante una razonablemente bien definida entidad reconocible en términos modernos.

¿Qué más asociaciones tuvo esta enfermedad para los griegos? Su naturaleza dramática y ocasionalmente catastrófica la hizo apta para ser considerada enviada por los dioses. La locura de Heracles fue considerada por algunos como un caso de epilepsia [17]. De este modo, la enfermedad tuvo connotaciones con lo divino, y posiblemente incluso con lo heroico. Todavía más importante, sin embargo, el término «sagrado» sugiere algo del sentido ambivalente del latín *sacer,* a la vez santo y maldito. La condición es peligrosa; los que la sufren debían ser evitados.

La primera tarea del doctor es trasladar la enfermedad desde el

---

[15] Las secciones a las que me refiero aquí y más adelante son las de Jones, *Hippocrates,* vol. 2, que es la traducción de este tratado más asequible. En la medicina actual, la epilepsis idiopática es un trastorno caracterizado por ataques (de muy diferentes tipos: psicomotores, con fiebre alta o baja, ...), pero en el que no aparecen lesiones cerebrales, ya sean tumores, coágulos de sangre, o focos infecciosos. Es innecesario decir que la noción de «lesión» se transforma a medida que las técnicas para localizar focos epilépticos se hacen más refinadas.

[16] Sin embargo, los desfallecimientos no se encuentran entre los síntomas enunciados en este tratado.

[17] Aristóteles, *Problemata,* 30. Ver capítulo 7, nota 21. Temking, en *Falling Sickness,* no está muy seguro de que Eurípides relacionase a Heracles con la epilepsia. Para ello se apoya en que la palabra *hieros,* sagrado, según él, no tiene la connotación ambivalente del latín *sacer,* esto es, santo y aborrecible a la vez.

dominio de la mitología al campo de la fisiología [18]. La enfermedad tiene una *phisis,* una naturaleza, como todas las otras enfermedades. No es sorprendente, entonces, que el médico escritor no haga alusiones a los héroes míticos que sufrieron la enfermedad; una alusión tal podría haber sido contraria a su particular posición polémica y científica. A mi parecer, el corpus hipocrático no contiene ninguna mención de los personajes míticos que enloquecieron, y que fueron descritos tan vivamente en el teatro ateniense y en las pinturas de los vasos. Incluso Galeno, un hombre de amplia y ostentosa erudición del siglo segundo d.C., apenas cita alguna figura del drama para ilustrar la locura abierta [19].

Esta cuestión es de enorme importancia, como explica con claridad el autor. Gran parte de los argumentos de los primeros cinco capítulos y del resumen del final se dirigen a establecer que estas condiciones pertenecen a la competencia del doctor, no a la del mago. También podemos advertir el deseo del autor de combatir el miedo, la vergüenza y el sentimiento de culpa que acompañan a los que sufren esta enfermedad.

¿Cómo, entonces, se adquiere la enfermedad, si no es por actos divinos? Las causas naturales, o lo que eran causas naturales para los griegos del siglo quinto, brindan la respuesta. La flema y el aire, las venas y la sangre, los vientos y el tiempo atmosférico son las *dramatis personae.* Si hay un culpable, es la flema, que impide al precioso aire, con su inteligencia, alcanzar el cerebro. Si hay una víctima, es el cerebro, privado de su necesario alimento. Si existe conflicto, no es entre dos dioses, sino más bien entre la flema, que enfría y obstruye, y la sangre, que calienta y ayuda a que llegue el aire. Si hay conductas irracionales e inexplicables, anónimos terrores por la noche, existen porque el cerebro está temporalmente privado de la sustancia que lo hace racional y coherente. Si la enfermedad se sucede en el interior de las familias, es porque los flemáticos engendran flemáticos, los biliosos

[18] Un niño de diez años de edad tenía espasmos de Sydenham, secuela neurológica de las fiebres reumáticas y de la infección de estrepcocos, que le producían unos repentinos e involuntarios movimientos de los miembros. Cuando se le preguntó a él qué le había ocasionado el mal, explicó que el doctor le había dicho que una toxina de una bacteria había causado una reacción alérgica en su sistema nervioso, que afectaba a las partes del cerebro que controlan el movimiento. Pero *él* pensaba que se encontraba en ese estado por lo que siempre le había repetido su maestro: que él era un niño malo porque nunca estaba quieto en clase. El niño explicaba su situación con una teoría fisiológica y con una visión mitológica a la vez.

[19] Esta impresión se basa en mi limitado conocimiento de Galeno, al que leí siguiendo el índice de palabras de la principal edición griega, C. G. Kunhn, edt., *Claudi Galenii: Opera Omnia,* Leipzig, 1821-1823), i-xx, y en P. De Lacy, «Galen and the Greeks Poets», *GRBS,* 7 (1966): 259-66. Ver los pasajes de Galeno sobre Medea en *De Placitis Hippocratis et Platonis,* edt. I. Müller (Leipzig, 1874), págs. 283-84, en los que afirma que Eurípides habla de la *megalosplanchnos,* gran melancolía de aquélla, ilustrando de este modo la conexión entre rabia y tristeza (a pesar de que Medea no era generalmente considerada enferma). Ver también la prohibición de citar a los poetas en las lecturas y escritos médicos, *De los preceptos,* sec. 11. 1-8, en Jones, *Hippocrates,* vol. 1, págs. 326-27.

engendran biliosos, no a causa de ninguna polución o culpa heredada. En suma, hemos sustituido lo personal por lo impersonal, lo mitológico por lo fisiológico.

Podemos ocuparnos a continuación de la transición entre el papel del cerebro y la flema en la generación de esta enfermedad y el discurso acerca de la importancia central del cerebro en todo fenómeno mental (XVI, XIX). El autor, sin haberse detenido a probar que la epilepsia afecta al cerebro, continúa con la afirmación del papel crucial de éste en el conjunto de la vida humana. ¿Cuál es la fuente y el origen de la noción de que el cerebro es de importancia singular? Intuitivamente no es obvio que el cerebro sea la sede del pensamiento.

En los comienzos del siglo quinto, Alcmeón de Crotona hizo mención de las conexiones entre el cerebro y los órganos de los sentidos mayores. Si las tradiciones tardías de las cuales obtenemos esta información son correctas, bien pudo haber afirmado la hegemonía del cerebro (una noción estoica) o algo parecido, y pudo haber hecho alguna disección cerebral. Se puede también señalar a Diógenes de Apolonia, quien parece haber argumentado acerca de la importancia central del aire en los procesos mentales, y también pudo haber considerado al cerebro como un órgano de la inteligencia. Así pues, hacia el final del siglo quinto, la noción de que el cerebro es la sede del pensamiento ya había sido formulada, aunque no sepamos con qué amplitud se había difundido [20].

¿No existe ninguna evidencia clínica que conecte el cerebro con el pensamiento? El médico hipocrático debió haber tenido alguna oportunidad de *observar* cierta conexión entre el desorden del cerebro y la conducta trastornada. Yo argumentaría, sin embargo, que de hecho tales observaciones no fueron en absoluto fáciles de hacer, y que para llegar a las inferencias acerca de la conexión entre cerebro y pensamiento o entre cerebro y conducta, era necesario que el médico hubiese asumido previamente tal conexión. En el caso de la epilepsia, por ejemplo, hay poca conexión obvia entre el cerebro y la enfermedad, con excepción de algún epiléptico ocasional que pueda agarrarse la cabeza o quejarse de extrañar sensaciones en ella. Pero aún así, los epilépticos pueden experimentar sensaciones raras en muchas partes del cuerpo, tales como ansiedad precordial, alucinaciones olfativas o auditivas, ilusiones, o sensaciones cenestéticas.

¿No proporcionaron las observaciones de heridas en la cabeza una oportunidad de ver la conexión entre el daño en el cerebro y el pensamiento desordenado? Encontramos, en efecto, un relato de lesión en

[20] Ver H. Diels, *Die Fragmente der Vorsokratiker,* con adiciones de W. Kranz, 5.ª-7.ª edc. (Berlín, 1934-54), voces Alcmaeon y Diógenes; también voz Filolao, B13; ver comentarios en G. S. Kirk y J. E, Raven, *The Presocratic Philosophers* (Cambridge, 1957), y Grenseman, *Hippokratische Schrift,* págs. 27-31, el cual cita a un médico oscuro y poco conocido, Abas, que también hablaba de la primacía del cerebro. Las metáforas políticas de Alcmaeon, *isonomia* (igual de ley) y *monarchia,* son muy relevantes para la disquisición del capítulo 8 sobre el papel dominante del cerebro y del médico (ver cap. 8, nota 29); ver también Solmson, «Greek Philosophy».

la cabeza con daño cerebral, formación de pus, delirio y muerte. En el mismo pasaje encontramos la mención de espasmos, o quizá convulsiones, que pueden sobrevenir cuando el cráneo ha sido trepanado en el área temporal, y se advierte que estos espasmos aparecen en el lado del cuerpo opuesto al lugar de la trepanación [21].

¿Qué ocurre con el hallazgo, mencionado en este tratado, de que se puede ver en la autopsia que las cabras con ataques tienen el cerebro hidrópico y hediondo? Estos y otros detalles de evidencia sugerente, permitieron al médico tener bases plausibles para afirmar que el cerebro está asociado tanto con los ataques de rapto como con el pensamiento.

Hablando estrictamente, sin embargo, no se puede interpretar que ninguna de esta evidencia señale al cerebro como el órgano *jefe* de la vida mental, control del movimiento y demás. Los textos clínicos señalan que el delirio y la locura están asociados con muchas condiciones que no es obvio que impliquen al cerebro. No es obvio que los raptos que aparecen en el curso de enfermedades febriles, por ejemplo, parezcan estar dirigidos a través del cerebro.

Más aún, sabemos que fue perfectamente posible adscribir algún papel al cerebro en los procesos mentales y emocionales mientras se mantenía que el corazón, por ejemplo, era la sede principal de tales actividades. Este es, de hecho, el punto de vista basado en Aristóteles: el cerebro juega un papel en el correcto enfriamiento de la sangre que va al corazón, y tal enfriamiento es necesario para poner al corazón en condiciones de llevar a cabo las actividades intelectuales y emocionales del cuerpo [22]. La cuestión corazón *versus* cerebro no llegó a quedar establecida definitivamente en la antigüedad, y quizá ni siquiera muchos siglos más tarde.

En suma, yo diría que la evidencia clínica disponible sugería ciertamente la importancia del cerebro, pero en absoluto señalaba hacia él inequívocamente. Debió haber sido necesario algún acto de inferencia o intuición por parte del médico. De hecho, dudo que podamos reconstruir con fidelidad el proceso que llevó a esta muestra brillante de perspicacia.

Sugiero, sin embargo, que el autor de *De la Enfermedad Sacra* tuvo un *motivo* para dar gran importancia al cerebro. Primero, como ha señalado R. Onians, en la creencia popular griega la cabeza es un órgano de vida, una sede de la psique, un órgano de generación, y un símbolo de la continuidad de la vida y la familia [23]. La cabeza del

---

[21] *De las lesiones de la cabeza,* sec. 13 y 19, en *Hippocrates,* LCL, vol. 3, traducción de E. T. Withington, Págs. 33 y 44. Para el pensamiento popular es evidente (aunque ello sea falso) la conexión entre la cabeza (o cerebro), el mal y el delirio, como por ejemplo en *Las Nubes* de Aristófanes, 11. 1271-76, *(egkephalon seseisthai).*

[22] Ver E. Clarke, «Aristoteleau Concepts of the Form and Fuction of the Brain», *Bull. Hist. Med.,* 37, 1963): 1-14; D. H. M. Wooliam, «Concepts of the Brain and Its Functions in Classical Antiquity», en *The History and Philosophy of Knowledge of the Brain and Its Functions,* edt. F. N. L. Poynter (Springfield, III., 1958).

[23] R. Onians, *The Origins of European Thought* (Cambridge, 1951), sobre todo págs. 93-122, 186, 199, y 227-28.

cuerpo es como la cabeza de una familia. Se puede discernir el motivo del médico en el *Timeo* de Platón, un diálogo basado en creencias populares y que desarrolla la analogía entre el cuerpo y la psique, e implícitamente, el estado.

El *Timeo,* como subraya Platón, fue concebido como una continuación de *La República.* En el *Timeo,* también, la psique se divide en tres partes, pero aquí corresponden a partes del cuerpo más que a partes de la polis: lo racional a la cabeza y el cerebro, lo anímico-afectivo al corazón, y lo apetitivo al área bajo el diafragma (probablemente el hígado)[24]. Las imágenes son de gran interés, a causa de las metáforas políticas que afloran aquí también (70A-B). El cerebro (la parte racional) es concebido como la «acrópolis» del cuerpo, que envía órdenes al tórax o «cuerpo de guardia» (la sede de lo «emotivo-anímico») para sofocar la rebelión que la parte apetitiva ha avivado en el resto del cuerpo.

Así pues, Platón ha construido una fisiología del pensamiento, emoción y deseo, la ha ordenado, y la ha politizado para sus propios fines. En el proceso ha dejado establecido al cerebro como la sede de las funciones que él mismo, *qua* filósofo, ejercía. Se ha arrogado el cerebro para sí mismo y para sus funciones filosóficas profesionales (que incluían funciones de reglamentación política). Puede haber escogido el cerebro a causa de todas sus anteriores connotaciones como órgano vital para la vida y la generación, pero también porque necesitaba definir una única parte del cuerpo que ejerciese las funciones específicas que atribuye al filósofo. Ha dicho, en efecto, «El filósofo es el cerebro de la organización».

Algo parecido se puede ver en *De la Enfermedad Sacra.* Aquí el cerebro corresponde al médico. Tras haber dedicado la primera parte del tratado a delimitar las demandas de competencia profesional del médico frente a otros especialistas, el autor dedica la segunda parte a las demandas del cerebro frente a otras partes del cuerpo que habían sido consideradas sedes de la actividad mental (el diafragma y el corazón). Las enfermedades del cerebro, afirma, son las más penosas y serias de todas las enfermedades. Esta es una conducta imperialista, menos consciente y conspicua en el tratado médico que en la obra de Platón, pero imperialista en todo caso[25].

Así como para Platón las actividades del cerebro son análogas a las del filósofo, para Hipócrates son análogas a las del doctor. Pero el contraste entre Hipócrates y Platón también es importante. Para Hipócrates el cerebro no es el soberano absoluto que es para Platón. El cerebro está sujeto a influencias fuera de su control: la calidad de

---

[24] Ver *Timeo,* 69E-72D. Las partes superior e inferior del diafragma son concebidos como el lado de los hombres y el de las mujeres respectivamente; en esta comparación va implícita la idea de que las mujeres pertenecen a la parte inferior de la psique.

[25] Cf. a la tesis del historiador Cristopher Hill sobre William Harvey y sus teorías referentes a la primacía del corazón, discutidas por O. Temkin, «The Historiography of Ideas in Medicine», en *Modern Methods in the History of Medicine,* edt. E. Clark (London, 1971), págs. 1-21.

la flema en el cuerpo, la estación del año, los vientos predominantes.

El médico hipocrático ve que su poder es claramente limitado. Está sujeto a las constricciones de la naturaleza y la enfermedad. No puede alterar radicalmente la condición del paciente, sino que debe esperar, en el mejor de los casos, que la balanza se incline a favor de la recuperación. Las palabras del cirujano renacentista Ambroise Paré, «Dios cura las heridas, yo las vendo», reproduce el espíritu de la opinión hipocrática acerca de las limitaciones del médico. No hay una utopía médica en la que el doctor cure todas las enfermedades del cuerpo, mientras hay una utopía filosófica en la cual el rey filósofo cura todas las enfermedades del estado.

Un segundo punto de comparación entre el cerebro y el doctor se puede encontrar en su papel como intérpretes. El cerebro, para Hipócrates, interpreta los fenómenos sensoriales, proporcionados por el aire, materia de la inteligencia. Es un mensajero *(ho diangellon)* respecto a la consciencia *(sunesis)*.

El médico, en su relación con el paciente y su enfermedad, no manda sino explica. Reconstruye con el paciente la historia de su enfermedad, interpretando las relaciones entre sus síntomas, su régimen de vida y las fuerzas patogénicas predominantes (tales como los vientos). También aventura un pronóstico y formula un tratamiento, y los explica al paciente[26].

La relacion medico-paciente

Algunas de las obras supervivientes del *corpus* hipocrático están destinadas claramente al público educado en general, otras a los médicos. Sólo este hecho es ya un índice importante del grado en que el médico hipocrático se veía a sí mismo como un educador. En muchas obras, especialmente en aquellas que se ocupan de los regímenes apropiados, se ve al médico explicando estas materias al paciente, y al mismo tiempo el autor aconseja explícitamente al médico que aclare todo perfectamente al paciente. Aunque el término *hermeneutēs,* traductor, no se aplica específicamente al médico, recoge el sentido de lo que hace el doctor. En efecto, él traduce su conocimiento de teoría y experiencia clínicas a términos útiles al paciente. El médico ha hecho una interpretación práctica de teorías, basadas filosóficamente, acerca de la naturaleza y del cuerpo, útil para sí mismo, para otros médicos y, a partir de ahí, para sus pacientes y para el público en general. Si Sócrates fue, según Cicerón, el hombre que bajó la filosofía del cielo al mercado, Hipócrates fue el que bajó la filosofía del discurso teorético a la práctica de cuidados para la curación del cuerpo[27].

---

[26] Otro paralelo entre el cerebro y el médico es la función de diagnóstico. Ver *De la Enfermedad Sacra,* sec. XIX, para *diagnōsis* (discriminación) del cerebro, y sec. XX para *diagnōskein* (discriminar) del médico (Jones, *Hippocrates,* vol. 2, págs. 178-81).

[27] Referente a la tradicional afirmación de que Hipócrates separó la medicina de

Obviamente, debe haber habido una tremenda variación, dependiendo del médico y del paciente, en cuanto al grado de molestia que el médico debía tomarse en explicar y educar al paciente. Esta variación se refleja parcialmente en los comentarios de Platón acerca de las diferencias entre el médico «científico», que trata a los hombres libres, y el médico esclavo, o el ayudante del médico, que trata a los esclavos.

> El doctor esclavo... nunca habla a sus pacientes individualmente, ni les permite hablar de sus propias dolencias individuales: él meramente prescribe lo que sugiere la mera experiencia, como si tuviese un conocimiento exacto... Pero el otro doctor, que es un hombre libre,... lleva sus investigaciones mucho más lejos, y penetra en la naturaleza del desorden; entra en discusión con el paciente y con sus amigos, y al mismo tiempo obtiene información del enfermo y también lo instruye tanto como puede, y no prescribirá para él hasta que lo haya convencido primero; al final, cuando ha situado más y más al paciente bajo sus influencias persuasivas y lo ha puesto en el camino de la salud, intenta efectuar la curación (*Las Leyes,* 720).
>
> Si uno de estos médicos empíricos (i.e., esclavos)... encontrase a un médico noble hablando a su noble paciente, y usando el lenguaje casi filosófico,... diría,... «Pobre necio, ... no estás curando al enfermo, lo estás educando; y él no quiere que lo hagas doctor, sino que lo sanes» (*Las Leyes,* 857) [28].

Aun si Platón exagera algo a fin de aclarar más sus puntos de vista, nos traslada en parte los ideales de la relación doctor-paciente. El retrato que hace Platón del médico científico con su paciente está ciertamente en consonancia con buena parte del corpus hipocrático.

También se percibe que el médico se ve a sí mismo y a su paciente como parte del esquema natural de las cosas, hasta el punto de que puede ayudar a rectificar un balance alterado de humores y cualidades, pero sólo tiene una limitada capacidad para curar.

¿Qué explica entonces el médico al paciente? El autor del tratado acerca de la epilepsia describe la tarea del médico con demasiada brevedad. Basándose en la condición del paciente, el examen de su dieta, el lugar donde vive y la estación del año, debe decidir, por ejemplo,

---

la filosofía, ver Kudlien, *Beginn des medizinischen Denkens,* pág. 7. Ver también Edelstein, «The Role of Eryximachus in Plato's *Symposium*» y «The Relation of Ancient Philosophy to Medicine», en *Ancient Medicine,* edts. Temkin y Temkin; G. E. R. Lloyd, «Who Is Attacked in *On Ancient Medicine*?», *Phronesis,* 8 (1963): 108-126.

[28] Traducción de Platón, *The Dialogues,* trad. B. Jowett, 3.ª edc. (1892; reimpreso en Oxford, 1924). Para la numerosas referencias a la medicina en la obra platónica ver el índice de Jowett, voz *Medicine.* Véase asimismo W. Jaeger, *Paideia,* traducido por G. Highet (New York, 1944), vol. 3, págs. 3-45, y F. Wehrli, «Der Artzvergleich bei Platon», *Mus. Helvet.,* 8 (1951): 177-83. El pasaje platónico más sorprendente sobre la medicina se encuentra en el *Fedro,* 270B, en donde el filósofo intenta describir el método hipocrático de razonamiento sobre el cuerpo. Ver R. Joly, «La question hippocratique et le temoignage du *Phèdre*», *REG,* 74 (1961): 69-92.

qué humor puede estar presente en exceso. Unas comidas apropiadas pueden reducir la cantidad de bilis o flema en el cuerpo. Las medicinas adecuadas también pueden afectar al balance de humores, produciendo un incremento en la expulsión de flema o bilis. (No encontramos mención de ningún fármaco considerado útil o específico para la epilepsia). Los fármacos considerados más apropiados para el tratamiento de las diversas perturbaciones mentales en éste y otros tratados son el grupo de los eléboros, poderosos catárticos y eméticos de los que se creyó que eliminaban el exceso de bilis amarilla y negra. Volveremos a estos fármacos y la consideración de su uso en las perturbaciones mentales [29].

Ahora bien, si el doctor gasta todo este tiempo y esfuerzo en hablar con el paciente, en explicar, en obtener información y en educar, es obvio que se establece una relación entre los dos. ¿Discute alguna vez el doctor hipocrático con su paciente lo que podemos llamar problemas personales, sean o no inmediatamente relevantes respecto al problema en cuestión? ¿Intenta el doctor hipocrático, en los casos de desorden mental agresivo, comprender las dificultades emocionales del paciente? Estas cuestiones conducen al problema planteado por Laín Entralgo: ¿podemos hablar de psicoterapia verbal en el contexto de la relación doctor-paciente en Grecia? [30].

En primer lugar, está perfectamente claro que el doctor hipocrático no tiene ningún interés profesional en las dificultades emocionales personales del paciente, ya sea la enfermedad visiblemente física o mental. Tal asunto, simplemente no formó parte de la concepción médica de su actividad profesional. Oímos hablar de discusiones de sueños, pero sólo para ayudar a que el médico diagnostique la enfermedad física. (El presupuesto que aquí subyace es que las perturbaciones físicas ocultas pueden ser registradas primero en el contenido de los sueños, antes de que el paciente esté conscientemente enterado de ellas) [31]. Sin embargo, es altamente probable que el médico compasivo, o con talento para comprender las dificultades emocionales, haya charlado de tales asuntos con el paciente. Es también probable que el médico, aún en su papel de detective clínico, haya podido intentar obtener información acerca de los sentimientos internos de su paciente. Tenemos indicaciones definidas, desde la antigüedad tardía, de que el médico perspicaz dejaba un oído abierto a las indicaciones de «mal

---

[29] Para ejemplos de su uso ver *De los trastornos internos* (Littrè, *Hippocrate,* vol. 7 pág. 274).

[30] Laín Entralgo, *Therapy of the Word,* págs. 139-70, hace un buen estudio de la comunicación entre el médico y el paciente, en el que destaca las conexiones entre la comunicación retórica y médica. El campo de la medicina estaba, y todavía está, saturado de restos de los métodos orales de enseñanza y aprendimiento. Las relaciones entre la medicina y el surgimiento de la cultura escrita se merecen un estudio a fondo.

[31] Ver *Régimen,* en *Hippocrates,* trad. Jones, vol. 4, págs. 420-47, el clásico estudio hipocrático sobre el sueño. S. Silverman, un psicoanalista, afirma que en su labor clínica ha encontrado casos de enfermedades físicas reveladas a través de los sueños, [*Psychological Cures in Forecasting Physical Illness?* (New York, 1970)].

de amor», para evitar confundirlo con una enfermedad del cuerpo. Una anécdota de Galeno cuenta cómo descubrió que una paciente estaba afectada de amor no correspondido por el actor Pílades: su pulso se aceleraba a la mención de su nombre [32]. Autores posteriores escribieron también acerca de la necesidad de manejar a los locos con firmeza o amabilidad, o distraerlos con la discusión de tópicos neutrales, o incluso de sacar a un hombre de su estado de ilusión mediante trucos [33].

Sin embargo, sobre todo, la medicina antigua no desarrolló un concepto del poder terapeútico de las palabras y el diálogo, como tampoco desarrolló un concepto de las perturbaciones de la mente distinto de su procedencia de las perturbaciones del cuerpo. Por el contrario, se adquiere de los autores hipocráticos la sensación de que cualquier cosa no expresada en términos fisiológicos y físicos ya tocaba en lo mágico y en el charlatanismo.

Indudablemente tuvo lugar una psicoterapia no específica, en parte a través de la presencia constante del médico bondadoso. Más aún, la afirmación médica de que el paciente tiene un problema físico inteligible, tratable por medios físicos, debió haber dado un buen impulso hacia adelante al alivio de la vergüenza y del sentimiento de culpa, y a la provisión de un mecanismo de defensa reconstituyente [34].

---

[32] I. Veith, *Hysteria: The History of a Disease.* (Chicago, 1965), pág. 36. Pero ver Apuleyo, *El Asno de Oro,* Libro 10, sec. 2, 11. 4-8, para documentar la acusación de que los médicos no son capaces de reconocer el mal de amores.

[33] Tal y como se encuentra, por ejemplo, en Celio Aureliano, *Sobre las Enfermedades Agudas y las Enfermedades Crónicas,* trad. I. E. Drabkin (Chicago, 1950).

[34] Ver E. Glover, «The Therapeutic Effect of Inexact Interpretation», *Int. J. Psa.,* 12 (1931): 397-411. Glover presenta la hipótesis de que el empleo de purgantes y vomitivos en el tratamiento de perturbaciones psicológicas permitía al paciente concebir la fantasía inconsciente de que de este modo se limpiaban todos sus desperdicios *psicológicos.*

12

LA MELANCOLIA DE ARISTOTELES

> Tampoco tengo la melancolía del sabio, que es emulación; ni la del músico, que es fantasiosa; ni la del cortesano, que es orgullosa; ni la del soldado, que es ambiciosa; ni la del abogado, que es política; ni la de la dama, que es amable; ni la del amante, que es todas éstas a la vez: sino que es una melancolía absolutamente mía, compuesta de muchas simples, extraída de muchos objetos.
>
> Shakespeare, *As You Like It*

Los escritos hipocráticos contienen muchas referencias breves a la melancolía, pero ni una sola discusión extensa. Aprendemos más acerca de la melancolía de los escritores médicos de la antigüedad tardía, quienes en sus comentarios y enciclopedias nos dicen mucho acerca de las concepciones en boga en los siglos quinto y cuarto a. de C. [1]. En el *corpus* hipocrático, la melancolía es mencionada generalmente en listas de enfermedades causadas por un exceso de bilis negra, y esta relación evidencia una fuerte conexión entre melancolía y epilepsia, que también se atribuye a un exceso de bilis negra [2].

Así pues, nos enfrentamos a una condición de la que, como de la epilepsia, se pensó que tenía una causa física clara y una relación definida con otras enfermedades de la bilis negra. Hemorroides, disentería, dolor de estómago y erupciones en la piel completan el grupo de las enfermedades de la bilis negra. Al igual que otras del grupo, la melancolía puede aumentar a la caída del año, o, alternativamente, en la primavera (se creía que cada humor aumentaba en una estación diferente) [3]. Los melancólicos, o la melancolía, pueden haber presentado al médico hipocrático difíciles problemas de tratamiento,

[1] Los principales trabajos sobre la historia de la melancolía son: H. Flashar, *Melancholie und Melancholiker in den medizinkschen Theorien der Antike* (Berlín, 1966); R. Klibansky, E. Panofsky, Y. F. Saxl, *Saturn and Melancholy* (New York, 1964); F. Kudlien, *Der Beginn des medizinichen Denkens bei den Griechen von Homer bis Hippokrates* (Zurich, 1967), y «Schwärżliche Organe im frühgriechischen Denken», *Medizin historiches Journal,* 8 (1973): 53-58; A Lewis, «Melancholia: A Historical Review», en su «*The State of Psychiatry*» (London, 1967), págs. 71-110 (con abundante bibliografía); W. Leibbrand y A. Wettley, *Der Wahnsinn* (Freiburg, 1961), págs. 43-89; y W. Müri, «Melancholie und schwarze Galle», *Mus. Helvet.,* 10 (1953): 21-38; J. Starobinski, «Geschichte der Melancholiebehandlung von den Anfängen bis 1900», *(Documenta Geigy), Acta Psychosomatica,* 4 (1960).

[2] *Epidémicas,* Libro 6, sec. 8, para. 31, en Littrè, *Hippocrate: Oeuvres complètes,* 10 vols. (París, 1849), vol. 5, págs. 354-56.

[3] Ibidem, págs. 272.

pero, como sugiere esta lista de condiciones bastante más prosaicas atribuidas a la bilis negra, se aproximaban a ella con un práctico sentido clínico.

Las enfermedades melancólicas se asociaron ocasionalmente a la *mania* (locura delirante), sin que esto implicase ninguna conexión intrínseca o cíclica entre las dos. Aunque el *corpus* hipocrático no contiene ninguna descripción extensa de la experiencia de la melancolía, algunos comentarios dispersos nos permiten comprender lo que el autor hipocrático quiere decir cuando escribe: «Cuando el miedo y la tristeza duran mucho tiempo, esta es una condición melancólica». Un vivo relato de «ansiedad» describe muy probablemente una forma de melancolía:

> La ansiedad: una enfermedad difícil. El paciente piensa que tiene algo como una espina, algo que le pincha en sus vísceras, y la ansiedad (quizá repugnancia o náusea) lo tortura. Huye de la luz y de la gente, ama la oscuridad y es atacado por el miedo. Su diafragma se hincha, y siente dolor al tacto. Se inquieta y ve visiones aterradoras, imágenes de sueños espantosos, y en ocasiones personas muertas. La enfermedad ataca principalmente en primavera [4].

El tratamiento incluye eléboro, leche de burra y limpiezas de la cabeza. Si el tratamiento tiene éxito, la enfermedad remitirá a su debido tiempo, si no lo tiene, el paciente la sufrirá el resto de sus días.

Si combinamos la evidencia extraída del corpus hipocrático con fragmentos e indicios de la literatura médica griega tardía, las enfermedades melancólicas parecen estar caracterizadas por inquietudes ansiosas, mal humor, impulsos suicidas y resentidos recelos. Una vez más, el aspecto es el de una condición somática, con ambas perturbaciones, mental y física, tratadas con medios físicos; no se busca en las perturbaciones emocionales ninguna posible causa.

Encontramos las mismas suposiciones acerca de las causas orgánicas y somáticas en los *Problemata* de Aristóteles, pero encontramos también una discusión más elaborada de los mecanismos por los que la bilis negra se relaciona con el carácter, temperamento y enfermedades melancólicas. El tratado de la sección 30 de los *Problemata,* que comienza «¿Por qué son melancólicos los hombres de genio?», y generalmente atribuido a Teofrasto o algún otro discípulo de Aristóteles, consiguió gran popularidad durante el Renacimiento [5]. Su interés reside menos en su contenido fisiológico que en su discusión del problema que ocupó a muchos pensadores renacentistas (especialmente a los Neoplatónicos) acerca de las conexiones entre genio, inspiración y locura [6].

---

[4] *De las Crisis,* Libro 2, para. 72, en ibidem, vol. 7, págs. 108-111. Traducción mía basada en Littrè. En términos modernos este estado probablemente fuese denominado depresión agitada.

[5] Ver R. Klibansky, E. Panofsky, y F. Saxl, *Saturn and Melancholy* (New York, 1964); Flashar, *Melancholie und Melancholiker.*

[6] Klibansky y otros, *Saturn and Melancholy,* y recensión de esta obra de B. Simon, *Psa. Q.,* 37 (1968): 145-49.

El fragmento comienza con la asunción de que todos los hombres de talento son melancólicos, y se pregunta por qué. Aquí, como veremos, «melancólicos» no implica enfermedad necesariamente; puede denotar simplemente un temperamento melancólico.

> ¿Por qué es que todos aquéllos que han llegado a ser eminentes en filosofía o en política o en poesía o en las artes son claramente melancólicos, y algunos de ellos en tal grado que son afectados por enfermedades causadas por la bilis negra? Un ejemplo tomado de la mitología heroica es Heracles. Pues él tenía aparentemente esta constitución, y por ello las afecciones epilépticas fueron llamadas a partir de él «la enfermedad sagrada» por los antiguos. Su acceso de locura en el incidente con los niños apunta a esto, así como la erupción de úlceras que le acaeció antes de su desaparición en el monte Oeta; pues esto es en mucha gente un síntoma de la bilis negra. Lisandro el Lacedemonio también sufrió de tales úlceras antes de su muerte. Hay también las historias de Ayax y Belerofonte: uno salió completamente de sus cabales, mientras el otro buscó lugares desérticos como morada... Muchos otros de entre los héroes sufrieron evidentemente de la misma forma, y entre los hombres de los tiempos recientes, Empédocles, Platón y Sócrates, y otros numerosos hombres bien conocidos, y también la mayor parte de los poetas. Para muchos, tales personas tienen una enfermedad corpórea como resultado de esta clase de temperamento *(krasis);* algunas de ellas tienen sólo una clara tendencia constitucional *(phusis)* hacia tal aflicción, pero, para decirlo brevemente, todos ellos son, o han sido antes, melancólicos por constitución [7].

Estamos ahora en el campo de una teoría equilibradamente formulada de los humores y su relación con la «constitución». Hablamos de lo melancólico en contraste con lo flemático, lo sanguíneo y lo colérico. En una persona con este temperamento, con el equilibrio de humores dominado por la bilis negra, pueden hacer irrupción francas enfermedades melancólicas. Por otra parte, también se puede ser melancólico por temperamento sin sufrir las enfermedades asociadas.

El autor compara los efectos de la bilis negra con los del vino. Al dar un ejemplo de una sustancia conocida que produce una variedad de efectos sobre la mente y el temperamento, presta plausibilidad a la noción de que una sustancia que actúe internamente puede producir similares efectos mentales.

El vino vuelve coléricos a algunos hombres, a otros amables y felices, y a otros impulsivos. Además, se puede observar que el vino produce estos cambios gradualmente. Cuando un hombre que es sobrio y «frío» (sin mucho calor natural) comienza a beber vino, se vuelve un poco más locuaz; con cantidades crecientes de vino puede convertirse en un «discurseador» y ser más audaz, luego impulsivo, después

[7] Traducción de Klibansky et allii, *Saturn and Melancholy,* págs. 18-19.

maníaco y loco, y finalmente necio («imbécil»), como algunos de los que han sufrido epilepsia desde la niñez.

La variedad de rasgos inducidos o manifestados a causa del vino está distribuida entre los hombres por la naturaleza; es decir, que las variaciones en la cantidad y calidad de la bilis negra son las responsables de la incidencia de estos rasgos que aparecen naturalmente. El vino los produce sólo por un corto período de tiempo, la bilis negra los produce con efectos permanentes y a largo plazo.

El vino y la bilis negra son «neumáticos», llenos de aire y espuma, y ambos pueden variar según las cualidades de calor y frío. El vino hace lujuriosos a los hombres, y la lujuria está relacionada con el aire; el aire produce la erección y la eyaculación. Se introduce una observación clínica: las venas de los meláncolicos están duras y distendidas por el aire. (Adviértase que el cerebro no es mencionado; esta hipótesis no dice que estos agentes químicos actúen sobre el cerebro, quien causa entonces los estados mentales).

El autor pretende construir una teoría que invoque una única sustancia como causa de la variedad de fenómenos en los melancólicos. Así pues, arguye que las cualidades de la bilis negra pueden variar, particularmente su temperatura, y que las variaciones en las cualidades pueden explicar por qué una variedad de efectos puede estar producida por una única sustancia. La bilis negra fría produce apoplejía, parálisis, timidez y desaliento *(Athumia)*. La bilis negra caliente produce «alegría, estallido de canciones y éxtasis y la erupción de úlceras».

Ahora bien, las cantidades normales de bilis negra procedentes del alimento ingerido no afectan a los caracteres de la mayor parte de la gente, aunque en cantidad suficiente la bilis puede conducir a alguna enfermedad física melancólica (presumiblemente transitoria). Pero en aquéllos cuya constitución básica es melancólica, se encuentran enfermedades características, cuya naturaleza depende de las proporciones de bilis caliente y fría. El frío y una cantidad moderada de bilis vuelve a los hombres perezosos y estúpidos, mientras que una excesiva cantidad y el calor los llevan hacia una conducta eufórica, erótica, impulsiva y gárrula. Si la bilis negra caliente está demasiado cerca de la sede del intelecto (aquí probablemente el corazón), el individuo se ve afectado de un estado «maníaco» y «entusiástico». Tales personas pueden llegar a ser Sibilas, Bacantes, o «tocados por los dioses»[8]. Pero cuando la cantidad de bilis negra es más moderada (y presumiblemente de la temperatura debida), los melancólicos llegan a ser más inteligentes que la mayor parte de las otras personas, y tienden a demostrar talento en la educación, las artes o la política. La bilis fría lo hace a uno cobarde, mientras la bilis caliente lo lleva a enfrentarse con el horror permaneciendo impertérrito.

Las fluctuaciones diarias de humor, de triste a alegre, también son explicables en términos de variaciones en la mezcla de bilis caliente

[8] Para la inspiración y la locura en Aristóteles ver capítulo 7, notas 49 y 50.

y fría. Estas fluctuaciones cotidianas, sin embargo, no deben ser confundidas con los estados de humor profundos y de larga duración. Si el enfriamiento es demasiado repentino o excesivo, puede resultar un extremo abatimiento que lleve al suicidio, especialmente en los jóvenes.

Finalmente, el autor resume su posición: no todos los melancólicos son idénticos, porque la bilis negra varía en sus cualidades y efectos. Todos los melancólicos son excepcionales, pero no son las enfermedades melancólicas las que los hacen así, aunque puedan estar predispuestos a tales enfermedades.

¿Quiénes son estos hombres excepcionales, los *perittoi*? Heracles es uno de ellos. Sus enfermedades melancólicas incluyen locura total (que le lleva a matar a sus hijos), epilepsia (quizá sinónima de ataque de locura), y úlceras. Otro es Lisandro (muerto el 395 a. de C.), un famoso comandante espartano que venció a los atenienses en varias ocasiones e intentó ayudar a establecer la Oligarquía de los Treinta en Atenas.

Ayax, recordado en la Odisea de Homero, en los poemas posthoméricos, en innumerables pinturas de vasos, y más poderosamente en la obra de Sófocles, es el más grande melancólico de todos ellos [9]. La transformación de héroe épico a caso médico, es ilustrativa y, para los griegos, bastante sencilla. Ayax se asocia con la ira y el mal humor, y con imágenes de oscuridad y pesadez. Quizá podamos vislumbrar dicha transición en algunas líneas que sobrevivieron de un poema épico posthomérico perdido, *El Saqueo de Troya,* que establece que los dos hijos de Asclepio llegaron a ser «especialistas», uno en cirugía y el otro en enfermedades escondidas (enfermedades internas). Este último «fue el primero en comprender los ojos relampagueantes del enfurecido y su mente pesada» [10]. *Barunomenon,* «pesado», es la metáfora que aparece en nuestro término «deprimido».

Belerofonte es famoso por el relato del libro 6 de la *Iliada* y también por numerosas obras de arte. Con su caballo alado, Pegaso, mató a la Quimera. La Iliada insinúa que subió demasiado alto, por así decirlo, y así llegó a ser odiado por los dioses. Vagó solo, fuera de las moradas de los hombres, y por tanto no es extraño que nuestro autor lo haya calificado de loco (aunque no haya sido llamado loco por Homero).

Empédocles fue un filósofo de los comienzos del siglo quinto, chamán y físico, una enigmática figura, indudablemente considerado extraño, sino un poco loco [11].

---

[9] F. Brommer, *Vasenlisten zür griechischen Heldensage,* 2.ª edc. (Marburg, 1960), estudia las escenas de la cerámica pintada en las que aparece Ayax.

[10] Texto de *Hesiod, The Homeric Hymns, Homericam,* trad. H. G. Evelyn-White, LCL (Cambridge, Mas., 1936), pág. 524, frag. 5.

[11] Ver W. Burkert, «*Goēs:* Zum griechischen 'Schamanismus'», *Rh. M.,* 105 (1962): 36-55, sobre todo 48-49, y el estudio crítico sobre Empédocles como un chamán en C. H. Kahn, «Religion and Natural Philosophy in Empedocles' Doctrine of

Hasta Platón está incluido. Quizá todos los filósofos (especialmente Sócrates) son extraños y un poco «tocados». Platón escribió con gran sentimiento acerca de la «divina locura» en su *Fedro*. En la antigüedad tardía encontramos la tradición de la platónica *tristitia*, o tristeza [12]. Y tenemos las líneas de la comedia media (finales del siglo cuarto o comienzos del tercero):

> Oh Platón, todo lo que sabes es fruncir el entrecejo, y alzar solemnemente tus cejas como un caracol [13].

La razón por la que tales hombres eran melancólicos, reside, por supuesto, en la cantidad de la bilis negra existente dentro de ellos, no en los conflictos internos que podían obsesionarlos, las tremendas presiones competitivas a las que podían estar sujetos, ni en los extremadamente altos niveles que podían imponerse a sí mismos [14]. Así pues, el retrato de un melancólico que nos presenta Sófocles en su *Ayax*, rico en sutilezas de la psicología de la vergüenza, del ideal del *ego*, de rivalidades desplazadas y de agresión vuelta contra sí mismo, da lugar a un chocante contraste. Adviértase, sin embargo, que el autor de los *Problemata* no refuta la clase de detalles psicodinámicos presentados por Sófocles, pero parece ignorarlos. La psicología se traslada al interior de la fisiología, sin que encontremos ningún tipo de conflicto entre las dos. No es ésta una obra polémica; no ofrece ninguna refutación de la opinión de los otros.

Creo que se aplican dos marcos de referencia distintos a este tratado y a la singular facilidad con la que se explican las pasiones y conflictos en términos de las vicisitudes de la bilis negra. Me refiero, en primer lugar, a las discusiones acerca del cuerpo y la mente en las que Aristóteles intenta alcanzar claridad y precisión metodológica al explicar ambos tipos de factores, somáticos y psíquicos. El segundo marco será retomado andando el tiempo. Me refiero a las múltiples conexiones vistas en la fantasía, folklore y sentimientos subjetivos entre la melancolía, la oscuridad, pensamientos y sentimientos perniciosos, y la carga de cólera, pesar y emociones desconsoladas. Este segundo marco de referencia es relevante para las formulaciones psicoanalíticas acerca de la melancolía que intenta traer un pensamiento nuevo de orden científico a tan subjetivos y elusivos datos.

En la persona de Aristóteles encontramos tanto al filósofo como al biólogo, y en él encontramos la mayor profundidad de compren-

---

the Soul», en *Essays in Ancient Greek Philosophy*, edt. J. Anton (Albany, 1971), págs. 3-38, sobre todo 30-38.

[12] Ver H. Kelsen, «Platonic Love», *Am. Im.*, 3 (1942): 1-110.

[13] Fragmento cómico citado en Diógenes Laercio, *Las vidas de los filósofos más ilustres*, Libro 3, sec. 27, y en P. Friedlander, *Plato: An Introduction*, trad. H. Meyerhoff (New York, 1964), pág. 99; ver también pág. 354, nota 23.

[14] A. W. H. Adkins sugiere que existe cierta conexión entre la melancolía y los tipos de enfrentamientos altamente competitivos cuya existencia en la cultura griega él propone, [*From the Many to the One* (Ithaca, New York, 1970), pág. 206].

sión del problema de la escisión entre mente y cuerpo, y, al mismo tiempo, la más amplia variedad de soluciones ofrecidas.

Brevemente, las principales líneas de la aproximación de Aristóteles pueden ser resumidas como sigue:

1. Toda vida tiene «alma», pero en varios grados: las plantas y los animales inferiores tienen almas nutritivas (o vegetativas); las almas de los animales más desarrollados les confieren la capacidad de movimiento; un alma capaz de producir algunos razonamientos habita en los hombres y en algunos animales; solamente el hombre tiene un alma racional. (*De Anima* es la principal exposición de este punto de vista).

2. Al hablar de la vida mental en el hombre, Aristóteles, como Platón, tiene varios esquemas de subdivisión, que intentan cubrir la gradación desde lo apetitivo hasta lo intelectivo, y las mezclas de intelecto y deseo que caracterizaban la mayor parte de la actividad humana. En su *Etica a Nicómaco* habla de la elección humana: «La elección *(proairesis)* puede ser descrita bien como un intelecto apetitivo, bien como un apetito intelectual, y un principio *(archē)* tal, es el hombre»(1139b4-5).

3. Se enfatiza la importancia de las descripciones «complementarias» de los mismos fenómenos. En *De Anima* Aristóteles habla de las íntimas conexiones entre las emociones y el cuerpo; las emociones pertenecen al alma pero no pueden existir aparte del cuerpo:

> Las pasiones son fórmulas materializadas *(logoi enuloi)*... pero el físico y el dialéctico ofrecerán en cada caso diferentes definiciones como respuesta a la pregunta, por ejemplo, «¿Qué es la cólera?» El dialéctico definirá la cólera como un ansia de devolver daño por daño, o algo por el estilo; el físico, como una oleada de sangre y calor alrededor del corazón. Uno describe la materia, el otro la forma o fórmula o la esencia. (403a25-403b2) [15].

4. La división entre materia y forma (y las divisiones en cuatro clases de causas: material, eficiente, formal y final) es otro intento de enfrentarse con la «mente dentro del cuerpo» y el «cuerpo que contiene a la mente». (Incidentalmente, podemos tomar nota del carácter «mentalista» de la biología griega desde Aristóteles a Galeno. Se asume una teología, es decir, un plan en la mente del creador. La mente del biólogo es lo suficientemente similar a la del creador como para que el biólogo-filósofo pueda, en efecto, tener esperanzas de descubrir el plan y propósito del creador).

5. Las primeras teorías de Aristóteles (ahora perdidas en gran parte) parecen haber considerado al alma como externa al cuerpo y separable de él. El alma es una esencia divina que interactúa con el cuerpo pero no está unida a él [16].

---

[15] Paráfrasis basada en la traducción de W. S. Hett, *Aristotle: On the Soul*, LCL (Cambridge, 1964), págs. 16-17.

[16] J. Croissant, *Aristote et les mystères* (París, 1932), caps. 1 y 2.

6. La teoría humoral de los temperamentos del hombre suministró una psicofisiología. Una teoría tal, intenta resolver el problema mente-cuerpo proponiendo un factor combinado mente-cuerpo, en este caso un humor.

Tenemos razones para pensar que los sucesores de Aristóteles tendieron a hipostatizar esta última solución del problema mente-cuerpo. El autor del tratado sobre la melancolía pudo haber dicho que presentaba una teoría de la *causa material* de la perturbación melancólica (análoga a la definición material de la cólera como una «oleada de sangre y calor alrededor del corazón»). El *logos,* la fórmula de la melancolía (análoga a la «cólera como un ansia de devolver daño por daño») podría ser una formulación tal como «La melancolía es la disposición a reaccionar ante el orgullo herido y ante la pérdida de prestigio mediante tristeza, mal humor y desesperación». El autor de este tratado no hizo una formulación tal, ni tampoco ningún otro escritor antiguo. Limitó su interés a un juego de causas de la melancolía, y ni siquiera lo amplió dentro del marco del pensamiento de Aristóteles acerca del problema mente-cuerpo.

Desde la perspectiva de la teoría de los temperamentos, sin embargo, hizo su trabajo admirablemente. Nos tienta decir que esbozó para nosotros el equivalente de una de las teorías bioquímicas modernas de la etiología de los desórdenes afectivos. Sus argumentos acerca de la bilis negra constituyen un respetable precursor de la hipótesis de la catecolamina en los desórdenes depresivos y maníacos del cerebro [17]. Brevemente, esta teoría establece que los excesos de falta de adrenalina y sustancias relacionadas, actuando en ciertas partes del cerebro, llevan a la manía, mientras que las deficiencias y el agotamiento de estas sustancias llevan a la depresión. Considero más significativo, sin embargo, que avance explícita e implícitamente algunos de los importantes resultados a los que parecen conducir las hipótesis contemporáneas: la relación entre variaciones normales de humor y estados patológicos de humor, y la búsqueda de unas pocas sustancias sencillas que actúen en un lugar particular del cerebro para producir perturbaciones específicas. ¿Dónde se originan tales sustancias? ¿Aparecen naturalmente en el cuerpo o se derivan de la alimentación o de alguna otra fuente externa? Aunque nuestro autor no haya intentado ni alcanzado una síntesis comprensiva de lo psicológico y lo físico, no podemos acusarle fácilmente. El propio Aristóteles no alcanzó una síntesis tal en su discusión acerca del alma, y nosotros mismos estamos comenzando a vislumbrar los requerimientos para tal síntesis, incluso en el área estrechamente delimitada de los desórdenes depresivos.

Para el segundo marco de referencia, puedo clarificar lo que tengo en mi cabeza formulando una cuestión suscitada por F. Kudlien:

---

[17] Para la formulación original de esta hipótesis ver, J. J. Schildkraut, «The Catecholamine Hypothesis of Affective Disorders», *Am. J. Psychiat.*, 122 (1965): 509.

¿De qué parte del mundo viene la noción de la bilis negra, dejando aparte la idea de que está relacionada con las depresiones y agonías mentales? [18]. ¿Es la bilis negra una sustancia que los médicos griegos creyeron poder ver, como podían ver la bilis amarilla, la sangre y la flema, o es una forma de bilis hipotética (o imaginaria)? Los historiadores médicos han intentado buscar situaciones clínicas en las cuales parezca que sustancias oscuras o negras salen del cuerpo, y están asociadas con enfermedades que parezcan estar acompañadas por depresión. Kudlien arguye persuasivamente que nadie ha visto la bilis negra, y que probablemente tampoco los médicos griegos hayan creído estarla viendo en realidad. En verdad, no hay ninguna evidencia firme de que, por ejemplo, los excrementos negros de pacientes con hemorragias gastrointestinales, o los vómitos de posos de café de las hemorragias gástricas, estuviesen asociados con la bilis negra. Resultaría muy difícil demostrar que alguien vio la bilis del hombre o del animal como negra bajo cualquier condición en la que se pueda observar la bilis (aunque se pueda ver la bilis como *oscura*: de tonos marrones más que amarillos). Incluso si se puede argüir que la bilis negra designa la bilis oscura o marrón, encontramos significativamente poca evidencia de que los médicos hipocráticos pretendan haber visto bilis negra en abundancia en los casos diagnosticados como melancolía. El libro 3 de las *Epidémicas* de Hipócrates, es verdad, habla de una mujer que expulsaba orina negra, y de la cual se dijo que tenía «melancólicas» [19]. Pero ni siquiera aquí se hace explícitamente la conexión entre bilis negra y melancolía, y, que yo sepa, este ejemplo es único en el corpus hipocrático.

Creo que Kudlien acierta básicamente cuando dice que debemos prestar mayor atención al campo del pensamiento mágico y las creencias populares. Adjunta varias citas de la literatura griega, desde Homero hasta la época clásica, que demuestran, entre otros puntos, que (1) la «melancolía» fue un término popular para designar la condición de aquellos considerados locos, o lelos, probablemente anterior o contemporánea de su primer uso médico; y (2) hay un nexo de asociación entre la cólera, la oscuridad o negrura que sobreviene con tal cólera, y la oscuridad como perniciosa (por ejemplo, *Iliada,* 17.591: «Una negra nube de dolor»). De este modo, *cholos,* cólera, y *cholē,* bilis, a menudo aparecen imbricados en los usos poéticos y literarios. Se pueden extender estos argumentos y mostrar que las conexiones se extienden también a las imágenes de la cólera y la aflicción como cargas, o pesos, que conducen a la «depresión» y la amargura [20].

---

[18] Kudlien, *Beginn des medizinischen Denkens,* págs. 77-99, y «Schwärtzliche Organe».

[19] W. H. S. Jones, *Hippocrates,* LCL (London, 1923), vol. 1, págs. 260-63. Ver W. Müri, «Melancholie und Schwarze Galle». Recuérdese la descripción del 20 *Carácter* de Teofrasto, la «grosería», [en *The Characters of Theophrastus,* traducción de J. M. Edmonds, LCL (London, 1929), pág. 91], en la que el hombre grosero dice en la comida que la sopa de alubias está tan negra como sus excrementos la última vez que tomó veratro. Es improbable que sus heces tuviesen ese color, pero es posible que él esperase que el veratro le purgase la bilis negra.

[20] Platón (*Timeo,* 71) introduce una especie de síntesis psicofisiológica de la de-

Comenzamos a ver que las asociaciones de negrura, bilis y abatimiento proceden de experiencias subjetivas y asociaciones comunes (quizás universales) que llevan consigo un sentimiento y un fenómeno de depresión. Estas experiencias subjetivas tienen indudablemente una relación recíproca con las concepciones particulares e incluso con los modelos de experiencia que las culturas ofrecen a los individuos. La forma en que cualquier individuo experimenta, relata y explica su estado depresivo, está influenciada en un grado significativo por modelos culturales [21].

En cualquier caso, la conexión entre mente y cuerpo que implica el término «melancolía» no es la tortuosa conexión postulada por ciertos historiadores médicos: por ejemplo, los desórdenes gastrointestinales que producen excrementos o vómitos negros también pueden ser asociados con los estados depresivos o aprensivos. Antes al contrario, es una fantasía primordial, subjetiva, psicosomática, basada en la combinación de sensaciones mentales y somáticas. Si, indudablemente, se registraron observaciones clínicas que asociaban la bilis oscura con desórdenes gástricos o hepáticos, flatulencia y melancolía (como sugieren algunas de las listas hipocráticas de los desórdenes de la bilis negra), yo argüiría que tales «observaciones» fueron construidas sobre la base de las conexiones más primordiales y subjetivas detalladas más arriba [22].

Pero esta línea de argumentación tiene implicaciones adicionales. Podemos en efecto haber señalado el principal camino para la construcción de las teorías sobre la perturbación mental, tanto psicológicas como fisiológicas. La teoría de la bilis negra parece haberse desarrollado cuando las experiencias subjetivas condujeron a buscar los agentes casuales que tuviesen algún tipo de relación intrínseca con la cualidad de la experiencia. Si hay un humor negro, debe haber una sustancia negra; si hay un sentimiento amargo, una sustancia amarga. Este paso de la sensación a la sustancia puede ser, en principio, el comienzo de la construcción de una teoría genuinamente contras-

---

presión. El *nous* (razón) puede utilizar la bilis del hígado para amenazar a las partes inferiores de la psique y para castigarlas por su desobediencia. En el capítulo 6 se ha hablado de las Furias y y de su «hipocondría»; en el capítulo 13 se podrá encontrar un estudio de la versión platónica de la histeria.

[21] Ver H. Fabrega, «Problems Implicit in the Cultural and Social Study of Depression», *Psychosomatic Medicine,* 36 (1975): 377-98.

[22] La relación entre una explicación *fantástica* y otra *teórica* de los fenómenos mentales es analizada por G. Devereux, «Cultural Thought Models in Primitive and Modern Psychiatric Theories», *Psychiatry,* 21 (1958): 359-74, revisado en su *Ethnopsychanalyse complementariste* (París, 1972), cap. 10. Sobre la importancia de la analogía en la ciencia y medicina griegas ver G. E. R. Lloyd, *Polarity and Analogy: Two Types of Argumentation in Early Greek Thought* (New York, 1966). Ver también B. Farrington, *Greek Science* (Harmondsworth, 1961), sobre todo págs. 66-70 y 138-42. Para este tema también es importante *Regimen* de Hipócrates, secs. 11-24 (en *Hippocrates,* traducción de W. H. S. Jones, LCL (Cambridge, 1967), vol. 4, págs. 251-63), para ejemplificar el modo cómo el médico griego hace inferencias sobre procesos fisiológicos no observables, como la digestión, a partir de analogías con procesos observables como la cocción de alimentos, el tintado de ropas y la metalurgia.

table, o puede resultar ser un paso en falso, un callejón sin salida, una teoría engañosa. Lo que se haga a continuación es crucial para el resultado, así como lo es el grado de conciencia respecto a la probabilidad de las hipótesis que tenga el autor de la teoría. La existencia de la bilis negra bien pudo haber servido como una útil hipótesis inicial en la búsqueda de las causas somáticas de la depresión. De hecho, en el tratado sobre el genio y la melancolía, se detecta un tono de curiosidad intelectual, de ataque de complejas cuestiones, de búsqueda de una verificación experimental o casi experimental de las hipótesis. La analogía entre los efectos de la bilis negra (la sustancia hipotética) y el vino (la sustancia conocida) pudieron haber llevado a un modelo experimental más refinado de perturbación mental. Que no haya sido así, que la bilis negra haya llegado a ser la explicación final más que la inicial —y una explicación errónea que duró muchos siglos—.

Cuando Freud formuló la teoría que presenta en *Duelo y melancolía,* observó en primer lugar los excesivos autorreproches del paciente, y luego postuló un agente mental encargado del autorreproche (el superego)[23]. Si el grado de autorrecriminación es excesivo y patológico, puede existir una malfunción en el agente que regula el autorreproche y el autoelogio. El grado en que la teoría puede ser vista como científica depende, no de este razonamiento, sino más bien de los pasos que se den a continuación, las consecuencias de esos pasos, la forma en que se utilicen los datos, y la buena voluntad del autor de la teoría para revisar o abandonar las nociones iniciales. Las originales formulaciones de Freud acerca de la dinámica de la melancolía severa, acentuaron las interacciones ambivalentes hacia el lado de la persona desorientada o frustrada, del narcisismo herido, de la vergüenza, y de la agresión vuelta hacia uno mismo más que hacia el otro. El postulado superego, un agente autopunitivo de la mente que actúa sádicamente, es también central en la teoría. En todo caso, tales formulaciones han soportado la prueba del tiempo, aunque se hayan encontrado incompletas en algunos aspectos. El hecho de que hayan generado nuevas observaciones y nuevas formulaciones es un indicio de que eran indudablemente científicas.

¿Cuál es nuestra comprensión corriente de la naturaleza, causas y tratamiento de la melancolía? La psiquiatría moderna, creo, está en el umbral de una síntesis válida de lo psíquico y lo somático en relación con la depresión severa[24]. Del lado psicológico, una abundante cantidad de datos procedentes de la observación apuntan ahora hacia la importancia crucial de factores tales como las pérdidas y

[23] SE, 14: 237-58. Es decir, Freud se imaginó ciertas fantasías sobre el cuerpo y la mente y las utilizó para formular su teoría.

[24] Un conjunto de excelentes artículos que revisan y hacen progresar nuestro actual conocimiento sobre este tema se puede encontrar en E. J. Anthony y T. Benedek, edts., *Depression and Human Existence* (Boston, 1975); la tentativa de síntesis de M. F. Basch, capítulo 21, es particularmente útil.

separaciones en la niñez temprana, la intensa ambivalencia materna en la educación del niño, y las dificultades en la regulación de la vergüenza y en la expresión de la agresión apropiada. La apreciación de las complejas interacciones entre éstos y otros factores crea la posibilidad de incrementar los tipos de tratamiento psicoterapéutico efectivo para la depresión. También han sido refinados el diagnóstico y la clasificación de los tipos de depresión. Por la parte somática, se pueden utilizar ahora varios modelos bioquímicos más bien sofisticados, modelos que están sometidos a comprobación o refutación. Estos modelos son también de gran utilidad para el desarrollo de las bases racionales del tratamiento farmacológico de las depresiones severas, un área en la que se han hecho grandes avances en los veinte últimos años. Se han dado pasos importantes en la clasificación de los desórdenes maníacodepresivos y depresivos dentro de varios subgrupos genéticos distintos. Tanto la investigación de laboratorio como la investigación más naturalista (sobre primates y animales inferiores) están comenzando a rendir información precisa acerca de las secuelas fisiológicas de la separación madre-hijo y otras rupturas de los nexos sociales del animal. Tales estudios están empezando a generar modelos que pueden conducir a hipótesis contrastables en relación con la depresión humana. La comprensión de las interrelaciones de los factores biológicos, psicológicos y sociales en el origen y continuación de la depresión, bien puede ser alcanzada en las próximas cinco décadas. La búsqueda, iniciada por los griegos, de la solución de las antinomias de naturaleza y cultura *(phusis-nomos)* y de psique y soma, ha alcanzado así un nuevo nivel de sofisticación, sólo apenas entrevisto por aquéllos que fueron los primeros en enunciar estos problemas.

13

LA HISTERIA Y SUS REPERCUSIONES SOCIALES

La menstruación: lágrimas de sangre de un endometrio frustrado.

Aforismo médico anónimo.

La histeria, la enfermedad del «útero errante», recibió su nombre de los griegos. Esta condición, y su diagnóstico y tratamiento, debe ser comprendida en el contexto de los conflictos psíquicos y sociales que acompañan a las relaciones entre hombres y mujeres. Al utilizar el idioma de la fisiología para describir estos conflictos, los griegos encubrían defensivamente sus orígenes sociales, y los situaban en la esfera de la enfermedad física.

A fin de comprender el lugar que ocupa la histeria en el modelo médico, será necesario examinar muchos aspectos de la enfermedad, entre ellos las consideraciones médicas y psicoanalíticas antiguas y modernas, el lugar de la mujer en la sociedad griega, y el uso que la tragedia hizo del grupo de la histeria y los desórdenes uterinos.

Consideraciones psicoanalíticas y de psiquiatría clínica

«Histeria» deriva del griego *hustera,* matriz. Como es bien sabido, los antiguos griegos creyeron que ciertos síntomas físicos en la mujer (respiración anhelante, dolor en el pecho, nudos en la garganta, dolor en la ingle y las piernas, algunos tipos de desmayo y algunos raptos) eran causados por un extravío o desplazamiento del útero. Se consideró que la histeria afectaba más generalmente a las viudas y vírgenes que a las mujeres casadas, y por ello el tratamiento incluía generalmente la prescripción del matrimonio y el coito. Esta concepción fue mantenida, más o menos firmemente, por médicos y profanos, a lo largo de muchos siglos. En algunas ocasiones, en los siglos diecisiete y dieciocho, los médicos comenzaron a dar primacía a los «vapores animales» dentro del cuerpo, a los «nervios», y, finalmente, al cerebro, minimizando la importancia de los movimientos uterinos. En el siglo diecinueve, y particularmente bajo el impacto de Jean-Martin Charcot, la profesión médica comenzó a pensar en la histeria (o, hablando propiamente, en la conversión histérica) como en una enfermedad neurológica sin neuropatología demostrable, una enfermedad funcional ocasionada por un trauma psicológico y tratable por medios psicológicos. Incluso Charcot, si bien en sus primeros años, utilizó «compresores ováricos» para ayudar a abortar un rapto histérico [1].

Freud formuló una noción que vio la luz en su día: que la histeria tiene su origen en factores psicológicos. Específicamente, dijo Freud, la histeria está causada por los conflictos inconscientes no resueltos del paciente; los síntomas mismos reflejan simbólicamente esos conflictos, y el tratamiento consiste en ayudar a hacerlos conscientes. Además, como Freud citaba de uno de sus maestros médicos, «c'est toujours la chose génital»: es siempre un asunto sexual. También explicitó la íntima conexión entre histeria y sexualidad. Apuntó que la histeria puede aparecer en el hombre, un hecho reconocido en la antigüedad tardía. Sin embargo, tanto en el pensamiento popular como en el profesional, la histeria todavía se asocia más generalmente con las mujeres [2].

Un buen número de psiquiatras y psicoanalistas se han extendido acerca de estas intuiciones germinales de Freud. Se han hecho varios intentos constructivos para clasificar y clarificar los diferentes tipos de fenómenos histéricos. El marco comunicativo e interpersonal de la histeria ha sido enfatizado progresivamente, como en *Myth of Mental Illness* de Szasz [3]. Y los psicoanalistas han argumentado que la histeria envuelve importantes problemas intrapsíquicos distintos de la resolución del complejo de Edipo. Estos problemas pertenecen a las primeras fases de la relación madre-hijo, y han sido caracterizados como orales, esquizoides y narcisistas [4].

También hemos aprendido bastante acerca de la histeria a partir de la obra de historiadores médicos y sociales que han explorado el marco social y económico en el que debe ser contemplada la histeria en la Inglaterra y la América del siglo diecinueve [5].

---

1 Ver I. Veith, *Hysteria: The History of a Disease* (Chicago, 1965), y H. F. Ellenberger, *The Discovery of the Unconscious* (New York, 1970), especialmente para la historia de la histeria en los siglos XVIII y XIX.

2 S. Freud, *An Autobiographical Study,* SE; 20: 3-76, y sobre todo 13-19.

3 Ver capítulo 2.

4 Ver B. E. Moore y B. D. Fine, edts., *A Glosary of Psychoanalytic Terms and Concepts* (New York, 1968), voz *hysteria.* Las diversas formulaciones psicoanalíticas son estudiadas por J. Marmor, «Orality in the Hysterical Personality», *J. Am. Psa., A.*, 1 (1953): 657-58; B. R. Easser y S. R. Lesser, «*Hysterical* Personality: a Reevaluation», *Psa. Q.*, 34 (1965): 390-405; W. R. D., Fairbairn, *An Object-Relations Theory of the Personality* (New York, 1954); D. Shapiro, *Neurotic Styles* (New York, 1965); y E. Zetzel, «The So-Called Good Hysteric», en su *The Capacity for Emotional Growth* (London, 1970).

5 Ver en particular C. Smith-Rosenberg, «The Hysterical Woman: Sex Roles and Role Conflict in Nineteenth-Century America», *Social Research,* 39 (1972): 652-78, y C. Smith-Rosenberg y C. Rosenberg, «The Female Animal: Medical and Biological Views of Woman and her Role in Nineteenth-Century America», *J. Am. Hist.*, 60 (1973): 332-56. Véase asimismo M. H. Hollender, «Conversion Hysteria», *Arch. Gen. Psychiat.*,

Examinemos la terminología de la histeria[6].

La *conversión histérica* es un estado en el cual el paciente se queja de un desorden corporal para el que no se puede encontrar ninguna causa orgánica clara. Entre los síntomas clásicos están la parálisis de un miembro, la ceguera y la anestesia de una parte del cuerpo, así como afecciones muchos menos exóticas, como la impresión de tener un nudo en la garganta *(globus hystericus)* y ciertas formas de dolor de cabeza. Los raptos histéricos que remedan la epilepsia son típicamente condensaciones de los actos del parto y del coito. Cuando el término «histeria» aparece en la literatura médica desde la antigüedad a los comienzos del siglo veinte, se refiere a estos síntomas[7].

Carácter histérico (o personalidad histérica) es un término que se aplica a modelos de conducta y presentación social más que a síntomas definidos. El carácter histérico, generalmente una mujer, tiende a ser histriónico, y reprime e ignora una parte importante de la interacción social, particularmente en la esfera de la sexualidad. Esta clase de pacientes no consultan frecuentemente a doctores médicos acerca de quejas somáticas específicas. Si busca ayuda psiquiátrica, se queja en la mayor parte de los casos, de incapacidad para relacionarse con la gente o para tener éxito en el amor. La frecuencia de síntomas de conversión histérica menor, es probablemente más alta que la normal en tales pacientes, aunque los datos no siempre son claros. En los últimos años se ha señalado que el «carácter histérico» bien puede ser una versión masculina de cómo son las mujeres en general. La experiencia clínica sugiere que las terapeutas femeninas tienden a diagnosticar el carácter histérico mucho menos a menudo de lo que lo hacen los terapeutas masculinos. El carácter histérico puede ser adscrito al hombre, pero rara vez lo es.

La histeria y los fenómenos disociativos masivos son condiciones más bien exóticas que siempre han llamado la atención a la imaginación popular. Los pacientes que experimentan amnesias masivas con pérdida de la identidad personal han sido protagonistas de numerosas obras de teatro y novelas. Las personalidades múltiples, como el famoso caso presentado en *The Three Faces of Eve,* son relativamente infrecuentes hoy en día, o al menos, menos prominentes que lo parecen haber sido en los días de Freud. En el siglo diecinueve y principios del veinte fueron estudiadas intensivamente por psicólogos, hipnotistas, y algunos psiquiatras. Tales pacientes, suelen estar bastante enfermos, a menudo sin apenas defensas contra la desorganización masiva de la personalidad. Algunos han sido, o han llegado a ser más

---

26 (1972): 311-14; S. Marcus, *The Other Victorians* (New York, 1966); y A. D. Wood, «The Fashinable Diseases: Women's Complains and Their Treatment in Nineteenth Century America», *Journal of Interdisciplinary History,* 4 (1973): 27-52.

6 Una clasificación de la histeria se puede encontrar en J. C. Nemiah, «Hysterical Neurosis», *CTP²,* págs. 1.208-31.

7 Es importante la descripción del síndrome de Briquet. Ver R. A. Woodruff, Jr., P. J. Clayton, y S. B. Guze, «Hysteria: Studies of Diagnosis, Outcome, and Prevalence», *J. Am. Med., A.,* 215 (1971): 425-28.

tarde, francamente psicóticos; otros pueden estar seriamente dañados para el funcionamiento global de su vida. Este grupo se confunde con otros: (a) personas que exhiben *pseudologia phantastica,* un tipo de mentiras fantásticas habituales que sirve para aliviar la ansiedad; (b) pacientes que deliberadamente consultan a los doctores acerca de problemas médicos ficticios y desean someterse a operaciones y procedimientos de diagnóstico dolorosos o peligrosos; (c) los clásicos impostores, personas que *deben* vivir con una falsa identidad [8].

Las interrelaciones entre estas tres principales categorías no están claras en absoluto. En conjunto, los así diagnosticados se comportan como si algunos de sus impulsos y conductas fuesen rechazados y no reconocidos como propios. También son importantes la represión y la «ignorancia». Las repercusiones psicosexuales que caracterizan a la histeria se reúnen en torno a los temas edípicos: por ejemplo, las vicisitudes de unas relaciones triangulares entre padres e hijo, encerrando rivalidad, celos, deseos agresivos y expresiones de deseo de posesión sexual. Aunque una gran variedad de temas diádicos —es decir, temas referentes a las relaciones tempranas madre-hijo— hayan surgido del estudio de los pacientes histéricos, los temas edípicos triangulares parecen ser los más característicos de la histeria. Términos tales como «histérico malo» e «histérico primitivo» reflejan el hecho clínico de que para algunos pacientes los tempranos problemas madre-hijo no resueltos parecen ser más prominentes que los conflictos edípicos. Me parece que para este grupo de pacientes la rivalidad edípica tardía entre madre e hija pone de manifiesto, o agrava, perturbaciones tempranas en su relación.

Las conversiones histéricas, las representaciones somáticas de conflictos, son comunicaciones interpersonales. Pueden ser concebidas disefructíferamente como un lenguaje de signos, un código secreto diseñado para comunicarse en circunstancias en que el paciente no puede decir abiertamente lo que quiere. De modo similar, la ignorancia histérica es una comunicación. A nivel inconsciente, estos síntomas se destinan a llamar la atención de la gente hacia el paciente y a influenciar a sus propios objetos internos [9]. La «audiencia» de la histeria es una fusión (y generalmente una confusión) de representaciones internalizadas de objetos, y personas actualmente presentes en la vida del paciente.

El síntoma de conversión histérica es la representación de una fantasía, que incluye un mapa fantástico del cuerpo humano, particular-

[8] Para el grupo *a* ver O. Fenichel, *The Psychoanalytic Theory of Neurosis* (New York, 1945), pág. 528; al *b* a menudo se le conoce por síndrome de Münchahausen, definido en *Psychiatric Dictionary,* edc. L. E. Hinsey y R. J. Campbell, 4.ª edc. (New York, 1970); para el grupo *c,* los impostores, ver P. Greenacre, *Emotional Growth* (New York, 1971), vol. 1, págs. 95-112.

[9] El término «objetos interiores» (o «representaciones de objetos») se refiere a la concepción que el individuo se hace de la gente importante en su vida, ya sea la presente o la ya pasada.

mente de los órganos sexuales y generadores. Los contenidos de una fantasía tal son similares a las típicas fantasías sexuales normales en la infancia, una mala comprensión del proceso reproductivo por parte del niño. La fantasía, siempre inconsciente, también representa una historia o una escena, generalmente referida a alguna actividad sexual observada y/o imaginada por el paciente en su niñez [10].

Los elementos dramáticos y exhibicionistas son importantes en la histeria. Una representación histérica lograda atrae e influencia a su audiencia. Los síntomas exóticos de conversión histérica significan a menudo que el paciente se ha identificado con (e inconscientemente representa el papel de) alguna persona próxima a él que ha tenido una enfermedad física genuina. El histérico es un buen imitador, aunque no deliberado.

Las circunstancias de la vida de un individuo (y quizá de una cultura) que parecen favorecer el uso de síntomas histéricos entrañan un cierto clima de «ignorancia motivada» en la familia. Los principales síntomas de conversión en los pacientes de clase media pueden aparecer cuando un progenitor está llevando a cabo un asunto extramarital «en secreto», pero que en todo caso todos conocen [11]. También es importante (tanto en el estilo familiar como cultural) una supresión oficial de la sexualidad (y represión del conocimiento de la sexualidad), particularmente en la mujer, asociada con una buena dosis de sobreexhibición y sobreestimulación. El paradigma es la dama victoriana desmayada en el salón mientras su marido hace el amor a la doncella en las escaleras de abajo.

La histeria parece estar también relacionada con el status adscrito a la mujer y al varón en la familia y en la cultura. Cuando el varón es considerado superior y la mujer de segundo orden, los roles sociales masculino y femenino tienden a diferir netamente, y la sexualidad femenina se considera bien inexistente o bien una forma inferior de la sexualidad masculina. El parto es la única *raison d'être* de la sexualidad femenina. Al varón se le permiten salidas sexuales fuera del matrimonio, mientras la mujer debe ser casta antes del matrimonio y fiel después. Es más frecuente encontrar la conversión histérica en los grupos sociales a cuyos miembros se anima a expresar abierta dependencia y debilidad. En la mayor parte de las culturas estos grupos están formados por mujeres y niños, pero cada cultura tiene sus propios subgrupos (los pobres, por ejemplo) a los cuales se puede aplicar esta observación [12].

---

[10] Ver J. Neu, «Fantasy and Memory: The Aetiological Role of Thoughts according to Freud», *Int. J. Psa.*, 54 (1973): 383-98, y «Thought, Theory, and Therapy», *Psa. and Contemp. Sci.*, 4 (1975): 103-143; Freud, «Hysterical Phantasies and Their Relationship to Bisexuality», SE, 9: 155-66, y «Some General Remarks on Hysterical Attacks», SE, 9: 227-34.

[11] Según mi propia observación clínica, aunque esta idea precisa ser confirmada.

[12] Ver A. Kiev, *Transcultural Psychiatry* (New York, 1972), sobre todo págs. 52-56; S. Parker, «Eskimo Psychopathology in the Context of Eskimo Personality and Culture», *American Anthropologist*, 64 (1962): 76-96. También J. T. Proctor, «Hysteria

Debemos recordar que estos enunciados, particularmente los que aplican factores sociales a los casos individuales de histeria, tienen en estos momentos el status de sugestivas hipótesis, con alguna confirmación empírica, pero necesitan de evidencias mucho más extensas y detalladas antes de poder ser aceptados como hechos. Tales formulaciones, sin embargo, son útiles para orientarnos cuando exploremos la significación de la histeria en la cultura clásica griega.

La histeria en la Medicina Griega

La atención prestada a la histeria por los escritores griegos es una buena indicación de la importancia de los conflictos y tensiones en la sociedad griega, en particular de los que hacen referencia a las relaciones varón-hembra y el status asignado a la sexualidad masculina y femenina. Un síntoma histérico le permitía a la mujer griega una expresión segura de ciertas necesidades desconocidas, y la relación con el doctor le permitía una forma de gratificación que estaría prohibida en otro caso. Al doctor que trataba a una mujer tal le eran permitidas ciertas gratificaciones sexuales silenciosas mientras preservase al mismo tiempo las creencias culturalmente mantenidas que ignoraban la sexualidad femenina, a menos que aspirase a producir herederos. Así pues, el síntoma histérico y el tratamiento del doctor podían servir a una función de regulación social.

Enfermedades de la mujer de Hipócrates ilustra y explicita la enfermedad histérica [13]:

> Si una mujer repentinamente deviene muda, encontrarás frías sus piernas, así como las rodillas y las manos. Si palpas entonces el útero, no está en su lugar apropiado; su corazón tiene palpitaciones, rechina sus dientes, hay abundante sudor, y todos los otros rasgos característicos de los que sufren la «enfermedad sagrada» (epilepsia), y hacen toda clase de cosas condenables [14].

El útero, viajando a un lado y a otro, causaba problemas dondequiera que se alojase, por presión o bloqueando un paso. La dificultad respiratoria, *globus hystericus,* presión en el pecho, dolor de cabeza y somnolencia, podían ser causadas por el útero errante. Tales enfermas se encontraban principalmente entre las mujeres que no habían mantenido relaciones sexuales, y una teoría estableció que el útero

in Childhood», en *Childhood Psychopathology,* edts. S. I. Harrison y J. F. McDermott (New York, 1972), págs. 431-44.

13 No estudio los casos que *nosotros* podemos diagnosticar como conversiones histéricas, sino aquéllos que no fueron así diagnosticados por los griegos. Por lo tanto no consideraré todos los casos mencionados en las inscripciones del templo de Esculapio en Epidauro y que pueden ser psicogenéticas. Ver la selección de inscripciones en E. J. Edelstein y L. Edelstein, *Asclepius,* 2 vols. (Baltimore, 1945).

14 E. Littrè, *Hippocrate: Oeuvres completès,* 10 vols. (París 1849), vol. 8 pág. 327. Traducción mía.

así privado se secaba, perdía peso y se elevaba en busca de humedad. Las reglas retenidas por cualquier motivo, podían causar efectos similares, y tener una causa similar. La condición descrita —pérdida de la voz, frío, sudor, palpitaciones, rechinado de dientes— recordaba y se diferenciaba de la epilepsia. Se ignoraban las dificultades anatómicas de la teoría de la migración uterina, sin duda en parte a causa de la ignorancia de la anatomía humana. Al menos, en la medida en la que era importante la *necesidad de ser ignorantes* de las interioridades del cuerpo femenino, particularmente de los detalles del sistema generador [15].

Los tratamientos variaban con los síntomas, pero por regla general incluían vendajes (para prevenir una mayor ascensión del útero), medicamentos administrados oralmente (vino, por ejemplo), fumigaciones fétidas a la nariz (para repeler al útero ascendente), y fumigaciones aromáticas insertas en la vagina (para atraer al útero errante a su sitio). A las víctimas que eran vírgenes o viudas se les prescribía matrimonio (o rematrimonio), cópula y procreación.

Los trastornos mentales relativos a estos síntomas físicos están más vivamente descritos en el caso de las vírgenes. Desde nuestra perspectiva, están en el límite entre la histeria y la melancolía [16]. El tratado *La enfermedad de las vírgenes* describe un grupo de condiciones causadas por la retención de la sangre menstrual [17]. En estos casos la sangre mestrual retenida presiona sobre el corazón y el diafragma, causando así síntomas mentales. (Aquí se considera al corazón sede de la actividad mental). Tales mujeres pueden sufrir pensamientos erróneos *(paraphrosunē)* y locura total *(mania)*, pueden tener pensamientos suicidas y pueden colgarse o ahogarse. Si se recuperan, adscriben falsamente su recuperación a Artemisa, a la que dedican sus más finos vestidos. El médico, sin embargo, afirma que la verdadera causa de la curación es la eliminación de los obstáculos a la menstruación. Aconseja a estas mujeres casarse y quedar embarazadas para asegurarse contra las recaídas. Es frecuente que las mujeres casadas afectadas por la enfermedad hayan sido estériles hasta ese momento.

¿Podemos excluir la posibilidad de que se esté describiendo un potpurri de condiciones orgánicas más que una condición psicogénica? Simplemente, no podemos estar seguros. ¿Son estas condiciones las que nosotros llamamos conversión histérica? Parece probable. Desde los tiempos de Hipócrates hasta el presente, los médicos han reconocido una condición, encontrada, más frecuentemente, en las mujeres que en los hombres, particularmente en las mujeres sin vida sexual que imitan cada variedad de enfermedad física conocida, y a la que la sociedad, el doctor y el paciente consideran como una enfermedad.

---

[15] Veith, *Hysteria*, pág. 10. La fantasía de los escritos médicos sobre la reproducción es estudiada por R. Joly, *Le niveau de la science hippocratique* (París, 1966).

[16] W. Leibbrand y A. Wettley, *Der Wahnsinn* (Freiburg, 1961), págs. 54-59, analiza con minuciosidad la histeria en los textos hipocráticos.

[17] Littrè, *Hippocrate*, vol. 8, págs. 466-71.

Los remedios entrañan implícita o simbólicamente una gratificación sexual. La histeria, como un estúpido show sancionado culturalmente, en el cual participan el paciente, el doctor y la familia, tiene continuidad histórica desde la antigüedad hasta el presente.

Siguiendo con la persistencia de la conversión histérica, podemos encontrar ciertas creencias más bien durables acerca de la sexualidad masculina y femenina, de la cópula y del nacimiento. Estos mitos pueden aparecer como creencias populares, como teorías biológicas y médicas enunciadas en el vocabulario científico de cada época, y como fantasías conscientes e inconscientes en los hombres y mujeres histéricos. Encierran la convicción de que las mujeres son inferiores a los hombres, y que la sexualidad femenina es una forma inferior o derivada de la sexualidad masculina (la creencia de que las mujeres son hombres castrados, por ejemplo, o que el clítoris es una *forme frustre* del pene [18]. Los síntomas histéricos son, en efecto, representaciones miméticas de tales fantasías, con la mujer misma representando simultánea o alternativamente los papeles masculinos y femeninos.

El status de la mujer en la sociedad griega

Una comprensión psicodinámica de la histeria nos lleva a señalar ciertos temas de la cultura griega que muestran que las afecciones histéricas griegas, con sus supuestos etiologías y tratamientos, estaban bien adaptadas para reflejar los conflictos y tensiones que existían en el interior de la cultura griega. Los mitos griegos, especialmente como los presenta Homero, parecen expresar al principio una aceptación libre de la sexualidad humana. La lujuria, el deseo conyugal y el intercambio sexual son libremente reconocidos y considerados importantes. Los poetas hablan de las vidas sexuales de dioses y héroes sin salacidad ni puritanismo. Si acaso, un cierto grado de temor acompaña al poder del instinto sexual, como ejemplifican las actitudes hacia Helena en la *Ilíada* y la *Odisea.* Su atracción por Paris, y la de él hacia ella, son obra de los dioses. El maduro Príamo, (cuya ciudad es puesta en peligro y cuyos hijos mueren a causa de la pasión de Helena y Paris), aún puede admirar la belleza de Helena y reflexionar con calma que no es milagroso que los hombres mortales luchen por ella (*Ilíada,* 3156-60). El canto de Demódoco (*Odisea,* 8266-366) habla de la relación adúltera de Afrodita y Ares. Cuando fueron descubiertos por Hefesto, el marido de Afrodita, estalló un gran regocijo entre los dioses cuando vieron a la pareja cautiva desnuda en la red de Hefesto. A buen seguro, hay apuros y recompensa, pero también risas. Incluso en la épica homérica, donde ninguna ansiedad acompaña a la sexualidad, prevalece claramente una doble norma. Zeus pue-

---

[18] Una fantasía similar, pero invertida, en la que los hombres derivan de las mujeres, se puede ver en M. H. Sherfey, «The Evolution and Nature of Female Sexuality in Relation to Psychoanalytic Theory», *J. Am. Psa. A.,* 14 (1966): 28-128.

de tener sus diversiones, pero no Hera. Agamenón puede tener concubinas, pero se supone que Clitemnestra debe esperar castamente el regreso de su marido durante diez largos años. Odiseo puede dormir con cuantas diosas quiera (un año con Circe y siete con Calipso), pero Penélope no puede pasar una sola noche con uno de sus pretendientes.

Cuando examinamos lo que conocemos de la vida griega en el siglo quinto antes de Cristo, encontramos que sexualidad pública tiende a significar sexualidad masculina [19]. Algunas de sus expresiones en las pinturas de los vasos y en la literatura son bastante llamativas. En las procesiones dionisíacas que precedían a los festivales dramáticos, los participantes llevaban gigantescos falos, como si fuesen las carrozas del desfile del Día de Acción de Gracias. Era bastante frecuente, quizás en el patio de cada casa, la «herma», una cabeza de Hermes sobre una columna rectangular con una enorme erección (sólo se representaban la cabeza y los genitales). El falo de cuero era un objeto corriente en la comedia griega.

A pesar de que un individuo griego, marido, padre, hermano o hijo, pueda haber amado y respetado a una mujer, los hombres habían logrado claramente un status legal superior [20]. Sólo los hijos heredaban (estaban obligados a proveer de dote a sus hermanas); si un hombre sólo dejaba herederas, algún pariente varón tenía que desposar a una de las hijas y supervisar la herencia. En las clases superiores, los hijos recibían mejor educación y quizá mejor alimento que las hijas. Era más frecuente que una pareja casada viviese con la familia del marido que con la de la mujer. Los hombres solos tenían libertad sexual, y poca era la que perdían cuando se casaban; las mujeres, casadas o no, no tenían ninguna. Las mujeres, especialmente las de la clase superior, estaban siempre confinadas en la casa, y no les estaba permitido aparecer en público sin compañía.

Aunque no hay evidencia clara para el siglo quinto, sabemos que en el cuarto se practicaba el infanticidio femenino, generalmente por exposición [21]. El infanticidio femenino bien puede haber aportado medios para el control de la población. Las hijas no se valoraban, y resultaban caras de criar porque requerían dotes para su matrimonio. Se hacían chistes acerca del sujeto de prostíbulo que era provisto

---

[19] El mejor estudio sobre la sexualidad en la Grecia Clásica es el de J. K. Dover, «Classical Greek Attitudes to Sexual Behaviour», *Arethusa,* 6 (1973): 59-73, y *Greek Popular Morality in the Time of Plato and Aristotle* (Oxford, 1974). El último trabajo estudia el tema del relativo puritanismo durante el período clásico, pág. 207. J. Marcadé, *Eros Kalos* (Geneve, 1962), contiene mucho material sobre la sexualidad en el arte griego.

[20] La posición de la mujer en la antigüedad griega es estudiada en S. B. Pomeroy, *Goddesses, Whores, Wives, and Slaves* (New York, 1975); W. K. Lacey, *The Family in Classical Greece* (Ithaca, New York, 1968); y H. Licht, *Sexual Life in Ancient Greece,* edt. L. H. Dawson, traducción de J. H. Freese (London, 1932).

[21] Ver los artículos «Expositio» e «Infanticidium» de G. Glotz en el *Dictionnaire des antiquités grecques et romaines,* ed. C. Daremberg y E. Saglio (París, 1892).

de personal por las hijas de incluso las mejores familias: es decir, las prostitutas incluían niñas que habían sido expuestas y rescatadas como infantes. Incidentalmente, la prostitución femenina estaba bien establecida en Atenas, y las prostitutas estaban fácilmente disponibles para el que podía pagarlas.

Hay sutiles indicaciones del desdén y temor masculino frente a la madura sexualidad femenina. Las representaciones de intercambio heterosexual, aunque frecuentes en las pinturas de los vasos, suelen estar incluidas en escenas de banquetes y orgías. O bien se ve a un hombre teniendo intercambio sexual desde atrás con una mujer de aspecto juvenil, y es difícil estar seguro de si el pene está en el recto o en la vagina [22]. Las mujeres griegas depilaban las axilas y el pubis para complacer a sus hombres, lo que es probablemente un indicio del disgusto de los varones ante las indicaciones de la sexualidad femenina adulta. Más llamativa es la discrepancia de edad entre el varón y la mujer a la hora del matrimonio: las muchachas solían estar en la adolescencia temprana, catorce años o así, mientras los hombres tenían unos treinta. Así pues, el hombre tenía una novia que era sexualmente madura pero en otros aspectos apenas había abandonado la niñez. El modelo usual era que la joven pareja estableciese su matrimonio en el seno de la familia del novio, y por tanto la novia se veía en una posición incómoda, sin el apoyo diario de su madre y parientes femeninos.

Philip Slater ha desarrollado el argumento más detallado que podemos citar acerca del miedo del varón griego ante la hembra y la sexualidad femenina [23]. Advirtió, como tanto otros, que para los griegos los duendes femeninos eran más importantes que los masculinos. La amabilidad de las musas se contraponía a la ferocidad de las Harpías, Sirenas, Esfinges y Furias, con cabellos de serpientes. La comprensión psiconalítica de tales monstruos sugiere que encarnan las concepciones de los niños pequeños acerca de la madre: poderosa, peligrosa y equipada tanto con senos como con pene; en resumen, la madre fálica.

La mitología sugiere que los hombres consideran el vigor sexual femenino más poderoso y más peligroso que el masculino [24]. Este temor, si mi construcción es correcta, se relaciona con restricciones sociales y, en un cierto sentido, con la división de las mujeres en dos clases, las que eran esposas y las que eran objetos sexuales [25].

---

22 Dover, «Classical Greek Attitudes», pág. 66. Dover también constata que, mientras escenas homosexuales son muy abundantes en las pinturas de las cerámicas, las relaciones sexuales de este tipo aparecen con escasa frecuencia.

23 P. E. Slater, *The Glory of Hera* (Boston, 1968).

24 Así aparece, por ejemplo, en el mito de Tiresias, el cual afirma que las mujeres obtienen de la cópula un 90 por ciento de placer, y los hombres sólo el 10. Ver Dover, «Classical Greek Attitudes».

25 La división de la mujer en objeto maternal y objeto sexual es analizada por Freud en «Contributions to the Psychology of Love», SE, 11: 163-208, y A. Parsons, «Is the Oedipus Complex Universal? The Jones-Malinowski Debate Revisited and a South Italian' Nuclear Complex», *Psa. Study Soc.*, 3 (1964): 278-328.

Exuberancia fálica en el arte griego. El ojo en la cabeza del falo, bastante frecuente en el arte griego, sugiere la concepción del pene como una criatura viva.
Detalle de un ánfora de figuras rojas del Pintor del Angel Volador, siglo quinto a. C. Cortesía del Museum of Fine Arts, Boston.

Escena amorosa. La inscripción dice: «La chica es hermosa» y «¡Mantente quieta!».
Interior de un kylix ático de figuras rojas, siglo quinto a. C. Cortesía del Museum of Fine Arts, Boston.

No es necesario decir que las posibilidades vocacionales para la mujer eran claramente limitadas. El arreglo de la casa era la tarea de la mujer de la clase superior, y las mujeres de la clase inferior, como en todos los sitios, tenían que participar activamente en las tareas necesarias para ganar la vida. El retiro de las mujeres era un lujo de la clase superior: las mujeres de clase baja, a falta de esclavos y sirvientes, tenían que salir a comprar y vender, a intercambiar sus labores, y a llevar recados de familia. Ni siquiera en el mito y la fantasía podía encontrar la niña que está creciendo un modelo disponible de una mujer que pudiese funcionar independientemente del hombre. Medea se queja del difícil papel de la mujer, pero no ofrece ninguna solución constructiva, ni siquiera para sí misma (tal como realizar su propia vida viviendo como doctora bruja independiente)[26]. Sabemos de pocas, si es que hubo alguna, mujeres filósofos o artistas en los siglos quinto y cuarto[27].

Desde luego, ésta puede ser una visión un tanto desviada del status global de las mujeres. Serían necesarios muchos más datos de los que disponemos en este momento para conseguir un cuadro equilibrado de la forma en que las mujeres actuaban, sobrevivían, y, quizás en ocasiones, prosperaban. En algunos aspectos la sociedad ateniense otorgó más derechos legales a las mujeres que otras culturas. Las mujeres tenían derechos de divorcio aparentemente iguales a los de los hombres. Las mujeres atenienses de todas las clases probablemente asistían a las grandes representaciones trágicas, de modo que, aunque sus vidas fuesen más restringidas que las de los hombres, tenían un cierto acceso al gran arte y literatura de su entorno.

El otro tipo de información que nos falta acerca de la vida de las mujeres se refiere al apoyo e intimidad que recibían de otras mujeres. Desde luego, es extremadamente difícil comprender un aspecto tan crucial de la vida de una cultura como lo son las relaciones varón-hembra sin tener la oportunidad de vivir en y con los miembros de esa cultura. Las perspectivas antropológicas logradas en los estudios transculturales acerca de la diferenciación sexual de los roles son útiles y sugerentes. También podemos utilizar los análisis de los temas de la literatura y el mito que revelan los principales puntos de conflicto y tensión en la cultura. Pero ante la ausencia del conocimiento de los roles jugados por el amor y el deseo en la vida cotidiana de los miembros de la cultura, no podemos estar seguros de tener un cuadro equilibrado de la situación. Puede haber sido mucho peor o mucho mejor de lo que imaginamos, aunque me inclino a especular que nuestros habituales modos de análisis destacan las tensiones y conflictos

---

[26] M. R. Lefkowitz, «Classical Mythology and the Role of Women in Modern Literature», en *A Sampler of Women's Studies,* edc. D. G. McGuigan (Ann Arbor, New York, 1973), pág. 77-84.

[27] El papel de las mujeres en la Academia es estudiado por Diógenes Laercio, *Las vidas de los filósofos más ilustres,* libro 3, sec. 46 y Mary Renault, *Mask of Apollo* (New York, 1966).

y menosprecian las fuentes de placer y gratificación, que pueden ser más difíciles de observar. La discordia tiende a ser ruidosa, mientras que las fuerzas que atan a los hombres y a las mujeres bien pueden operar silenciosamente [28].

No es posible discutir la posición de las mujeres en la Grecia clásica sin considerar la cuestión de la homosexualidad griega masculina. (No tenemos ninguna información fiable acerca de la homosexualidad femenina en la época clásica aparte del hecho de que existió y que su existencia fue reconocida). Un cierto número de estudiosos ha escrito acerca de los contextos sociales y educacionales de la homosexualidad masculina con algún detalle [29]. Una vez más, debemos recordar que el cuadro que emerge de los escritos de estos autores (particularmente de Slater) tiende a enfatizar los puntos de tensión en la cultura, y puede minimizar los factores estabilizantes, e incluso positivos, de las relaciones entre los sexos y entre las generaciones.

Con todo, debemos reconocer que el varón griego estuvo mucho más valorado que la mujer. Desde que la descendencia fue reconocida sólo a través de los varones, la inmortalidad de los padres, sea ésta lo que sea, dependía de tener hijos varones que continuasen la línea familiar. La mujer, a la vez temida y desvalorizada por el varón, tenía varias posibilidades en la crianza de sus hijos. Su hijo era un objeto útil para el desplazamiento de la rabia contra su marido y su padre, y era su gran esperanza, un falo subrogado que sólo podía darle orgullo y prestigio. Al mismo tiempo, las relaciones entre hombres se caracterizaban por actitudes marcadamente competitivas, agonísticas y fálico-narcisistas. Esta competitividad podía extenderse a las relaciones entre padre e hijo, si tenían mucho que ver el uno con el otro. El padre jugaba un papel relativamente menor en la educación de los jóvenes. (Los esclavos varones tuvieron gran importancia en la educación tardía de los muchachos, posiblemente durante la edad de latencia). Las relaciones padre-hijo estuvieron presumiblemente caracterizadas por la idealización del padre, con la existencia de hecho de distanciamiento y quizá formalidades, y, dada la intensa atmósfera fálico-competitiva, una gran medida de ansiedad de castración. Los muchachos griegos parecen haber tenido pocas oportunidades de experimentar encuentros casuales y libres de tensiones con chicas, particularmente después de la pubertad.

La iniciación a la sexualidad y a la virilidad se daba a menudo a través de una relación homosexual con un hombre mayor, lo que podía servir a múltiples propósitos: la función educacional del adoctri-

---

[28] Una perspectiva similar es adoptada por E. Badian en su recensión de Pomeroy, *Goddesses, Whores, Wives, and Slaves,* en *New York Review of Books,* 30 de octubre, 1975, págs. 28-31.

[29] H. I. Marrou, *A History of Education in Antiquity,* traducción G. Lamb (New York, 1956); Licht, *Sexual Life;* G. Devereux, «Greek Pseudo-Homosexuality and the «Greek Miracle», *Symbolae Osloenses,* fasc. 42 (1967): 69-92; Dover, «Classical Greek Attitudes» y *Greek Popular Morality;* Slater, *Glory of Hera.*

namiento del joven en los roles y deberes de un varón adulto; la provisión de una forma de intimidad masculina que quizás faltase en la relación padre-hijo; y la desviación de la agresión del padre. La cultura aristocrática espartana de los siglos quinto y cuarto institucionalizó la homosexualidad como una parte formal de la educación y crianza del muchacho adolescente. En Atenas, la relación homosexual no fue una institución formal. Sin duda, Atenas tuvo leyes contra las relaciones homosexuales entre hombres mayores y adolescentes que no fuesen sancionadas por la familia del muchacho. Pero una homosexualidad sensual y erótica no sólo fue frecuente en Atenas, sino bastante pública.

Llegados aquí, debemos señalar varios puntos: 1) La homosexualidad, tal como fue practicada en Esparta y Atenas, no fue incompatible con la heterosexualidad y el matrimonio. Por el contrario, en un sentido muy real el comportamiento homosexual era una preparación para la virilidad, incluyendo el matrimonio y la procreación. Ambas ciudades impusieron sanciones sociales y financieras a los hombres que no se casaban [30]. 2) La homosexualidad «educacional» se desarrolló en torno a la creencia y la fantasía de que la virtud y la fuerza del hombre más viejo se transmitían, a través de su semen, al ano del joven. La *aretē* del hombre estaba en su semen [31]. 3) Como en todo lo griego, se esperaba modestia y moderación en el comportamiento homosexual. Había reglas para cortejar y para ser cortejado. Las relaciones homosexuales demasiado obvias o demasiado promiscuas eran ridiculizadas [32]. 4) Entre las clases superiores (en las que se escribió la mayor parte de la literatura) la homosexualidad masculina estaba unida a la educación cívica y a la exclusión de las mujeres de la vida pública y educacional. La práctica estaba asociada con el temor y el desdén hacia la mujer.

La función sexual masculina, entonces, estaba considerada como un pilar de la cultura considerada como un todo, y no como una fuente de placer o procreación, aunque la procreación (especialmente de hijos varones) fuese considerada de inmensa importancia.

Así pues, parecen haberse combinado varios factores para hacer de la conversión histérica una condición «sensible» y plausible para las mujeres, particularmente para las vírgenes y las viudas: 1) una sobrevaloración de la sexualidad masculina asociada al miedo masculino a la sexualidad femenina madura; 2) la expresión pública de la sexualidad fálica, asociada a una gran dosis de estimulación (o sobreestimulación) del deseo sexual; 3) la supresión oficial de la actividad sexual femenina al margen del matrimonio (o de la prostitución), quizá

---

[30] Dover, «Classical Greek Attitudes», destaca con énfasis los aspectos económicos de las actitudes griegas hacia la sexualidad. La sexualidad que no malgastase los recursos de la familia extensa era condonada.

[31] T. Vanggard, *Phallos* (New York, 1972), pág. 62, citando un estudio de E. Bethe, «Die dorische Knabenliebe», *Rh. M.*, 62 (1907): 438-75.

[32] En el capítulo 9 se analizaron *Las Nubes* de Aristófanes y la decencia sexual.

asociada en las mujeres individuales con su propia represión del conocimiento y deseo sexuales; 4) el hecho de que la posición social y la autoestima de la mujer dependían en gran medida de tener un marido; 5) la necesidad de medios socialmente aceptables para expresar el deseo reprimido y la protesta contra la opresión social: cuando estas necesidades se expresaban a través de una condición física, especialmente en forma de enfermedad, el doctor, el paciente y la familia podían rechazar sus significados inconscientes.

¿Qué podemos decir, aun entrando en el terreno de la especulación, acerca de la vida intrapsíquica de la mujer en la sociedad ateniense? Indudablemente, interiorizó la división cultural entre la hembra como esposa legítima y la hembra como objeto sexual. De modo similar, debió haber interiorizado las actitudes varoniles acerca de los peligros de la sexualidad femenina, así como la sobrevaloración del falo. Así pues, sufrió conflictos internos basados en diversas representaciones fantásticas contradictorias acerca de lo que debe ser una mujer. La mujer que enfermaba de histeria era la que fracasaba temporalmente en la integración de estas conflictivas autoimágenes, y que expresaba el conflicto mediante un síntoma físico. Todos estos factores, por supuesto, afectan tanto a la muchacha en desarrollo como a la mujer adulta. El grado en que sus padres, particularmente su madre, habían integrado cómodamente estas contradicciones internas, debió influir sin duda en el grado en que la muchacha fue capaz de vencerlas. Aunque una hipótesis tal no pretenda ser una explicación comprehensiva de la conversión histérica, nos ofrece de hecho un marco que puede ayudar a explicar la elección de neurosis y síntomas [33].

La conversión histérica bien puede ser un tipo de enfermedad que incluye su propia curación. Es decir, la enfermedad es sólo la mitad de un drama realizado para decir algo acerca de la difícil situación de la mujer y sus sentimientos hacia los hombres. El doctor puede haber jugado un importante papel transferencial. Inconscientemente puede haber representado al deseado buen padre que comprende y reconoce las necesidades sexuales y sociales de su hija. Sabemos perfectamente que en los casos modernos en los que el tratamiento no funciona y se frustran los esfuerzos del doctor (estos casos no son narrados tan fácilmente como los que tienen éxito) juega un papel importante un elemento inconsciente de venganza hacia los hombres, y en particular contra los varones próximos [34]. Cuando el tratamiento tenía éxito, el doctor griego no sólo pudo haber provisto una cierta liberación de un superego estricto y de la desaprobación social, sino que pudo haber influido también sobre los parientes varones para que facilitasen el matrimonio o el rematrimonio de la mujer afectada. La situación del doctor, por una serie de razones, facilitó que se le viese

---

[33] El riesgo de muerte durante la infancia representaba un nuevo conflicto para la mujer griega.

[34] Freud habla de casos de este tipo en «Fragment of an Analysis of a Case of Hysteria», SE, 7: 3-124, especialmente 105-122.

como un padre cuidadoso y cariñoso. En primer lugar, como podemos observar en la literatura médica acerca de los problemas de las mujeres, se interesó por ayudar a concebir a las mujeres estériles, e incluso ofrecía sugerencias sobre cómo aumentar las posibilidades de tener un hijo varón [35]. Por todo esto, el doctor pudo haber sido el individuo más apto para mediar en los conflictos sociales e intrapsíquicos de la mujer afectada.

Por el momento, dejaremos la enfermedad del útero errante para dedicarnos a la enfermedad de la mujer errante —los ritos orgiásticos de grupo descritos en *Las Bacantes* de Eurípides— a fin de investigar la conexión entre la histeria en la mujer individual y el tipo de histeria de grupo contenido en los rituales de mujeres del culto de Dionisio.

La histeria de grupo: posesión extática y frenesí báquico

Se ha escrito mucho acerca de las relaciones entre el status social de las mujeres en las distintas culturas, incluida la griega, y las formas ritualizadas de posesión, especialmente posesión de grupo. Sin duda, los fenómenos de grupo y los individuales parecen tan obviamente cortados del mismo paño que debemos hacer algún esfuerzo para concretar la naturaleza de sus relaciones.

En primer lugar, la conducta corporal de una mujer individual que tiene un rapto histérico, es notablemente similar a la de las mujeres envueltas en alguna experiencia extática o semiorgiástica grupal. El cabello desmelenado, la cabeza echada bruscamente hacia atrás, los ojos que giran, el cuerpo arqueado y tenso o retorcido, el cese y el silencio repentinos: todo esto se encuentra en los gráficos relatos de la sala de Charcot en la Salpetrière, en las pinturas de ménades de los vasos áticos, y en las descripciones de los rituales voodoo del Haití contemporáneo. Es sin duda muy probable que estos movimientos del cuerpo expresen un significado similar en todos los casos: excitación sexual y éxtasis, parto, anhelo de la liberación de las restricciones, y afán de fusión con poderosas figuras fantásticas.

La experiencia interior de un individuo que tiene un rapto es también notablemente similar a la de un miembro de un grupo extático: el sentimiento de que lo que está ocurriendo está fuera de su control. En los estados de posesión extática, la tensión se desarrolla gradualmente hasta el momento en que el dios toma posesión y la persona parece bajo su control; en el rapto individual, el ataque es generalmente más repentino, con varios grados de amnesia para con la experiencia y sus antecedentes. El término que parece más apropiado para

---

[35] Ver, en particular, A. Press, «Biomedical Techniques for Influencing Human Reproduction in the Fourth Century B. C.», *Arethusa,* 8 (1975): 237-63. Las relaciones padre-hija en la tragedia griega son estudiadas por R. Seidenbergy y E. Papathomopoulos, «Daughters Who Tend Their Fathers: A Literary Survey», *Psa. Study Soc.,* 2 (1962): 135-60.

ambas experiencias es el de «disociación». La mujer, en este estado especial, está disociada de su sí misma habitual, como si estuviese bajo el control de alguien ajeno. Desde un punto de vista psicodinámico, el comportamiento es negado por la persona. Existe un continuum demostrable desde la ignorancia motivada en pequeña escala del carácter histérico, o la persona con un síndrome de conversión histérica menor, hasta el estado disociado de una persona en una fuga, una amnesia masiva o un estado de posesión.

Los estudiosos de los fenómenos de posesión extática de grupo y de los rituales de curación asociados, especialmente I. M. Lewis, han subrayado algunas de las funciones sociales de estos estados. E. R. Dodds, citando varios casos de manía de danza, ha señalado las impresionantes similitudes entre los rituales dionisíacos descritos en *Las Bacantes* y otras experiencias extáticas de grupo en el resto del mundo [36]. Estas experiencias de grupo parecen servir como expresiones de protesta y deseo de liberación por parte de grupos oprimidos. En todo el mundo, el grupo más frecuentemente oprimido es el de las mujeres, y los fenómenos extáticos se encuentran generalmente en culturas en las cuales los roles sexuales están estrictamente diferenciados, con los hombres claramente dominando. Los ritos de grupo pueden implicar a hombres tanto como a mujeres, particularmente a los grupos de hombres que están en posiciones marginales y subordinadas en la cultura. No hay duda de que estas experiencias no sólo proveen una liberación, sino que dan importancia y dignidad a los grupos en otro caso no emancipados. En muchos rituales, los grupos oprimidos asumen (en forma simbólica o más literal) algunos de los atributos del grupo dominante. Las mujeres descritas en *Las Bacantes* asumían funciones y poderes varoniles, en particular los de los guerreros. Abandonaban los telares y sus hijos, tomaban las armas y mataban a los hombres. Penteo amenaza con capturar a todas las bacantes asiáticas y ponerlas a trabajar en tareas domésticas. Llevaban el tirso, que simboliza el falo incorpóreo.

Los antropólogos y los estudiosos de la psiquiatría transcultural están familiarizados con ciertas enfermedades histéricas que sólo aparecen en culturas específicas, y que son definidas culturalmente como posesiones por un dios o un espíritu. La curación de estas enfermedades culturalmente específicas tiene lugar en una situación de grupo, ya sea un grupo de culto, ya un grupo de amigos y parientes, mientras el sanador (o chamán) representa el ritual dramático. El ritual se dirige a exorcizar el espíritu, o a persuadirlo de que more en el interior de la persona en paz y responsablemente. El ritual incluye con frecuencia una boda entre la mujer afectada y el espíritu, quien corresponde dando protección y buena fortuna. De hecho, el matrimonio entre la mujer y su marido espíritu se formaliza a veces en un do-

---

[36] I. M. Lewis, *Ecstatic Religion* (Baltimore, 1971); E. R. Dodds *The Greeks and the Irrational* (Berkeley, 1951), págs. 270-82. También G. Mora, «An Historical and Sociopsychiatric Appraisal of Tarantism», *Bull. Hist. Med.*, 35 (1963): 417-40.

Una ménade con cola y pene, llevando una piel. Esta escena singular parece ser una representación concreta de la fantasía de la ménade como una mujer fálica.
Interior de un kylix ático de figuras rojas, comienzos del siglo cuarto a. C. American School of Classical Studies, de Atenas. Excavación de Corinto.

Ménades defendiéndose de sátiros con sus tirsos. El tirso es la contrapartida femenina del falo.
Exterior de un kylix ático de figuras rojas, siglo quinto a. C. Cortesía del Museum of Fine Arts, Bostón.

cumento, y la mujer accede a permanecer lejos de su marido humano ciertos días de la semana en los que el marido espíritu cohabita con ella[37].

Un ejemplo particularmente vivo de esta clase de ataque y del ritual de salud que lo acompaña lo proporciona Grace Harris en su descripción del *saka,* una histeria de posesión que se da entre las mujeres de una tribu del Este de Africa[38]. Estas mujeres muestran al principio señales de una inquietud o ansiedad generales, y luego, repentinamente comienzan los movimientos convulsivos característicos. Los miembros se agitan rápidamente mientras la cabeza se mueve rítmicamente de lado a lado. A menudo los ojos están cerrados y la cara permanece inexpresiva, y la mujer pierde la conciencia aparentemente. Algunas mujeres realizan monótonos actos repetitivos, mientras otras repiten extraños sonidos que imitan palabras extranjeras. La gente de esta tribu considera esta enfermedad como «del corazón», acompañada de impulsos y ansias anormales y de temores. Una perturbación relacionada con el *saka* es una forma de cleptomanía. El *saka*

---

[37] Lewis, *Ecstatic Religion,* págs. 62-64.
[38] G. Harris, «Posesion 'Hysteria' in a Kenya Tribe», *American Anthropologist,* 59 (1957): 1047-66.

es una enfermedad de «querer y querer». Los ataques se desencadenan frecuentemente a causa de un deseo de algo que pertenece al marido de la víctima o algo (que generalmente cuesta dinero) que él no ha podido o no ha querido darle. La curación tiene lugar en un ritual público o semipúblico, con la presencia de otras mujeres, e incluye danza y tambores. El espíritu, del que se afirma que posee a la mujer, pide que le sean dados los objetos que ella ansía, a menudo cosas asociadas con las actividades masculinas. Durante el ritual la mujer lleva ropas de varón y porta un bastón de hombre. Las cosas que el marido debe entregarle no parecen exóticas, pero son importantes para ella: cigarrillos, bananas (de las plantaciones de propiedad extranjera donde trabajan los hombres), ropas manufacturadas. La recuperación de la enfermedad es rápida por regla general si el marido proporciona estos objetos, y la armonía parece verse restaurada. En esta cultura, las fronteras entre los papeles masculinos y femeninos están fuertemente demarcadas. Los hombres trabajan fuera de la aldea y tienen dinero para gastar. Las mujeres tienen derechos y esperanzas muy limitadas en lo referente a la tierra y el ganado, los recursos principales de la vida tribal. No pueden heredar ni disponer de tierra ni ganado sin el consentimiento de su marido.

La enfermedad y su curación pertenecen al campo de los rituales sociales complejos que sirven a varias funciones, aunque no sirvan igualmente bien para todas ellas[39]. El ritual establece un problema, da una vía de solución, y presenta un modelo de resolución que a la larga será beneficioso para la comunidad.

En suma, tenemos buenas razones para creer que tanto la histeria descrita en la literatura griega como los éxtasis de grupo de los rituales dionisíacos servían para expresar y potencialmente para reajustar un cierto desequilibrio en las relaciones entre hombres y mujeres. Ambos servían de caminos, socialmente contenidos (más o menos) y socialmente aceptables, para presentar, negociar y reajustar serios disturbios en el equilibrio intrapsíquico.

No tenemos evidencias de que en la época en la que *Las Bacantes* de Eurípides se representó por primera vez (406 a. de J.C.) las mujeres atenienses representasen rituales dionisíacos —es decir, actuasen como ménades— en Atenas. Un ritual dionisíaco se representaba por todas las partes de Grecia, y las delegaciones de las mujeres de varias ciudades griegas celebraban un festival bienal en Delfos. Es poco probable que ese festival incluyese los aspectos más sangrientos del menadismo, el *sparagmos* y la *omophagia* (despedazamiento e ingestión

[39] Una descripción de un ritual contemporáneo en el cual a las mujeres se les permite atacar a los hombres, se puede encontrar en K. E. Read, *The High Valley* (New York, 1965), págs. 171-77. Aplicar el término «chauvinismo masculino» al caso de esta tribu de Nueva Guinea, sería una forma completamente inadecuada de describir la represión de las mujeres por parte de los hombres. La cólera de las mujeres apenas puede ser contenida por el ritual, con el que se pretende canalizar las expresiones inofensivas de aquélla. Los hombres se aterrorizan, no simulan su miedo.

en crudo) de un animal o ser humano (Dionisios fue venerado en los festivales dramáticos atenienses y en varias Dionisíacas rústicas, pero estos rituales no incluían el menadismo). Hay sugerencias de que los rituales que incluían ménades en otras partes del mundo griego — principalmente Macedonia, donde Eurípides escribió *Las Bacantes*— fueron más orgiásticos y primitivos, y sin duda fueron despedazados y comidos crudos ciertos animales. La tradición sostiene que Olimpia, la madre de Alejandro Magno, estuvo muy implicada en rituales del tipo de los descritos en *Las Bacantes*[40].

Las pinturas de los vasos de la segunda mitad del siglo quinto y posteriores, muestran a ménades despedazando animales o llevando sus miembros descuartizados. No sabemos en qué medida estas pinturas trataban de ilustrar el mito de Dionisio o las recientes representaciones del ritual. Así pues, mientras el ritual puro no se debía encontrar en Atenas, la conciencia de él no estaba lejos de la conciencia de los atenienses que presenciaban *Las Bacantes*.

En la última década del siglo quinto, se importaron a Atenas varios dioses relacionados con el culto orgiástico. No conocemos detalles de sus rituales tal como se practicaban en Atenas, ni para qué sexo se representaban, pero tales rituales supusieron claramente un avance hacia formas de culto más orgiásticas. Conocemos la existencia de grupos extáticos rituales llamados Coribantes, que parecen haber jugado un papel en la curación de problemas emocionales, incluidas las psicosis[41]. Estos rituales incluían danzas acompañadas por flauta (un instrumento orgiástico para los griegos) y timbales. Los hombres participaban. Otra clase de cultos, centrados alrededor de varios dioses y diosas (Rea, Hécate, Pan), sirvieron como formas de curación de afecciones particulares. Una vez más, conocemos pocos detalles. Platón sugiere una conexión entre los ritmos coribánticos y báquicos y el balanceo y el canto mediante el que la madre hace dormir al niño que llora (*Las Leyes,* 790B-90C). El ritual pude haber servido como una reparación fantástica de una temprana ruptura madre-hijo.

En *Las Avispas* de Aristófanes, Filodeón, el anciano que padecía manía de jurado, fue llevado a los Coribantes en un intento de curar su locura. I. M. Lewis ha sugerido que los rituales de posesión extática (posesión periférica) son importantes para los grupos no emancipados, grupos periféricos al centro del poder. Filodeón parece haber pertenecido a un grupo (los ancianos que no tenían una salud considerable) que contaba con el servicio de jurado como un medio de acceso tanto al poder como al dinero (11. 548-58 y 578). Aristófanes describe el servicio de jurado como una forma de posesión periférica. Una vía de curación para esta «enfermedad» es un grupo de posesión extática más formalizado, los Coribantes.

---

[40] Ver R. L. Fox, *Alexander The Great* (New York, 1973), págs. 44-45 y notas.

[41] Ver I. M. Linforth, «Telestic Madness in Plato, *Phaedrus* 244D-E» y «The Corybantic Rites in Plato», *University of California Publications in Classical Philology,* 13 (1946): 121-72.

Ciertamente, hay razones para creer que Dionisio era un dios igualitario, más accesible a todos los grupos y todas las clases sociales que, por ejemplo, Apolo. Las mujeres, en tanto que clase no emancipada, serían ciertamente atraídas por el culto de Dionisio [42]. La burla de Dionisio que se hace en *Las Ranas* de Aristófanes, estaba motivada en parte por un deseo de atacar murmullos feministas tales como los descritos en otras obras suyas (Lisístrata, y otras) y en parte por un deseo de contrarrestar las relativamente benévolas descripciones de mujeres que se encuentran en la obra de Eurípides [43].

El ritual y el mito dionisíacos servían a algunos de los mismos propósitos que la enfermedad histérica y su tratamiento: ambos ofrecían una vía de expresión y reajuste de serios desequilibrios sociales y psicológicos entre los sexos. Dionisio, un dios varón, comprende los sentimientos y las necesidades de las mujeres. En este sentido, el dios (en el mito) y el jefe del culto (en la realidad) se corresponden con el médico en el tratamiento de la mujer histérica. El doctor que escucha amablemente, que examina cuidadosamente el abdomen y los genitales, que inserta supositorios y que recomienda el coito, armoniza con las necesidades internas y los dilemas sociales de su paciente. El drama del ritual dionisíaco es paralelo al ritual más tranquilo de la relación doctor-paciente.

Es probable que, como medio de expresión de un conflicto y de intento de resolverlo, la histeria haya servido a las necesidades de la mujer sin vida sexual, mientras que el éxtasis cultual servía a las necesidades de la mujer casada y con hijos. Los rituales y mitos dionisíacos parecen haber sido capaces de expresar la rabia y la ambivalencia hacia los niños más directamente que la histeria. Estas últimas afirmaciones deben quedar necesariamente como conjeturas. Simplemente, no tenemos información acerca de la frecuencia de la histeria, ni de la extensión de la participación de las mujeres en los rituales extáticos, ni del punto hasta el cual una mujer podía ser sujeto de histeria y participar al mismo tiempo en un ritual extático.

Enfermedades del Utero en la Tragedia Griega

La tragedia griega no presenta mujeres a las que se llame histéricas, pero los problemas de dos de sus personajes femeninos, Fedra y Hermione, se traducen de forma chocante al lenguaje cuasi-fisiológico de los «problemas de la mujer» [44].

En *Hipólito,* Fedra sufre una pasión frustrada hacia un hombre

---

[42] Ver D. M. Kolkey, «Dionysus and Woman's Emancipation», *Class. Bull.,* 50 (1968): 1-5.

[43] Ver Aristófanes, *Las Ranas,* 11. 1305-1308. La Musa de Eurípides es una ramera. La traducción exacta de estas líneas no está nada clara, aunque sí lo está su tono despectivo. Ver J. Henderson, *The Maculate Muse: Obscene Language in Attic Comedy* (New Haven, 1975), voz *lesbiazein,* y la traducción de Lattimore *Aristophanes: Four Comedies,* edc. W. Arrowsmith (Ann Arbor, 1969), págs. 79 y 99.

[44] M. R. Lefkowitz, comunicación personal.

que le está prohibido, Hipólito, el hijo de su marido. Teseo, su marido, está ausente, habiendo ido a consultar a un oráculo. Teseo desde luego, es un notorio mujeriego, e Hipólito es fruto de una de sus múltiples diversiones. Fedra ha estado agitada y no ha comido durante tres días; desea morir. El Coro, intentando descubrir el sentido de su enfermedad (11. 120-50), pregunta si está poseída por uno de los dioses asociados con la locura y la conducta frenética. El problema es, en parte, de diagnóstico, pues antes de que se pueda escoger un ritual de salud apropiado, se debe saber qué dios es la causa del problema.

El Coro prosigue la especulación de las causas de la condición de Fedra, y se ciñe directamente a las clases de dificultades que puede tener una mujer: ¿Ha oído ella que su marido esté en el lecho de otra mujer? ¿O acaso algún marinero ha traído de Creta malas nuevas de su marido? El lenguaje de todo el pasaje es sexual, de modo que las «malas nuevas» (que normalmente significarían que Teseo había muerto) pueden querer decir que está volviendo a casa con otra mujer. Sigue luego un pasaje en el que se describe el temperamento de las mujeres. En general el significado parece estar claro, pero es difícil comprender y traducir con precisión: «There loves to cohabit with an awkmard temperament andill and wretohed helplessness involving pains and loss of good sense[45].»

Tales líneas describen con ambigüedad una mezcla de «problemas de la mujer», embarazo y parto. El Coro canta refiriéndose a «una brisa a través de la matriz», sugiriendo en apariencia la noción de histeria. Quizá se refiera a un componente de la histeria y de la melancolía descrito en el tratado hipocrático *La Enfermedad de las Vírgenes,* una enfermedad causada por un disturbio uterino que lleva a la locura y al suicidio[46]. Así pues, el poeta pone en conexión la locura, el adulterio, y las enfermedades y problemas del sistema reproductor femenino. Creo que también ha advertido intuitivamente algo importante respecto al papel de las madres y figuras maternas en la vida de la mujer histérica, pues la obra está llena de matices en su descripción de la relación entre Fedra y la nodriza. El poeta parece haber visto una conexión entre las perturbaciones del interior de la mujer y la conducta del hombre al que ama. El útero errante es una respuesta al marido errante.

En *Andrómaca* de Eurípides, Hermione es la legítima esposa de Neoptólemo; Andrómaca es su concubina. Adviértase el perfil de los caracteres: Hermione es la hija de Helena de Troya; Neoptólemo es el hijo de Aquiles, quien ha sido muerto por Paris a las puertas de Troya. Andrómaca es el enemigo en persona: es la esposa de Héctor, el héroe troyano. En el asalto de Troya, Neoptólemo mata a Astianax el hijo de Héctor y Andrómaca. La acción de la obra gira en torno a los celos malsanos de Hermione hacia Andrómaca, a causa de

---

[45] Esta versión está basada en los comentarios de W. S. Barrett a su edición del *Hipólito* de Eurípides (Oxford, 1974).

[46] La «enfermedad de vírgenes» fue estudiada en el capítulo 11.

que ésta ha dado un hijo a Neoptólemo y Hermione es estéril. Neoptólemo está ausente (como Teseo) y Hermione intenta matar a Andrómaca. Hermione acusa a Andrómaca de usar la brujería y drogas malignas para sellar su útero y hacerla estéril, robándole así el afecto de su marido. Andrómaca protesta (1. 31-37):

> Soy cruelmente perseguida. Ella está detrás, acusándome de haberla hecho incapaz de concebir mediante secretas drogas, haciendo que él la odie. Acusándome de querer esta casa sólo para mí, y de pretender excluirla de ella, de la casa y hasta del lecho: un lecho que, desde el principio, nunca he querido, y que ahora rechazo[47].

Tanto Andrómaca como el Coro aclaran a Hermione que ha perdido el favor de su marido no a causa de malignas drogas sino a causa de malignos celos. Su marido no la ama, y, por implicación, ella es estéril porque es una bruja, no porque esté embrujada.

El Coro canta (I. 181-82): «Hay algo muy celoso en las mujeres por su naturaleza, y llega a ser especialmente feo en el caso de mujeres que comparten un marido». Y Andrómaca propina a Hermione un severo sermón acerca de la conducta propia de una buena esposa griega (I. 207-228):

> No es la belleza, sino
> las cualidades gentiles, niña mía, las que retienen a un marido...
> Una mujer, incluso casada con un canalla,
> debe ser deferente, no pendenciera...
> Bien, nosotras las mujeres estamos infectas
> de un mal peor que el de los hombres (los celos),
> pero intentamos esconderlo.
> Oh, Héctor querido, por ti he llegado
> a dar la bienvenida a tus amores, cuando Cipro te devolvió revuelto.
> Y por tal conducta él me aprobó y me amó.
> ¡Pero tú! Tú apenas osas dejar que tu marido
> salga a la lluvia. ¡Podría mojarse!

Hermione, entonces, pretende estar afectada por un desorden uterino. Su posición es más paranoide que melancólica: su útero está siendo envenenado desde fuera. Así pues, el poeta hace aún más explícita la íntima conexión e intercambiabilidad de los términos somáticos e interpersonales. Pretender que algo va mal en tu útero (e incluso que alguien más es causa del problema) es evadir tu problema real. El problema es tu carácter insoportable y tu incapacidad para comprender el comportamiento que se supone debe tener una mujer para con un hombre, especialmente con un hombre que tiene un capricho por otra mujer.

La rivalidad entre Andrómaca y Hermione ilustra la competición

---

[47] Excepto la de los versos 11. 181-82, que es mía, las traducciones de la *Andrómaca* de Eurípides proceden de J. F. Nims, *The Complete Greek Tragedies,* edts. D. Greene y R. Lattimore (Chicago: University of Chicago Press, 1959).

entre mujeres que está implícita en la inferior posición de las mujeres en la cultura griega. Dado que se supone que los hombres tienen las cualidades y capacidades que se presume que faltan a las mujeres, la competencia entre mujeres por lo que los hombres tienen y pueden ofrecer llega a ser correspondientemente intensa.

La Posición de Platón acerca del Utero Errante

Estos dos ejemplos extraídos de la tragedia sugieren que la ecuación del útero infeliz con la mujer infeliz fue asequible a la conciencia griega, o al menos a la intuición de Eurípides. Platón hace mucho más explícita la relación entre la histeria y los deseos de la mujer.

La interpretación que Platón hace de la histeria, se contiene en su relato de la creación de la mujer y del deseo sexual (*Timeo,* 90E-91E). Las almas de los hombres perversos y cobardes fueron reencarnadas como las primeras mujeres. La creación de la mujer hizo necesario el deseo sexual para la procreación. El órgano masculino se compara a un animal salvaje aguijoneado por la lujuria. El útero es como un animal que desea la procreación.

> Cuando permanece estéril más allá de su propio tiempo, (el útero) se vuelve descontento y enfadado, y moviéndose en todas direcciones a través del cuerpo, cierra los pasos de la respiración, y, al obstruir la respiración, los lleva al límite, causando toda suerte de enfermedades, hasta que al fin el deseo y el amor del hombre y la mujer, uniéndolos y como si dijésemos cogiendo el fruto del árbol, siembra en el útero, como en un campo, animales sin forma, nunca vistos a causa de su pequeñez[48].

El relato de Platón acerca de la histeria comienza a descifrar dos mensajes en la teoría hipocrática. El primero, es que el útero frustrado es realmente la mujer frustrada. El segundo es que el deseo sexual femenino no existe; lo que desean las mujeres es la procreación. El relato se expresa en un lenguaje más interpersonal que el que encontramos en el discurso médico. Platón atribuye el deseo y la motivación al útero, que obstruye los pasos del aire si no obtiene lo que desea.

En el siglo dieciséis, Rabelais, elogiando a Platón, invocó este pasaje en su caricatura de las mujeres, describiendo el útero como un lugar peligroso, en el que nacen «los humores, lo salobre, lo nitroso, lo boráceo, lo ácrido, lo mordiente, lo punzante y lo amargamente hormigueante...»[49]. Rabelais parece más temeroso que Platón ante las interioridades de la mujer, aunque el temor esté también latente en Platón. Una visión tal de la sexualidad femenina llega a ser auto-

---

[48] Transcripción de Platón, *The Dialogues,* traducidos por B. Jowett (1894; reimpresos en Oxford, 1953).

[49] François Rabelais, «Pantagruel», en *The Portable Rabelais,* edición y traducción S. Putnam (New York, 1946), págs. 477-78, citado en Veith, *Hysteria,* págs. 107-108.

safisfactoria cuando la mujer histérica despierta los temores masculinos más inmediatos con su extraña conducta. La interpretación que Platón hace de las teorías hipocráticas, sugiere que éstas fueron más válidas como postulados de la psicología y la sociología que de la medicina y la fisiología.

La Ignorancia Motivada

La represión es un mecanismo de defensa universal, fácilmente asequible a todos los seres humanos, tanto normales como perturbados. El término se refiere a un conjunto de operaciones, en absoluto completamente comprendidas, por las cuales se pueden excluir, desatender e ignorar sinceramente cosas que son demasiado incómodas o demasiado dolorosas de conocer. Freud utilizó un aforismo de Nietzsche para ilustrar la motivación de la represión: «''Yo hice esto'', dice mi Memoria. ''Yo no pude haber hecho esto'', dice mi Orgullo y permanece inexorable. Al final, la Memoria se rinde» [50]. La histeria es la condición por excelencia de una represión continua y a gran escala. Puede ser llamada con propiedad la enfermedad de la ignorancia motivada. La actuación de la represión en una mujer con una estructura histérica de carácter puede ser observada en el siguiente informe clínico:

Una mujer casada, en la treintena, madre de tres hijos, fue enviada para una evaluación psiquiátrica de un estado de ansiedad, acompañado de difusas quejas somáticas para las que no se pudo encontrar ninguna explicación médica clara. En una primera entrevista, el psiquiatra creyó observar rasgos de una estructura histérica de carácter, pero no pudo hacerse una idea clara de los síntomas presentes. Por consiguiente, concertó una segunda entrevista una semana más tarde, con la esperanza de clarificar la situación. Sin embargo, unos pocos días después, la paciente, más bien agitada, llamó desde una cabina telefónica para cancelar la segunda entrevista «porque estoy sangrando por abajo y tengo que ir al hospital». El psiquiatra preguntó si sangraba por la vagina, el recto o el tracto urinario. La mujer dijo que no lo sabía con seguridad, pero que estaba en camino hacia el hospital. El psiquiatra la vio más tarde en el hospital, en la sala de ginecología. Había estado embarazada, no se había dado cuenta, y había tenido un aborto espontáneo. Cuando fue interrogada acerca de su aparente ignorancia de la fuente de la hemorragia, explicó: «Lo ve, realmente no sé mucho de estas cosas. Nunca supimos mucho de chiquillos, desde que me llevaron a una granja al norte de New York». Nuevas averiguaciones revelaron que en efecto, como se podía esperar, la granja era un lugar en el que el conocimiento de la vida sexual de los animales era fácilmente asequible —difícilmente evitable de hecho— y la comunidad humana estaba lejos de ser deficiente en cual-

---

[50] Freud, SE, 6: 147.

quier variedad de actividad sexual. En resumen, surgió una clara imagen de una persona que no sabía y no veía porque no quería saber ni ver. Había sido expuesta a demasiado demasiado pronto, y se había enfrentado con el problema mediante la ignorancia defensiva. Manejaba sus conflictos corrientes acerca de la maternidad y el matrimonio haciéndose «ignorante» de su embarazo. En las familias y culturas en las que existe bastante estimulación sexual abierta pero prohiben que la mujer se dedique a la actividad sexual, los síntomas de conversión e ignorancia histéricas florecen con facilidad.

Con frecuencia, la literatura y tragedia griegas de los siglos quinto y cuarto contienen temas de ignorancia y mala identificación. *Edipo Rey* es la obra por excelencia acerca de la ignorancia motivada inconsciente y es un brillante retrato del proceso, paso a paso, por el cual se elevan la represión y la ignorancia. El reconocimiento *(anagnorisis)* es claramente visible en muchas otras cosas, tales como *Ifigenia en Táuride* de Eurípides. Para Sócrates, «conócete a ti mismo» y «ningún hombre consciente yerra» son las piedras angulares de la misión del filósofo. Para Platón, el conocimiento es el poder, la ignorancia es despreciable, y la locura es una especie de ignorancia.

Sorprendentemente Platón, el filósofo de la verdad, defiende ciertas formas de ignorancia y mentira socialmente útiles. La más famosa es la «mentira noble» en *La República* (382A). Dicha mentira es claramente análoga a la ignorancia motivada de la histeria, pues está específicamente dirigida a ocultar los hechos básicos de la relación entre el intercambio sexual y el nacimiento. Más aún, el plan de Platón para su República (quizá sólo para los guardianes) insiste en que cada persona debe ser ignorante de la identidad de sus verdaderos padres biológicos. En *El Político* (271A) encontramos un mito que elimina el lugar de las mujeres y la cópula en el nacimiento. El mito de Cadmo y los hombres sembrados que nacen de la tierra, así como el deseo del Hipólito de Eurípides (616-39) de que las mujeres no fuesen necesarias para la reproducción, también atestiguan que tales fantasías estaban ampliamente difundidas en la cultura griega. ¿Qué debemos pensar de la mentira de Platón? He aludido en el capítulo 9 a un aspecto importante de la mentira: su conexión con el análisis que Platón hace del desorden político de su época. Platón intentó encontrar un camino para reducir y finalmente eliminar toda rivalidad, posesividad y envidia, como un medio de asegurar la lealtad al estado. Situó los orígenes de la competitividad y la envidia en la constelación familiar, y en el sentido de la posesión exclusiva que acompaña a la sexualidad marital. Propuso entonces eliminar la familia para el bien del estado. Muchos otros esquemas utópicos (así como los estados totalitarios) han postulado la necesidad de una reestructuración radical de las costumbres sexuales convencionales.

La antropología proporciona una nota relevante. Unas pocas sociedades han permitido a sus miembros, en ciertos períodos de sus vidas o bajo otras condiciones cuidadosamente definidas, una sexualidad relativamente promiscua. El resultado en un grupo, los Muria de la India, parece ser una gran reducción de los celos intensos y de los nocivos efectos sociales de la competición y posesividad excesivas. Los Muria han ideado un dormitorio común, el *ghotul,* en el que entran los niños y las niñas hacia los tres o cuatro años, y en el que permanecen hasta que se casan después de la pubertad. Allí se dedican a la actividad sexual abierta y cultivan el arte del placer sexual, pero las parejas están prohibidas. Según el informe etnográfico de este grupo, los Muria han logrado éxitos notables en mantener una cultura con un alto nivel de felicidad individual, fuerte fidelidad marital, poca competitividad, gran placer en la sexualidad, y un sentido disciplinado de la cooperación social[51]. Esta cultura parece usar la institución del *ghotul* como un medio de minimizar las tensiones entre padres e hijos, y también entre los sexos. (Los Muria mismos ven la institución como necesaria para impedir que los niños presencien la escena primordial).

Ahora el esquema de Platón parece minimizar no la sexualidad sino la importancia de las diferencias de género. El género no es más importante para los guardianes que para los perros de vigilancia; es decir, es relevante para la educación, pero para nada más. Parecería que Platón, a su propio modo, se estuviese dirigiendo a las cuestiones del conflicto entre hombres y mujeres que eran tan importantes en la sociedad griega. Su esquema parece haber sido un intento para estabilizar las relaciones entre los sexos, pero su método supone en gran medida una negación de la sexualidad. Si esto es verdad, considerar a Platón meramente como un misógino es omitir algo importante[52]. Platón pudo haber comprendido algo central en la vida de los griegos, algo que afectaba a la vida política, y ese algo es la posición relativamente degradada de las mujeres. Es como si hubiese decidido dar un buen uso a la represión en el camino de la supresión de la rivalidad en el cuerpo político. Su solución es, en un sentido bastante literal, perversa, pues sabemos por los estudios psicodinámicos que las perversiones clínicas (exhibicionismo, fetichismo y otras) son representaciones de fantasías que niegan las diferencias entre los sexos. En las fantasías inconscientes de los varones perversos, las mujeres generalmente tienen pene; dado que no hay criaturas castradas, no hay peligro de castraciones. El hombre que pareció adivinar (en el *Timeo*) que la histeria tenía tanto que ver con la psicología de las mujeres como con su fisiología, es también el hombre que propuso una radical solución social al problema de la desigualdad entre hombres y mujeres. Aunque el remedio propuesto por Platón sea peor que la enfermedad, debemos aún darle crédito por su intento de eliminar una fuente principal de fricción en la cultura griega.

Debemos señalar aquí una cierta paradoja. Aunque la ignorancia motivada no sea difícil de encontrar en la literatura griega, la socie-

---

[51] V. Elwim, *The Muria and Their Ghotul* (Oxford, 1947).

[52] Ver D. Wender, «Plato: Misogynist, Paedophile, and Feminist», *Arethusa,* 6 (1973): 75-90.

dad griega produjo muchos individuos que, de hecho, estuvieron dispuestos a mirar[53]. Los doctores que describieron la histeria y prescribieron para ella miraron los genitales femeninos y cualquier otra parte de la anatomía sexual que pudieron observar. En resumen, la importancia del tema del conocimiento versus ignorancia en los productos de la cultura griega puede ser también un reflejo de un esfuerzo relativamente *afortunado* por mirar y ver. *Edipo, Rey* muere ciego, pero los dramaturgos y su audiencia miraban el incesto, el asesinato y el horror trágico, y pagaban lo que fuese para ello. La histeria en Grecia puede ser simplemente considerada como un índice de tensiones sociales significativas. Pero los esfuerzos griegos para comprender la histeria formaron parte de un gran fermento creativo que condujo a la liberación de la ignorancia, enriqueciendo así a toda la raza humana.

Teorías Griegas Médicas y Biológicas sobre la Concepción

Las fantasías acerca de la naturaleza de los procesos generadores del macho y la hembra aparecen en la cultura griega tanto en creencias populares como en teorías científicas áparentemente racionales[54]. Las teorías se encuadran en una jerarquía biológica, la «escala de la naturaleza», en la cual el macho suele ser superior a la hembra, y el varón humano ocupa el punto más alto. Tal esquema refleja claramente la estructura de la sociedad griega de la época.

En el pensamiento griego temprano, está implícita la idea de que el cerebro, el tuétano, la médula espinal y el semen son de la misma sustancia, la esencia de la vida[55]. Dado que los hombres poseen semen y las mujeres no, aquéllos tienen una mayor proporción de cerebro. Este punto de vista, mantenido incluso antes de que se le otorgase la primacía al cerebro como sede del pensàmiento, está implícito en la épica homérica y parece subyacer a las teorías de Alcmeón, el filósofo presocrático. Encuentra su expresión explícita en el *Timeo* de Platón, en el cual cerebro, médula y semen son «semillas», y la «psique» es semilla o está en la semilla. Está en la base de varios pasajes del corpus hipocrático, que incluyen la curiosa discusión sobre

---

[53] K. Abraham, «Restrictions and Transformations of Scopophilia in Psycho-Neurotics», en su *Selected Papers on Psycho-Analysis* (London, 1965), págs. 169-234, contiene una excelente disquisición sobre la libertad de ver en la antigua Grecia versus su prohibición en la cultura bíblica.

[54] El resumen más completo de estas teorías se encuentra en E. Lesky, «Die Zeugungs- und Vererbungslehren der Antike», en *Abhandlungen der Akademie der Wissenschaft und der Literatur* (Mainz, 1950), págs. 1.227-1.425. Véase asimismo R. B. Onians, *The Origins of European Thought about the Body, the Mind, the Soul, the World, Time, and Fate* (Cambridge, 1951), y M. T. May, trad., *Galen on the Usefulness of the Parts of the Body (De sus partium)* (Ithaca, New York, 1968). Agradezco a Joan Cadden el que me haya facilitado un asesoramiento bibliográfico muy útil.

[55] Onians, *Origins of European Thought,* 2.ª parte, «The Inmortal Soul and the Body», págs. 93-246.

la afeminación de los escitas *(Aires, Aguas y Lugares),* cuya causa, según Hipócrates, estaba en la presión ejercida sobre los testículos al montar a caballo en exceso y llegar pantalones ajustados. El tratamiento era el sangrado de las venas de detrás de las orejas, como si un vaso sanguíneo uniese la cabeza y los genitales. Los hermatas, al mostrar sólo la cabeza y los genitales, ejemplifican igualmente la fantasía de que la cabeza y los genitales juntos son los importantes órganos dadores de vida.

Naturalmente, un hombre no deseaba perder ni malgastar esta valiosa sustancia. Un ejemplo de esto se ve en la discusión de Aristóteles acerca del semen como una sustancia nutritiva que el cuerpo puede necesitar, y en su énfasis en el agotamiento que resulta de la cópula (*La Generación de los Animales,* 725B)[56]. Esto recuerda la película *Dr. Strangelove,* de Stanley Kubrick, en la que el paranoide coronel está obsesionado con el temor de que los rusos intentan destruir sus «preciosos fluidos corporales».

Se mantuvo ampliamente que, cuando era concebido un niño, el hombre aportaba el principio de vida esencial, la psique; la madre era meramente un receptáculo[57]. Se puede ver esta creencia en *Las Euménides,* de Esquilo. Apolo, en su debate con las Furias, argumenta en favor de la primacía de los derechos del varón y del poder masculino (II. 658-66):

> La llamada madre del niño es, no su engendradora, sino sólo la nodriza de la concepción recién sembrada. Quien lo engendra es el varón, y ella, como una desconocida, conserva el descendiente para un desconocido, si ningún dios arruina su nacimiento; y os daré una prueba de lo que digo. Puede haber un padre sin una madre; el ejemplo lo tenemos a mano, la hija de Zeus Olímpico[58].

El mismo punto de vista se encierra, con una forma más sofisticada y más cuidadosamente argumentada, en la teoría de la reproducción humana de Aristóteles. Según la elaboración que aparece en su gran obra *La Generación de los Animales,* el *Esperma* (eyaculación seminal) del macho contiene el *gonē* (el principio generador) y se mezcla con los residuos menstruales de la hembra. El macho aporta la psique sensitiva y la hembra aporta la materia. Aristóteles no suscribió la teoría de la diferenciación derecha-izquierda de lo masculino-femenino (es decir, los machos son concebidos y llevados en el lado derecho del útero, las hembras en el lado izquierdo —el inferior—), pero sostuvo que el macho es «más caliente» y la hembra «más fría». El calor es la causa de una elaboración más cuidada y tiende a producir varones, mientras que la ausencia de calor tiende a producir hembras. La dife-

---

[56] Ver también Platón, *Las Leyes,* 841A, y Slater, *Glory of Hera,* págs. 354-55.
[57] F. J. Cole, *Early Theories of Sexual Generation* (Oxford, 1930), apunta que hasta 1812 no se descubrió la existencia de óvulos mamíferos.
[58] Traducción de Esquilo, *Las Euménides,* trad. H. Lloyd-Jones (Englewood Cliffs, N. J., 1970).

renciación del sexo tiene lugar después de que el embrión ha empezado a formarse, y está asociada con la formación del corazón, la fuente del calor. Aristóteles es famoso (hoy en día con mala fama) por haber dicho cosas como «la hembra es como si fuese un varón deforme» (*La Generación de los Animales,* 337a27-28) y «deberíamos considerar al estado femenino como si fuese una deformidad, si bien se trata de una deformidad que aparece en el curso ordinario de la naturaleza» (ibid., 755a16-17). La observación de Aristóteles es curiosamente deficiente con respecto a la hembra. Es de notar su visión de que los períodos menstruales no ocurren con un ritmo peculiar a cada mujer, sino que tienden a ocurrir cuando la luna está menguante. Claramente, Aristóteles no puso aquí los mismos cuidados que puso en otras observaciones del mundo natural. Podemos estar contemplando un grado de histeria masculina, una ignorancia defensivamente motivada acerca de la sexualidad femenina.

Cuando examinamos los escritos sobre la concepción y reproducción en el corpus hipocrático, encontramos diversos puntos de vista. Es predominante la opinión de la «pangenesis», un punto de vista que no afirma explícitamente la superioridad de la contribución del varón a la concepción [59]. Pero, incluso en una obra que sostiene que la sustancia del feto se adquiere por igual a partir de todas las partes de la madre y del padre *(De la Generación),* el autor enfatiza la especial importancia del cerebro y la médula, de las que se pensaba que estaban hechas de la misma sustancia que el semen [60]. Más aún, la teoría de la diferenciación derecha-izquierda se encuentra dispersa por los escritos hipocráticos [61]. Así pues, aunque los puntos de vista hipocráticos parecen ser más igualitarios que los de Aristóteles, muestran todavía la creencia de que la contribución masculina al embrión es mayor que la femenina.

Las opiniones de Galeno incorporan otras muchas [62]. Su obra, producida en el siglo segundo d. J.C., tuvo mucha influencia en los siglos dieciocho y diecinueve. Galeno creyó también que la histeria era una enfermedad del útero, pero hizo algunas modificaciones interesantes al punto de vista hipocrático.

Galeno discrepa de Aristóteles en cuanto a las consecuencias del esperma femenino. *Hay* esperma femenino, afirma, aunque sea inferior al del varón, y la aportación del varón tenga más cantidad del principio reproductor. Las hembras son contempladas como machos imperfectos: los órganos sexuales y generadores femeninos son lo inverso de los del varón, porque tienen menos calor innato. Galeno iden-

---

59 Lesky, «Zeugungs— und Vererbungslehren», págs. 1.237-39. Los tratados hipocráticos son: *De la Generación, De la Enfermedad Sacra, De los Aires, Aguas y Lugares.* Pangénesis es la teoría según la cual las células reproductivas (gametos) se constituyen con la colaboración de cada célula del cuerpo; ver *OED.*

60 Littrè, *Hippocrate,* vol. 7, pág. 470.

61 Por ejemplo, *Aforismos,* sec. 5, n.º 38, 48 (Littrè, *Hippocrate,* vol. 4, págs. 544-45, 550).

62 Ver especialmente May, tradc., *Galen.*

tificó los ovarios, pero los consideró testículos femeninos, productores del semen femenino. Mantuvo también la teoría de la diferenciación derecha-izquierda. La arteria espermática derecha, que suministra sangre al lado derecho (masculino) del útero, nace de la aorta y lleva sangre de buena calidad. La arteria espermática izquierda, por el contrario —afirma erróneamente—, nace cerca del riñón, y la sangre que lleva al lado izquierdo (femenino) del útero es más acuosa, es decir, urinaria.

Galeno habla también de histeria masculina, y establece la retención del semen (debido a la ausencia de actividad sexual) como la causa más frecuente de la histeria en ambos sexos. Así pues, la adscripción de una mayor contribución femenina a la reproducción —las mujeres también tienen semen— va de la mano con una distribución de la histeria más igualitaria.

He aquí un ejemplo de Galeno en su trabajo, hablando de la histeria de una viuda:

> Consecuente al calor de los remedios y resultante del toque de los órganos genitales requerido por el tratamiento, se producen sacudidas acompañadas al mismo tiempo por placer y dolor, después de las cuales ella emite esperma túrbido y abundante. Desde el momento en que queda liberada de todo lo dañino, siente. De todo esto me parece que la retención del esperma impregnado de esencias dañinas tiene —al causar daño a través del cuerpo— un poder mucho mayor que el de la retención del menstruo [63].

Obsérvese la sugerencia de un fenómeno similar a la eyaculación en la mujer, que será un tema recurrente en la literatura pornográfica victoriana [64]. En términos psicoanalíticos, tal noción sugiere la fantasía inconsciente de que la mujer posee un falo oculto. Esta fantasía sirve como factor tranquilizante contra la ansiedad de castración del varón, al implicar que, realmente, no existen personas sin pene.

Doctores del cuerpo, doctores del Alma

Para los antiguos griegos, entonces, la histeria, como la melancolía y otras perturbaciones emocionales, fue un desorden médico, y así permaneció durante muchos siglos. ¿Qué podemos decir de los haberes y débitos de la aproximación médica a los desórdenes mentales? Los haberes incluyen la simplicidad, la posibilidad de una confirmación o refutación experimental y clínica, y un marco en el cual las perturbaciones mentales pueden ser contempladas por el paciente y el doctor como fenómenos naturales que no deben ser cargados de culpabi-

---

[63] Veith, *Hysteria,* pág. 39 (su traducción desde el latín de *De locis affectis,* Libro 6, sec. 5, para. 519, en *Claudii Galeni: Opera Omnia,* ed. C. G. Kuhn, 20 vols. (Leipzig, 1821-1823, vol. 8, pág. 420).

[64] Compárese con May, tradc., *Galen,* pág. 643, y Marcus, *Other Victorians.*

lidad y vergüenza. Un modelo médico permite aproximarse al paciente que muestra un pensamiento y una conducta desordenados y alarmantes, dedicarle tiempo, y aprender más acerca de él. Es necesario que el doctor no tome personalmente las cosas que el paciente dice o hace, pues es «su enfermedad la que habla, no él mismo». Por último, el modelo puede reconocer el hecho de que la emoción tiene obviamente que ver con la mente y con el cuerpo, y que para comprender las perturbaciones que encierran pasiones y fuertes sentimientos se debe prestar atención a ambos, psique y soma.

Entre los débitos están los inversos de estas proposiciones: el modelo médico puede resultar no ya simple sino ingenuo; puede servir para evitar prestar atención al importante, aunque inquietante, material psicológico que emana del paciente. Los psicoanalistas han descubierto que el doctor debe, en este sentido, tomar personalmente lo que el paciente dice y hace, pues si el doctor comprende la naturaleza transferencial de las producciones del paciente, puede ser capaz de iluminar oscuros rincones de la conducta pasada y presente del paciente. Un excesivo énfasis en el papel del cuerpo puede llevar a un prematuro abandono de la tarea de comprender importantes y complejos fenómenos de la vida mental y estructura psicológica del paciente.

Creo, sin embargo, que muchas de las características positivas del modelo médico pueden ser adoptadas y aplicadas por terapeutas que no sean médicos[65]. En buena medida, el psicoanálisis ha mostrado cómo un psicoterapeuta puede adaptar la objetividad clínica del médico a propósitos psicoterapéuticos. La práctica médica clínica proporciona también un ejemplo de la responsable atención al paciente, un tipo de atención que es el sine qua non de una auténtica relación psicoterapéutica. Es posible ser científico al aproximarse a los problemas del corazón humano sin ser necesariamente un científico. El médico del alma no precisa ser un médico en sentido literal. El juramento hipocrático establece una serie de ideales para la responsabilidad del médico que sitúan el bienestar del paciente por encima de cualquier otra cosa. Esos ideales son aprovechables como modelo por todos los que desearían dedicarse a aliviar el sufrimiento de otro ser humano.

No parece tener mucho sentido hablar de rivalidad, y menos aún de incompatibilidad, entre los marcos médicos y psicológicos o filosóficos en la antigüedad clásica griega. Parecen haber coexistido apaciblemente, aunque a menudo en esferas separadas. Existió una clara rivalidad entre grupos de médicos y entre médicos y otros que se decían sanadores. Sin embargo, no vemos a los trágicos denunciar los puntos de vista de los doctores sobre la histeria, o viceversa. En la medida en la que podemos decirlo, nadie protestó cuando se dijo que Fedra había sufrido de una matriz cambiante más que de un deseo ilícito hacia el hijo de su errante marido.

---

[65] Ver P. H. Blaney, «Implications of the Medical Model and Its Alternatives», *Am. J. Psychiat.*, 132 (1975): 911-14.

Merecen consideración ciertos aspectos de esta aparente falta de rivalidad. Primero, en la antigüedad tardía —es decir, al final de la época helenística y en los primeros siglos de nuestra era— los doctores y filósofos parecen haberse sentido rivales, de hecho, en la prescripción de la forma en que una persona debía vivir [66]. Cuando los doctores comenzaron a pretender promover la felicidad más que curar simplemente la enfermedad, penetraron en el mercado moral propio de los filósofos.

Segundo, con la aparición del cristianismo, con sus ideales de salvación a través de la fe y su denigración de las demandas del cuerpo, surgió una nueva rivalidad entre doctores del cuerpo y doctores del alma. La curación del loco poseso y la expulsión del demonio, realizadas por Cristo (Marcos, 5:9), llegaron a ser un atrayente modelo para los sanadores tanto del cuerpo como de la mente. Cómo y por qué el cristianismo llegó a asociarse con un mayor grado de separación del cuerpo y la mente son cuestiones importantes, pero cuya consideración nos llevaría demasiado lejos. El papel jugado por nuevos conceptos de culpabilidad y pecado, la renuncia al deseo sexual, la creencia en otra vida, y ciertas cuestiones acerca del lugar de los cristianos en el orden social del mundo antiguo, están entre los factores que deberían ser tenidos en consideración.

Tercero, debemos tener en cuenta el posible papel jugado por las limitaciones del conocimiento en detalle del cuerpo y la mente en la temprana antigüedad clásica. El fundamento de los conocimientos de anatomía y fisiología fue mucho más amplio y más seguro en los dos primeros siglos d. J.C. que lo había sido en el siglo quinto e incluso en el cuarto a. J.C. En el siglo segundo d. J.C. los nervios, tanto periféricos como craneales, habían sido descubiertos, y definidas sus funciones. Las antiguas teorías sobre la transmisión de información desde el cerebro o el corazón al cuerpo eran totalmente inadecuadas [67]. De manera similar, la filosofía de la mente había crecido en complejidad y detalle, y había llegado a ser un campo más especializado. Aunque el ideal del hombre ampliamente educado, que incluía un médico ampliamente educado, persistió hasta el fin de la antigüedad, parece que el médico se veía presionado a dominar un conocimiento cada vez más especializado respecto a la mente y el cuerpo. Con respecto a esto, sin embargo, todavía vemos una competencia relativamente

---

[66] Ver L. Edelstein, «The Relation of Ancient Philosophy to Medicine», en *Ancient Medicine: Selected Papers of Ludwig Edelstein,* edts. O. Temkin y C. L. Temkin (Baltimore, 1967), y F. Kudlien, «Der Arzt des Körpers und der Arzt der Seele», *Clio Medica,* 3 (1968): 1-20.

[67] F. Solmsen, «Greek Philosophy and the Discovery of the Nerves», *Mus. Helvet.,* 18 (1961): 150-97. Ver también el importante trabajo de R. E. Siegel, *Galen: On Psychology, Psychopathology, and Function and Diseases of the Nervous System,* (Basel, 1973). En la época de Galeno el cerebro era el órgano de control central de la psique. Los médicos resolvieron el problema de la transmisión de la información a lo largo de los nervios sensitivos y motores, colocando un *pneuma* que era transportado por el líquido cerebroespinal desde los ventrílocos del cerebro a los músculos y órganos pasando a través de unos «poros» de los nervios.

pequeña, aunque los filósofos adoptasen a menudo y se apoyasen en las teorías médicas del momento para completar e ilustrar sus posiciones.

Quizá podamos entender mejor la relativa ausencia de competencia mente-cuerpo remitiéndonos al concepto de teleología, que fue de tanta importancia en las antiguas biología y medicina. Desde Platón, pasando por Aristóteles y Galeno, fue axiomática la idea de que el cuerpo y sus partes eran creados con un cierto fin *(telos)* en la mente; es decir, que el creador, sean los dioses o Dios o cualquier otro agente inteligente, creaba conforme a un plan[68]. Los antiguos postularon una mente (o propósito) en el cuerpo, vieron una mente trabajando en el cuerpo, y de esta forma afirmaron la conexión entre la mente y el cuerpo.

Quizá fue aun más fundamental un cierto sentimiento de respeto y reverencia hacia el orden de la naturaleza. Un cierto sentido de la belleza y de veneración de lo hermoso impregnó la antigüedad griega, y la belleza abarcó cuerpos, mentes, formas geométricas y ordenamientos de las partes de los animales. Somos herederos de una escisión entre mente y cuerpo mayor que nuestros antepasados griegos. Al esforzarnos en reconciliarlos y sintetizarlos en muchas áreas de la vida, incluyendo nuestra aproximación a la enfermedad mental, hemos tendido a situar nuestras esperanzas de reunión de mente y cuerpo en el credo de la ciencia y en la investigación científica. La ciencia bien puede darnos el éxito en esta tarea. Quizá, sin embargo, debamos hacer una pausa de vez en cuando para recordar lo que los griegos llamaban *to kalon,* lo hermoso, e intentar recobrar algo de la tranquila facilidad y encanto con que los griegos experimentaban la indisoluble unidad de la belleza de la mente y la belleza del cuerpo.

---

[68] Ver O. Temkin, *Galen and Galenism* (Ithaca, New York, 1973), sobre todo pág. 91.

V

MODELOS DE TERAPIA

14

LOS MODELOS PSIQUIATRICO-SOCIALES Y PSICOANALITICOS

Primer Señor:

Nuestros actos son cadenas que nos forjamos nosotros mismos.

Segundo Señor:

Ay, verdaderamente, pero yo creo que es el mundo el que pone el hierro.

Shakespeare, *Dos Caballeros de Verona.*

Con la histeria queda completo mi análisis de los modelos antiguos de enfermedades mentales. Sin embargo, mis formulaciones sobre la histeria han dejado una importante pregunta sin formular: ¿cómo se debe tratar esa situación?, ¿cuál es la terapia apropiada para un estado que conlleva un amplio complejo de factores psicológicos individuales y sociales? ¿Si el tratamiento médico no se fija directamente en las cuestiones fundamentales, qué forma de terapia lo hace? ¿Pueden todas las mujeres histéricas ser psicoanalizadas? ¿Es la sociedad misma la necesitada de «tratamiento»? ¿Podrían eliminar la histeria las acciones legales, políticas y económicas que han alterado las relaciones formales entre los hombres y mujeres? ¿Cómo puede conseguir una persona alejarse lo suficiente de su propia cultura para ser capaz de diagnosticar un malestar cultural ampliamente extendido e inventar un método para tratarlo? Todas estas cuestiones nos hacen volver al problema inicial planteado en este libro: ¿Qué es un psiquiatra? ¿Cómo consigue curar?

El modelo psicoanalítico

Empecemos por definir la psicoterapia, término genérico empleado para referirse a las terapias verbales, y luego procederemos a caracterizar el psicoanálisis y la terapia psicoanalítica [1]. Socialmente la psicoterapia se define como una relación de ayuda entre dos personas, a una de las cuales se le llama psicoterapeuta y a la otra se le designa como la persona necesitada de ayuda debido a sus angustias emocionales. El método explícito para llevar adelante este proceso es el diálogo, a lo largo del cual se discutirán las emociones y los pensa-

[1] Ver, J. D. Frank, *Persuasion and Healing: A Comparative Study of Psychotherapy,* 2.ª edc. revisada (Baltimore, 1973).

mientos más relevantes de las angustias del paciente. El psicoterapeuta es un profesional, o al menos cuenta con la sanción social para desempeñar su trabajo; generalmente recibe algún tipo de recompensa. Ha recibido una formación especializada, y disfruta del prestigio que esta formación le proporciona. Se supone que en primer lugar trabaja por el bien de sus pacientes. Su conducta está limitada por reglas éticas que evitan cualquier forma de explotación del paciente. Este, por su parte, espera encontrar un oyente comprensivo e informado, y alguna sugerencia acerca de cómo debe comportarse mientras está con el terapeuta. El diálogo se desarrolla a lo largo de cierto espacio de tiempo, en el curso del cual se establece una interrelación paciente-terapeuta. El paciente es responsable por ser él quien conduce el diálogo, y debe cooperar en la labor de tratamiento.

La principal aportación del terapeuta a este diálogo son los comentarios que realiza y que ayudan al paciente a clarificar y organizar sus problemas. Aunque se da por sentado que la principal forma de comunicación es oral, se pueden comunicar mensajes importantes por medios no verbales, tales como los gestos y las entonaciones de voz.

Las diferentes escuelas de psicoterapia difieren, a menudo bastante dramáticamente, sobre lo que cada una afirma que debería ser el verdadero contenido y naturaleza del diálogo. También se distancian unas de otras en lo que se refiere a la teoría que participa y configura el procedimiento terapéutico (o que al menos esté en consonancia con el procedimiento). La terapia psicoanalítica (y el psicoanálisis) de la gran variedad de personas estrechamente vinculadas con la obra de Freud, destaca con énfasis que los contenidos del diálogo deberían ser las descripciones honestas realizadas por el paciente de sus pensamientos, sentimientos, recuerdos, imágenes, sueños y sensaciones corporales. Todo ello se debe narrar tal y como es experimentado por el paciente, aunque se conecte con su pasado, su presente y su futuro; sobre todo son importantes aquellos aspectos que incumben a la relación entre el paciente y el terapeuta. Las psicoterapias jungianas, sullivanianas, adlerianas o existenciales, tienen sus propios conceptos sobre lo que es importante, lo que debe ser relatado, y lo que el terapeuta debe interpretar[2].

Los presupuestos del Psicoanálisis

El psicoanálisis y la terapia psicoanalítica se guían por una serie de presupuestos teóricos. Estoy utilizando el término «modelo psicoanalítico» para referirme a este grupo de presupuestos y a los métodos terapeúticos asociados a ellos.

---

[2] Se pueden encontrar resúmenes de todos estos puntos de vista en *CTP²*, capítulos 8-10 y 30; J. Kovel, *A Complete Guide to Therapy* (New York, 1976), hace un estudio crítico.

Normalmente se asume que existe un nivel inconsciente de funcionamiento mental (tanto en el paciente como en el analista), y que la naturaleza y el contenido de ese pensamiento deben ser evidenciados. Como consecuencia también se supone que el principal origen de las dificultades emocionales provienen de deseos y motivos inconscientes que aparecen bajo formas disfrazadas y deformadas. La función del terapeuta es ayudar al paciente a quitarse el disfraz, descubrir las causas que éste tiene para disfrazarse, y localizar los diferentes disfraces y formas de auto-engaño que utiliza habitualmente, (algunas de estas formas son mecanismos de defensa y protección). Un analista ha definido el psicoanálisis como «el estudio sistemático del auto-engaño».

Otro presupuesto importante es que la infancia del paciente adulto ha jugado un papel decisivo en la configuración de su actual comportamiento, y a menudo ejerce su influencia de una forma ajena a su consciencia. El paciente adulto observa el mundo a través de una serie de lentes que sistemáticamente colorean y distorsionan la realidad personal y social. Pero él no está consciente de que lleva esas lentes encima. Tampoco es consciente de que si la realidad no se ajusta a sus expectativas, va a hacer todo lo posible por encontrar a gente que se las confirme y que esté de acuerdo con ellas. A menudo terceras personas son actores inconscientes de un drama que el paciente representa repetitivamente. Aquellas lentes son, por decirlo así, las representaciones interiorizadas de la más tierna infancia.

La naturaleza de estas relaciones interiorizadas va siendo desvelada gradualmente a través de una exploración global de la historia del individuo, incluyendo sus relaciones actuales. El efecto de estas representaciones internas sobre la interacción del paciente con el terapeuta es lo que se denomina «transferencia». El paciente, en el clímax de la relación terapéutica, volverá a experimentar relaciones anteriores, y el terapeuta ahora representará los papeles de las principales figuras del pasado del enfermo. Para que la terapia tenga éxito, la transferencia debe ser entendida e interpretada, y no únicamente desarrollada y experimentada.

Es frecuente que el objetivo de la terapia psicoanalítica sea lograr un cambio mediante la comprensión o la intuición. A menudo se considera erróneamente que la intuición es un conocimiento puramente intelectual de las causas de los problemas de una persona. Sin embargo, esta opción no es más cierta que la inversa, que el objetivo de la terapia es provocar exclusivamente una liberación emocional, o catarsis. Cualquier respuesta que sea exclusivamente intelectual o exclusivamente emocional es una caricatura de la penetración psicológica, y constituye un obstáculo para alcanzar una verdadera comprensión y un cambio permanente y estable.

He argumentado que el imperativo socrático «conócete a ti mismo» es una de las fuentes de inspiración de la noción de que la comprensión es parte integrante del proceso de curación. Posteriormente he sostenido que el ataque de Platón contra la poesía y el drama estaba en gran medida motivado por la necesidad del mito y el ritual como únicas formas de entendimiento [3]. Fue como si se diera cuenta de que el mito permite al individuo liberarse de las interminables repeticiones y las repetitivas representaciones de los viejos problemas y conflictos. Desde una perspectiva psicoanalítica es importante saber que un monstruo mítico habita dentro de cada uno de nosotros, pero no es suficiente. Debemos entender la naturaleza inventiva y proteica del monstruo. Debemos comprender que nosotros hemos tomado parte en la creación de nuestros propios monstruos, que podemos haber elegido ocultar nuestro miedo a los fantasmas, convirtiéndonos en fantasmas para otras personas [4]. Para un paciente no es suficiente saber que actúa con inmadurez e impulsivamente; también necesita y debe saber cuándo, cómo y por qué lo hace así.

La función del análisis es ayudar a entender al paciente las soluciones que ha probado y a evaluar el grado en el que éstas le han resultado satisfactorias. La exploración psicoanalítica y la interpretación de sueños, por ejemplo, demuestran al paciente que éste ha estado conjugando situaciones conflictivas del pasado con algunas del presente [5]. El enfermo puede llegar a percatarse de sus tergiversaciones del presente y a comprender sus maladaptados intentos de dominar los mismos viejos conflictos. Los sueños, según Freud, tal y como se citó en el primer capítulo, nos muestran situaciones del pasado relativamente reciente entremezcladas con situaciones del día anterior. Sus interpretaciones del sueño revelan lo propenso que era a reaccionar a las críticas y señalan la variedad de recursos que utilizaba para protegerse de ellas, especialmente de aquéllas procedentes de sus críticos.

Por lo tanto, la noción de penetración psicológica se refiere a una forma personal de comprensión de la relación entre pasado y presente, que está suficientemente detallada, tanto en términos intelectuales como emocionales para representar un tipo de conocimiento que arrastra consigo una convicción auténtica. Es este mecanismo de autocomprensión, y no la tópica recitación de «sé que odio a mi padre», lo que se encuentra asociado con el cambio en la conducta, en el pensamiento y en el sentimiento.

A lo largo de todo este trabajo he utilizado la expresión «hacer algo a pesar de», sobre todo en relación con la concepción trágica del conocimiento adquirido por medio del sufrimiento. Este término, en ese sentido concreto, connota el deseo de sufrir las consecuencias de la elección de uno mismo, y no de cortocircuitar el proceso de aflicción y angustia con algún tipo de paliativos.

---

[3] Su ataque también estaba motivado por el temor de que la poesía y el drama fuesen demasiado instintivos.

[4] Parte importante del ritual de Halloween. M. McDonald, «Teaching the Beginner: Baptism by Fire», *Psa. Q.*, 40 (1971): 618-45, es un estudio de los maestros que fueron traumatizados cuando eran alumnos, y que se dedican ahora a traumatizar a sus alumnos.

[5] S. R. Palombo, «The Dream and the Memory Cycle», *Int. Rev. Psa.*, 3 (1976): 65-83, teoriza sobre la conjugación de sucesos del pasado y del presente en los sueños.

El significado técnico de «hacer algo a pesar de» aparece definido en el artículo de Freud «Recordar, Repetir y Actuar a pesar de ello» como uno de los procesos fundamentales del psicoanálisis [6]. George Santayana expresa un punto de vista similar cuando dice que aquellos que no recuerdan la historia están predestinados a repetirla. A menos que el individuo pueda reconstruir y recuperar las emociones de su historia pretérita, y asimilarlas en su presente, mediante el proceso de actuar a pesar de todo, está condenado a la interminable repetición simbólica de su pasado. La intuición no se puede utilizar una única vez; debe ser aplicada y reaplicada continuamente en situaciones muy diferentes.

No es sólo la intuición lo que permite cambiar y madurar; el proceso de perfeccionar la intuición es probablemente tan importante como la propia intuición. La teoría psicoanalítica intenta explicar algunos aspectos de este proceso, que es el punto capital de la interacción entre el paciente y el terapeuta, pero no creo que en la actualidad dispongamos de un conocimiento amplio y suficiente de todo lo que está relacionado con este proceso. Ciertamente, resulta difícil obtener intuición y para conseguirlo se requiere una gran estimulación emocional por parte del paciente. Tampoco entendemos perfectamente toda la amplitud y naturaleza del compromiso emocional del terapeuta [7]. Términos como «contra-transferencia» o «escuchar con el tercer oído» apenas abarcan más que un extremo de las complejidades del compromiso entre el terapeuta y el paciente.

La teoría y la práctica psicoanalítica postulan la imparcialidad del terapeuta, aunque éste nunca puede ser completamente imparcial. Las diferentes escuelas de psicoterapia se diferencian mucho unas de otras según su idea de cuál es la postura y el grado óptimo de compromiso del terapeuta. Las psicoterapias existenciales, por ejemplo, destacan sobre todo la necesidad de romper el distanciamiento entre el paciente y el terapeuta para que éste pueda experimentar con plenitud toda la complejidad de la situación del paciente. Los psicoanalistas clásicos también otorgan cierta importancia a este acercamiento, pero al mismo tiempo nos advierten continuamente de los peligros que conlleva una sobre-identificación del médico con el paciente.

El Psicoanálisis y la Libertad del Individuo

Uno de los principales objetivos del psicoanálisis es ayudar al individuo a adquirir un amplio grado de libertad de elección. Pero esta

[6] SE, 12: 145-55 y «Working Through» en J. Laplanche y J. B. Pontales, *The Language of Psycho-Analysis,* trad. D. Nicholson-Smith (New York, 1973).

[7] Ver las valiosas aportaciones de R. R. Greenson sobre la transferencia, la *working-alliance,* y la «interrelación real», en *The Technique and Practice of Psychoanalysis* (New York, 1967), y Greenson y M. Wexler, «The Non-transference Relationship in the psychoanalytic Situation», *Int. J. Psa.,* 50 (1969): 27-39.

afirmación resulta engañosa por su misma sencillez. Plantea un individuo que en principio sería distinto y estaría diferenciado de su «grupo», en el cual se encuentran incluidas la sociedad en general y las figuras de la infancia del individuo más importantes para éste. A pesar de que los psicoanalistas dan por sentado que cada persona debe mantener relaciones con su grupo y que «ningún hombre es una isla», también están de acuerdo en que es conveniente conservar un amplio grado de individualización.

Desde la perspectiva del psicoanálisis, la individualidad no es perjudicada por un conjunto de lealtades per se, sino por lealtades irreconocibles e inconfesables, hacia las primeras figuras familiares que ahora se encuentran representandas interiormente. La importancia de aclarar la transferencia reside en la necesidad de demostrar al paciente hasta qué punto está unido a su grupo original, y de evidenciarle la fuerza que estas lealtades ocupan en sus relaciones interpersonales adultas. La libertad se concreta en la liberación de algunas de las energías consumidas en esas relaciones interiorizadas para que se puedan dirigir hacia relaciones más ricas y variadas en el presente. La garantía de la libertad está constituida en gran medida por la intuición adquirida en el análisis y en el auto-análisis. La intuición requiere utilizar facultades racionales, pero estas mismas facultades racionales deben ser liberadas de su esclavitud al servicio de la racionalidad. Otras garantías de libertad son los impulsos instintivos y las pasiones intensas que los acompañan [8]. También se les debe dar lo que les corresponde a las fuerzas naturales de madurez y desarrollo. La razón y el instinto, una vez despojados de sus disfraces, salvaguardan la autonomía de la persona.

La relación entre el psicoanálisis y una concepción particular del individuo ha sido elocuentemente considerada por el sociólogo Philip Rieff. En su obra *The Triumph of the Therapeutic* [9], este autor sostiene que a finales del siglo XIX surgió un tipo particular de individuo, denominado por él «hombre psicológico», y que es diferente al «hombre corporativo», que era el que buscaba seguridad y salvación en instituciones corporativas. Según Rieff, las instituciones tradicionales (religión, familia extensa, estado) ya no tienen el peso moral que mantuvieron durante siglos y, por tanto, ya no proporcionan la seguridad psicológica que antes facilitaban. El hombre moderno ya no encuentra bienestar, consuelo y dirección moral en aquellos conglomerados morales, tal y como hacía en el pasado. El psicoanálisis es la terapia por excelencia para este nuevo hombre psicológico al cual las instituciones tradicionales no le proporcionan sentido y continuidad a su vida. «El psicoanálisis, escribe Rieff, es un método más de aprender a resistir a la soledad producida por la cultura. El psicoanálisis es una

---

[8] Ver H. Weiner, «On the Psychology of Personal Freedom», *Perspectives in Biology and Medicine,* 6 (1962-63): 479-92.

[9] New York, 1966. Las citas que siguen son de las páginas 32 y 36.

terapia representativa, en oposición a las clásicas terapias de compromiso».

Los sistemas de control y satisfacción que el hombre occidental ha encontrado en la religión y en la veneración a la autoridad del estado eran «terapéuticos», y no «analíticos».

> Todos estos sistemas de control terapéutico son anti-instintos, ya que limitan el área de la espontaneidad; lo que normalmente entendemos por culturas son exactamente estos sistemas. A este tipo de sistemas de control les llamamos «terapéuticos» porque se proponen preservar un nivel establecido de adecuación en el funcionamiento social del individuo, además de intentar conjurar los riesgos de su colapso psicológico. No es necesario decir que estos sistemas de control (ya sean cristianos, budistas, o de cualquier otro signo) son siempre autoritarios. Las formas clásicas de anti-autoritarismo giran alrededor de respiros terapéuticos del control; el anti-autoritarismo, por tanto, ha sido siempre vulnerable a la acusación de ser culturalmente (moralmente) subversivo.
>
> En la concepción de Freud, la terapia (el psicoanálisis) es un mecanismo que sirve para establecer un auto-control. Pero la terapia moralmente es neutra. La fe, al contrario, e incluso aquélla que acentúe la remisión del control, nunca es neutra. La actitud analítica constituye una alternativa a todas las actitudes religiosas.

Según los análisis de Rieff sobre nuestra cultura, el hombre psicológico, el hombre que vive de un modo más analítico que terapéutico, es una criatura frágil, y que puede estar ya en vías de extinción antes de que se haya cumplido un siglo de su nacimiento. Rieff argumenta que el aislamiento que va unido al modo analítico resulta muy difícil de soportar a algunos individuos, razón por la cual el hombre moderno ha procurado inventar nuevos modos terapéuticos que puedan restablecer sutilmente la fe y el compromiso con el conglomerado.

Estoy de acuerdo en la idea de que el psicoanálisis está emparentado con un cierto tipo de individualidad que surgió en la primera mitad del siglo veinte. Lo que no está claro, sin embargo, es si lo que ha emergido es un nuevo tipo de carácter, de personalidad, o sólo un nuevo ideal. A pesar de que es improbable que nuevos ideales surjan sin ir acompañados de otros cambios en el comportamiento, también es improbable que nuevos ideales alteren radicalmente por sí mismos la conducta de la mayor parte de las personas. Esta dificultad presenta cuestiones del mismo tipo que las suscitadas por la problemática de Rieff, aunque no sea necesariamente incorrecta. Si ya es difícil interpretar el registro del presente y del pasado reciente, más arriesgado todavía es predecir las futuras tendencias de tipos de caracteres y de sus correspondientes formas de patología y terapia.

¿Proporciona la Antigua Grecia un paralelo de la aparición de nuevos ideales de individualidad en el siglo veinte y de la conexión de estos últimos con nuevos tipos de terapia, como el psicoanálisis, por ejemplo? Todos los estudiosos de la Grecia Clásica están de acuerdo en que los nuevos ideales e ideas sobre la libertad y autonomía del individuo surgieron en los siglos quinto y cuarto antes de Cristo, y sobre todo en Atenas[10]. Aunque de una manera muy general, la aparición de la dialéctica y el diálogo platónico y la cristalización con Aristóteles del ideal de la filosofía como un estilo de vida, estaban íntimamente relacionadas con esos nuevos tipos de individualidad. Desde los tiempos de Homero a los de Aristóteles, descubrimos pruebas en la cultura griega de los cambios objetivos y subjetivos que se operaron en todo momento en las relaciones entre el individuo y el grupo. Las instituciones políticas y civiles evolucionaron de tal forma que su cambio también transformó las relaciones entre los individuos y sus grupos de filiación. Las leyes, las normativas económicas y la adquisición del derecho a votar reflejaron y confirmaron estos cambios. Asimismo, he sugerido que la extensión de la alfabetización abrió nuevas posibilidades a la autonomía individual. La capacidad de utilizar creativamente la lectura y la escritura conlleva una cierta liberación de la autoridad admitida, sobre todo en aquellos casos en los que esta autoridad está enraizada en la tradición oral.

En la literatura, el teatro y la filosofía encontramos un nuevo sentido del hombre que se caracteriza por presentar a éste como un ser autónomo, como un agente auto-activador que es capaz de proponerse y realizar elecciones de tipo moral. Los famosos dichos de Protágoras, «en lo que se refiere a los dioses no estoy capacitado para saber si existen o no», y «el hombre es la medida de todas las cosas», sugieren algunas consideraciones sobre la audacia con la que el hombre afirma este nuevo sentido de su propia importancia[11].

En los diálogos platónicos, y sobre todo en los primeros, el lenguaje es enrevesado, ya que Sócrates intentó definir con palabras categorías como el individuo, el yo, la unicidad y otros conceptos afines. En la filosofía de Platón es importantísima la noción de que unas pocas personas, los filósofos, pueden estar en lo cierto, y todos los demás estar equivocados. Para Platón, lo primero que garantiza la libertad y la autonomía del individuo es la utilización de la parte racional de su psique. La filosofía y la dialéctica hacen libres a los hombres, incluso cuando, desde nuestro punto de vista, nos parece observar esta libertad muy limitada en los proyectos políticos que se presentan en la «República» o en «Las leyes».

Una vez dicho y hecho todo esto, la figura de Sócrates, que debate, convence, se ríe y desmitifica todo lo que le rodea con su ironía, sin ser más que un hombre solitario, representa un ideal de independencia radical. Tiene la tenacidad y perseverancia de cualquier héroe épico: es un nuevo Aquiles[12]. Pero al mismo tiempo, su *ethos* hace tambalearse muchos de los ideales épicos de vida y llega a rayar en lo antiheroico.

---

[10] Ver cap. 9, nota 40.

[11] H. Diels, editor, *Die Fragmente der Vorsokratiker*, con adiciones de W. Kranz, 5.ª-7.ª edc. (Berlín, 1934-54), *Protágoras*, B4 y B1.

[12] D. Clay, «Socrates' Mulishness and Heroism», *Phronesis*, 27 (1972): 53-60.

Las tragedias griegas, particularmente las de Sófocles, muestran otro aspecto de lo que supone ser un individuo. El héroe no es un personaje radical, es más bien alguien que, al igual que Antígona, es capaz de proclamar su lealtad a una serie de valores sociales más profundos y auténticos que los que sostienen sus antagonistas. Asimismo, la individualidad del héroe se concreta en un reto tenaz a la sabiduría convencional y en una implacable energía para realizar lo que sabe que debe ser realizado, tal y como se ejemplifica en la figura de Edipo de *Edipo rey* y *Edipo en Colona.*

El abismo que separa al héroe de Sófocles de su grupo es diferente, por ejemplo, del que existe entre Aquiles y el resto de los aqueos de la *Ilíada.* Aunque Aquiles en algunos sentidos anuncia al héroe de Sófocles, no es un hombre que insista en un conjunto de valores más auténticos que los de su grupo. Más bien insiste en la justa adquisición de *timē,* honor, reconocimiento y restitución material. El Edipo de *Edipo rey,* en cambio, insiste en la verdad, sin que le importe el punto al que le pueda conducir esta búsqueda de la verdad. A pesar de que los héroes de la tragedia griega no se pueden comparar con los modernos héroes existencialistas, y menos aún con los antihéroes, lo cierto es que también afirman una noción de autonomía e independización del grupo. Aunque no sea más que esto, van a afirmar que los métodos de consuelo y recuperación honrados por el grupo desde tiempos inmemoriales no son sufiencientes; es preciso llegar a un reconocimiento más radical de sus propias necesidades e impulsos internos.

Creo, por lo tanto, que lo que Rieff denomina actitud analítica es en gran medida paralelo de las actitudes que surgen en las tragedias y diálogos platónicos. Incluso estoy convencido de que la actitud analítica comienza a desarrollarse con la búsqueda socrática del autoconocimiento y con la definición del heroísmo que se encuentra en las tragedias. Muchas de las conclusiones a las que llegó la filosofía de Platón parecen ser antítesis de la actitud analítica; sin embargo, sus intentos de descubrir un método de encuesta no lo son. Aunque Rieff cataloga a Platón como el arquetipo que representa el control terapéutico (es decir, del control realizado a través del conformismo y de un autoritarismo básico), en la obra de Platón se le concede más importancia a este asunto de lo que Rieff admite [13]. En la medida en que Platón destaca la importancia de la pregunta objetiva, sin importarle a dónde puedan conducirle sus respuestas, y en la medida en que él estableció la noción de que el conocimiento debía derivar de principios fundamentales más que la tradición y la autoridad, él fue el precursor de la actitud analítica. Al contrario, en la medida en que se ajusta a la imagen que Rieff describe (derivada en su mayor parte de *Las Leyes* y en menor grado de *La República*), Platón era un antiindividualista y sus doctrinas encajan dentro de la definición del control terapéutico realizada por Rieff.

[13] *Triumph of the Therapeutic,* págs. 66-70.

> La psiquiatría social, según nuestra definición, busca determinar los hechos significativos de la familia y del entorno social del individuo que afectan a la adaptación de éste (o que se pueden considerar que son claramente de importancia etiológica), tal y como se descubre a través de los estudios de individuos y/o grupos que estén funcionando en su marco natural. No sólo se ocupa de los enfermos mentales, sino también de los problemas de ajuste que presentan todas las personas de una sociedad; busca entender mejor los mecanismos de adaptación de los individuos y las fuerzas que tienden a dañar o a aumentar sus potencialidades adaptativas [14].

Esta es una de las primeras definiciones de la psiquiatría social propuesta por uno de los pioneros de este campo, y que, en principio, abarca casi todos los aspectos del hombre que vive en sociedad. A pesar de su globalidad, esta definición omite un aspecto de la psiquiatría social: el estudio de los medios encaminados a corregir las malas adaptaciones y a fomentar la salud individual y comunitaria. Como este área se ha desarrollado desde los inicios de la década de los cincuenta hasta la actualidad, el interés por la terapia ha crecido tan dramáticamente que a menudo ha amenazado con eclipsar los esfuerzos más modestos por diagnosticar y entender.

En un capítulo anterior mencioné algunos aspectos de la moderna psiquiatría que están relacionados con la psiquiatría social. A. B. Hollingshead y F. C. Redlich en su obra *Social Class and Mental Illness* [15] clasifican tanto los temas como los métodos de la psiquiatría social. Los estudios del ambiente familiar relacionan la interacción de la familia con la psicopatología individual. La teoría del etiquetamiento social suministra un modelo del proceso social por el que una persona cualquiera puede comenzar su «carrera» de enfermo mental. Thomas Szasz y R. D. Laing afirman que el ambiente social puede volver loco a un individuo, y proclaman que las necesidades patológicas de disponer de familias y culturas completas se satisfacen con la «creación» de dementes.

Aunque se pueden aducir precursores de las ideas de la psiquiatría social (*La República* de Platón sería un precedente en este caso) la teoría psiquiátrica que fundamenta la actual psiquiatría social se desarrolló en las décadas de los treinta y los cuarenta [16]. El autor más prominente asociado a esta teoría es Harry Stack Sullivan, que fue quién acuñó el término «psiquiatría interpersonal». De hecho, para él la psiquiatría es:

---

[14] T. Rennie, «Social Psychiatry: A Definition», *Int. J. Soc. Psychiat.*, 1 (1953): 5-14. Ver también R. J. Arthur, «Social Psychiatry: An Oterview», *Am. J. Psychiat.*, 130 (1973): 841-49.

[15] New York, 1958.

[16] Ver G. Rosen, «Some Origins of Social Psychiatry», en su *Madness and Society* (Chicago, 1968).

> el estudio de los procesos que se desenvuelven o se desarrollan entre las personas. El campo de actuación de la psiquiatría es el campo de las relaciones interpersonales, bajo cualquiera de las formas y en todas las circunstancias que estas relaciones se manifiesten. Se ha hecho evidente que una persona nunca puede ser aislada del complejo de las relaciones interpersonales en las que esa persona vive y en las que transcurre su existencia [17].

Para Sullivan y sus seguidores, la relación entre el terapeuta y el paciente requiere un cuidadoso escrutinio por parte del psiquiatra. El terapeuta no es en ningún momento un observador ajeno a los procesos psíquicos del paciente, sino un «observador participante». Como tal, está perturbando constantemente el campo que estudia, lo cual viene a ser una concepción análoga al principio de indeterminación de la física moderna (según el cual el acto de medir el comportamiento de una partícula siempre influye en su comportamiento). Para Sullivan la persona es la síntesis de sus compromisos interpersonales, empezando por aquéllos que ya se daban en la temprana interacción entre la madre y el hijo. En su afirmación más ambiciosa, la «persona» es considerada como una concepción mítica que es formulada para intentar imponer una visión estática de los procesos complejos y cambiables. Por lo tanto, los procesos dicotómicos (del tipo madre-hijo, paciente-terapeuta, o cualquier otro) son únicamente casos limitados del conjunto de procesos generales. (Esta visión es opuesta a la de la perspectiva psicoanalítica, que tiende a considerar los grupos como conglomerados de personas y las interacciones grupales como el resultado de las interacciones de las mentes individuales). La visión de Sullivan, por lo tanto, permite una fácil transición entre el estudio de los «individuos» o de los grupos diádicos, y el estudio de grupos mayores, que van desde la familia, hasta las interacciones entre sociedades, pasando por el ambiente social del niño en desarrollo y la sociedad completa.

La concepción de Sullivan sobre el papel del psiquiatra, ya se refiera a un individuo o a un grupo, viene resumido en la siguiente cita:

> Las personas en el campo interpersonal, hablando en sentido constituyente, están más o menos conscientes de las tensiones y transformaciones energéticas que se dan en aquél. Todo el mundo conoce los datos principales. Si tú eres uno de ellos y eres suficientemente hábil, podrás observar el desarrollo de los acontecimientos, de las tensiones y de las transformaciones energéticas lo suficientemente bien como para tener algo tangible que analizar y en lo que basar tus conclusiones. A medida que aumenta tu habilidad, podrás revalidar tus conclusiones, tus hipótesis provisionales sobre los acontecimientos, influenciando en el campo interpersonal.

---

[17] «Conceptions of Modern Psychiatry», en *The Collected Works of Harry Stack Sullivan,* 2 vols. (New York, s. f.), vol. 1, pág. 10. Mi disquisición sobre Sullivan debe mucho a la obra de P. Mullahy sobre todo a *The Contributions of Harry Stack Sullivan,* ed. P. Mullahy (New York, 1952).

El ideal del modelo de tratamiento psicoanalítico es el de que el terapeuta sea un intérprete. Para Sullivan, en cambio, el terapeuta ideal es aquél que entiende e influencia dentro del campo interpersonal en el que participa.

> Te habrás dado cuenta de que nosotros... suscribimos el dicho de «conócete a ti mismo» en el sentido muy particular de «Aprende a reconocer los campos interpersonales en los que te encuentres y a dirigir las fuerzas en la dirección más adecuada para conseguir una correcta definición de los campos y su adecuada y apropiada integración [18].

(Obviamente Sócrates se lleva el premio por ser más breve).

Esta es, por lo tanto, la tarea de la psiquiatría social, ya sea una psiquiatría del enfermo, de la familia o de la sociedad: comprender a través de la interacción y de la observación; presentar hipótesis sobre el continuo fluir de las relaciones; comprobar estas hipótesis por medio de intervenciones y actuaciones específicas que influencian sobre los otros; y una vez completado el círculo, volver a recorrerlo. En suma: una tarea sisífea.

La curación ritual: prototipo de la terapia psiquiátrico-social

Este tipo de trabajo se ha realizado en todo el mundo, aunque sin necesidad de teorías ni técnicas específicas de la psiquiatría interpersonal. La mayor parte de las formas que acogen los ritos de curación en las diferentes culturas normalmente precisan de un curandero (el chamán) que es el encargado de descubrir los orígenes sociales de la tensión que sufre la persona atormentada [19]. Este tipo de «diagnóstico» del campo social se concreta en gran medida en términos simbólicos. El chamán adivina qué fantasma o espíritu posee el enfermo, o trata de averiguar quién ha intentado hechizarlo. Interpreta signos que sólo él entiende, incluyendo todos los que aparecen en los sueños. Es frecuente que el mismo curandero haya sufrido en el pasado la enfermedad que ahora trata con pericia. La curación habría procedido o bien del ritual que ahora ejecuta para sanar a otras personas, o bien de sí mismo: de un ayuno que le produjo visiones, por ejemplo. Las formas concretas de enfermedad y curación son específicas de cada cultura.

---

[18] H. S. Sullivan, «The Study of Psychiatry», *Psychiatry,* 10 (1947): 355-71, es la fuente de esta cita y de la anterior. G. Murphy y E. Cattell (en Mullahy, *Contributions,* pág. 169) introducen la segunda de estas citas del siguiente modo: «Mientras en Freud se encuentra la concepción platónica del espléndido aislamiento del yo («donde estuvo el Id, allí estará el ego»), en Sullivan se encuentra la siguiente».

[19] J. G. Kenedy, «Cultural Psychiatry», en *Handbook of Social and Cultural Anthropology,* edt. J. J. Honigmann (Chicago, 1973), págs. 1.119-98, aporta una visión resumida. Ver también la colección de artículos de A. Kiev, ed., *Magic, Faith, and Healing* (New York, 1964).

El proceso de la curación ritual a menudo comprende representaciones simbólicas de las tensiones del grupo (por ejemplo: una lucha entre los espíritus de la banda materna y de la banda paterna de la familia). Además, los miembros del conjunto social son agrupados y se les hace confesar los rencores y fechorías que han concebido o cometido en contra de la persona atormentada. Al mismo tiempo también tiene lugar el acto simétrico y contrario. Los miembros del grupo suelen terminar efectuando un acto de desagravio de todos los deseos y hechos diabólicos que dirigieron contra la persona enferma. A menudo los responsables de la enfermedad son los que costean los ritos de curación.

Víctor Turner nos suministra un ejemplo muy instructivo de curación ritual en la que se encuentra este tipo de diagnóstico y de prescripción social [20]. El enfermo, miembro de la tribu Ndembu de Rodesia, tenía rápidas palpitaciones de corazón, intensos dolores de espalda, extremidades y pecho, y además se fatigaba mucho al poco rato de estar trabajando. Al darse cuenta de que la gente murmuraba de él, se retiró de todos los asuntos de la aldea (en la cual se había asentado desde su casamiento con una mujer local) y se encerró en su cabaña durante largos períodos de tiempo. Se lamentaba de que sus vecinos ignoraban sus sufrimientos y de que no habían intentado curarle trayéndole a un adivino que averiguase lo que le ocurría. Aunque Turner no puede verificar de un modo absoluto que este hombre no tuviese una enfermedad de tipo orgánico, descubrió muchos datos que indicaban que sus disturbios eran fundamentalmente psicológicos.

El enfermo tenía una personalidad de escasa energía, pero estaba introducido en una sociedad que todavía valoraba los rasgos del cazador agresivo y diestro. Su mujer, además, estaba teniendo una aventura bastante descarada con su vecino. En su aldea de origen no había sido muy feliz o apreciado, y ahora se encontraba en una posición social muy vulnerable como recién llegado que era a la aldea de su mujer. Por otro lado, estaba debatiéndose entre la lealtad a su afiliación matrimonial y la lealtad a su filiación y parientes paternos (conflicto tribal muy característico).

La adivinación reveló que su enfermedad había sido ocasionada por el mordisco de una *ihamba,* dentadura de un antepasado cazador difunto. Además se habían descubierto en la aldea ciertas evidencias de brujerías, y el curandero, diplomática pero decididamente, apuntó que los responsables de estos actos diabólicos eran la mujer del enfermo y su suegra. Para curar la enfermedad se representó un ritual cuyo fin era eliminar al antepasado incisivo.

El curandero dirigió las tensiones hacia una serie de campos de la vida del enfermo y de toda la aldea: hacia las relaciones entre blancos y negros, entre los parientes del enfermo, entre los habitantes de la aldea, y entre el enfermo y su esposa y la familia de ésta. El ritual

[20] *The Drums of Affliction* (Oxford, 1968); una parte de esta obra se encuentra adaptada en Kiev, ed., *Magic, Faith, and Healing.*

de curación debió resultar satisfactorio, ya que el paciente sanó y un año después parecía estar bien. El ritual también resolvió algunos de los trastornos más importantes de la vida de la aldea. Turner concluye:

> el médico Ndembu cree que su función no es tanto curar a un enfermo individual como remediar los males de un grupo corporativo. La enfermedad de un paciente es ante todo una señal de que «algo está corrompido» en el cuerpo corporativo. El enfermo no se recuperará hasta que hayan sido desveladas y sometidas a un tratamiento ritualístico todas las tensiones y dificultades que existen en las interrelaciones del grupo social... los conflictos de dimensión social se pueden manifestar a través de los individuos. La tarea del médico es estudiar las diferentes corrientes de afecto asociadas con estos conflictos y con las disputas sociales e interpersonales en las que se manifiesten. Una vez hecho esto, se deben enfocar esas corrientes en una dirección socialmente positiva. Las energías de los conflictos en su estado más puro son domesticadas de este modo y puestas al servicio del orden social tradicional... El individuo enfermo, que ha sido expuesto a este proceso, se reintegra en su grupo, ya que, poco a poco, los diferentes miembros se reconcilian entre sí bajo circunstancias cargadas emocionalmente [21].

Este tipo de curación puede servir como ejemplo del modelo psiquiátrico social.

Es tentador pensar en la posibilidad de aprender algunas cosas de estas técnicas primitivas y de utilizarlas para completar y revisar algunas de nuestras teorías de psicoterapia. Pero la dificultad es establecer rituales que resulten eficaces *de novo*. El poder de dichos rituales es, en muchos aspectos, precario, ya que depende de la estabilidad y homogeneidad de la sociedad y de sus valores culturales. Los antropólogos están de acuerdo en que estos rituales varían con el tiempo y con el cambio de las circunstancias sociales [22]. De vez en cuando aparecen nuevos demonios y espíritus; y a menudo son blancos y de ojos azules. Los nuevos rituales que surgen entonces funcionan como acciones de contra-ataque concebidas para mantener, para conservar los valores propios de la cultura o para suavizar la culpabilidad de aquellos que se han apartado de ella.

Es indudable que muchas de las nuevas terapias (o nuevas versiones de antiguas terapias) que han proliferado en los Estados Unidos en los últimos años (terapias de grupo, maratonianas sesiones de grupo, terapias de gritos primitivos, etc...) están motivadas en gran medida por el deseo de encontrar formas ritualísticas de curación. En la actualidad, uno de los caminos tentadores que se plantean seguir

---

21 Ibidem, en Kiev, ed., *Magic, Faith, and Healing*, pág. 262.

22 Turner diferencia entre rituales de duelo (ritos curativos) y ritos de paso, que son más estables y están más arraigados. J. Murphy, «Psychotherapeutic Aspects of Shamanism on St. Lawrence Island Alaska», en Kiev, ed., *Magic, Faith, and Healing*, págs. 53-83, habla de la llegada de «espíritus comunistas». Kiev, ibidem, pág. 455, detalla el papel de los ritos de este tipo entre los mejicanos americanizados.

los procesos terapeúticos es el de utilizar los símbolos, mitos y rituales que tienen el poder de curar [23]. Un problema diferente es establecer la conciencia corporativa y grupal que es necesario alcanzar para que estos rituales lleguen a ser efectivos. Mi impresión particular es que esta labor es casi imposible de llevar a cabo, a pesar de que los individuos y los grupos se esfuerzan contínuamente en desarrollar este tipo de terapias. Los defensores de la idea de utilizar el ritual y el mito como fuerzas curativas tienden a olvidar que si los símbolos pueden curar, también pueden hacer daño. Si queremos introducir (o hacer resucitar) la curación ritual, debemos estar preparados para aceptar las enfermedades rituales. Los procedimientos de curación ritual suelen estar asociados con las formas de perturbación más dramáticas e histéricas [24]. El actual resurgimiento del interés por todo lo relacionado con las posesiones y el exorcismo pueden ser una respuesta al creciente interés por las terapias de éxtasis y catárticas, del tipo de la del grito primitivo.

El bardo que compone poesía épica oral también está emparentado con la psiquiatría interpersonal [25]. La función del bardo es componer un tipo de poesía que tenga el poder de ayudar a los individuos a hacer frente a sus propias aflicciones por medio de identificaciones simbólicas de éstos con los personajes de la historia. Estas identificaciones, a su vez, facilitan el diagnóstico del problema, ya que se puede llegar a decir de una persona que está herida en su orgullo, del mismo modo que lo estaba Aquiles, o que tiene nostalgia, de una forma similar a Odiseo. Al mismo tiempo, al comparar los problemas personales de uno con los del modelo tradicional, se fomenta la reintegración simbólica con el grupo. Indudablemente el bardo aporta una ayuda al ofrecer ejemplos de tensiones y crisis de grupos en los que no se implican de un modo directo las enfermedades individuales. Si conociéramos con más detalles la forma de actuación de los bardos prehoméricos, probablemente descubriríamos que eran unos agudos intérpretes de los estados de ánimo y de los problemas de los grupos ante los cuales actuaban, y que normalmente configuraban sus relatos en torno a estas cuestiones. Para realizar un diagnóstico de este tipo, el bardo debe estar en estrecho contacto con las tensiones del grupo y, como miembro del grupo que es, estar sujeto a sus aflicciones.

Asimismo, el bardo debe experimentar un cierto grado de identificación con los personajes del poema. Esta doble identificación, con

---

[23] Ver R. May, «Value, Myths, and Symbols», *Am. J. Psychiat.*, 132 (1975): 703-706. Ver también V. W. Turner, *Drama, Fields, and Metaphors: Symbolic Action in Human Society* (Ithaca, New York, 1974), sobre todo págs. 56-58.

[24] Ver A. F. C. Wallace, «The Institutionalization of Cathartic and Control Strategies in Iroquois Religious Psychotherapy», en *Culture and Mental Health*, ed., M. R. Opler (New York, 1959), págs. 63-96.

[25] R. Rabkin, *Inner and Outer Space: An Introduction to a Theory of Social Psychiatry*, (New York, 1970), también compara el modelo homérico con el modelo psiquiátrico social; pero cada uno ha llegado a esta formulación de una forma totalmente independiente.

el auditorio por un lado, y con los personajes del relato por el otro, lleva consigo una difuminación de los límites del yo. La medida en la que el bardo (o cualquier otro curandero ritual) pierde provisionalmente su propia identidad, varía considerablemente de unos casos a otros. Por un lado, el chamán puede entrar en estados de trance disasociativos a lo largo de sus curaciones rituales. Los pueblos tribales de Siberia creen que durante el trance, el chamán abandona su cuerpo para buscar el alma perdida de su paciente[26]. Por otro lado, los relatos de Claude Levi-Straus y Víctor Turner y otros autores, sugieren que algunos curanderos están en permanente contacto con su ambiente y que no son más que una especie de maestros de ceremonias[27]. También las modernas psicoterapias se pueden caracterizar según el grado de fusión al que llega el terapeuta. Este debe experimentar, forzosamente, cierto grado de identificación regresiva con su paciente. Sin embargo, para que el tratamiento resulte efectivo, el terapeuta tiene que ser capaz de ayudar a regular el grado de regresión y la pérdida de los límites del ego experimentados por el enfermo. Por lo tanto, en este sentido, el médico no es sólo un participante observador, sino también un participante regulador.

Turner ha completado sus análisis sobre los modos en que estos rituales se unen entre sí y curan a los individuos y a sus grupos, llegando más allá del nivel sugerido en su discusión sobre la curación ritual del Ndembu. En resumidas cuentas, él considera la habilidad potencial de las curaciones rituales para crear nuevas formas de integración y ofrecer un camino que lleve a la solución de problemas viejos o recientes[28]. Todas las sociedades necesitan rituales de innovación, al igual que rituales de conservación. Análogamente, el modelo psiquiátrico-social no sólo necesita provocar un retorno a un *status quo ante bellum,* sino también avanzar hacia un nuevo ritual de integración y equilibrio que tal vez pueda representar una buena e imaginativa solución a ciertos problemas del individuo y de su sociedad. Desde tiempos inmemoriales líderes brillantes y carismáticos han utilizado versiones rituales y míticas del destino y de la historia de sus pueblos para lograr una extraordinaria fusión entre lo viejo y lo nuevo, para obtener una convincente síntesis entre los valores tribales ado-

---

[26] C. Ducey, «The Life History and Creative Psychopathology of the Shaman: Ethnopsychoanalytic Perspectives», *Psa. Study Soc.*, 7 (1976): 173-230, y «The Shaman's Dream Journey: Psychoanalytic and Structural Complementarity in Myth Interpretation», *Psa. Study Soc.,* 8 (1977, en prensa). El trabajo de este autor evidencia la estrecha relación que existe entre las presiones culturales para alcanzar esa disasociación y posterior fusión, la naturaleza del ritual chamánico y la personalidad del chamán. Ver también A. Kiev, «A Cross-Cultural Study of the Relationship between Child Training and Therapeutic Practices Related to Illness», *Psa. Study Soc.,* 1 (1961): 185-217.

[27] C. Lévi-Strauss, «The Effectiveness of Symbols» y «The Sorcerer and His Magic», en su *Structural Anthropology* (New York, 1963). Una crítica necesaria de este autor es J. Neu, «Lévi-Strauss on Shamanism», *Man,* 10 (1975): 285-92. Ver también D. Freeman, «Shaman and Incubus», *Psa. Study Soc.,* 4 (1967): 315-43.

[28] V. W. Turner, *The Ritual Process: Structure and Anti-Structure* (Chicago, 1969), y *Dramas, Fields, and Metaphors.*

rados desde siempre y las nuevas exigencias creadas por las cambiantes situaciones. En suma, el ritual, el mito y la curación ritual, además de servir para enfrentarse con el presente, pueden ayudar a crear y a moldear el futuro[29].

Modelos psiquiátricos-sociales del hombre

He sugerido que el modelo de terapia psicoanalítica se encuentra asociado con un modelo concreto de hombre: «el hombre psicológico». ¿Existe un modelo análogo de hombre subyacente bajo el modelo psiquiátrico social? Se pueden identificar dos modelos básicos, uno aplicable a las sociedades que son, relativamente, estables, y el otro que se refiere a las sociedades que experimentan cambios rápidos y continuos. El primero se puede ejemplificar con el modelo homérico de la mente y con la concepción del yo que lo acompaña.

Las representaciones de la vida mental que denomino modelo homérico, están más cerca de ser unas fantasías sobre la mente que unas teorías sobre ella. Pero son unas fantasías que aportan datos y observaciones sobre las teorías de la vida mental humana. De este modo, el modelo homérico de la mente es una analogía primitiva de las teorías interpersonales posteriores.

Recordemos la caracterización del hombre homérico que nos ha suministrado Herman Fränkel: «El yo no está introducido en una cápsula, sino que es un campo de fuerzas abierto». He argumentado que esta concepción del yo es la adecuada para el individuo que pertenece a una sociedad que valora la tradición y la estabilidad y en la cual se requiere un yo que sea dócil a las influencias de los otros. Estas influencias pretenden conservar las formas tradicionales de pensar, sentir y comportarse. La persona se debe abrir a las fuerzas que le permiten definir y mantener su rol. Por lo tanto, la concepción homérica de hombre es antitética de la del hombre psicológico de Rieff, pero resulta apropiada para los diferentes aspectos de la curación ritual de la psiquiatría social. El objetivo primordial de ésta es el restablecimiento del equilibrio tradicional y la reintegración del individuo dentro del grupo.

El segundo modelo de hombre será familiar a los estudiantes de

[29] Este estudio de la curación ritual se ha centrado principalmente en la curación de los conflictos intrapsíquicos (ver los trabajos de Ducey citados en la nota 26) y en la importancia fisiológica y psicológica de los estados alterados de conciencia. Ver, por ejemplo, C. T. Tart, *Altered States of Consciousness* (New York, 1972), y B. W. Lex, «Physiological Aspects of Ritual Trance», *Journal of Altered States of Consciousness,* 2 (1975): 109-122. Kennedy, «Cultural Psychiatry», evidencia la eficacia de este tipo de curaciones. G. Devereux, «The Psychotherapy Scene in Euripides' *Bacchae*», *JHS,* 93 (1970): 36-49, duda de su eficacia a largo plazo. N. E. Waxler, «Culture and Mental Illness: A Social-Labelling Perspective», *J. Nerv. and Mental Diseases,* 159 (1974): 379-95, sugiere que la curación ritual minimiza la incapacidad social, y que no aísla a los psicóticos del grupo, tal y como hacen muchas prácticas curativas de nuestra cultura occidental.

Arte y Literatura del siglo veinte. Es un modelo de ego que se puede equiparar a una entidad estable, reconocible, que de vez en cuando sufre un colapso y que debe ser recompuesto de nuevo, sino a algo que podríamos denominar collage [30]. Del mismo modo que ocurre en gran parte del arte moderno, el individuo aparece no de la forma como se presenta al ojo humano, sino como una colección de visiones parciales yuxtapuestas de tal manera que no hay una sola visión ni una única perspectiva desde la cual pueda ser contemplada la persona. Las figuras de las obras de Georges Braque y Pablo Picasso se muestran en múltiples dimensiones a la vez. Seres humanos, animales y objetos inanimados son desmantelados y recompuestos de formas nuevas y extraordinarias. Estas recomposiciones nos obligan a escudriñar nuestras percepciones normales y nos incitan a probar otras nuevas.

La caracterización realizada por Marshall McLuhan del hombre moderno como un hombre situado más allá de la cultura escrita, capta de un modo parecido el cambio de sentido del yo que imprime la cultura de nuestro siglo [31]. El hombre que convive con la escritura es una criatura íntima, un hombre con un mundo interior estable. Según McLuhan, el hombre que se encuentra más allá de la escritura es alimentado por *media* electrónicos pansensoriales y no lineales. En nuestra sociedad ya no existe el hombre estable, guiado por su interior, que asimila poco a poco, por medio de libros, informaciones y datos. El hombre actual llega a ser el resultado final de un aplastante fluir caleidoscópico de estímulos sensoriales. McLuhan se muestra optimista sobre los efectos que tendrá esta pérdida de anclajes y de continuidad asociados con la cultura de la escritura, pero este optimismo es un elemento accesorio de su tesis principal.

Creo que un tema análogo se puede descubrir en diversas caracterizaciones psicológicas del hombre del siglo veinte, algunas de las cuales pretenden cantar sus elogios, mientras otras intentan condenarlo. Un ejemplo de lo primero es el término «hombre proteico», acuñado por Robert J. Lifton; y de lo segundo la denominación «carácter narcisista trastornado». Según Lifton, estamos asistiendo a «la aparición del hombre contemporáneo o *proteico como un rebelde:* al esfuerzo de permanecer abierto, aunque sea en rebelión, ante la extraordinariamente rica, confusa, liberadora y amenazadora serie de posibilidades históricas contemporáneas, y de conservar durante este proceso una continua capacidad de cambiar las formas [32]. Este autor afirma que la aparición en la Segunda Guerra Mundial de la destrucción atómica y la subsiguiente amenaza de holocausto nuclear, constituyen una ruptura sin precedente alguno en el sentido del hombre sobre su continuidad histórica. Todos aquellos que llegaron a la madurez después

---

[30] Budd Hopkins, conferencia inédita.

[31] M. McLuhan, *The Gutenberg Galaxy,* Toronto, 1962.

[32] R. J. Lifton, *History and Human Survival* (New York, 1970), págs. 311-31. Ver también E. Erikson, *Dimensions of a New Identity* (New York, 1974), pág. 104.

del desastre de Hiroshima viven como si no fuera a haber más generaciones en el futuro, y, por lo tanto, no están dirigidos por la necesidad de transmitir los valores y tradiciones del pasado. Sin nada que le una al pasado o le ate al futuro, el hombre moderno experimenta constantemente con nuevos roles asumiendo múltiples identidades al tiempo que se concentra en su propia supervivencia. Para Lifton, el hombre proteico es un nuevo tipo de héroe, que crea una modalidad *a nihilo* con un profundo conocimiento del hecho de que no existe ninguna fuente externa de moralidad. Ante la posibilidad de que se cierna una destrucción total sobre la raza humana, no pueden surgir más héroes épicos, ni bardos que nos hablen de muertes heroicas, ni público que escuche estas historias. El heroísmo, militar o moral, ya no es para nadie una garantía de inmortalidad, ya que es posible que no lleguen a existir generaciones en el futuro que puedan seguir manteniendo vivos a los héroes en la memoria. Lifton apunta que los movimientos juveniles y las rebeliones estudiantiles de la década de los sesenta señalan que sólo con la rebelión continua no-ideológica y con el énfasis en las experiencias inmediatas (especialmente agradables o que insensibilizan la mente) se puede encontrar aún algún sentido válido a la vida. El hombre psicológico con su alma interior estable, el hombre correctamente analizado, debe ceder el paso al hombe proteico, ya que la identidad interna estable no se puede adaptar durante más tiempo, y quizás ya no sea posible.

Yo, por mi parte, estimo que la primera crítica social que se hizo a la noción del hombre proteico fue la de Platón. En su ataque a la *polupragmosumē,* hacer y ser demasiadas cosas a la vez, Platón defiende la necesidad de poseer una identidad interna estable y pronosticable. El estaba preparado para hacer encajar esta identidad dentro de una jerarquización social rígidda y profesionalizada. Lo que Lifton llama hombre proteico, Platón lo hubiera definido como el resultado final de una cultura confiada en exceso a la *mimēsis,* imitación moral. Según la teoría de Platón, el hombre atrapado en la *polupragmosunē,* al ser un ente físico muy atareado, es la negación de cualquier tipo de entidad física[33].

Algunas teorías sociales modernas, a pesar de aprobar las caracterizaciones efectuadas por Lifton sobre el surgimiento de nuevas formas de ideales y comportamientos, asumen una visión menos positiva de ellas. Argumentan que en la actualidad estamos presenciando regresiones a lo infantil, impulsos incontenibles y formas de conducta socialmente irresponsables. Descubren que algún tipo de amenaza se cierne sobre ciertos valores humanos básicos, valores que trascienden la ideología y los sistemas políticos particulares. Algunos psicoanalistas han elaborado diferentes informes en los que se constata que está aumentando en gran medida el número de pacientes en los que se encuentran situaciones de tremendo vacío interior y de incapaci-

[33] V. Ehrenburg, «*Polupragmosunē:* A Study in Greek Politics», *JHS,* 67 (1947): 46-67.

dad para consolidar compromisos con otras personas. Para definir estos trastornos, el término clínico más usual es el de «carácter narcisista», pero también se han utilizado otras denominaciones: personalidad fronteriza, trastorno del carácter, personalidad no hedonista, personalidad esquizoide. Estos pacientes se diferencian de los neuróticos clásicos (como los histéricos o los obsesos) en que su expresión instintiva se hiper-desarrolla en tanto que el superego y los ideales del ego son reprimidos. De este modo se permite todo tipo de licencias sexuales; únicamente permanece prohibido el sentido de culpabilidad [34].

En resumidas cuentas, podemos decir que las neurosis clásicas se desarrollan en un marco social de conflictos estructurados entre generaciones y sexos. Cuando una sociedad suministra un sistema de autoridad relativamente estable (y reglas también estables de rebelión contra esa autoridad), la lucha se centra sobre los que controlan las expresiones instintivas y las circunstancias en las que éstas son permitidas. En cambio, los trastornos narcisistas se producen en marcos en los que se han aminorado, o incluso hecho desaparecer, las diferencias entre las generaciones o entre sexos, y en los que el control autoritario de las expresiones instintivas se convierte en problema menor. En estos casos, son las relaciones y los compromisos íntimos los que se convierten en focos de tensión y de conflictos neuróticos. Se ha puesto de moda aplicar el término clínico «carácter narcisista» a la escena social y política. El hombre proteico de Lifton muestra un narcisismo patológico. Es «superficial al manipular las impresiones que intenta dar de sí mismo a los otros, está hambriento de ser admirado, pero desprecia a todos aquellos a los que manipula para conseguir esta admiración; tiene un hambre insaciable de experiencias emocionales que le permitan llenar un vacío interior, tranquilizar una angustia provocada por el temor a la muerte y al envejecimiento» [35].

Tanto los que sostienen como los que niegan esta versión del hombre actual, coinciden en que una profunda crisis de las instituciones sociales ha provocado diferentes situaciones críticas en el individuo. Esta formulación plantea un problema imponente para la psiquiatría social. El modelo de curación ritual, basado en el reestablecimiento del enfermo individual en el centro de su propio grupo social, no puede seguir funcionando cuando los nexos sociales son variables y cam-

---

[34] A. Wheelis, *The Quest for Identity* (New York, 1958), y N. D. Lazar, «Nature and Significance of Changes in Patients in a Psychoanalytic Clinic», *Psa. Q.*, 44 (1975): 127-38, cree que en relación con las condiciones sociales cambiantes están surgiendo nuevas entidades clínicas. Para un estudio del carácter narcisista ver H. Kohut, *The Analysis of the Self* (New York 19, 1971). Ver también L. Spiegel, «Youth, Culture, and Psychoanalysis», *Am. Im.*, 31 (1974): 206-231. Para comentarios sobre este tipo de carácter en la antigüedad clásica (especialmente Roma), ver C. Ducey y B. Simon, «Ancient Greece and Rome», en *World History of Psychiatry*, ed. J. G. Howells (New York, 1974), págs. 1-38.

[35] C. Lash, «The Narcissist Society», *New York Review of Books*, 30 de septiembre, 1976, págs. 5-13.

biantes. El yo de múltiples caras que contemplamos en el arte moderno, el hombre collage, son los equivalentes de las instituciones y los valores cambiantes.

Mi opinión particular, que se puede formular pero no especificar minuciosamente, es que la noción de hombre proteico sirve para funciones terapéuticas y psiquiátrico sociales. Suministra un *ego* ideal compartido y un sentido comunitario a un amplio espectro de personas que se encuentran aterradas y descolgadas de las comunidades existentes (el «establishment», la familia, la universidad). De hecho, este tipo de ideal, lejos de ser revolucionario, es un aspecto de la curación ritual. Es, en términos de Víctor Turner, un rito de «anti-estructura» que facilita atravesar, especialmente a los jóvenes, tiempos difíciles y tumultuosos. Es difícil predecir si de este largo viaje ritual pueden emerger nuevas formas de estructuración social y psíquica, o si aparecerán nuevos tipos de terapia estables y duraderos.

¿Pueden ser integrados los modelos psiquiátrico-sociales y los psicoanalíticos?

La integración de los modelos psicoanalíticos y psiquiátrico-sociales todavía no ha sigo conseguida, a pesar de importantes esfuerzos realizados en los últimos años en este sentido. Se puede observar cierto grado de integración en el modo como trabajan muchos psiquiatras. Sin embargo creo que esta apariencia de integración es una ilusión, que se basa en la habilidad que poseen algunos psiquiatras para utilizar distintas chaquetas y adaptarse a los cambios rápidos que se operan entre las distintas escenas. El origen de esta dificultad se descubre con facilidad. La mayor limitación del modelo psiquiátrico-social es su carencia de una teoría que explique la transformación de las fuerzas sociales que puede llegar a operar la mente del individuo. El individuo de este modelo es un constructor hipotético: una unidad, algo parecido a lo infinitesimal en cálculo, que permite que la teoría funcione. La mente de ese tipo de individuo es un agente pasivo en gran medida, que registra y responde, pero no transforma ni innova. De hecho, el modelo psiquiátrico-social no es capaz de explicar con facilidad cómo deben ser los psiquiatras sociales. Para que una persona pueda alcanzar la distancia suficiente de su propia área social para llegar a diagnosticar y comprender sus dificultades, es necesaria una teoría de la mente y de la persona más compleja que la que se encuentra en el modelo psiquiátrico-social. Que esta limitación sea o no sea inevitable es algo que no está claro en esta coyuntura.

El modelo psicoanalítico, en cambio, carece de una teoría adecuada para explicar el fenómeno social. A medida que la teoría psicoanalítica se aproxima hacia situaciones en las que el número de agentes se multiplica, se va haciendo poco a poco menos apropiada para formular y predecir situaciones correctamente. La teoría psicoanalítica, tal y como la encontramos en la actualidad, establece suposiciones simplificadas sobre el modo en que las fuerzas del pasado y del presente afectan a la persona. Estas suposiciones corren el peligro de convertirse en simplistas, más que en simplificadoras, sobre todo cuando las extraemos de la experiencia clínica inmediata. El modelo psicoanalítico postula que en la persona se encuentran dos agentes psíquicos sensibles a las fuerzas sociales, el *ego* y el *superego,* y un agente que es reacio a ellas, el *id.* Dicho modelo tiene escasa capacidad para dar cuenta de las regularidades del comportamiento del grupo. Más allá de esto, tanto el modelo psicoanalítico como el psiquiátrico-social, aportan explicaciones de su poder terapéutico que son inadecuadas o inexactas.

Es evidente que nos podríamos ver abocados a afrontar una posición de complementariedad estricta: aunque el psicoanálisis y el modelo psiquiátrico-social se utilizan para describir al hombre, no se pueden emplear al mismo tiempo. El hombre como sujeto y el hombre como objeto sólo se pueden estudiar alternativamente o en sucesión [36].

Ninguna de estas observaciones se propone ofender los diferentes intentos de integrar los dos modelos. Los esfuerzos de aquellós que han trabajado en áreas tan diversas como la psicología del *ego,* la psicohistoria (al igual que la psicoantropología y la psicosociología), la teoría de la información y la teoría general de sistemas, y en las relaciones entre la teoría del aprendizaje y el psicoanálisis, han hecho progresar nuestro conocimiento de la naturaleza del individuo y de la sociedad [37]. Todos estos intentos representan inequívocos avances y su-

---

[36] Ver G. Devereux, *Ethnopsychanalyse complementariste* (París, 1972).

[37] H. Hartmann, y R. M. Loewenstein, «Papers on Psychoanalytic Psychology», *Psychological Issues,* 14, n.° 2 (1964), y H. Hartmann, *Essays on Ego Psychology* (New York, 1965); F. Weinstein y G. Platt, *Psychoanalytic Sociology* (Baltimore, 1973) y mi recensión en *Psa. Q.,* 43 (1974): 668-74. Para un enfoque antropológico ver G. Devereux, *Mohave Ethnopsychiatry and Suicide* (Washington, D. C., 1961); *Essais d'ethnopsychiatrie générale,* 2.ª edc. (París, 1973), *Ethnopsychanalyse complementariste,* y el anuario *Psa. Study Soc.* Para investigacion es de psicohistoria ver B. Mazlish, «Psychiatry and History», en *American Handbook of Psychiatry,* edc. S. Arieti, 2.ª edc. (New York, 1974), vol. 1, págs. 1.034-45, y R. J. Lifton, y E. Olson, edts., *Explorations in Psychohistory* (New York, 1974), con la Introducción de N. Birnbaum en favor de una aproximación marxista, (págs. 182-213). Ver también R. Jacoby, *Social Amnesia: A Critique of Conformist Psychology from Adler to Laing* (Boston, 1975), sobre todo para el trabajo de la escuela de Frankfurt (Adorno, Horkheimer, Marcuse, y otros). Sobre teoría de la información ver E. Peterfreund y E. Franceschini, «On Information, Motivation, and Meaning», en *Psychoanalysis and Contemporary Science,* ed. B. B. Rubinstein (New York, 1973), vol. 2, y E. Peterfreund, *Information, Systems, and Psychoanalysis* (New York, 1971). Para unas críticas de estas obras ver la recensión de L. Friedman en *Int. J. Psa.,* 53 (1972): 547-54, y las cartas al editor en ibidem, 56 (1975): 123-29. Sobre teoría general de sistema ver, L. Von Bertalanffy, *Organismic Psychology and System Theory* (New York, 1968), y J. G. Miller, «Genera Systems Theory», *CTP²,* págs. 75-88. Sobre la teoría de relaciones de los objetos ver W. R. D. Fairbairn, *Psychoanalytic Studies of the Personality* (London, 1966), y H. Guntrip, *Personality Structure and Human Interaction,* (New York, 1964). Sobre teoría del aprendizaje y psicoanálisis ver, L. Birk y A. W. Brinkley-Birk, «Psychoanalysis and Behavior Therapy», *Am. J. Psychiat.,* 131 (1974): 499-501; W. W. Meissner, «The

peraciones del esquema tipificado por la «*República*» de Platón, en el cual se sostiene que la psique y la sociedad tienen estructuras congruentes y que, por lo tanto, tienen que ser unificadas.

Tampoco somos libres para abandonar este trabajo sólo porque no seamos capaces de completarlo. Descubro dos campos donde la fusión de los modelos psiquiátrico-social y psicoanalítico es de primerísima importancia. El primero lo constituye la posibilidad de desarrollar una psicoterapia aplicable universalmente, que sea independiente de la cultura, o, cuando menos, culturalmente neutro; que se base en el comunitarismo de la psique humana para todas las culturas, aunque reconozca que cada psique humana existe en una cultura concreta. Una psicoterapia de este tipo constituiría, no me cabe ninguna duda al respecto, un logro de lo más apasionante. A medida que el mundo se vuelve más y más pequeño según aprendemos más y más datos sobre las características que unen a la humanidad, deberemos esforzarnos en desarrollar un tipo de tratamiento de todos esos trastornos que significan que el hombre se encuentra dividido contra sí mismo y contra sus vecinos.

El segundo campo es el primer problema delineado en *La República* de Platón sobre el establecimiento de estructuras sociales, económicas y políticas en las que la psique humana pueda desarrollarse bien y alcanzar su más plena potencia. Es aquí donde el modelo psicoanalítico del hombre interiorizado y el modelo psiquiátrico-social del hombre como animal político, deben definir al unísono las condiciones bajo las cuales la psique y el estado se pueden llegar a unir auténtica y armoniosamente. Todavía no sé cómo podremos encontrar una solución a todos estos problemas, pero sí sé que vale la pena continuar la investigación y utilizar todos nuestros medios, ingenio e imaginación para resolver estas dificultades. Al hacerlo así, nosotros mismos nos otorgaremos nuestras propias recompensas: el placer de buscar la verdad y el saber que nos esforzamos en encontrarla.

Recordemos el mensaje que se nos comunica en las últimas líneas de *La República,* el intento de Platón por encontrar la forma de gobierno situada dentro del hombre, y por descubrir al hombre que está dentro de la forma de gobierno. Sócrates pone término al relato contado por Er, el relato de cómo, después de la muerte, las psiques tendrán la oportunidad de elegir la vida que prefieran para las siguientes reencarnaciones. Sócrates nos apremia para que recordemos este relato y para que asumamos sus enseñanzas con intensidad:

> Y así, Glaucos, el relato se salvó y no se perdió, y del mismo modo es posible que nos salve a nosotros si aceptamos sus enseñanzas. Podremos vadear sin peligros el río del Olvido y no perder nuestra psique. Si dejáis que yo os convenza, y consideráis inmortal a la psique y capaz de resistir todas las formas del bien y el mal, segui-

---

Role of Imitative Social Learning in Identificatery Processes», *J. Am. Psa.,* 22 (1974): 512-36, en donde se encontrarán referencias a sus otros artículos.

remos continuamente el camino que nos lleva más arriba y practicaremos la justicia con sabiduría en todos los sentidos. Y de este modo nos amaremos a nosotros mismos y a los demás, tanto en esta vida como cuando más adelante recojamos las recompensas al igual que los vencedores olímpicos que recogen sus premios. Y así todo nos irá bien aquí y en ese viaje de mil años, a través del cual yo os he guiado [38].

[38] Traducción mía, basada en la traducción de A. Bloom, *The Republic of Plato* (New York, 1968), pág. 303.

INDICE GENERAL

Títulos publicados de la

COLECCION AKAL UNIVERSITARIA (Formato 13,5 × 22)

1. *Curso de Lingüística general,* Ferdinand de Saussure
2. *Arqueología y sociedad (Reconstruyendo el pasado histórico),* Grahame Clark
3. *Derecho del trabajo e ideología (Medio siglo de formación ideológica del Derecho español del trabajo,* 1873-1923), M. Carlos Palomeque
4. *La segunda servidumbre en Europa Central y Oriental,* S. D. Skazkin, Jerzy Topolski, Johannes Nichtweiss, A. Otetea, Kveta Mejdricka, M. V. Netchkina, Zs. P. Pach
5. *La sociedad micénica,* Massimiliano Marazzi
6. *Tecnología prehistórica (Estudios de las herramientas y objetos antiguos a través de las huellas de uso),* S. A. Semenov
7. *Sociedad y cultura de la Antigua Mesopotamia,* Josef Klíma
8. *Estudios sobre historia antigua,* M. I. Finley
9. *La transición del esclavismo al feudalismo,* Marc Bloch, Moses I. Finley, E. V. Gutnova, S. I. Kovaliov, A. M. Prieto Arciniega, S. Mazzarino, M. Staerman, Z. W. Udaltsova, Max Weber. Prólogo y bibliografía de Carlos Estepa
10. *Estudios sobre la Revolución francesa y el final del antiguo régimen,* D. Richet. S. Chaussinand-Nogaret, F. Gauthier, R. Robin, A. Soboul, M. Grenon, J. Guilhamou, A. Casanova, Cl. Mazauriac
11. *Del Helenismo a la Edad Media,* Ranuccio Bianchi Bandinelli
12. *Lorca: Interpretación de «Poeta en Nueva York»,* Miguel García-Posada
13. *La Tierra, planeta viviente,* Jean Tricart
14. *Peligrosidad social y Estado de derecho,* Juan Terradillos
15. *Teoría de la Literatura,* Boris Tomachevski. Prólogo de Fernando Lázaro Carreter
16. *Geografía histórica de Europa Occidental en la Edad Media,* V. V. Samarkin
17. *Psicopatología,* B. V. Zeigarnik

18. *Psicología de la fantasía,* I. M. Rozet
19. *Historia agraria romana,* Max Weber
20. *El marxismo y los estudios clásicos,* G. E. M. de Ste. Croix, R. L. Frank, Paul Cartledge, Robert A. Padgug, Heinrich von Staden, David Konstan, Chester F. Natunewicz
21. *La huelga con ocupación de lugar de trabajo,* Ignacio García-Perrote
22. *Las sociedades multinacionales y los sindicatos ante el Derecho Internacional,* A. Pérez Voituriez
23. *La C N T en los años rojos* (*Del sindicalismo revolucionario al anarco sindicalismo,* 1910-1926), Antonio Bar
25. *Historia de una democracia. Atenas,* Claude Mossé
26. *La crisis del siglo III y el fin del Mundo Antiguo,* J. Fernández Ubiña
27. *Estado y clases en las sociedades antiguas,* S. L. Utchenko, J. M. Diakonoff, A. L. Oppenheim. W. D. Blawatsky, Emilio Sereni, J. Harmatta
28. *Historia y presente de la homosexuaxlidad,* Alberto García Valdés
29. *La Albufera y sus hombres,* Ricardo Sanmartín Arce
30. *Los amos de la información en España,* Enrique Bustamante Ramírez
31. *La guerra de los 100 años,* Edouard Perroy
32. *Liberación y utopía,* M.ª A. Durán, C. Amorós Puente, V. Demonte, C. Fernández Villanueva, C. Segura Graíño, A. García Ballesteros, J. Iglesias de Ussel, J. J. Ruiz-Rico, R. Nemesio, M.ª Dolores Vaticón, A. G. Valdecasas, C. Bernis Carro, C. Cámara González
33. *Contrato de trabajo y ordenamiento jurídico,* José Cabrera Bazán
34. *El Santo oficio de la Inquisición de Galicia 1560-1700 (Poder, sociedad y cultura),* Jaime Contreras Contreras
35. *Abertzales y vascos,* José A. Garmendía, Francisco Parra Luna, Alfonso Pérez-Agote
36. *Nacionalismo gallego. La ideología de Vicente Risco,* F. Bobillo
37. *El suicidio,* E. Durkheim
38. *Formas elementales de la vida religiosa,* E. Durkheim
39. *División del trabajo social,* E. Durkheim
40. *Democracia y relaciones laborales,* Gabriel García Becedas
41. *Nacionalsindicalismo y relación de trabajo,* A. V. Sempere Navarro
42. *Galicia, sistema de partidos y comportamiento electoral 1976-1981,* J. González Encinar
43. *Introducción a la política exterior de España,* J. Carlos Pereira
44. *Ensayos sobre medicina preventiva,* F. J. Yuste Grijalba
45. *Introducción a la arqueología,* R. Bianchi Bandinelli
46. *Los jardines de Adonis, Marcel Detienne*
47. *El desarrollo del psiquismo,* Alexis Leontiev
48. *El dinero, objeto fundamental de la sanción penal,* H. Roldán Barbero
49. *La cultura en el Argar,* Vicente Lull
50. *Lingüística fundamental,* Juan M. Alvarez
51. *Movimientos populares en Italia, siglos XIV-XV,* Viktor Rutemburg
52. *La vegetación en la tierra,* A. Huetz de Lemps
53. *Antropología cultural de Galicia,* Carmelo Lison Tolosana

54. *Brujería, estructura social y simbolismo,* Carmelo Lison Tolosana
55. *Historia del Estado Bizantino,* G. Ostrogorsky
56. *Esparta y sus problemas sociales,* Pavel Oliva
57. *La enseñanza, su teoría y su práctica,* A. Pérez Gómez, J. Gimeno Sacristán y otros
58. *Reprimir y liberar,* Carlos Lerena Alesón
59. *La voluntad de fragmento,* Ramón Reyes
60. *Las nuevas formas de organización del trabajo: Un análisis sobre su viabilidad,* M. Alcaide Castro
61. *Economía de la Edad de Piedra,* Marshall Sahlins
62. *1934. Movimiento revolucionario de octubre,* Amaro del Rosal Día
63. *Materiales para una Constitución,* Lorenzo Martín-Retortillo